Sir Wilfrid Laurier

Photo de la page couverture:
Laurier lors de son dernier voyage dans l'Ouest Canadien, en 1910 (ANC, C 15568)

Données de catalogage avant publication (Canada)

LaPierre, Laurier L.
Sir Wilfrid Laurier
Traduction de: Sir Wilfrid Laurier and the romance of Canada.
1. Laurier, Wilfrid, Sir, 1841-1919. 2. Canada - Politique et gouvernement - 1896-1911. 3. Premiers ministres - Canada - Biographies. I. Titre.
FC551.L3L3614 1997 971.05'6'092 C97-940132-1
F1033.L3614 1997

DISTRIBUTEURS EXCLUSIFS:

- Pour le Canada et les États-Unis:
LES MESSAGERIES ADP*
955, rue Amherst,
Montréal, Québec H2L 3K4
Tél.: (514) 523-1182
Téléc.: (514) 939-0406
* Filiale de Sogides ltée
- Pour la Belgique et le Luxembourg:
PRESSES DE BELGIQUE S.A.
Boulevard de l'Europe 117
B-1301 Wavre
Tél.: (10) 41-59-66
(10) 41-78-50
Téléc.: (10) 41-20-24
- Pour la Suisse:
TRANSAT S.A.
Route des Jeunes, 4 Ter
C.P. 125
1211 Genève 26
Tél.: (41-22) 342-77-40
Téléc.: (41-22) 343-46-46
- Pour la France et les autres pays:
INTER FORUM
Immeuble Paryseine, 3 Allée de la Seine,
94854 IVRY CEDEX
Tél.: (01) 49.59.11.89/91
Téléc.: (01) 49.59.11.96
Commandes: Tél.: (02) 38.32.71.00
Télécopieur: (02) 38.32.71.28

L'ouvrage original canadien-anglais a été publié par Stoddart Publishing Co. Limited
sous le titre *Sir Wilfrid Laurier and the Romance of Canada*

Dépôt légal: 1er trimestre 1997
Bibliothèque nationale du Québec

ISBN 2-7619-1364-7

LAURIER L. LAPIERRE

Sir Wilfrid Laurier

Portrait intime

Traduit de l'anglais
par Jacques Vaillancourt

À Dominic, Thomas, Cary et Laura

L'union entre les peuples, le secret de l'avenir.
Bien de puissantes nations pourraient ici
venir chercher une leçon de justice et d'humanité.

WILFRID LAURIER, 1864

Remerciements

Tandis que je redécouvrais la vie de Laurier, j'ai bénéficié du concours de bon nombre de personnes auxquelles je souhaite exprimer ma gratitude.

Mon agent, Bruce Westwood, de la société Westwood Creative Artists, est un homme bon et chaleureux, un agent prévenant et persévérant, et aussi un ami. Je le remercie.

Nicole Keefler, recherchiste hors pair, observatrice perspicace de la vie, passée et présente, a le don de distinguer l'essentiel de l'accessoire; elle m'a fait rester sur la bonne voie. Je la remercie.

Rosemary Shipton a corrigé mon ouvrage avec courage, respect et générosité. C'est à son extraordinaire talent, voire à son génie, que mon livre doit sa lisibilité. Je la remercie.

Durant la préparation de cette biographie, Nicole Keefler et moi avons bénéficié de la coopération attentionnée des dirigeants et du personnel de nombreux musées, archives, lieux historiques et bibliothèques. Nous les remercions de nous avoir généreusement offert leurs conseils, leur aide et leur temps. Nous souhaitons remercier plus particulièrement Annette McConnell du musée McCord de Montréal, Jennifer Fong de la maison Laurier de Saint-Lin, Stéphanne Boily et Richard Pedneault de la maison Laurier d'Arthabaska, le père Laliberté et Anne Leblanc du collège de l'Assomption, Sharon Shipley et Jack D'Aoust de la Bibliothèque nationale du Canada, Stephen Davis de Parcs Canada, Harvey Slack du Fonds canadien, et Georges Lagacé de la maison Laurier d'Ottawa.

J'exprime également toute ma gratitude à Jean Pigott, à Susan Scotti, à Guy Côté, à Martin Hunter, au révérend Paul Lapierre, ainsi qu'à ma famille d'Ottawa.

Avant de commencer votre lecture...

Il faut que je vous raconte l'histoire de Wilfrid Laurier. Vous voyez, il fait partie de ma vie depuis le jour où ma grand-mère paternelle, une libérale irréductible qui l'avait un jour aperçu de loin, a ordonné à mes parents de me baptiser du nom du grand homme qu'elle admirait tant.

Durant ma jeunesse, je n'ai, bien entendu, prêté aucune attention à cet homme. Mes aînés parlaient de lui de temps à autre, mais il n'éveillait en moi aucun intérêt. Ce n'est qu'après m'être inscrit à la faculté d'histoire de l'université de Toronto, où je recevrais un jour un doctorat, que j'ai commencé à remarquer cet homme — grand, beau, à la fois poétique et dramatique — qui habite notre histoire, en tant que premier ministre et homme d'État des deux premières décennies du XXe siècle. Cependant, Laurier n'a commencé à imprégner mon esprit qu'après que j'ai eu découvert le Canada, au début des années 1960, par le biais de l'émission télévisée *This Hour Has Seven Days.* Il m'a inspiré l'amour que j'en suis venu à porter à mon Canada. Il a nourri cet amour en moi, et a suscité les paroles et les images dont je me sers au cours des innombrables allocutions et rencontres que je fais d'un bout à l'autre du pays.

Pourtant, jusqu'en 1993, je n'avais jamais ressenti le besoin pressant d'écrire l'histoire de sa vie. Ce besoin ne s'est manifesté qu'après l'effondrement de l'accord de Charlottetown à la suite du référendum de 1992. J'étais fier d'appuyer le nouvel accord constitutionnel mis de l'avant, car je savais dans mon cœur et dans mon esprit qu'il contribuerait à dénouer notre crise nationale. Plus important encore, cet accord me paraissait être le projet de pays du XXIe siècle qui confirmerait une fois pour toutes ma vision du Canada comme le prototype des ensembles politiques du prochain millénaire.

Un jour, au beau milieu de la dépression que m'a causée cette panne de cœur nationale, j'ai lu un article sur la création en 1905 de l'Alberta et de la Saskatchewan par le gouvernement fédéral. Une phrase de Laurier m'a frappé. Le moment était venu, disait-il, de marquer du sceau de la nationalité canadienne les terres qui s'étendent à l'infini entre le Manitoba et les

Rocheuses. Aussitôt que j'ai lu cette remarque, ma dépression s'est dissipée comme toutes les autres que j'avais vécues auparavant, emportée par le torrent de ma résolution.

Il faut dire que c'est un fameux concept que celui du sceau de la nationalité canadienne. Laurier avait certainement consacré une bonne partie de sa vie à le concevoir et à en marquer, où qu'il aille, tous ses propos et tous ses gestes en tant que chef du Parti libéral (1887-1919) et en tant que premier ministre du Canada (1896-1911).

Qu'est-il donc advenu de ce sceau aujourd'hui, dans les années 1990? Nous sommes au seuil d'un nouveau siècle: nous avons besoin d'une inspiration si nous voulons y apposer notre marque. Nous traversons une période tourmentée: nous avons besoin de la confirmation de la valeur du Canada. Nous sommes au bord de la désunion: il nous faut affirmer notre avenir par la réconciliation. Nous habitons une planète où règnent l'insécurité et la division: nous avons besoin d'une vision des choses fondée sur la justice et l'humanité. À ce moment de notre histoire, rien ne pourrait nous faire plus de bien qu'une biographie de Wilfrid Laurier qui serait l'expression passionnée du type d'homme qu'il était, de l'époque où il a vécu, et de la vision qu'il nourrissait, telle «une colonne de feu la nuit et une colonne de nuée le jour».

Le moment est enfin venu pour moi de vous raconter son histoire.

~

Bon nombre de savants traités, ouvrages et essais ont été consacrés à Laurier. Si exhaustifs qu'ils puissent être, ils ont beaucoup plus parlé de sa vie politique que de sa vie personnelle, à part son idylle avec Émilie Lavergne. Même si je dois parler de politique, je ne le fais qu'accessoirement, car elle n'a aucune importance sans la dimension personnelle de Laurier. Pour que sa vie ait une valeur pour notre époque, je dois, dans la mesure du possible, redécouvrir Laurier dans l'intimité de son âme. Je dois aussi découvrir ce qu'il a caché à son entourage. Et, par-dessus tout, je dois mesurer ce que ses gestes officiels lui ont coûté en bien-être personnel. Pour ce faire, je dois lire entre les lignes et reconstruire les relations, les événements, les circonstances et les moments qui ont le plus marqué sa vie.

Je cite abondamment ses discours les plus importants. Les propos de Laurier comptaient; ils avaient du poids à leur époque; ils ajoutaient à un moment ou à une décision; ils influaient sur l'action et poussaient toute une nation. Aujourd'hui, ses propos ont le même effet. Nous, Canadiens et *Canadians*, devons laisser ces propos et leur esprit pénétrer nos âmes et y allumer une ferveur sincère pour notre terre, notre peuple, notre pays.

LAURIER L. LAPIERRE, OC
Ottawa, juillet 1996

Première partie

«Viens tout de suite!»
1841-1896

1

Pour l'amour de Zoé

Le télégramme arriva le mardi 12 mai 1868, vers la fin de l'après-midi. Wilfrid Laurier pratiquait le droit dans une petite ville de la région des Bois-Francs, au Québec.

Âgé de 27 ans, c'était un homme de grande taille et de belle apparence, mais affreusement maigre. Ses épais cheveux châtains, naturellement ondulés, qu'il coiffait vers l'arrière en une seule grosse vague, laissaient voir un front haut et des oreilles finement ciselées. Son nez long et étroit surplombait une bouche que l'on ne pouvait qualifier autrement que de sensuelle, impression renforcée par son menton légèrement saillant. Si la séduction caractérisait ses lèvres, le romantisme habitait ses yeux. Ceux-ci, à peu près de la même couleur que ses cheveux, étaient enfoncés; des sourcils en broussaille et de longs cils foncés mettaient en valeur la pâleur de sa peau. Il souffrait souvent d'affections pulmonaires, faiblesse qui avait déjà emporté sa mère et sa sœur.

Deux jours plus tard, il devait plaider une cause importante qui pourrait lancer pour de bon sa carrière. Il ouvrit le télégramme, regarda longuement la signature, lut rapidement le message en se renfrognant: «Viens à Montréal tout de suite, j'ai quelque chose de très grave à te dire. Séraphin Gauthier.»

Qu'y avait-il donc de si urgent? Zoé, sûrement. Il décida d'abord de ne pas y aller. Plus tard dans la soirée, un autre télégramme arriva: «Oublie ton condamné, c'est ton sort à toi qui se joue ici.»

Il était déjà 23 h 30. Laurier se ravisa. Il pouvait toujours travailler dans le train; cela lui ferait du bien de revoir les Gauthier et de déterminer où il en était avec Zoé. Un train partait quarante minutes plus tard. Il ferait le voyage de six heures à destination de Montréal.

~

Wilfrid Laurier rencontra Zoé Lafontaine à l'automne de 1861, quand il arriva à Montréal pour fréquenter la faculté de droit de l'Université McGill. Il était alors âgé de 20 ans; Zoé avait cinq mois de plus que lui.

Les Laurier n'avaient pas de famille à Montréal, mais la mère de Wilfrid avait eu autrefois une amie intime à Saint-Lin, qui avait déménagé dans la métropole. Vers la fin de sa maladie, Marcelle Laurier s'était liée d'amitié avec la femme de son médecin traitant, Phoebé Gauthier. Avant de mourir, Marcelle avait demandé à Phoebé de garder un œil sur Wilfrid et de l'aider de son mieux dans ses études. Phoebé avait accepté. Cependant, en 1849, un an après la mort de Marcelle, le mari de Phoebé était mort lui aussi, et celle-ci avait dû quitter Saint-Lin et s'établir à Montréal. Phoebé avait épousé en secondes noces un cousin de son défunt mari, Séraphin Gauthier, plus jeune qu'elle. Entre 1849 et le moment où elle ouvrit à Wilfrid et à son père, Carolus, la porte de sa maison du 25, rue Saint-Louis, tout près du Champ-de-Mars, Phoebé n'avait jamais revu les Laurier. Elle était toutefois restée en contact avec le curé de Saint-Lin, qui avait donné son adresse à Carolus. Wilfrid n'avait gardé aucun souvenir d'elle. Elle fut étonnée de constater qu'il était devenu un séduisant jeune homme. Quand elle le vit sur le pas de sa porte, elle se souvint de la promesse qu'elle avait faite à la mère de Wilfrid. Autour d'une tasse de thé, elle et Carolus convinrent d'un prix pour la pension du jeune homme, laquelle serait payée en argent et en nature.

La maison où Wilfrid vivrait se trouvait dans un quartier bruyant situé entre la rue Saint-Hubert et la ruelle Berry, où chaque printemps le Saint-Laurent inondait les sous-sol, et empuantissait les maisons. Celle de Phoebé était sombre, froide et humide, sans chauffage central. Il y avait un sous-sol, un rez-de-chaussée et deux étages. Au sous-sol se trouvait la cuisine, divers débarras et la salle de bain. Le salon et la salle à manger occupaient le rez-de-chaussée. Au premier habitaient les Gauthier et les Lafontaine, ces derniers disposant d'une petite pièce et d'un salon. La chambre de Wilfrid, où il devrait également étudier, se trouvait au dernier étage et sa petite fenêtre donnait sur la rue. La pièce était étroite et triste, surtout l'hiver. Phoebé demanda à Wilfrid de rapporter de Saint-Lin son lit, un fauteuil, une commode et un bureau. Elle lui dit que, de temps en temps, d'autres pensionnaires occupaient les chambres du dernier étage. Wilfrid eut vite fait de comprendre que les Gauthier avaient besoin d'argent.

Une fois le marché conclu, les Laurier rentrèrent à Saint-Lin en voiture. Wilfrid revint à Montréal la première semaine de septembre. Dès son arrivée rue Saint-Louis, il découvrit que la vie chez les Gauthier ne serait pas de tout repos. Séraphin, qui avait à peu près dix ans de plus que lui, était commis dans une pharmacie et faisait des études de médecine. Le couple Gauthier avait trois enfants: Emma, Annette et Louis. De plus, le frère de Séraphin, Stanislas, ainsi qu'une femme du nom de Lafontaine et sa fille Zoé, habitaient aussi la maison. À sa première visite durant l'été de 1861, Wilfrid n'avait rencontré que Phoebé Gauthier. Les autres habitants de la maison, cependant, étaient tous là pour l'accueillir quand il arriva à Montréal en septembre pour entamer son premier semestre à McGill.

Wilfrid vécut à cette adresse durant les années universitaires 1861-1862 et 1862-1863. Les Gauthier, qui déménageaient presque tous les ans, partirent ensuite plus à l'est et emménagèrent au 70, rue St. Mary, lieu guère plus attrayant que le précédent. Wilfrid les suivit. À cette nouvelle adresse, les arrangements étaient les mêmes. Madame Lafontaine — séparée de son mari, Godfrey-Napoléon Lafontaine — était morte entre-temps, mais Zoé avait continué de vivre avec les Gauthier, en échange de travaux ménagers et de leçons de piano données aux enfants, tâche que sa mère assumait auparavant. Le seul bien de valeur que possédât Zoé, c'était son piano.

Zoé Lafontaine était une musicienne accomplie. Elle jouait remarquablement bien du piano, et l'enseignait encore mieux. Elle était patiente et constante. Toute la famille l'adorait, surtout Emma. Même si les Gauthier étaient loin d'être riches, ils étaient hospitaliers. Leurs enfants ramenaient souvent des amis à la maison, surtout le dimanche après-midi. Séraphin invitait des collègues qui, comme lui, étudiaient pour accéder à des professions libérales, et Phoebé servait souvent le thé à des personnes intéressantes qu'elle avait rencontrées dans la rue en faisant ses courses. On offrait un peu à manger et à boire, mais les invités ne venaient pas pour cela. Ils venaient se détendre, rire, bavarder, chanter et même danser. Zoé, la pianiste, se trouvait souvent au centre de ces activités. Elle jouait du piano, faisait chanter les invités et les égayait. De temps en temps, son père, qui commençait à réapparaître dans sa vie, venait avec sa nouvelle femme.

Il arrivait à Wilfrid d'assister à ces réunions. Parfois, il ramenait un ami ou deux, généralement des «rouges». Séraphin, qui éprouvait une certaine sympathie pour les idées radicales des libéraux mais n'avait pas le temps de participer à des activités politiques, était enchanté, et une conversation sérieuse s'ensuivait. Celle-ci prenait fin quand les jeunes gens se rassemblaient autour du piano et se mettaient à chanter à pleins poumons. C'est ainsi que Wilfrid commença à connaître Zoé, à l'admirer, à s'amuser en sa compagnie et à l'aimer. Il en était de même pour elle.

Dès le départ, ils étaient plutôt bien assortis. Elle était aussi timide que lui. Elle comprenait ce que sa toux chronique lui faisait endurer et faisait son possible pour le soulager durant ses crises. Quand Zoé jouait du piano pour toute la famille et que Wilfrid se trouvait là, elle aimait sentir les yeux rêveurs du jeune homme plonger dans les siens. Quant à lui, il se sentait réconforté par la compagnie de la jeune fille. Il la trouvait sans prétention, mais certes non dénuée d'humour; courageuse et capable de s'affirmer doucement; à la fois affable et réservée; d'une beauté qui éveillait en lui des émotions qu'il avait rarement sinon jamais ressenties auparavant. Il aimait sa bouche, petite et fragile, et l'arrondi de son visage; par-dessus tout, il s'émerveillait devant ses grand yeux ronds et dorés. Il ne pourrait jamais se lasser de s'y noyer! Pourtant, il aurait aimé qu'elle s'habillât plus élégamment; qu'elle se parât de rubans et de couleurs; qu'elle coiffât ses cheveux autrement qu'avec une raie droite au milieu de la tête. Zoé avait l'air si sévère! Elle ne lisait pas beaucoup, mais les auteurs dont Wilfrid lui parlait la fascinaient, bien que plusieurs d'entre eux fussent mis à l'index. Souvent, elle et lui parlaient de religion. Ni l'un ni l'autre n'y trouvait de satisfaction. Aux yeux de Wilfrid, Zoé était trop zélée dans sa pratique religieuse et manquait d'esprit critique devant ce qui était exigé d'elle. De son côté, Zoé déplorait que Wilfrid n'aille pas à la messe, qu'il critique avec ardeur et impatience presque tous les ecclésiastiques et leurs pratiques, et qu'il refuse de revenir dans le giron de sa foi. Il se montrait souvent impatient avec elle à ces propos; elle battait alors en retraite, triste et maussade, ce qui faisait croire à Wilfrid qu'il était sans «aucune volonté, aucun sentiment», comme il le lui écrivit un jour.

La modestie de Zoé et leurs différences en matière de religion ne faisaient toutefois pas obstacle à leur attirance mutuelle. Peu à peu — encouragés par les romantiques Gauthier — ils se trouvèrent de plus en plus souvent seuls, et leur amour s'épanouit en une relation. Ils finirent par tenir pour acquis qu'ils se marieraient un jour et qu'ils vivraient heureux ensemble jusqu'à la fin de leur vie. Tous les Gauthier étaient d'accord là-dessus, sauf Phoebé qui craignait que la maladie de Wilfrid ne pût être enrayée. Wilfrid, beaucoup plus qu'il n'était prêt à le reconnaître, était aussi de cet avis, même quand il chantait ou qu'il dansait un quadrille avec Zoé; qu'il se promenait l'été avec elle bras dessus, bras dessous; qu'il s'asseyait silencieusement à ses côtés et qu'il lisait; ou qu'il lui contait fleurette.

Wilfrid n'oubliait jamais que son mal avait fait souffrir sa famille, avait emporté sa mère et sa sœur, et le rongeait maintenant. Il ne cessait jamais de craindre ce démon en lui, qu'il finit par trop bien connaître. Il en reconnaissait les symptômes plus que le nom: il souffrait d'une toux sèche depuis des années; il était toujours pâle, et cette pâleur s'accentuait avec l'âge; il était souvent triste sans raison et indifférent à ce qui se passait autour de lui. L'un de ses amis a un jour dit que, à cette époque, Laurier «marchait parmi nous, l'ombre de lui-même». Wilfrid était convaincu d'avoir la tuberculose. Phoebé et Zoé n'en doutaient pas non plus.

Il déménagea avec les Gauthier, de la rue Saint-Louis à la rue St. Mary, puis à la rue Craig. Il devait payer sa pension à même ses maigres revenus, ce qui l'obligeait à travailler de l'aube jusque tard le soir, souvent sans manger, incapable de surmonter son manque d'énergie et sa faiblesse physique. Dans ces circonstances, il lui restait peu de temps à accorder à Zoé. Ils bavardaient, mais jamais longtemps ni d'une manière satisfaisante. La plupart du temps, quand leurs discussions se terminaient, Zoé fondait en larmes, et Wilfrid était encore plus impatient et désorienté.

Une fois que Wilfrid fut diplômé, Zoé voulut se marier. Lui, pas. Il lui expliqua mille fois qu'il ne pouvait subvenir à ses besoins, qu'il était sans doute en train de mourir, que leur vie commune serait malheureuse. Mieux valait attendre de voir ce que l'avenir lui réservait. Mille fois, elle lui répondit que sa condition n'avait pas d'importance, qu'elle pourrait donner des leçons de piano pour gagner un peu d'argent, qu'ensemble ils pourraient vivre aussi économiquement que s'ils restaient séparés, et que leur amour viendrait à bout de toutes leurs difficultés. Wilfrid n'en croyait rien; jamais il ne demanda sa main officiellement. Il lui déplaisait qu'elle exerçât des pressions sur lui. Zoé, elle, considérait son refus comme le signe qu'il ne l'aimait pas.

Le 9 mai 1865, Séraphin, alors âgé de 32 ans, reçut son permis de pratiquer la médecine dans le Canada-Est. Il était enfin médecin. Vu ce nouveau rang social et professionnel, Séraphin et Phoebé crurent nécessaire de déménager dans une plus belle maison et un plus beau quartier, où Séraphin pourrait exercer sa profession chez lui. Ils choisirent la maison située au 385, rue Dorchester. En juin 1866, ils avaient déménagé encore une fois, au 132, rue Saint-Laurent, entre La Gauchetière et Dorchester. Sa pratique étant florissante, il n'avait plus besoin de garder de pensionnaires. Il demanda à Wilfrid de s'en aller. Ce départ, qui avait trop longtemps tardé, fut un soulagement pour Wilfrid. Zoé se montrait de plus en plus insistante, et Wilfrid de plus en plus hésitant. Phoebé n'avait pas changé d'avis sur la nature de la maladie de Wilfrid; sa désapprobation suscitait disputes et animosité entre elle et son mari. L'incapacité de Wilfrid de prendre quelque décision que ce fût l'impatientait.

Il n'avait plus sa place chez les Gauthier. Il s'en rendit compte et accueillit avec soulagement la décision de ses hôtes. Wilfrid loua une chambre au 23 de la rue Saint-André.

Zoé savait que Wilfrid s'éloignait d'elle. Elle supportait mal cette douleur. Mais elle ne pouvait, non plus, rester chez les Gauthier indéfiniment. Si Wilfrid ne demandait pas sa main, quel avenir lui restait-il, à moins qu'elle ne jetât son dévolu sur un autre homme? Ce n'étaient pas les occasions qui manquaient. Les Gauthier, forts de leur nouvelle richesse et de leur position sociale, recevaient plus que jamais. Toutes sortes d'invités — artistes, politiciens, avocats, médecins et hommes d'affaires — se rassemblaient dans leur salon presque chaque semaine. Comme toujours, Zoé jouait du piano pour eux, et beaucoup d'hommes flirtaient avec elle. Un soir d'été de 1866, elle rencontra Pierre Valois, 22 ans, étudiant à l'École de médecine et de chirurgie de Montréal, où il avait rencontré Séraphin. Zoé et Pierre se lièrent d'amitié, et il s'éprit d'elle. Incertaine de son avenir et assoiffée d'affection, elle ne le repoussa pas.

Lorsque Valois entra dans la vie de Zoé, Wilfrid s'en retira. À l'automne de 1866, l'organisme de Wilfrid ne pouvait plus endurer les heures de travail interminables, les soucis et la dépression profonde qui résonnait dans tous ses membres. En novembre, il partit vivre dans les Cantons-de-l'Est, d'abord à L'Avenir, puis à Victoriaville, et enfin à Arthabaska.

Entre l'automne de 1866 et l'été de 1867, il vécut les pires moments de sa vie. Il était constamment malade; il fit faillite, sa dépression s'aggrava, et il n'avait plus aucun contact avec Zoé, à part quelques lettres écrites à la hâte, qui ne faisaient que leur faire regretter davantage de ne pas partager leur avenir. Cependant, après un long calvaire d'hémorragies, de quintes de toux et d'une faiblesse invalidante qui le cloua au lit pendant six semaines au printemps de 1867, Wilfrid ressentit le besoin de tendre la main à Zoé. Mais les doutes, les conflits et les hésitations eurent vite fait de réapparaître. D'une part, il se disait qu'un mariage avec elle était impossible pour toutes les raisons dont ils avaient discuté; d'autre part, il se disait que lui aussi avait droit au bonheur et à la béatitude conjugale, qu'il pouvait vaincre sa «maladie de poitrine», comme on l'appelait dans les journaux, et qu'il arriverait à construire avec Zoé une relation aimante et épanouissante.

Dans un moment de franchise, ou peut-être de désespoir, il lui écrivit un poème destiné à la convaincre de l'impossibilité de ce qu'il appelait leur «grand projet» — leur mariage dans un avenir rapproché. Dans ce poème, il était le papillon qui, irrationnel et insensé, se laisse brûler les ailes par la «pâle lumière» d'une «lampe solitaire». Ayant beaucoup souffert, il se demande quel atroce plaisir peut l'amener à chercher encore de nouvelles «tortures». Bien entendu, il connaît la réponse à cette question. C'est son obsession de «gravir du succès l'inaccessible cime». Il paye cher la poursuite de ce rêve — en versant le meilleur de son sang — pour retomber victime de sa passion inextinguible.

À un papillon

Doux petit papillon, à peine dans la nuit
Commence de briller ma lampe solitaire,
Comme le plomb fatal, qui vers le but s'enfuit,
Tu tombes palpitant sur la pâle lumière.

Et chaque fois pourtant tes pures ailes d'or
À la flamme brûlante ont laissé des parcelles:
Quel atroce plaisir peut t'amener encore
Y chercher aujourd'hui des tortures nouvelles?

Comme toi, papillon, jadis naïf enfant,
À gravir du succès l'inaccessible cime,
J'ai versé sans profit le meilleur de mon sang,
Et de ma folle ardeur suis retombé victime.

Durant l'été de 1867, la santé de Wilfrid s'améliora, et son attirance pour Zoé régnait sur ses émotions. Il se rendit donc à Montréal, un peu avant la proclamation de la Confédération du Canada, le lundi 1er juillet 1867. Ils passèrent quelques jours ensemble. Ce furent des jours heureux. Il écrivit: «Chère bonne Zoé, je ne fais que penser à toi depuis mon départ de Montréal.» Jamais il n'oublierait les jours durant lesquels ils prirent de nouveau la décision de se marier. «Je me sens heureux de penser que j'aurai la meilleure femme qui soit au monde.»

Au mois d'août, il rendit visite à Zoé presque toutes les semaines. Dans les lettres qu'il lui écrivait, où il passait abruptement du «vous» au «tu», il parlait abondamment de sa vie, de sa préparation pour les premières élections de la Confédération et de ses rencontres avec des gens influents.

Pourtant, durant tout l'automne de 1867, une certaine confusion règnait dans sa relation avec elle. Les lettres de Wilfrid devinrent moins personnelles. Dans celle du 6 septembre, par exemple, il discourt sur une «grande soirée» à laquelle il assistera, avant de lui annoncer qu'il ne viendra plus à Montréal chaque semaine comme auparavant. Oh! il l'aime encore tout autant, et profondément! Mais les exigences de sa pratique du droit, la nouvelle vie qu'il se construit, et les hauts et les bas de sa maladie font que le voyage de six heures en train lui est devenu trop long et trop pénible. Qui plus est, Wilfrid étant incapable de déclarations solennelles, de supplications passionnées, de résolutions directes et soudaines, il préférait se tourmenter en réfléchissant à toutes les conséquences possibles des décisions que les circonstances l'obligeaient à prendre.

Zoé résista. Elle n'accepta pas sa décision sans broncher; chaque fois qu'elle ne recevait pas la lettre hebdomadaire dont ils étaient convenus, elle lui reprochait de la négliger. Wilfrid se défendait, l'assurant — parfois en la vouvoyant, parfois en la tutoyant — qu'il lui demeurait très attaché.

À cette époque, des pressions considérables s'exerçaient sur Zoé pour qu'elle épouse Valois. Ses amis, et même son confesseur, lui répétaient qu'elle devait renoncer à Laurier et au projet qu'elle avait échafaudé avec lui. Wilfrid était une cause perdue, un homme incapable de subvenir à ses besoins, un agnostique dont l'âme brûlerait en enfer, un papillon butinant d'un plaisir à l'autre, un coureur de jupons. Ils essayaient de la convaincre qu'elle ne pouvait compter sur Wilfrid, qu'il manquait de décision, et qu'il n'arriverait jamais à rien même si Dieu lui prêtait longue vie. De plus en plus, Phoebé, devenue chef des forces anti-Wilfrid, la pressait de prendre une décision au sujet de Valois. Celui-ci avait été patient, gentil, attentionné, déterminé — tout ce que Wilfrid n'était pas.

Durant la première semaine de janvier, au moment où Wilfrid et Zoé se rencontrèrent, le sort en était jeté. Elle était timide avec lui; il sentit l'imminence de sa décision. Malgré cela, il ne lui demanda pas officiellement sa main et ne prit aucun arrangement pour rencontrer son père.

Peu de temps après le retour de Wilfrid à Arthabaska, Zoé lui fit savoir qu'elle avait l'intention d'épouser Valois en mai. Ce serait un mariage double: Emma et son fiancé, François-Xavier Coutu, s'épouseraient aussi. Néanmoins, elle espérait qu'elle et Wilfrid resteraient bons amis. Il l'assura qu'il ne voulait que son bonheur; pourtant, il était désespéré: «Pourquoi le ciel m'a-t-il privé de la richesse et de la santé? lui écrivit-il. Adieu, ma bonne Zoé.» Il était certain qu'il n'aimerait plus jamais.

~

À 7 h 15, le 13 mai 1868, Wilfrid arrivait à la gare Bonaventure de Montréal. Le cocher de Séraphin l'y attendait. En silence, il le conduisit à la maison de la rue Saint-Laurent et le déposa devant la porte menant au cabinet médical. Celle-ci n'était pas verrouillée. Séraphin accueillit chaleureusement Wilfrid: «J'ai bien des choses à te dire. Cependant, elles peuvent attendre. Je veux que tu te déshabilles pour que je puisse t'examiner.»

Wilfrid acquiesça. Il entendait les bruits de la maisonnée qui s'éveillait. Séraphin l'examina de pied en cap: «Tu n'es pas tuberculeux, mais tu souffres de bronchite chronique. Quand elle se manifeste — généralement quand tu es fatigué, que tu es trempé jusqu'aux os par la pluie, et que tout ne va pas comme tu le voudrais —, les symptômes s'aggravent et deviennent douloureux; les poumons serrés, tu as de la difficulté à respirer. Tu craches le sang. Tu te sens épuisé, déprimé et quoi encore. Mais rien de tout cela n'est mortel. Si tu fais attention à toi et que tu te trouves quelqu'un de bon et d'honnête pour prendre soin de toi — et je ne parle pas d'un médecin —, tu vivras très vieux. Maintenant, allons faire une promenade. C'est un matin magnifique. À notre retour, nous déjeunerons. Viens.»

Séraphin saisit sa canne et entraîna Wilfrid dehors. Ils marchèrent près d'une heure. Séraphin s'épancha: il était malheureux depuis des mois; c'était la guerre à la maison; pas moyen de trouver la paix et, pour des raisons qu'il ignorait, c'était lui qu'on accusait. «Phoebé est absolument impossible; Emma m'adresse à peine la parole; les autres me lancent des regards empoisonnés; qui sait, les domestiques versent peut-être de l'arsenic dans mon thé! Et tout ça, à cause de Zoé et de toi.» Il se tut un instant, regarda Wilfrid droit dans les yeux et lui demanda:

«Aimes-tu Zoé?

— Vous savez bien que je l'aime. Je le lui ai dit assez souvent. Pourquoi me poser une telle question?

— Alors, épouse-la!

— Impossible! Et vous savez pourquoi autant que moi. Zoé aussi d'ailleurs.»

Séraphin n'accepta aucune des excuses de Wilfrid. D'un ton à la fois grandiloquent et irrité, il lui dit: «Wilfrid, crois-tu que Phoebé et moi étions riches? J'étais un simple commis et un étudiant à qui il restait de nombreuses années d'université. Mais cela ne nous a pas empêchés de nous marier. Phoebé avait même des enfants! Alors, ne me dis pas que tu n'as pas les moyens d'avoir une femme! Ta carrière commence à peine. Tu crains que ta maladie ne t'ait rendu stérile ou impuissant, ou les deux, mais qu'en sais-tu?

Laisse le temps le déterminer. Pour ce qui est de transmettre ta maladie à tes enfants, sache que rien ne prouve que tu as quelque affection maligne à transmettre.

— Je ne sais pas quoi faire! Zoé m'a dit il y a plusieurs mois qu'elle allait épouser votre ami Pierre Valois. La date du mariage est-elle arrêtée?

— Oui. Pierre est devenu médecin hier. Il n'était plus possible d'éviter d'arrêter une date pour son mariage avec Zoé. C'est pourquoi je t'ai envoyé un télégramme. Ils s'épouseront à la fin de mai. Une cérémonie double, avec Emma et Coutu.»

De retour à la maison, Séraphin emmena Wilfrid dans le salon et alla chercher Zoé. Elle était dans sa chambre, entourée des femmes de la maison. Il les éloigna toutes, et emmena Zoé voir Wilfrid au rez-de-chaussée, sans laisser à Emma le temps de l'arranger.

Ses yeux étaient tout gonflés, des rides marquaient son front rougi, et ses cheveux, généralement enroulés serrés autour de sa tête, étaient ébouriffés. Dans sa robe noire, elle avait l'air encore plus sévère que d'habitude. Séraphin savait qu'elle n'était pas à son avantage, mais il se répétait à lui-même: «Ce n'est pas ça qui compte.» En outre, Wilfrid n'était pas à son avantage lui non plus. Il avait peu dormi dans le train: ses vêtements étaient fripés, ses cheveux ébouriffés, et il ne s'était pas rasé depuis la veille au matin; en plus, il toussait.

Wilfrid est terrifié. Zoé entre dans le salon et s'assied le corps raide sur le bord d'une chaise. Wilfrid reste planté à côté de la cheminée. Elle ne le regarde pas. Elle attend. La voix de Séraphin se fait entendre à travers la porte: «Allez-vous-en!» On entend plusieurs paires de pieds s'éloigner en courant. Wilfrid et Zoé éclatent tous deux de rire. Elle se lève et s'approche de lui. Elle lui prend la main et lève ses beaux yeux sur lui. C'est le moment ou jamais! Solennellement, il lui demande de l'épouser. Solennellement, elle accepte.

Ce qui est important pour Zoé, c'est la date du mariage: « Aujourd'hui», lui dit-elle en souriant. «Aujourd'hui? Mais...» Zoé ne le laisse pas terminer sa phrase. Elle répète, cette fois avec un peu plus de fermeté: «Aujourd'hui.»

Il sourit, la prend dans ses bras et répète à son tour: «Aujourd'hui.»

Après cette scène, ce fut le chaos. Emma, qui, malgré l'injonction de son père, avait écouté à la porte, entra précipitamment dans la pièce, suivie du reste du clan des Gauthier, domestiques et compagnie. Séraphin, qui était resté entre-temps en compagnie de Phoebé, entra à son tour, l'air majestueux, sa femme au bras. Phoebé embrassa les deux amoureux, qui s'accrochaient l'un à l'autre comme si leur vie en dépendait. Zoé murmura à l'oreille de Phoebé: «Aujourd'hui.» Sans broncher, celle-ci répondit: «Certainement.»

Quand Zoé apprit la nouvelle aux autres, Emma s'écria: «Moi aussi!»

«Si vous allez toutes deux vous marier aujourd'hui, dit Séraphin, après une courte réflexion, nous avons beaucoup à faire. Wilfrid doit prendre le train ce soir.» Il dressa une liste de tâches et commença à crier des ordres. Phoebé et les filles devraient se trouver des vêtements de circonstance; la cuisinière et les domestiques devaient préparer le petit repas de noces qui suivrait la cérémonie. On envoya le cocher louer deux voitures. Une fois celles-ci arrivées, Wilfrid emprunta 25 $ à Séraphin pour couvrir diverses dépenses et partit chercher le père de Zoé à l'adresse qu'elle lui avait donnée en même temps qu'un petit mot. Ne trouvant pas Godfrey-Napoléon Lafontaine chez lui, Wilfrid se précipita au bureau d'huissiers où il travaillait, et c'est là qu'il lui demanda officiellement la main de sa fille. Monsieur Lafontaine lui donna sa bénédiction. Wilfrid alla ensuite voir le vicaire général du diocèse pour obtenir dispense de la lecture des bans. Puis il se rendit chez le curé de la paroisse, le chanoine Édouard-Charles Fabre, futur archevêque de Montréal, pour arrêter l'heure du mariage double.

À 14 h 45, Séraphin, Phoebé, Emma, François-Xavier, Zoé et Wilfrid arrivèrent chez le notaire. Il fallut environ une heure pour préparer les contrats de mariage, qui contenaient huit articles. Wilfrid et Zoé conservaient chacun la pleine propriété de leurs effets personnels et de leurs biens. Zoé apportait dans le ménage 16 actions de la Société permanente de construction de Montréal, d'une valeur d'environ 800 $, un piano fabriqué en 1799, portant la signature de John P. Craig, des vêtements, quelques bijoux et meubles, le tout énuméré en détail. De son côté, Wilfrid offrait à Zoé une rente annuelle de 300 $. De plus, il acceptait d'apporter au ménage les meubles qu'il possédait et de payer sa part des dépenses que lui et Zoé engageraient pour vivre ensemble.

Le mariage eut lieu à 20 h dans la chapelle adjacente à la cathédrale de Montréal, dans la paroisse Saint-Jacques. Il y avait une douzaine d'invités. Emma, qui planifiait ses noces depuis des mois, était vêtue en blanc. Zoé, que Wilfrid trouvait radieuse, portait une robe de soie côtelée gris pâle, une large ceinture bleue à la taille. Elle avait mis la chaîne et le médaillon en or de sa mère. Son voile blanc ne cachait pas les fins traits de son visage.

Après que les futurs mariés eurent répété après lui leur nom d'une voix forte et claire, le curé demanda à Wilfrid s'il acceptait de prendre Zoé pour légitime épouse devant Dieu, leurs parents et amis rassemblés. Il répondit: «Oui.» La procédure fut répétée pour Zoé. Une fois les consentements obtenus, le curé leur prit les mains et les maria. Il fit le signe de la croix en disant: «*Ego jungo vos in matrimonium — in nomine Patris, et Filii, et Spiritus Sancti. Amen.*»

Avant la dernière bénédiction, les nouveaux mariés et leurs témoins signèrent le registre. Il était alors près de 21 h 30. Moins d'une heure plus tard, à 22 h 10, le train de Wilfrid quitterait la gare Bonaventure à destination d'Arthabaska.

Il n'avait pas le temps de retourner chez Séraphin pour le souper et la fête. Les invités montèrent dans les voitures, Wilfrid et Zoé occupant seuls celle des Gauthier. Jusqu'à la gare, Wilfrid tint la main de Zoé et resta tout près d'elle. Ils firent des projets. Un jour ou deux plus tard, elle enverrait son piano et ses affaires par train; il ferait parvenir 55 $ à Séraphin pour couvrir cette dépense et rembourser sa dette au bon médecin. Il espérait être en mesure de revenir à Montréal le dimanche suivant pour chercher Zoé et la ramener dans son logis d'Arthabaska, où ils habiteraient jusqu'à ce qu'ils puissent construire leur propre maison.

Arrivé à la gare, Wilfrid resta auprès de Zoé le plus longtemps possible, jusqu'à la dernière minute, puis il l'embrassa en lui disant au revoir.

2

Saint-Lin et L'Assomption

Wilfrid Laurier était issu d'une famille pauvre sur le plan matériel, mais riche du point de vue de l'ascendance. Sa lignée était profondément enracinée dans l'histoire du Canada. En 1676, François Cottineau dit Champlaurier — qui était arrivé en 1665 de Saint-Cloud, en France, comme soldat du régiment de Carignan-Salières — habitait Lachenaye, où il épousa Madeleine Milot, de Montréal, petite-fille d'Augustin Hébert, l'un des douze compagnons de Paul de Chomedey de Maisonneuve à la fondation de Montréal en 1642. Le grand-père de Wilfrid, qui avait réduit à Laurier le patronyme familial, ainsi que son père étaient tous deux descendants directs de cette union. Sa mère était également originaire de la région: le père de celle-ci avait été un grand fermier dans le village de L'Assomption, situé à quelques kilomètres de Saint-Lin. Du côté paternel, les ancêtres de la mère de Wilfrid étaient arrivés au Canada en 1687, tandis que, du côté maternel, ils étaient issus de l'Acadie et avaient été exilés par les Britanniques au XVIIIe siècle.

Charles Laurier, le grand-père de Wilfrid, naquit à Lachenaye en 1777. C'était un homme des plus ingénieux. Autodidacte, il avait appris les mathématiques et l'arpentage, et était arpenteur reconnu, nommé par lettres patentes royales. Son travail l'amenant à se promener dans toute la seigneurie, il était bien connu à Saint-Lin. En tant qu'arpenteur, il exerçait une profession honorable qui faisait de lui un chef naturel des gens du peuple: il réglait leurs différends, les représentait, lisait et rédigeait pour eux les documents importants, veillant à appliquer — dans ce peuple procédurier — le dicton selon lequel les bonnes clôtures font les bons voisins.

Charles était également astronome amateur, un homme de science, si l'on peut dire, et un inventeur reconnu. Il fut le premier à demander un brevet d'invention à l'Assemblée législative du Bas-Canada. En effet, il inventa en 1822 ce qu'il appelait le «loch terrestre». Il s'agissait d'un dispositif composé d'engrenages, que l'on pouvait attacher à la roue d'une voiture. Quand la voiture se déplaçait, des cadrans indiquaient le nombre de tours effectués par la roue, ce qui permettait de calculer la distance parcourue. L'Assemblée législative lui délivra un brevet en 1826.

En janvier 1805, il avait épousé Thérèse Cusson dans l'église paroissiale de Lachenaye. Ils n'eurent qu'un enfant, Charles, qui prit le nom de Carolus. Lui aussi devint arpenteur-géomètre, d'abord assistant de son père, puis à son propre compte. Le 8 avril 1834, âgé d'à peine 19 ans, Carolus épousa Marie-Marcelle Martineau, qui avait le même âge que lui. Le matin du mariage, comme le voulait la coutume, Carolus demanda la bénédiction paternelle. Charles les bénit et leur dit qu'ils devaient toujours être un soutien l'un pour l'autre: «Craignez et priez le Seigneur, mes enfants, pour qu'Il vous accorde l'esprit de la sagesse. Et, dans tous les cas, faites aux autres ce que vous aimeriez qu'ils vous fassent à vous-mêmes.» Comme cadeau de mariage, il offrit au couple un terrain situé à Saint-Lin, rue Saint-Antoine, l'une des quatre rues du village, tout près de la rivière de l'Achigan. C'est dans cette maison que, le 20 novembre 1841, après plusieurs fausses couches, Marcelle donna naissance à son fils unique, Wilfrid.

Heureusement que la petite chambre dans laquelle la femme est couchée se trouve près de la cuisine. La semaine a été tellement froide! Elle tremble, puis un grand mouvement se fait sentir dans son ventre. L'entendant gémir, la sage-femme du village, arrivée quelques heures auparavant, se précipite dans la chambre et se met à donner des ordres à gauche et à droite. On apporte de l'eau tiède; les serviettes chaudes, les draps et autres articles nécessaires sont rassemblés sur la commode en pin non verni. On répète sans cesse à la future mère: «Mais poussez! Poussez donc!» C'est ce qu'elle fait, mais seule la douleur fait écho à ses efforts. Anxieuse, elle jette un coup d'œil sur le berceau placé près de son lit; un léger sourire apparaît sur ses lèvres, comme si elle anticipait le moment de grâce qui suivra son supplice. Un autre mouvement lui tord le ventre. Une autre douleur la déchire, encore plus vive. Une dernière poussée, un soupir: l'enfant paraît. C'est un beau garçon. Deux jours plus tard, il fait plus chaud, on emmène le nouveau-né à l'église paroissiale Saint-Lin-de-Lachenaye où, en présence du père, des quatre grands-parents, du parrain et de la marraine, le curé le baptise: Henry-Charles-Wilfrid, *«in nomine Patris, et Filii, et Spiritus Sancti. Amen»*.

À la naissance de Wilfrid, ses parents étaient déjà bien établis à Saint-Lin, où son père faisait partie de l'élite du village. Dès que Carolus s'y était installé avec sa femme, on lui avait demandé d'être l'un des quatre propriétaires terriens à apposer sa signature sur un document officiel confirmant le choix des marguilliers de la paroisse nouvellement créée. Son prestige s'accrut au fil des ans. Mais, durant la petite enfance de Wilfrid, Carolus vécut dans l'ombre de son propre père. Après la mort de ce dernier, en 1844, il se tailla une place au soleil; les villageois l'appelaient monsieur Carolus et lui demandaient conseil. En 1845, il fut nommé «commissaire pour la décision sommaire de petites causes dans la paroisse de Saint-Lin». À ce titre, il veillait à l'ordre public, il émettait les sommations, il entendait les petites causes et rendait jugement, et il certifiait les dépositions faites sous serment. Deux ans plus tard, en 1847, le gouverneur général, lord Elgin, le nomma lieutenant du troisième bataillon de la milice de Leinster. En 1850, Carolus devint commissaire d'école; de 1855 à 1862, il fut maire. Tout le monde s'entendait pour dire qu'il était un bon maire, un homme honnête et droit, capable de rallier les dissidents à l'organisation des services municipaux dont on avait tant besoin. En même temps, il ne se laissait pas bousculer par l'autorité ecclésiastique. Carolus était un ferme tenant de la séparation entre l'Église et l'État. Wilfrid l'a souvent entendu prêcher ce principe.

Malheureusement pour la famille, Carolus était moins économe que l'avait été son père, et il avait tendance à se montrer complaisant. Il n'eut jamais beaucoup d'argent. Il travaillait dur comme arpenteur-géomètre, fermier et marchand de bois; sa famille ne connut jamais la pénurie, mais la vie n'était pas facile.

Wilfrid était âgé de sept ans à la mort de sa mère, emportée par la tuberculose pulmonaire. La toux sèche et opiniâtre de celle-ci, son émaciation, sa fatigue et ses crachements de sang apprirent à l'enfant ce qu'était la douleur. Elle mourut à 33 ans, enceinte. Sa sœur, Malvina, avait 11 ans quand la même maladie l'emporta. Wilfrid se rappelait que sa mère, quand elle en avait la force, l'emmenait à la lisière des bois, où elle dessinait une fleur, un brin d'herbe, un lit de rocaille ou autre chose qui l'inspirait. Elle lui expliquait tout ce qu'ils voyaient. Plus tard, à la maison, elle lui faisait la lecture et accrochait ses œuvres au mur.

Maman Adéline devint la nouvelle mère de Wilfrid l'année même où mourut Marie-Marcelle. Elle était venue vivre chez les Laurier à la naissance de Malvina. Maman Adéline n'était pas comme sa mère, du moins pas comme celle dont il se souvenait; mais elle devint pour lui une deuxième mère, qu'il aimait. Le meilleur souvenir qu'il conservait de Maman Adéline, c'était l'accueil à bras ouverts qu'elle lui réservait chaque fois qu'il rentrait après le jeu ou l'école. À cette époque, Wilfrid avait besoin d'amour. Souvent, il grimpait sur ses genoux pour manger une tartine de confiture, tout en l'embrassant profusément.

Wilfrid se rappelait les billots qui flottaient sur l'Achigan jusqu'au marché. Il aurait aimé se trouver sur l'un de ces billots et s'en aller très loin. Il se souvenait aussi que sa mère et Maman Adéline étaient des cordons-bleus. Les Laurier mangeaient bien, mais pas mieux que les autres villageois. Il aimait les galettes de sarrasin inondées de sirop d'érable et le bœuf à l'ancienne. À Noël, il y avait toujours des douzaines de tourtières, de tartes au sucre et de croquignoles, ces délicieux petits biscuits que seules les Canadiennes françaises savaient confectionner.

Curieusement, dans son cas, les moments heureux de sa jeunesse comprenaient ses visites à l'église. Il aimait les cérémonies, plus particulièrement celles de sa première communion et de sa confirmation. Il écoutait attentivement le curé, qui, après la grand-messe du dimanche, enseignait aux enfants du village les principes de la foi, laquelle constituait un élément important du caractère national et que Wilfrid semble avoir égarée quelque part sur son chemin. À cette époque, la religion n'était pas aussi oppressante qu'elle le fut le jour de son mariage, mais elle était certes omniprésente.

Le 24 juin, on fêtait la Saint-Jean-Baptiste, la fête nationale. Personne n'aurait voulu manquer cela. Le matin, on assistait à la grand-messe dans une église merveilleusement décorée; ensuite, il y avait des pique-niques, des jeux et, pour clore la journée, des feux d'artifice. Les hommes, qui buvaient beaucoup de bière, étaient souvent ivres. Tout le monde, y compris les enfants, se couchait tard ce soir-là.

Pour ce qui était de son père, Wilfrid aimait son rire, son sens de la vie et son esprit combatif. Carolus était bel homme; Wilfrid voyait beaucoup de lui-même en lui. De temps en temps, ils partaient ensemble en expédition d'arpentage; c'est ainsi que Wilfrid prit conscience du fait que les gens admiraient son père et respectaient ses opinions. Carolus était un chef dans sa communauté de Saint-Lin. C'était un bon orateur, comme son père avant lui. Il osait discuter avec les curés et les évêques; il tonnait contre les autorités. À l'écouter parler de politique, de l'état des affaires nationales et de l'avenir des Canadiens français, Wilfrid en vint à croire que Carolus l'incitait à devenir une espèce de rebelle. Quoi qu'il en soit, Carolus fut certainement à l'origine de la méfiance de Wilfrid envers tout ce qui est clérical.

Petit à petit, Carolus en vint à la conclusion qu'il ne pouvait plus conserver ses deux établissements. En plus de sa maison du village, il possédait une ferme dans les «terres d'en haut». Après la mort de sa femme et son mariage avec Adéline Éthier, en 1848, Carolus quitta la maison de la rue Saint-Antoine et emménagea dans sa ferme. Il y vécut jusqu'en 1857, année où il vendit la ferme et réintégra son ancienne maison.

Même si Carolus était loin d'être un homme riche, il ne lésinait jamais en matière d'éducation. Contrairement à bon nombre de ses voisins, il croyait fermement qu'il fallait faire instruire les enfants. Cependant, les attitudes qui prévalaient à son époque ne l'aidaient pas dans ce sens. C'était l'époque de la «guerre des éteignoirs», durant laquelle les contribuables considéraient que la réforme scolaire n'était qu'une autre taxe insidieuse imposée à la population. C'était aussi l'époque où l'Église insistait pour contrôler tout ce qui concernait l'éducation, et où la plupart des pères jugeaient suffisant que leurs fils sachent lire et écrire, et qu'ils connaissent leur petit catéchisme. Carolus s'opposait à cette attitude, décidé à ce que son fils fasse les meilleures études qu'il puisse lui offrir. Il ne ménagerait pas ses efforts pour que Wilfrid embrasse une profession libérale.

Jusqu'à la douzième ou treizième année de Wilfrid, il n'y avait pas d'école pour garçons à Saint-Lin. Son éducation fut assumée en grande partie par sa mère, par son père et par des instituteurs laïcs itinérants qui venaient occasionnellement au village. C'est ainsi que Wilfrid apprit à lire et à écrire, qu'il acquit quelques notions de mathématiques et de grammaire française, ainsi que quelques mots d'anglais.

Carolus déplorait la nonchalance de ses voisins, la sombre situation de l'éducation à Saint-Lin et les batailles incessantes que se livraient les contribuables et le curé au sujet des écoles. Au cours de l'été de 1851, quand Wilfrid eut 10 ans, Carolus prit une décision révolutionnaire au sujet de l'éducation de son fils: il l'enverrait à l'école anglaise de New Glasgow l'année scolaire suivante, qui commençait le 5 septembre.

New Glasgow se trouvait à une dizaine de kilomètres à l'ouest de Saint-Lin, sur la rivière de l'Achigan. C'était un endroit idyllique. La rivière serpentait à travers le village, et les chutes, où se trouvait le moulin seigneurial, étaient assez impressionnantes. La forêt, située tout près du village, convenait parfaitement aux promenades et aux jeux. On raconta à Wilfrid qu'environ 80 colons écossais étaient arrivés de Glasgow en 1820 pour s'installer dans la région. Au moment où il commença à y fréquenter l'école, bon nombre de descendants de ces colons avaient déjà émigré dans le sud de l'Ontario. Mais il en restait encore beaucoup pour labourer le sol, faire du commerce, et se joindre aux protestants, aux Irlandais catholiques et à quelques familles canadiennes-françaises pour bâtir un village, qui comptait alors environ 800 âmes.

L'école que Wilfrid fréquenta, Fort Rose School, était située sur une colline. C'était une petite école construite en bois, avec une fenêtre de chaque côté, une porte à l'avant et une autre à l'arrière, qui donnait sur les cabinets extérieurs. En principe, Fort Rose School était une école protestante, mais aucun enfant n'y était refusé à cause de sa religion. L'établissement accueillait filles et garçons, et l'enseignement s'y faisait exclusivement en anglais. Wilfrid, cependant, améliora son français en lisant les livres que ses parents empruntaient à la bibliothèque de Saint-Lin, qui se vantait d'en posséder quelque quatre cents. Il y avait aussi les journaux de Montréal: *La Minerve*, *La Patrie* et *Le Pays*. De plus, le père de Wilfrid l'aidait à conserver sa langue maternelle, résolu à ce que son fils parle couramment et écrive sans peine les deux langues.

L'année scolaire commença au début de septembre pour se terminer la première semaine de juillet. Bien entendu, les jours de congé ne manquaient pas, bien qu'ils fussent moins nombreux que dans les écoles catholiques. Les écoliers apprenaient la grammaire et la littérature anglaises, l'arithmétique et la religion. Ceux qui n'étaient pas protestants pouvaient être dispensés de cette dernière matière, mais Wilfrid choisit de ne pas l'être. Il aimait comparer sa religion à celle des autres — dans la mesure où il le pouvait. Et il ne voulait pas manquer le cours d'histoire religieuse. C'est à cette école de New Glasgow que l'histoire commença à le fasciner. Son instituteur, Sandy Maclean, gardait toujours un verre de scotch sur son bureau. Il lisait magnifiquement des extraits d'œuvres classiques de son pays d'origine et d'Angleterre. Souvent, Wilfrid n'en comprenait pas un mot, mais cela n'avait aucune importance pour lui.

Pour un garçon de 10 ou 11 ans, New Glasgow offrait mille merveilles. Wilfrid ne s'y sentait jamais isolé, ni esseulé. Tout ce dont il avait besoin se trouvait à portée de la main, et il était très occupé: après l'école, il aidait John Murray derrière le comptoir de son magasin. Murray, le tailleur du village et un bon ami du père de Wilfrid, avait une famille nombreuse et ne pouvait prendre Wilfrid en pension. En outre, il était protestant, et Maman Adéline ne voulait absolument pas que le fils chéri dont elle avait hérité aille vivre chez des protestants. C'était déjà assez qu'il fréquente l'école protestante, avait-elle l'habitude de dire. Quand Murray avait du temps libre, il lisait à Wilfrid des passages de la Bible — la version King James, bien entendu. Ah! que c'était beau! Par l'entremise de leurs obligations religieuses, les Murray inculquèrent à Wilfrid un goût pour la littérature que Sandy Maclean transforma en amour.

Wilfrid passa deux ans dans le foyer d'une famille irlandaise catholique de New Glasgow: les Kirke. La vie chez les Kirke n'était pas aussi gaie que chez les Murray. Ils n'avaient pas d'enfant de l'âge de Wilfrid; chez eux on ne lisait pas beaucoup la Bible et on ne chantait pas souvent les psaumes non plus. Toutefois, le père, un homme au début de la soixantaine, était pour Wilfrid une véritable mine de renseignements sur la Rébellion de 1837-1838. Il avait fait partie du comité local mis sur pied pour appuyer la cause des Patriotes. Il croyait qu'il fallait s'affranchir des Anglais. Lui et sa famille avaient souffert en Irlande sous le joug de l'oligarchie anglo-protestante. Comme leurs compatriotes francophones, les Irlandais catholiques de New Glasgow étaient opposés au contrôle de l'économie et de la vie politique qu'exerçait la «clique du château», comme ils appelaient leurs oppresseurs et leurs alliés. Cependant, Kirke et les autres Irlandais catholiques n'étaient pas enthousiasmés par l'idée d'une rébellion armée. Quelques-uns d'entre eux s'étaient rendus à pied à la bataille de Saint-Eustache, mais la majorité était restée au village, se contentant de commettre des actes d'intimidation.

Wilfrid rentrait dans sa famille à peu près une fois par mois. Même si une «route» rudimentaire reliait New Glasgow et Saint-Lin, celle-ci n'était pas souvent carrossable. Mieux valait faire le trajet à pied. Quand Wilfrid retournait à Saint-Lin, Carolus allait le chercher, et ils rentraient tous deux à pied chez Maman Adéline. Il refaisait la même expédition quelques jours plus tard. Si le temps était clément et que la route était passable, ce qui arrivait rarement, Carolus se rendait à New Glasgow en carriole. L'hiver, il utilisait le traîneau. Il y avait des lanternes ou des balises lumineuses sur la route. Il leur est arrivé quelquefois de faire le trajet en canot, ce qui était fort agréable.

Quand Wilfrid eut près de 13 ans, le moment vint d'aller au collège classique de L'Assomption.

~

Au début de l'après-midi du 5 septembre 1854, Carolus et Wilfrid arrivèrent à la maison de madame Guilbault, se trouvant à l'intersection des rues Saint-Pierre et Saint-Hubert, à L'Assomption, village situé à une trentaine de kilomètres à l'est de Saint-Lin. La maison était large; plusieurs fenêtres donnaient sur la rue. Au rez-de-chaussée se trouvaient un salon, une salle à manger pouvant accueillir une douzaine d'étudiants, une cuisine et les pièces réservées à madame Guilbault. À l'étage, on avait aménagé plusieurs chambres où pouvaient coucher trois ou quatre garçons. Toutes les installations sanitaires se trouvaient à l'extérieur.

Madame Guilbault, une femme imposante au sourire chaleureux, était affable mais très stricte en matière de discipline. C'était elle qui menait — *in loco parentis* —, et elle ne se laissait marcher sur les pieds par personne. Elle offrirait à Wilfrid le gîte et le couvert, et il respecterait l'horaire et le règlement du collège de L'Assomption, où son père l'avait inscrit durant l'été. S'il ne faisait pas ce qu'on lui disait, il serait renvoyé chez lui. Sa pension, d'environ dix cents par jour, était comprise dans les frais de scolarité payés au collège, d'avance, tous les trois mois. À le voir si pâle, madame Guilbault conclut que Wilfrid était maladif. Elle informa Carolus que, si un étudiant tombait malade, c'était le directeur du collège qui décidait s'il pouvait ou non rester à la maison; dans ce cas, elle prendrait soin de lui avec tendresse.

Le père et le fils se dirent d'accord; les effets personnels de Wilfrid furent placés dans l'une des chambres de l'étage. Wilfrid avait apporté avec lui un «baudet» — espèce de tréteau sur lequel il plaça un matelas de paille et quelques couvertures de laine. Il avait aussi son pot de chambre, un bassin pour se laver, et quelques serviettes taillées dans un tissu rugueux.

Carolus et Adéline s'étaient rongé les sangs pour savoir s'ils enverraient Wilfrid au collège de L'Assomption. Ils souhaitaient qu'il devienne assez instruit pour se lancer dans une profession libérale. Mais le collège coûtait cher — vingt ou trente dollars par année pour les frais de scolarité, la pension et les petites dépenses, somme énorme pour un homme de peu de moyens. Après de longues délibérations, ils avaient décidé de sacrifier ceci et cela, de se serrer la ceinture, et de lui payer des études. Pour l'alimentation de Wilfrid, ils payeraient en nature. Adéline cousit l'uniforme bleu et blanc et la large ceinture bleue qu'il porterait le dimanche et les jours de fête. Elle confectionna le reste de ses vêtements avec une étoffe de laine, de la flanelle, du lin, et la laine qu'elle filait elle-même. Elle envoya Wilfrid chez madame Guilbault avec, dans sa valise, deux sarraus de toile grise, une ceinture de couleur vive pour égayer son allure, un veston de laine, deux pantalons, quelques paires de chaussettes tricotées avec des bouts de laine, des sous-vêtements coupés dans des poches de farine ou de sucre, et une seule paire de bottes, qui avaient appartenu à Carolus. Aucun des vêtements de la garde-robe de Wilfrid n'aurait pu être qualifié d'élégant. La ceinture de couleur, toutefois, remporta un vif succès. En vue d'économiser sur le prix de la lessive,

Carolus se rendait au collège toutes les trois semaines pour prendre les vêtements sales et les remplacer par des propres. Lui et Adéline avertirent Wilfrid de se montrer économe quand il devrait acheter des fournitures scolaires. Les oreilles bourdonnantes de la litanie d'injonctions entendues, Wilfrid arriva enfin à L'Assomption.

Une fois terminée leur conversation avec madame Guilbault, Carolus et Wilfrid se rendirent au collège. Celui-ci, fondé vingt-deux ans auparavant, avait acquis une bonne réputation dans la région. L'extérieur de l'édifice était impressionnant. C'était un immeuble en pierres taillées comprenant un rez-de-chaussée et deux étages, et divisé en trois ailes: deux sur les côtés et une derrière. Il était percé de nombreuses fenêtres, chacune composée de plusieurs panneaux de verre carrés. À l'arrivée des Laurier, l'abbé Médard Caisse, un homme à l'air sévère, les accueillit dans le parloir, situé à droite de l'entrée. Tandis que Carolus se rendait au bureau pour payer les frais de scolarité et la pension, un élève fit visiter le collège à Wilfrid.

L'immensité et le vide des lieux, vus dans une lumière sombre, intimidèrent le jeune homme. De l'autre côté du hall, en face du parloir, se trouvait la bibliothèque contenant quelque 200 livres; deux volées de marches menaient à une aire d'entreposage. Dans l'aile gauche étaient aménagés une petite chapelle, toute simple, le bureau, le réfectoire des prêtres et la cuisine. Dans l'aile droite, on trouvait trois petites salles de classe sombres, ainsi qu'une longue salle de récréation qui servait aussi de salle d'étude.

Le mobilier était rudimentaire: des bancs de bois et, en guise de tables, quelques longues portes couchées sur des chevalets. À l'époque de Wilfrid, les élèves ne disposaient pas de bureaux individuels; ce n'est qu'en 1859, cinq ans après l'arrivée de Wilfrid au collège, que les portes furent remplacées par de vraies tables de bois. Il y avait plusieurs poêles à bois. Le garçon qui lui fit faire le tour de l'édifice lui dit qu'il y faisait plutôt froid l'hiver, et que sa mère devrait lui confectionner des vêtements chauds. Des lampes à huile avaient été posées un peu partout — en nombre tout juste suffisant, et Wilfrid devrait en tailler la mèche et les remplir quand son tour viendrait. On lui montra les cabinets d'aisance extérieurs. Quand Wilfrid s'enquit timidement de l'eau potable, l'élève montra du doigt, à travers la fenêtre, un petit étang. L'hiver, lui dit-il, la glace y était épaisse.

Wilfrid rencontra quelques collégiens dans la salle de récréation, ainsi que deux ou trois enseignants. Ensuite, il attendit de longues minutes que son père vienne enfin le chercher pour le conduire chez madame Guilbault, où il souperait et prendrait une bonne nuit de repos. Après tout, les cours commençaient le lendemain.

À 5 h 25, le lendemain matin, madame Guilbault les réveilla, lui et les autres pensionnaires. Il disposait de vingt minutes pour s'habiller, se laver le visage et courir jusqu'au collège. À 5 h 45, il arriva à la chapelle et regarda autour de lui: il se demanda quelles prières il devrait dire; que pouvait-on bien faire pendant la méditation? Dans la salle d'étude, il écouta les instructions du directeur de l'école, du préfet d'études et du préfet de discipline.

Le directeur, le révérend Alfred Dupuis, souhaita la bienvenue aux élèves, nouveaux et anciens, surtout à ceux du 22e cours (1854-1861), celui auquel était inscrit Wilfrid. Il y avait 23 nouveaux élèves, tous assis sous l'œil attentif de leur professeur d'anglais, George Mount, un ecclésiastique taciturne qui parlait à peine le français et dont on disait qu'il ne faisait aucun effort pour comprendre ceux dont il avait charge. Après les paroles d'accueil d'usage, le directeur se fit plus précis et moins amical. Chacun devait étudier fort, sous peine d'être renvoyé. On ne tolérerait aucune espèce d'insubordination. Durant l'hiver de 1852-1853, leur rappela-t-il, 80 élèves, membres d'une société secrète appelée Les Flambards, avaient été renvoyés pour avoir eu la témérité de se rebeller contre l'autorité des prêtres. Leurs frais de scolarité n'avaient pas été remboursés.

De plus, les élèves devaient être polis en tout temps, se garder en bonne santé et, par-dessus tout, prier la Vierge Marie afin d'éviter les péchés d'impureté. Le directeur conclut en rappelant aux élèves la terrible réalité: l'année scolaire durerait jusqu'à la mi-juillet. Ils auraient un demi-jour de congé par semaine jusqu'à Pâques et, par la suite, une journée entière. Il leur lut la liste des jours fériés et des congés spéciaux. Il se montra très ferme: leur présence en classe était requise chaque jour jusqu'à la fin de l'année scolaire. Pas question de rentrer chez soi les jours de congé. Wilfrid ressentit un choc qui déclencha une quinte de toux. Il en était toujours ainsi. Le directeur attendit patiemment qu'il cesse de tousser.

Ce fut le préfet de discipline, l'abbé Caisse, qui fit noter à Wilfrid la routine quotidienne. Réveil à 5 h 25, ablutions, marche jusqu'au collège. À 5 h 45, Wilfrid devait être assis dans la chapelle pour la prière du matin et la méditation. Quinze minutes plus tard commençait une période d'une heure passée dans la salle d'étude. La messe se disait à 7 h. Puis les élèves retournaient à leur pension pour prendre le petit déjeuner, généralement composé de pain, de beurre rance et de «café» à l'orge noyé dans beaucoup de lait. Le dimanche, madame Guilbault servait aussi du lard salé fondu. À 8 h, Wilfrid allait en classe, y restait jusqu'à 10 h. Venait ensuite une pause d'un quart d'heure, puis une période d'étude d'une heure et demie. À 11 h 45, affamé et fatigué, il devait se rendre à la chapelle pour l'angélus. Puis il rentrait à la pension en courant, y mangeait une soupe claire, un peu de viande rôtie ou bouillie, des pommes de terre, ainsi qu'une pomme ou du sirop d'érable qui n'étaient pas de première fraîcheur. Il dévorait ce repas à la hâte pour retourner au collège jouer avec ses camarades et se trouver à la salle d'étude à 13 h. Deux heures de cours suivaient, avant la récréation de 25 minutes. Une autre période d'étude l'occupait de 16 h 15 à 18 h. De 18 h à 18 h 30, le directeur surveillait une période de lecture spirituelle. Ensuite, Wilfrid se précipitait chez madame Guilbault pour le souper de ragoût: une sauce brune dans laquelle nageaient quelques morceaux de viande et des pommes de terre. Il avait droit à un verre de lait — Maman Adéline avait insisté là-dessus, et Carolus le payait en nature à madame Guilbault. Wilfrid retournait ensuite au collège, où il se promenait et bavardait avec ses camarades jusqu'à 20 h; il se rendait alors à la chapelle pour la séance de prières. Dieu merci, elle n'était pas trop longue et, à 21 h, la plupart des élèves étaient déjà dans leur lit.

La récréation avait lieu soit dans la salle de récréation, soit dans la cour, un terrain qui prit de l'ampleur chaque année que Wilfrid passa au collège. Il participait à une partie de pelote, au cours de laquelle les élèves faisaient rebondir une balle dure sur le mur de l'édifice avec leurs mains nues. Pour bien y jouer, il fallait être agile, avoir les réflexes rapides et faire preuve d'endurance. Wilfrid possédait ces qualités, mais il n'avait pas l'énergie physique requise. Il se fatiguait vite. En vérité, l'exercice physique ne fut jamais son fort, et il s'y livrait rarement. Il ne dit jamais s'il avait joué au baseball ou à un autre sport fatigant pendant les récréations; il se contentait de marcher, de bavarder et de marcher encore.

À mi-chemin entre L'Assomption et le petit village de L'Épiphanie, le collège possédait une vaste propriété remplie d'ormes et d'érables, que traversait un ruisseau. On l'appelait le bois des écoliers. C'était l'endroit préféré de Wilfrid, et il s'y rendait le plus souvent possible, surtout durant le congé hebdomadaire, qui tombait généralement le jeudi. C'était le jour qu'il attendait avec impatience. Toute la semaine, les élèves s'inquiétaient du temps qu'il ferait. Toute la semaine, Wilfrid et ses amis, Louis-Joseph Riopel et Joseph Marion, scrutaient les cieux, recherchant les étoiles bénéfiques, posant mille questions au maître des salles, habituellement un ecclésiastique bienveillant aussi enthousiasmé qu'eux par le jour de congé. Wilfrid, qui priait rarement, le faisait avec ferveur le mercredi soir. Ce soir-là, les écoliers chantaient plus fort que jamais le *Salve Regina*, cantique à la Vierge Marie, sainte patronne des élèves, : ils voulaient qu'elle les entende. En général, leurs vœux étaient exaucés. Riopel en avait assez d'entendre Wilfrid s'attribuer le mérite du beau temps. Celui-ci prétendait qu'il faisait beau parce qu'il avait prié avec ferveur. Marion, lui, était d'avis que la Vierge Marie lui offrait une compensation pour son bras manquant.

Wilfrid était arrivé au collège en toussant. Son père avait informé les prêtres de sa maladie. Presque tous les ans, quand il pleuvait l'automne et le printemps, et au cœur de l'hiver, Wilfrid toussait plus que d'habitude et devait parfois garder le lit, où il recevait les soins de madame Guilbault sous la surveillance du directeur du collège. C'est au collège de L'Assomption, durant sa quatrième année, que Wilfrid fit une hémorragie — c'est-à-dire qu'il cracha le sang pour la première fois. C'était un jeudi après-midi d'hiver; il avait 17 ans. Lui et quelques camarades s'étaient rendus au bois des écoliers. Malade depuis deux ou trois jours, il n'était pas encore tout à fait rétabli. Ayant du retard dans sa composition, il se sentait un peu découragé. Rien ne semblait aller pour lui. Il se promenait avec Oscar Archambault près du ruisseau gelé quand soudain il s'arrêta net, une douleur vive lui déchirant la poitrine, et fut pris d'une sensation de grande faiblesse. Il avait la gorge en feu; ses poumons étaient sur le point d'exploser. Paniqué, il courut du mieux qu'il put à l'orée du bois. Il toussa et toussa. Plus il essayait de se retenir pour ne pas alarmer Archambault et les autres, plus il toussait fort et désespérément. Écartant la main de sa bouche, il constata avec horreur que ses moufles étaient couvertes de sang, et qu'un filet rouge s'écoulait sur la neige avec chaque respiration. Il crut sa dernière heure venue. Il ne fit aucune prière ni aucune promesse à Dieu pour qu'Il mette fin à son martyre. Après un certain temps, l'hémorragie cessa. Il était étalé sur la neige tachée de sang, tout comme ses vêtements. Il se reposa un instant. Quand il entendit Archambault l'appeler, il se releva prestement et se lava du mieux qu'il put avec de la neige pour effacer les traces de l'incident. Revenu dans le sentier, il était si pâle qu'Archambault l'emmena dans l'abri construit sur la propriété. Archambault dit au préfet de discipline que Wilfrid n'était pas bien; on le ramena dans le traîneau, tiré par des chevaux, qui avait apporté les provisions.

La religion imprégnait toute la structure du collège. En fait, celui-ci existait pour former des hommes qui accepteraient les enseignements de l'Église, qui défendraient ses droits et prérogatives, et qui donneraient l'exemple aux autres, moins instruits qu'eux. Le meilleur moyen de servir Dieu et l'Église, c'était de devenir prêtre. Il y avait beaucoup d'appelés, mais peu d'élus. Sur les 23 garçons inscrits au 22e cours en même temps que Wilfrid, quatre seulement seraient entrés dans les ordres majeurs. Les enseignants étaient soit des prêtres, soit des étudiants envoyés au collège pour apprendre la théologie avant leur ordination. Il n'y avait aucun professeur laïc du temps de Wilfrid. La main de Dieu se faisait sentir dans toutes les classes et dominait toutes les matières enseignées. La récréation commençait par des prières, comme toutes les autres activités. Le vendredi soir, le premier quart de la récréation était consacré au chemin de croix, symbolisant la marche du Christ vers le Calvaire. Les devoirs portaient tous l'en-tête «J.M.J. aidez-moi» (Jésus, Marie, Joseph, aidez-moi), «*Omnia per Mariam*» (tout par Marie) ou même «*Laus Deo Semper*» (gloire à Dieu toujours). Il y avait les retraites annuelles; les mois dédiés à Marie, aux morts, à saint Joseph ou au Sacré-Cœur; les neuvaines, surtout avant la Pentecôte, la fête de l'Immaculée-Conception et la fête de saint Thomas d'Aquin, considéré comme le guide des étudiants en philosophie et en théologie; et les octaves, huitième jour après certaines fêtes, surtout celle du Saint-Sacrement, en mai. On incitait les élèves à s'arrêter à la chapelle quand ils se rendaient à quelque activité, soit pour y réciter une courte prière, soit pour s'y agenouiller et faire le signe de la croix. Et tout cela en plus des prières quotidiennes, de la messe, du rosaire et des autres exercices religieux, tous obligatoires. Le spirituel se fondait dans le séculier.

Durant sa première année, Wilfrid choisit parmi les prêtres un directeur spirituel, qu'il vit fréquemment au début, mais plus rarement après son seizième anniversaire. Pour ce qui était d'un confesseur, il n'en avait pas d'attitré, même si on encourageait les élèves à s'en choisir un. Il se confessait rarement et communiait encore moins souvent. Il fut finalement chassé de la Congrégation de la Sainte-Vierge à cause de son indifférence générale envers la religion. Chaque année qu'il passa au collège, toutefois, Wilfrid fit ses Pâques. Il observait tous les rites extérieurs de la religion, comme il le fera la majeure partie de sa vie, mais le type de foi qu'avaient Riopel et certains autres de ses camarades lui échappait. La notion d'un Être supérieur, d'un Dieu, ne présentait pas de problème pour lui, mais il lui était impossible de participer pleinement à l'exubérance religieuse. Cependant, il aimait les cérémonies, les rituels et la musique, et il manquait rarement la messe dominicale.

Pour Wilfrid, la religion était un moyen de sauver son âme. La spiritualité, par contre, était l'aliment qui nourrissait son âme, et cette nourriture, elle la recevait des livres qu'il lisait, de la nature qui l'entourait et des amis qu'il avait. Au fil des ans, Wilfrid se forgea une attitude socio-religieuse dont il ne dévia pas: il fréquentait l'église et faisait ce qu'il devait faire; il ne causait pas de scandale, non plus qu'il ne mettait en doute ni ne discutait les pratiques religieuses des autres; et il vivait sa vie en sentant que son salut viendrait tout seul.

Parfois, au printemps et au début de l'automne, Carolus, Maman Adéline et le demi-frère de Wilfrid, Charlemagne, se rendaient à L'Assomption un dimanche ou un jour de fête. La plupart du temps, Wilfrid obtenait une permission spéciale pour accompagner sa famille chez les Martineau, des parents de sa mère qui vivaient à L'Assomption. Parfois, ils étaient tous invités chez les Archambault.

Ces visites, cependant, devaient se faire après les allocutions prononcées sur le parvis de l'église. Généralement, la cérémonie — comme l'appelait Wilfrid — commençait par des annonces diverses; le notaire, ou quelqu'un d'autre sachant lire, lisait des extraits des journaux; ensuite, c'étaient les allocutions. Joseph Papin était le plus éloquent des orateurs. Wilfrid aurait fait n'importe quoi pour l'entendre. Papin avait étudié au collège avant la naissance de Wilfrid et, en 1854, avait été élu, en tant que rouge, député de L'Assomption à l'Assemblée législative du Canada-Uni. Il était le fondateur de l'Institut canadien et du journal *L'Avenir*, que les prêtres du collège condamnaient presque quotidiennement. On demandait aux élèves de prier pour la défaite électorale des rouges, afin que soit assuré le salut des fidèles. Quand Papin se fit le défenseur de l'école non confessionnelle, Wilfrid l'appuya — discrètement, bien entendu, seulement devant ses amis, car il était convaincu qu'il serait expulsé du collège si les prêtres l'apprenaient.

Joseph Papin inspirait Wilfrid. Dans son enthousiasme juvénile, ce dernier considérait Papin comme l'un des hommes les plus brillants de la vie politique du Canada. Wilfrid endurait de bonne grâce les punitions qui lui étaient imposées chaque fois qu'il s'absentait d'un cours ou d'une autre activité pour aller entendre Papin. Ce dernier inspira au jeune homme une vision politique aux idées libérales, les mots pour exprimer ces idées, la voix pour les articuler et le courage d'en payer le prix.

Durant sa troisième année, Wilfrid s'enthousiasma pour le droit. Papin et les autres fougueux rouges qu'il rencontrait à L'Assomption étaient tous avocats, et il sautait souvent des périodes d'étude ou des cours pour aller au palais de justice les entendre plaider. «C'est ce que je veux faire!» déclara-t-il à Marion, qui voulait être notaire. Le reste des années que Wilfrid passa au collège, il retourna au palais de justice le plus souvent possible. Ses rotules en prirent un coup à cause des longs moments qu'il dut passer à genoux, en punition pour avoir enfreint le règlement.

Le cours de sept ans que Wilfrid suivit au collège de L'Assomption se répartissait ainsi: éléments, syntaxe, méthode-versification, belles-lettres, rhétorique, philosophie 1 et philosophie 2. Dès sa première année, il aborda les matières qui seraient étudiées durant tout le 22e cours: la grammaire française et la grammaire latine, l'histoire, la géographie et l'anglais. Il se frotta aux gloires de la littérature française — d'avant la Révolution, bien entendu — durant la deuxième année. La troisième, sa vie intellectuelle démarra pour de bon en la compagnie de Virgile, Cicéron, Catulle, Salluste, Horace, Bossuet, Racine et Corneille, et il étudia davantage d'histoire et de poésie. Les mêmes auteurs étaient vus en Belles-lettres et en Rhétorique. Durant ses deux dernières années, Wilfrid consacra beaucoup de temps à la philosophie thomiste, au grec, à l'astronomie, à la physique et aux mathématiques, matières enseignées par le même ecclésiastique. De plus, il apprit les rudiments du chant liturgique, de l'agronomie et du dessin. Il n'excellait dans aucune de ces matières, mais il chantait assez bien. Il ne jouait d'aucun instrument, mais il aimait écouter le piano et l'orgue.

La journée de Wilfrid, d'une durée d'environ seize heures, se divisait à peu près ainsi: deux heures d'exercices spirituels, deux heures de récréation, quatre heures de cours et un peu plus de quatre heures d'étude. Trois heures étaient réservées à la toilette, aux repas, et aux trajets entre le collège et la pension. Wilfrid était un jeune homme occupé.

Chaque période d'étude était consacrée à une matière, de manière que l'élève soit préparé avant le cours. Les devoirs quotidiens devaient absolument être faits et remis à temps. Les élèves étaient soumis à des épreuves et des concours de toutes sortes presque chaque jour; à des débats en bonne et due forme, en français, en anglais, en latin et en grec — l'équipe gagnante recevait un drapeau portant la mention latine *Victoria*; à de longues compositions dont la rédaction prenait cinq heures; à des examens oraux tous les semestres. Ces examens de février et de juillet duraient plusieurs jours; les parents et le public en général pouvaient y assister, et ils y venaient en grand nombre, au grand désespoir du corps étudiant. Les enseignants et autres membres du personnel posaient d'abord à l'élève des questions pour vérifier ses connaissances générales et sa compréhension des matières enseignées. Celui-ci faisait ensuite un exposé sur un sujet donné. Puis les membres de l'assistance posaient des questions sur ce qui les intéressait, la plupart du temps sans grand rapport avec ce que les élèves avaient appris. Quand le directeur jugeait que le supplice avait assez duré, il remettait des prix aux élèves les plus érudits et mettait fin aux souffrances des autres au moyen d'une petite allocution et d'une prière. À la fin de l'année scolaire, l'un des élèves qui terminait son cours prononçait un discours éloquent dans lequel il remerciait les autorités au nom des autres garçons; le directeur félicitait tous les élèves et leur donnait leur congé.

Wilfrid avait beaucoup à apprendre au collège de L'Assomption. Malheureusement, la quantité l'emportait sur la qualité. Puisque tous les contacts officiels avec la France avaient été plus ou moins rompus après la Conquête, en 1759-1760, et la Révolution de 1789, les manuels scolaires adéquats étaient rares. Les enseignants dictaient leurs notes aux élèves, une méthode plutôt ennuyeuse. Ils avaient à peine plus de vingt ans et ne possédaient aucune formation en pédagogie. La plupart étaient de futurs prêtres. En fait, ils se trouvaient au collège de L'Assomption pour apprendre de l'un des prêtres qui y résidait la théologie et les Saintes Écritures. Leur connaissance des matières enseignées était extrêmement limitée. Cependant, ils compensaient ce manque de compétence par un enthousiasme débordant.

Durant les années que Wilfrid passa au collège de L'Assomption, Norbet Barret, un prêtre remarquablement cultivé, un intellectuel, occupait le poste de préfet des études. Sa tâche était loin d'être simple. Ses responsabilités étaient multiples: il lui incombait de s'assurer que le programme d'études soit efficacement appliqué, que les bonnes méthodes d'enseignement soient utilisées, que les notes et manuels soient adéquats, que des normes rigoureuses soient maintenues et que la vie intellectuelle du collège se développe harmonieusement. C'est lui qui décida de tenir un registre des progrès réalisés par chaque élève: tous les membres du corps professoral devaient lui fournir chaque semaine les notes de tous les élèves, accompagnées de commentaires. Barret gardait religieusement son registre à jour; chaque semaine, il préparait une liste. Les noms des élèves étaient lus dans l'ordre décroissant des notes obtenues. Chaque mois, au cours d'une cérémonie se déroulant dans la salle d'étude, il annonçait les résultats des collégiens. Deux fois l'an, il faisait parvenir aux parents un bulletin leur indiquant les progrès, ou l'absence de progrès, de leur fils. Il convoquait constamment les élèves dans son bureau pour discuter avec eux de leurs notes et de leur comportement intellectuel et général. Il instaura la règle voulant que l'élève qui ne réussissait pas ne pouvait se réinscrire ou devait reprendre son année. Il mit sur pied la «classe des faibles» pour ceux qui avaient besoin d'un soutien supplémentaire. La note de passage était de 40 pour cent. Barret lutta inlassablement pour maintenir les normes élevées auxquelles il tenait tant. Il n'était pas aimé, mais il persévéra, et Wilfrid bénéficia de son courage et de son dévouement.

Barret était un homme vigoureux et exigeant, un puriste, un préfet strict en matière de discipline, et il s'acharnait sur Wilfrid pour combattre sa tendance naturelle à l'indolence. Il savait qu'il avait entre les mains un élève remarquable mais rebelle. Comment dompter le rebelle sans nuire à l'élève? Il ne fait aucun doute qu'il ferma les yeux sur bon nombre des infractions au règlement commises par Wilfrid. Comme le jeune homme, Barret semblait aspirer à une plus grande liberté, mais il ne pouvait laisser la discipline se relâcher. C'est pourquoi Wilfrid devait souvent passer une heure à genoux devant tous les collégiens pour avoir manqué un cours ou une activité scolaire. Un jour qu'il s'apprêtait à s'agenouiller comme on le lui avait ordonné, sentant que ses camarades de classe étaient sur le point de se rebeller, il leur fit comprendre clairement qu'ils ne le devaient pas. D'un simple geste de la main, il leur ordonna de se calmer et de reprendre leur étude.

Dans sa recherche inlassable des plus hautes normes possibles, Barret encourageait les élèves à s'adonner à leurs champs d'intérêt intellectuels particuliers en petits groupes, en dehors des heures d'étude officielles. Un an avant l'arrivée de Wilfrid à L'Assomption, Barret avait fondé un cercle littéraire appelé l'Académie française, où l'on étudiait plus en détail la littérature et la rédaction françaises. Wilfrid s'en fit membre durant sa deuxième année, et en fut président au moins quatre fois. Quand Barret mit sur pied une English Academy, Wilfrid s'y joignit aussi. Il n'était pas du tout satisfait de l'enseignement de l'anglais au collège, qu'il trouvait trop théorique et qui, selon lui, était assuré par des ecclésiastiques manifestant peu d'intérêt pour la littérature et l'histoire anglaises. Les élèves profitaient de l'incompétence des enseignants pour s'amuser et faire du chahut. Wilfrid remédia à la situation en faisant des lectures personnelles, en traduisant divers textes, et en parlant et en écrivant en anglais chaque fois qu'il en avait la chance. L'Academy de Barret lui donnait une belle occasion de le faire, et le jeune homme en profita abondamment.

À certaines occasions spéciales, Barret organisait un discours de circonstance. Il choisissait souvent Wilfrid, surtout pour les fêtes entourant la Saint-Jean-Baptiste. Les discours patriotiques de ce dernier enflammaient ses camarades et tous ceux qui l'écoutaient. Wilfrid avait la pensée claire et les gestes naturels; sa voix, belle et sonore, portait loin. Il était aussi engagé dans une autre des innovations de Barret, les récréations latines: environ une fois par semaine, les collégiens essayaient de passer toute une période de récréation en ne parlant que le latin.

Barret maintint également la tradition qui existait déjà à l'époque où il étudiait lui-même au collège, celle du débat oratoire. Les élèves discutaient d'un sujet dont on avait parlé en classe, ou d'un événement d'envergure nationale ou internationale. Les débats se déroulaient surtout en français, mais parfois en latin, en grec ou en anglais. Barret y assistait toujours, analysant scrupuleusement le débat sur le plan de l'orthodoxie, corrigeant les erreurs de grammaire et de prononciation, encourageant chacun à déployer plus d'efforts.

Dès la première année, Wilfrid s'intéressa vivement à ces débats et y participa régulièrement. Il lisait les nombreux journaux qu'il trouvait à la bibliothèque du collège, ainsi que toute la «contrebande» que ses amis rouges de L'Assomption pouvaient lui procurer. Par conséquent, il devint particulièrement bien informé des affaires publiques et des grands enjeux de son époque, dans sa province comme ailleurs. Souvent, il débattait d'une question en se plaçant dans un camp, et dans le camp opposé la fois suivante.

À la fin de sa première année en philosophie, par exemple, à la cérémonie de remise des diplômes, il prononça un discours favorable au pouvoir temporel du pape, sujet très populaire à l'époque. Il arguait du fait que «dépouiller le pape de son pouvoir temporel» c'était «lui ravir sa liberté» d'agir en conformité avec les nobles intérêts de l'Église. Il prit la liberté d'annoncer que le catholicisme était en péril dans l'«atmosphère empoisonnée» de ce «siècle d'erreurs et d'impiété». L'exposé fut extrêmement bien accueilli. Aux examens oraux de sa dernière année au collège, certains visiteurs l'implorèrent de répéter ce discours. Avec dignité, un peu de témérité et beaucoup de courage, il refusa: «Je n'ai jamais cru au pouvoir temporel du pape.» Un point c'est tout.

En plus des discours, compositions et débats, Wilfrid pratiquait l'art de la rhétorique en jouant dans de petites «séances» que le collège montait quelquefois durant l'année et auxquelles le grand public était invité. Barret veillait à ce que les pièces jouées soient des classiques, conformes à l'enseignement de l'Église et dignes de la participation des élèves. L'une de ces pièces, *Athalie* de Racine, fut montée durant la première année de Wilfrid et reprise trois fois par la suite.

Le collège de L'Assomption, toutefois, ne vivait pas que de spirituel ou de profane. La règle et la discipline apparaissaient comme le mortier qui cimentait les divers blocs construisant un bon Canadien français, érudit et dévoué à son Église. Chaque geste et chaque minute étaient réglés d'avance. La cloche sonnait cinq minutes avant le début d'un exercice et cinq minutes avant la fin. Tous les travaux écrits devaient être présentés sur du papier réglementaire. Durant un exposé, l'élève devait se tenir debout et répondre aux questions avec courtoisie et respect. Il devait accepter avec humilité la punition qui lui était infligée s'il répondait incorrectement. Et le règlement ne changeait jamais, même s'il fut adapté de temps à autre. Entre 1833, année de la fondation du collège, et 1933, l'horaire quotidien fut à peine modifié.

En janvier 1857, Wilfrid, alors âgé de 15 ans, rencontra quelqu'un qui allait devenir l'une des rares personnes dont il se souviendrait avec irritation et parfois avec colère le reste de sa vie: Ignace Bourget, évêque de Montréal. Pendant plus de trente ans, Bourget domina les affaires de l'Église au Québec; il était directement responsable de la crise religieuse qui imprégna cette période. Homme d'une cruauté étonnante, bureaucrate pharisien et foncièrement dictateur, il consacrait le gros de son énergie à s'ingérer dans les affaires des autres. Comme le collège était situé dans son diocèse, il y passa une semaine à se mêler de tout. Il rencontra les prêtres et les autres enseignants pour discuter des affaires de l'institution et du rôle de chacun; il rencontra également les élèves, en groupes ou individuellement, dont Wilfrid et ses camarades. Le caractère et le programme ultra-traditionnels de l'évêque ne plurent guère à ce dernier; et si Bourget avait été prévenu des opinions peu orthodoxes de Wilfrid, il évita tout affrontement avec lui.

Wilfrid réussit bien — en fait, très bien — au collège. Admiré et souvent au centre de l'attention, il restait toujours poli et courtois. «Tu dois toujours penser aux autres», lui répétait sans cesse Barret, ce que Wilfrid n'oublia jamais. Il étudiait sans relâche et travaillait dur. Il apprenait vite. S'il n'était pas toujours premier de sa classe, c'est que sa léthargie l'entravait ou qu'il manquait d'intérêt. Wilfrid était toujours franc, diplomate, assuré, loyal et de bonne compagnie, même s'il affichait une certaine hauteur que Barret et les préfets de discipline tentèrent de dissiper sans trop de succès. Leader de nature, il apprit à modérer son intransigeance; ses camarades le respectaient parce qu'il avait le courage de ses opinions, sujettes à controverse, et la capacité de les exprimer et de les défendre. Sa faiblesse — que Barret consigna souvent dans son registre —, c'était l'indolence, presque de la paresse aux yeux du préfet. Tous étaient convaincus que Wilfrid pourrait réaliser de grandes choses si seulement il pouvait employer à bien son énergie.

Indolence ou pas, Wilfrid réussit bien. En 1856, durant sa troisième année, il arriva premier au classement général, deuxième en grammaire latine et en art oratoire, et premier en anglais, en histoire et en géographie. Trois ans plus tard, il remporta des prix dans sept des onze matières au programme. Carolus était fier; Maman Adéline était convaincue que les sacrifices consentis par elle et par d'autres n'avaient pas été inutiles.

Vint le 8 juillet 1861. Wilfrid fit ses adieux à ses amis: Louis-Joseph Riopel, Joseph Marion, Oscar Archambault, Arthur Dansereau et Joseph-Israël Tarte. D'une façon ou d'une autre, ceux-ci feraient toujours partie de sa vie, même s'ils ne partageaient pas ses opinions religieuses ou politiques. Ensemble, ils avaient rêvé des grandes choses qu'ils accompliraient. Ensemble, ils avaient travaillé, prié, joué et enduré les punitions. Ensemble, ils avaient échangé des idées et même des pensées intimes. Ensemble, ils avaient grandi. Wilfrid dit adieu à madame Guilbault, remercia les prêtres et les ecclésiastiques qui lui avaient enseigné et, en fin d'après-midi, monta dans la calèche de Carolus avec tous ses effets personnels. Il rentra à Saint-Lin, dans la maison où il était né 19 ans auparavant. La partie la plus importante et la plus difficile de son chemin vers l'âge adulte était terminée.

3

Montréal

Wilfrid était allé à Montréal deux fois avant d'entrer à l'Université McGill. La première fois, il faisait partie d'une délégation d'élèves que le père Barret avait emmenés participer aux célébrations de la Saint-Jean-Baptiste. Barret les surveillant comme un aigle, Wilfrid n'avait pas eu l'occasion de se promener dans les rues de la ville. Cependant, ce qu'il avait vu lui avait plu, surtout les gens qui arpentaient les rues ou s'asseyaient à l'ombre des arbres. Au loin, il avait entrevu la silhouette de McGill. Il était bien décidé à se faire avocat. Même s'il existait une autre faculté de droit que celle de McGill — celle du Collège Sainte-Marie, qui comptait 31 étudiants —, il sut toujours sans l'ombre d'un doute où il étudierait après le collège de L'Assomption: à l'Université McGill.

Durant l'été de 1861, il se rendit à Montréal pour s'inscrire à la faculté de droit, pour chercher une étude où faire son stage, et pour se trouver un logis. Son père fit avec lui le voyage d'une cinquantaine de kilomètres. Montréal comptait alors quelque 90 000 habitants — dont à peu près la moitié étaient francophones — et s'étendait de plus en plus sur le versant de la montagne et le long du Saint-Laurent. La cité était devenue si vaste que, au mois de mai précédent, la Montreal City Passenger Railway avait été mise sur pied: on ne pouvait plus couvrir les distances à pied, et la plupart des Montréalais n'avaient pas les moyens de louer une calèche. Le matériel roulant du nouveau réseau de transport public comptait en tout quatre voitures, chacune tirée par deux chevaux. L'hiver, celles-ci étaient remplacées par des traîneaux. Le service était offert de 7 h à 22 h, pour un tarif de cinq cents. Wilfrid y recourrait souvent.

Les années 1860 marquèrent également le début du boom industriel de Montréal, la ville continuant d'être le centre financier de l'Amérique du

Nord britannique. Bien desservie par les voies ferrées, les cours d'eau et les routes, c'était la métropole incontestée du pays. Des minoteries automatisées et des élévateurs à grain hydrauliques s'élevaient un peu partout. Les riches et l'élite se construisaient de grandes résidences dans les rues paisibles. Certaines, rue Sherbrooke, étaient des maisons isolées, tandis que d'autres, rue Sainte-Catherine et rue Dorchester, étaient des maisons en bandes avec terrasses. Sur le chemin le conduisant à la faculté de droit, Wilfrid aima ce qu'il vit, mais il ne s'éprit jamais de la ville, surtout parce qu'il préférait la vie rurale à la vie urbaine.

Il n'eut aucune difficulté à se faire accepter par McGill. Son dossier scolaire du collège de L'Assomption était impressionnant, il parlait anglais, et il était charmant et poli. Le doyen et le chef du service des inscriptions ne doutaient nullement de sa réussite. Personne ne s'enquit de sa santé. Il paya les frais de scolarité annuels d'environ trois livres et dix shillings.

On l'envoya au cabinet d'un avocat du nom de Rodolphe Laflamme, au numéro 6, Place d'Armes, demander s'il pouvait y faire son stage. Il avait dans sa poche la lettre de présentation de l'une de ses connaissances rouges de L'Assomption. Wilfrid savait que Laflamme était un libéral, un démocrate et un rouge.

Toussaint-Antoine-Rodolphe Laflamme, diplômé de McGill, où il enseignait, avait 34 ans le jour où il rencontra Laurier à la porte de son cabinet. Inscrit au barreau en 1849, il était, en 1861, l'un des avocats les plus éminents de Montréal, avocat de la Couronne et bâtonnier de surcroît. C'était également l'un des avocats les plus occupés en Amérique du Nord britannique. Selon un juge éminent de l'époque, Laflamme s'occupait certaines années de quelque quatre cents causes rien qu'en Cour supérieure. Il était fréquemment chargé de causes importantes devant la Cour d'appel et le Conseil privé britannique. Entre 1857 et 1893, l'année de sa mort, bon nombre de causes importantes au Canada aboutirent sur son bureau. À McGill, Laflamme enseignait le droit immobilier et le droit coutumier, qui touchaient aux affaires de fief et de servitude, aux successions, aux dons et aux testaments, aux contrats et au mariage, aux communautés de biens et aux hypothèques.

Laflamme, qui appartenait à une riche famille de marchands montréalais, était né dix ans avant les rébellions de 1837 et 1838. Le terme «rébellion» est mal approprié. Ce qui s'est passé au Bas-Canada et au Haut-Canada avec Louis-Joseph Papineau et William Lyon Mackenzie, c'étaient des tentatives — parfois sérieuses, souvent mal planifiées et mal exécutées, et quelquefois ridicules — pour changer le processus politique et l'organisation sociale des deux sociétés, qui vivaient à l'époque sous un régime de népotisme, d'avantages indus et de dictature d'une clique monopoliste et arrogante de profiteurs. À bien des égards, le terme «révolution» serait plus approprié. Cependant, la tendance naturelle des leaders au conservatisme et le fait que beaucoup d'entre eux se soient enfuis aux États-Unis — laissant derrière eux leurs partisans qui ont dû se débrouiller tout seuls ou qui ont été exécutés, déportés, injuriés et autrement malmenés par les autorités britanniques et leurs cohortes — amoindrissent le terme «révolution». Durant les soulèvements, Laflamme se trouvait au Petit Séminaire de Montréal, où il étudiait le latin, le grec et la doctrine de l'Église. Quand il reçut son diplôme en 1845, à l'âge de 18 ans, le gouvernement de l'Union et Wilfrid Laurier étaient tous deux âgés de 4 ans.

Laflamme devint avocat en 1849, à une époque où les libéraux modérés Louis-Hippolyte Lafontaine et Robert Baldwin, avec l'aide du gouverneur général James Bruce, huitième comte d'Elgin, dotaient la colonie d'un gouvernement «responsable», c'est-à-dire où le Conseil exécutif devrait rendre des comptes à l'Assemblée législative élue par le peuple. Cette forme de gouvernement subsiste de nos jours.

Aux yeux de Laflamme, il y avait deux grands freins à la liberté et à l'épanouissement des Canadiens français. Premièrement, leur incapacité à contrôler démocratiquement leurs institutions mettait en danger non seulement leur liberté d'action, mais aussi leur survie. Deuxièmement, la structure clérico-ecclésiastique était opprimante et tendait à concentrer l'énergie du peuple sur un programme issu de l'Ancien Régime avant les réformes provoquées en Europe par la Révolution française.

Après l'échec des rébellions, John George Lambton, premier comte de Durham, fut envoyé au Canada pour chercher les causes du mécontentement qui avait suscité l'insurrection dans deux colonies britanniques nord-américaines. Il débarqua à Québec à la fin de mai 1838 et rentra à Londres quatre mois plus tard. Son célèbre rapport, *Report on the Affairs of British North America*, fut publié l'année suivante.

Le *Rapport* de Durham contenait beaucoup de recommandations, fondées sur deux principes. Le premier était celui du gouvernement responsable: la couronne devait, pour toutes les affaires internes, demander conseil aux ministres, qui jouissaient du soutien du peuple, quelles que soient les opinions du gouverneur général ou des autorités coloniales britanniques. Selon Durham, seul ce système pourrait poser les fondements d'un gouvernement populaire et efficace, assurer l'harmonie entre les divers pouvoirs de l'État, et faire en sorte que l'opinion publique influence chaque détail de l'administration. Il était d'avis que, sans cette dévolution de pouvoir, le Canada et les autres colonies britanniques nord-américaines seraient perdues pour la Grande-Bretagne, car elles finiraient par trouver abri au sein des États-Unis d'Amérique.

Le second principe fondamental était que le gouvernement responsable ne pourrait être reconnu que si une majorité britannique était possible. C'est pourquoi il rejeta l'idée d'une union fédérale et choisit une union législative. En effet, les 400 000 habitants anglophones du Haut-Canada pouvaient ainsi s'unir aux 150 000 Anglais du Bas-Canada, créant la majorité dont Durham avait besoin: 550 000 Canadiens anglais contre 450 000 Canadiens français.

La volonté de Durham de confier le fonctionnement du gouvernement responsable à la majorité anglophone découlait des observations qu'il avait faites au sujet des causes de la rébellion au Bas-Canada. Durham écrit: «Je m'attendais à trouver une contestation d'un gouvernement par un peuple: j'ai trouvé deux nations se faisant la guerre au sein d'un même État. La contestation qui avait été représentée comme une lutte de classes était en réalité une lutte de races. Il m'apparaît futile d'essayer d'améliorer les lois et les institutions sans d'abord réussir à mettre fin à l'animosité implacable qui oppose aujourd'hui les habitants français et anglais du Bas-Canada.» Par conséquent, son projet atteindrait cet objectif sur le plan politique, puisqu'il réglerait du coup la question de la race.

Il y avait cependant plus que cela. Le résultat de la recommandation entraînerait l'assimilation complète des Canadiens français, ce que Durham voyait d'un bon œil. Puisqu'il s'agissait d'un peuple «sans histoire et sans littérature», de personnes à la langue et aux manières singulières, d'une nationalité «sans aucune des institutions qui auraient pu l'élever à la liberté et à la civilisation», l'entrée des Canadiens français dans la civilisation britannique serait accueillie comme le cadeau d'un conquérant généreux et compatissant.

Les autorités britanniques rejetèrent fermement l'idée d'un gouvernement responsable sous prétexte que le gouverneur général, étant un employé du Colonial Office, ministère des Colonies du gouvernement anglais, ne pouvait être en même temps obligé de rendre des comptes aux ministres coloniaux dont les conseils pourraient aller à l'encontre de ses instructions. On accepta toutefois d'unir les deux Canadas, ce qui fut fait en 1840, par une loi impériale du Parlement britannique. Pour ce qui était de la majorité anglophone souhaitée, on espérait l'obtenir en créant une assemblée législative de 42 députés de chacun des Canadas, où la langue anglaise régnerait, puisque le français y serait proscrit. Ces deux dispositions infligèrent une grave injustice aux peuples du Bas-Canada. Cela signifiait que le principe de la représentation proportionnelle, fondement de la démocratie parlementaire britannique, leur était refusé; de plus, on faisait peser sur eux une partie de la dette accumulée par le Haut-Canada, dette de loin supérieure à celle du Bas-Canada. Les Canadiens français étaient ainsi condamnés au statut de minorité perpétuelle, sans que soit reconnue leur langue. L'Union entra en vigueur neuf mois avant la naissance de Wilfrid Laurier.

À l'époque où Laflamme était adolescent et Laurier bébé, les Canadiens français se rallièrent à un but commun: prévenir l'instauration de l'Union; ou, si ce n'était pas possible, en atténuer les répercussions sur leur survie, ce qu'ils réussirent à faire. Sous la direction de Lafontaine, ils s'allièrent aux réformistes modérés du Canada-Ouest, eux-mêmes dirigés par Baldwin. Lafontaine prononça en français son premier discours à l'Assemblée législative en 1842. Deux ans plus tard, une résolution adoptée à l'unanimité reconnaissait au français le statut de langue officielle, résolution à laquelle le Parlement britannique donna son assentiment en 1848. Le gouvernement responsable fut instauré en 1849. Les Canadiens français l'avaient emporté sur Durham. Ils étaient dès lors membres à part entière de l'administration, sans devoir s'angliciser. Ils avaient aussi considérablement affaibli la réalité de l'union législative. Le gouvernement d'Union était moribond. Il ne restait plus qu'à l'enterrer.

Entre-temps, toutefois, Papineau était rentré d'exil en 1845 et, après la victoire de 1849, l'unité politique des Canadiens français commença à se désintégrer en raison de deux enjeux de taille. Le premier consistait à déterminer ce qu'il fallait faire de l'Union. Lafontaine était d'avis que, vu les événements de 1844 et 1849, la rupture de l'Union n'était pas si importante. Les Canadiens français avaient montré qu'ils pouvaient très bien s'en accommoder. Par conséquent, il n'était plus nécessaire de révoquer l'Union. Plusieurs acceptaient la position de Lafontaine, mais une minorité la rejetait. Les Laflamme faisaient partie de cette minorité et, plus tard, dans les années 1860, les Laurier aussi. Dans ces circonstances, deux formations politiques firent leur apparition: celle des libéraux-conservateurs, les bleus, et celles des libéraux, les rouges. Après la Confédération, les bleus se scinderaient: ultramontains-castors et l'école de George-Étienne Cartier; les rouges, qui s'étaient déjà divisés en deux factions durant l'Union, finiraient par retrouver leur unité au sein du Parti libéral. Bleus et rouges s'engageaient à promouvoir les meilleurs moyens possibles d'assurer la survie de «la nation canadienne».

Le second enjeu de taille, c'était la nature des principes qui devraient inspirer les Canadiens français dans leur vie politique. Lafontaine et son groupe, une fois réglées à leur satisfaction les disputes concernant l'usage de la langue française et le gouvernement responsable, tendirent de plus en plus au maintien du *statu quo* et devinrent par conséquent plus conservateurs. Les rouges, par contre, se radicalisèrent davantage. Le progrès était inévitable, disaient-ils; «celui qui se tient au milieu de la route se fait écraser; celui qui n'avance pas se fait écraser aussi». Papineau devint leur mentor. Il leur apporta des idées libérales; il leur inculqua des notions de républicanisme; mais, contrairement à ses disciples, il était tout à fait opposé à la séparation de l'Église et de l'État, et conservait, à titre de seigneur de Montebello, sa dévotion envers le régime féodal. Inspirés par lui, les rouges prêchaient l'évangile du républicanisme et des libertés démocratiques. Dans leur credo ou programme politique, publié en janvier 1850, ils dressèrent la liste de leurs objectifs: éducation pour tous, libre-échange, décentralisation du système judiciaire, codification des lois et liberté pour chaque homme de défendre sa propre cause, libre circulation des journaux, décentralisation du pouvoir par l'établissement d'organisations municipales, institutions électives dans tous les domaines, représentation proportionnelle à l'Assemblée législative, suffrage universel, sessions parlementaires fixées par la loi, abolition du régime seigneurial et de la dîme, égalité de droits et de justice pour tous les citoyens, révocation de l'Union, indépendance du Canada et annexion aux États-Unis. Ils contestaient l'ultramontanisme naissant, cette domination de la politique par le clergé, se joignaient aux organisations de libre-pensée, lisaient des livres interdits par Rome, et luttaient contre les prêtres, les évêques et toute autre forme de tyrannie.

~

À son arrivée au cabinet de Laflamme, à l'automne de 1861, Wilfrid était déjà au courant de la lutte qui avait été menée, et il associait ses idéaux politiques à ceux des rouges. Il était prêt à leur apporter sa contribution.

Wilfrid trouva en Laflamme un frère d'armes, un ami bon et généreux. Laflamme, un homme de grande taille à l'air aristocratique, n'était lié par aucun vœu de mariage ni par aucune allégeance. Il était indépendant, fier, dédaigneux et quelque peu misanthrope. Grand seigneur aux goûts de luxe, il avait vécu dans une succession de maisons imposantes, soit avec son frère, soit seul avec une ménagerie de chevaux et de chiens. Il était membre des meilleurs clubs de Montréal — tous anglais — et menait la grande vie. Cependant, il restait fidèle à sa foi catholique, et ce, malgré son opposition aux prétentions cléricales de son évêque. Au tribunal, il était généralement ennuyeux; il entrouvrait à peine les lèvres lorsqu'il parlait. Il ne s'animait que si ses adversaires l'interrompaient ou le contredisaient. Alors, il fallait le voir: plein de verve, éloquent et rigoureux, il savait s'exprimer avec clarté. Il l'emportait toujours sur ses adversaires. Ce qui étonnait Wilfrid, c'était que Laflamme parle le français avec un léger accent anglais. Le jeune homme ne tarda pas à faire de même.

Durant une conversation portant sur les antécédents de Wilfrid, Laflamme comprit que son futur stagiaire promettait. Il décida de l'aider à exploiter son potentiel. Il offrit à Wilfrid un travail et un modeste traitement, qui, comme le voulait la coutume, représentait à peu près la portion des frais de scolarité annuels que le jeune homme payait à l'université en échange des cours reçus par Laflamme. Une fois l'entretien terminé, tous deux étaient convaincus qu'ils feraient bon ménage: Laflamme fournirait à Wilfrid les bonnes occasions d'apprendre, et ce dernier mettrait toute son énergie et tout son enthousiasme dans son travail.

La session universitaire commença en septembre 1861. La faculté de droit de McGill était aussi un produit de la période de l'Union. Wilfrid avait trois ans quand elle fut fondée; lorsqu'il y entreprit ses études, elle était encore dans sa phase de croissance. Elle n'avait pas de professeurs titulaires, sa bibliothèque était pauvre en livres, et elle attendait de ses étudiants qu'ils acquièrent leurs connaissances pratiques dans les études juridiques où ils faisaient leur stage. Cependant, ses professeurs étaient tous des avocats réputés, ses normes étaient élevées, et son vaste programme mettait l'accent sur les principes fondamentaux du droit.

Wilfrid arriva chez les Gauthier la veille du premier jour de cours; il s'installa dans sa petite chambre, lut comme il en avait l'habitude et se coucha tôt. Le lendemain matin, il quitta la maison au lever du jour et se rendit à pied au cabinet de Laflamme. Un étudiant plus avancé que lui, qui faisait aussi son stage chez Laflamme, lui fit connaître la routine du cabinet; il lui fit faire le tour du quartier, lui indiquant les meilleurs établissements où manger et boire, et lui montrant comment se rendre au palais de justice et à Burnside Hall, rue Dorchester, où il suivrait ses cours. Les deux endroits se trouvaient à proximité du cabinet de Laflamme. Après le déjeuner, Wilfrid se vit confier son premier travail: classer quelques documents dans l'ordre chronologique. À 15 h 45, Laflamme se précipita hors de son bureau. C'était l'heure d'aller en classe.

Au troisième étage de Burnside Hall, Laflamme présenta Wilfrid au doyen, John Joseph Caldwell Abbott, qui deviendrait plus tard premier ministre du Canada, et qui était à ce moment-là chargé d'enseigner le droit commercial. Trois autres professeurs étaient présents: Frederick Torrance, qui enseignait le droit civil et le droit romain, et qui parlait le latin avec un tel accent anglais que Wilfrid arrivait à peine à le comprendre; le professeur Lafrenaye, dont la spécialité était le code civil français et l'histoire du droit de France, de Grande-Bretagne et du Bas-Canada; et un avocat du nom de Carter, qui enseignait à ses étudiants les complexités du droit criminel.

Wilfrid assistait aux cours de 16 h à 18 h, cinq jours par semaine, comme il le ferait durant tout son séjour à McGill. En première année, il y avait onze étudiants, dont cinq Canadiens français. Les cours étaient donnés en anglais ou en français, selon la préférence du professeur. Si Wilfrid étudiait sérieusement, s'il terminait tous ses cours, s'il réussissait tous les examens, s'il rédigeait une bonne thèse et s'il était recommandé à l'Université par le doyen et par la faculté, il serait diplômé au bout de trois ans, recevant un baccalauréat en droit civil pour lequel il paierait un droit de une livre et cinq shillings.

La première année ne comportait que des cours d'introduction: principes généraux du droit et des contrats, origine et histoire du droit. Durant la deuxième année, les cours se concentraient davantage, et Wilfrid aborda le droit criminel et les contrats commerciaux. Il continua aussi d'apprendre l'histoire du droit. La troisième année, on étudiait les mêmes matières, mais plus en profondeur; une introduction au droit international complétait le programme.

Au collège de L'Assomption, Wilfrid avait obtenu des résultats impressionnants. À McGill, ses résultats furent moins brillants. Sa tâche était plus lourde. Durant sa première année, en 1861-1862, il arriva deuxième de sa classe. L'année suivante, sa mauvaise santé nuisit sérieusement à ses études, et ses notes s'en ressentirent. Cependant, durant sa dernière année, il réussit très bien; quand il reçut son diplôme, il était deuxième dans une classe de onze étudiants. Ce fut sa thèse, toutefois, qui l'avantagea. Elle était obligatoire pour tous les étudiants qui terminaient leur cours; il obtint la meilleure note.

Les jours passés à McGill étaient bien remplis; Wilfrid disposait de peu de temps pour les loisirs. Il se levait à l'aube, travaillait chez Laflamme de 8 h à 15 h 30: préparation des documents, apparitions à la cour, entrevues avec les clients et autres tâches que lui assignait son patron. Puis, il assistait à deux heures de cours magistraux. Le soir, il lui arrivait souvent de retourner au cabinet pour y travailler et y étudier, parce que le bruit chez les Gauthier l'empêchait de se concentrer. La marche constituait son seul exercice physique. Il avait peu de contacts avec ses camarades de faculté en dehors de l'université, et il n'avait aucune vie universitaire à part les cours qu'il suivait.

Souvent, il se forçait à penser et à écrire en anglais, expérimentant le style de divers auteurs célèbres, particulièrement celui du grand avocat du droit constitutionnel Goldwin Smith. Dans ses efforts incessants en vue de maîtriser la langue anglaise, Wilfrid traduisait des textes du français à l'anglais et vice-versa; il lisait les poètes anglais, surtout Milton, Burns, Tennyson, Shakespeare, ainsi que les essayistes; il étudiait la rhétorique et l'art oratoire parlementaires, se familiarisant avec John Bright et pleurant en lisant le discours que Lincoln prononça à Gettysburg. Aucun personnage ne le remuait plus qu'Abraham Lincoln, dans son cœur et dans son imagination.

Il chercha toute sa vie à mieux posséder la langue anglaise; il ajouta de plus en plus d'auteurs à son répertoire, en particulier le magnifique Thomas Babington Macaulay. Plus tard dans sa vie, beaucoup de nationalistes lui reprochèrent son amour de la langue anglaise, qu'ils croyaient préjudiciable à son devoir envers la langue et la littérature françaises. Ils l'accusèrent de contribuer à la mort du français en Amérique du Nord, ce à quoi il répondit en 1886: «Tant qu'il y aura des mères françaises, notre langue ne saurait disparaître.» Les nationalistes décriaient aussi le léger accent anglais qui teintait son français. Il en avait un, cela ne fait aucun doute. Il l'avait acquis non pas chez les Murray ou les Kirke de New Glasgow, mais en lisant à haute voix les discours et les poèmes d'auteurs anglais qu'il vénérait, et aussi au contact de Laflamme. Wilfrid avait aussi un léger accent français lorsqu'il s'exprimait en anglais.

Les idées politiques et constitutionnelles de Wilfrid se forgèrent et s'affinèrent dans le creuset de ses lectures. Il découvrit l'horreur de l'esclavage en lisant *La Case de l'oncle Tom*. Après avoir dévoré l'ouvrage en une seule soirée, il devint un abolitionniste irréductible. Le libre-échange entra dans le domaine du possible; le concept de liberté individuelle s'ancra plus profondément dans son esprit; la liberté constitutionnelle devint un phare que jamais rien ne pourrait éteindre; et sa conviction que le peuple possédait le pouvoir de rechercher et de choisir ce qui était le mieux pour lui se trouva raffermie et confirmée par ses lectures.

La vie de Wilfrid était aussi occupée par d'autres activités, en grande partie suscitées et encouragées par Laflamme. Le cabinet de ce dernier devenait souvent le centre où se rassemblait la crème du rougisme. C'est là que Wilfrid rencontra Antoine-Aimé Dorion, qui lui apprit la différence entre un whig de la tradition britannique et un radical de la tradition française; son frère, Éric Dorion, l'enfant terrible du groupe; les frères Doutre: Gonzalve, victime de persécution religieuse, qui faisait la manchette à l'époque, et Joseph, qui se battit en duel contre George-Étienne Cartier; Louis-Labrèche Viger, tour à tour séminariste, journaliste, avocat, marchand, politicien, homme de science et fondateur d'entreprise; Louis-Antoine Dessaulles, éditeur du journal *Le Pays*, autre journal rouge cependant moins controversé que *L'Avenir;* et bien d'autres. Par l'intermédiaire de Laflamme, Wilfrid avait ses entrées dans le monde des idées, des opinions et des sentiments.

D'autres personnages plus conservateurs que lui avaient aussi accès à l'enclave de Laflamme, des hommes comme Laurent-Olivier David, Hector Fabre, Joseph-Adolphe Chapleau et Louis-Amable Jetté, qui occuperaient tous une place importante dans la vie de Wilfrid. Des amis de L'Assomption, comme Oscar Archambault, et des confrères de McGill, comme Henri-Lesieur Desaulniers et Arthur Taschereau, fréquentaient occasionnellement le cabinet de Laflamme. La pensée du groupe de rouges n'était pas monolithique. Dans ce creuset, les idées bouillonnaient, et les débats et discussions étaient incessants. La vie intellectuelle y était intense.

Au début d'octobre 1862, Laflamme fit entrer Wilfrid à l'Institut canadien. Peut-être était-ce son cadeau d'anniversaire, puisque, un mois plus tard, le 20 novembre 1862, Laurier avait 21 ans: il devenait un être indépendant, un adulte, un homme. Carolus et Maman Adéline lui envoyèrent leurs vœux, des gâteaux et de l'argent pour qu'il s'achète un nouveau costume; les Gauthier lui organisèrent une fête; Zoé joua du piano plus divinement que jamais; ses amis l'emmenèrent prendre un verre; Laflamme était tout sourires.

L'Institut canadien avait été fondé à Montréal dans le but de répondre aux besoins des Canadiens français instruits qui ne pouvaient poursuivre efficacement leurs entreprises intellectuelles. Il devait être un point de ralliement, un centre d'enrichissement pour l'esprit grâce à la liberté de recherche, une institution inspirée par le pur patriotisme. L'Institut comprenait une bibliothèque et une salle de lecture. On y organisait des débats et des conférences sur des sujets tel le rôle du clergé dans les affaires civiles, sujet capital pour les élites de la ville.

Les membres de l'Institut qui étaient de la génération de Laflamme connaissaient bien les opinions des penseurs américains. En fait, les opinions américaines sur la démocratie, sur la société laïque composée de plusieurs religions vivant dans l'harmonie sociale, sur les droits de l'État, sur les écoles non confessionnelles, sans parler de la grande réussite économique des Américains, influençaient considérablement les jeunes gens qui appartenaient à l'Institut. Il n'est donc pas étonnant qu'ils aient prêché en faveur de l'annexion aux États-Unis du Bas-Canada et du Haut-Canada. Laflamme défendait cette idée dans le principal organe de son groupe, *L'Avenir*, journal de gauche, à la fondation duquel il avait participé en 1847. Dans ses articles et discours, Laflamme n'hésitait pas à avancer que l'annexion du Canada aux États-Unis était la seule voie vers la prospérité, le progrès laïc et la réforme de l'éducation. Son enthousiasme était tel que, un mois après son inscription au barreau, il devint membre du conseil de la Montreal Annexation Association. Il avait à peine 19 ans!

À cette époque, les membres de l'Institut n'accordaient pas beaucoup d'importance à la pensée politique et séculière britannique en matière de liberté et de libéralisme. Cette attitude n'était pas sans raison. Les Laflamme du milieu des années 1840 et 1850 ne voyaient pas grand-chose de libéral dans l'application d'une constitution politique qui était plus ou moins un instrument destiné à détruire leur peuple en tant que société distincte en Amérique du Nord. La «britannicisation» du libéralisme québécois serait la contribution essentielle de Laurier à la pensée politique au Québec. Cette contribution, toutefois, il ne l'apporterait pas avant 1877.

L'Institut continua d'être florissant — il comptait 700 membres en 1857 — jusqu'à ce que l'évêque de Montréal, monseigneur Bourget, le condamne en 1858. Bourget, devenu le second évêque de Montréal en 1840, était partisan de la suprématie de l'Église sur l'État. Durant toute la seconde moitié du XIXe siècle, les batailles politiques au Québec portèrent sur cette question. Bourget devint l'ennemi par excellence de l'Institut. Il en condamna la bibliothèque de 8000 livres et interdit à tous les bons catholiques d'y mettre les pieds.

Dès que Wilfrid devint membre de l'Institut, il s'immergea dans cette bibliothèque, dévorant ce qui avait été interdit ou impossible à trouver au collège de L'Assomption. Durant les cinq ans qu'il passa à Montréal, il s'engagea profondément dans les activités et dans l'administration de l'Institut. Il en fut deux fois vice-président; à l'automne de 1863, il fut nommé membre du comité qui rencontrerait l'évêque de Montréal et essaierait d'en arriver à une réconciliation avec lui. L'évêque reçut le comité, mais aucun compromis ne fut possible. L'Institut, sa bibliothèque et ses membres restaient condamnés.

Même si le principe de la liberté de recherche était fermement enraciné en lui, Wilfrid s'intéressait à l'Institut à cause de la bibliothèque et des discussions qu'on y menait. Cet appétit pour les livres et pour le discours intellectuel le poussa à se joindre à un autre groupe de jeunes Canadiens français, au printemps de 1862. Une fois l'Institut canadien interdit par Bourget, beaucoup de ses membres le quittèrent et fondèrent l'Institut canadien-français, d'inspiration cléricale. La bibliothèque y était maigre, la liberté de recherche n'y existait pas, et les débats et discussions étaient généralement ennuyeux. Wilfrid n'y resta que quelques mois.

Cependant, il existait une association d'étudiants en droit à laquelle Wilfrid adhéra. L'Institut des lois n'avait aucun lien avec McGill, mais ses membres étaient surtout des étudiants qui se préparaient à s'inscrire au barreau. Certains ne fréquentaient pas l'université, préférant acquérir toutes les notions nécessaires en faisant des stages dans des cabinets juridiques. À la réunion du dernier vendredi du mois, les membres discutaient des sujets qu'ils trouvaient importants: la relation entre la pratique religieuse et la vie civile, l'inégalité de la dîme, les répercussions de l'éducation confessionnelle, par exemple. Les membres étaient plus libéraux que conservateurs. Wilfrid se joignit à l'Institut des lois presque aussitôt qu'il arriva à McGill. Il participa à la plupart de ses activités et, durant sa dernière année universitaire, il en fut président.

Au sein des deux organisations qu'il préférait, l'Institut des lois et l'Institut canadien, Wilfrid acquit son indépendance et aiguisa ses talents de débatteur. Il fut vite considéré comme une étoile. Il présentait bien ses arguments; parlant clairement et fort, il pouvait se faire entendre dans une grande salle; et, comme il l'avait fait au collège de L'Assomption, il continuait de défendre brillamment le pour et le contre de la même question. Pourtant, il sentait que sa disposition et son approche intellectuelles évoluaient. Ce n'était pas la première fois que ses pensées, opinions et valeurs suscitaient des conflits. Il avait vécu tout cela au collège. Mais, au collège, la ligne de démarcation avait été on ne peut plus claire: c'était la bonne façon, celle de l'Église, ou la mauvaise, celle de son rougisme naissant. Il avait choisi la deuxième et n'en démordait pas. Cependant, à McGill, entre 1861 et 1864, et durant son séjour ultérieur à Montréal jusqu'à la fin de 1866, le conflit entre les deux perspectives ne fut pas aussi facilement résolu. Les discussions libres dans lesquelles il s'engageait et ses lectures toujours plus diversifiées le mirent en contact avec une mine d'idées et de valeurs qui lui étaient présentées dans un milieu non autoritaire. De plus, McGill lui fit connaître des penseurs britanniques chez qui il trouva une dimension politique et intellectuelle autre. Avant McGill, il doutait que ses principes libéraux puissent se réaliser en dehors du radicalisme.

Désormais, il se voyait offrir une possibilité qui convenait parfaitement bien à la tendance naturelle qu'il avait de rechercher l'harmonie par l'intermédiaire de la réconciliation ou du compromis.

~

L'après-midi du 4 mai 1864 était magnifique. C'était la collation des grades à McGill. Molson Hall, situé du côté nord de la rue Sherbrooke, au bout d'une longue allée bordée d'arbres, était rempli à craquer de parents et amis des étudiants qui allaient recevoir leur diplôme. Carolus était présent, de même que Séraphin, Phoebé et Zoé. Maman Adéline était restée avec les enfants à Saint-Lin. Les professeurs de la faculté de droit entrèrent en procession solennelle, en compagnie de leurs collègues des autres facultés, derrière les membres de la direction: les gouverneurs, le recteur, le vice-recteur et les doyens. Puis les futurs diplômés arrivèrent: 177 étudiants en médecine, 11 en droit et 1 en génie civil.

Après la prière d'usage et les discours de bienvenue, les diplômés de la faculté de médecine furent honorés. Rodolphe Laflamme fit ensuite lecture du classement et décerna les prix aux étudiants en droit. Wilfrid reçut le premier prix en droit coutumier et en droit immobilier, et le second prix en droit criminel et en droit constitutionnel. Il s'agenouilla devant le président honoraire de l'Université et reçut son baccalauréat en droit civil.

Une fois que ses camarades eurent eux aussi reçu leur diplôme, Wilfrid monta sur le podium et prononça l'«adresse des finissants en droit» en français. Il regarda d'abord l'assistance. Il y vit Carolus et Zoé. Il sourit faiblement, toussa un peu, puis commença son discours d'une voix claire et modulée. Sa silhouette allongée, mince et mélancolique dominait la salle. Les membres de l'assistance s'installèrent sur le bord de leur siège; Carolus était assis droit, l'air fier; Zoé, nerveuse, s'enfonça dans son fauteuil dès que Wilfrid se mit à tousser.

Wilfrid parla du sens de la justice qui habite l'avocat, de sa mission de rendre à chacun ce qui lui est dû, de sa volonté d'embrasser la liberté comme condition fondamentale de tout, et de la responsabilité qu'il a de participer aux affaires de la société. «Rien sur terre n'est plus précieux que la justice, proclama-t-il, pourtant, rien n'est plus difficile à obtenir.» Il termina son discours par un plaidoyer en faveur de l'unité des deux groupes linguistiques du pays, de la réconciliation et de l'harmonie.

«Je le dis à notre gloire, les luttes de races sont finies sur notre sol canadien. Il n'y a plus ici d'autre famille que la famille humaine, qu'importe la langue que l'on parle, les autels où l'on s'agenouille.

Vous avez entendu ici des noms français et des noms anglais, gravés sur les tableaux d'honneur. Certains se sont adressés à vous en anglais, et moi je vous parle dans ma langue maternelle, le français.

Il y a de la gloire dans cette fraternité dont le Canada ne saura jamais être trop fier. Bien de puissantes nations pourraient ici venir chercher une leçon de justice et d'humanité.»

À ce moment de sa jeune vie, Wilfrid Laurier saisit que «l'union entre les peuples» était «le secret de l'avenir».

Bon nombre des membres de l'assistance ne comprirent pas un traître mot de ce que dit Laurier, mais il laissa peu d'indifférents. Il y avait dans ses gestes une noblesse et dans ses paroles une cadence que l'assistance trouvait attirantes. Beaucoup des phrases prononcées et des sentiments manifestés par Wilfrid étaient prévisibles et appropriés, mais il y avait plus que cela: une intelligence qu'on était sur le point de découvrir; une personnalité qui finirait par émerger; une émotion qui se libérait de ses entraves; un voyage qui commençait. Les membres de l'assistance applaudirent poliment, écoutèrent d'autres discours, remercièrent Dieu, puis rentrèrent chez eux. Le lendemain matin, le reporter de la *Gazette* mentionna que le discours d'adieu «avait été lu en français par l'un des étudiants diplômés». Il ne rapporta aucune des paroles de Wilfrid. Et les étudiants oublièrent de signer le registre de la cérémonie.

Ainsi prit fin le passage de Wilfrid Laurier à l'Université McGill. Il la quitta sans regret et n'y revint jamais, pas même pour recevoir le doctorat de droit honorifique que le sénat de l'Université lui décerna en 1898. En revanche, il se rendit au collège de L'Assomption cinq fois: en 1873, 1883, 1893, 1901 et 1918.

Une nouvelle vie allait commencer pour lui.

~

À la fin d'octobre 1864, Laurier et son ami de collège, Oscar Archambault, étaient devenus associés. Ils ouvrirent un cabinet rue Sainte-Thérèse, en diagonale avec la rue Saint-Vincent. Ils espéraient faire fortune, à une époque où tous les gens qui réfléchissaient ne pensaient qu'à l'effondrement de l'Union et à la création possible de la Confédération des colonies d'Amérique du Nord britannique.

La Confédération était devenue une nécessité parce que l'Amérique du Nord britannique était sur le point de se désintégrer. Au Canada-Uni, les gouvernements ne duraient pas; toutes les tentatives pour remédier à cette situation avaient été vaines; dans les colonies de l'Atlantique, personne ne pouvait assumer l'énorme coût d'un système de transport qu'il fallait construire pour assurer la prospérité de tous; en Grande-Bretagne, le gouvernement avait perdu son intérêt pour son territoire nord-américain; aux États-Unis, les armées nordistes, qui avaient battu le Sud durant la guerre de Sécession de 1860-1865, voulaient envahir le Canada et les autres colonies, par représailles contre la Grande-Bretagne, qui avait sottement accordé son soutien aux rebelles. Pour faire bonne mesure, les Américains avaient également abrogé le Traité de réciprocité, qui avait rendu assez prospère toute l'Amérique du Nord britannique durant la décennie précédente. De toute évidence, un nouvel arrangement constitutionnel était requis, faute de quoi l'Amérique du Nord britannique cesserait d'exister.

La formule proposée pour la sauver, c'était la fédération des provinces: Terre-Neuve, Île-du-Prince-Édouard, Nouvelle-Écosse, Nouveau-Brunswick, Canada-Est (Québec) et Canada-Ouest (Ontario). Le principe fut accepté à la Conférence de Charlottetown en septembre 1864. Un mois plus tard, les délégués à la Conférence de Québec adoptaient 72 résolutions sur lesquelles se fonderait le nouveau pays.

Le nouveau pays, qui s'appellerait Dominion du Canada, serait composé d'autant de colonies britanniques d'Amérique du Nord que l'on pourrait en accueillir ou que l'on convaincrait de se joindre à l'ensemble à force de cajoleries. Elles seraient unies dans une union fédérale, où la responsabilité pour les intérêts nationaux serait assumée par un gouvernement central établi à Ottawa; les affaires purement locales seraient laissées aux mains des provinces. Cependant, les décisions des assemblées législatives provinciales pourraient êtres examinées par le gouvernement fédéral, lequel pourrait y opposer son *veto* s'il les jugeait contraires aux intérêts nationaux. L'anglais et le français seraient les langues officielles du gouvernement fédéral, ainsi que de l'Assemblée législative et des tribunaux du Québec. Le Dominion, ou Puissance du Canada, serait gouverné par un pouvoir exécutif composé d'un gouverneur général représentant la couronne britannique et nommé par les autorités impériales sans que soit requis le consentement du peuple ou de ses représentants, et d'un conseil choisi par le gouvernement conformément aux principes du gouvernement responsable; d'un Parlement ou pouvoir législatif, composé d'un sénat nommé par l'exécutif pour représenter les régions et d'une Chambre des communes élue au suffrage universel, conformément à l'évangile de la représentation proportionnelle; et d'un pouvoir judiciaire encore une fois nommé par la branche exécutive. Dans les 72 résolutions, aucune disposition précise ne prévoyait la création d'une Cour suprême comme dernier recours, ni une formule d'amendement.

C'est contre cet arrangement constitutionnel que les amis et associés de Laurier se battraient pendant presque trois ans, avec la contribution occasionnelle de celui-ci.

Entre-temps, l'association que Laurier avait formée avec Archambault n'était pas rentable, même après que le brillant Henri-Lesieur Desaulniers, camarade de McGill, se fut joint au cabinet en décembre 1864. En mars 1865, après une longue pénurie de clients, Laurier quitta l'association, ayant reçu une offre de Médéric Lanctôt, homme d'humeur changeante. L'amitié de Laurier avec Archambault et Desaulniers ne fut pas ébranlée par cette décision sans doute un peu cavalière.

La santé de Laurier s'était considérablement détériorée depuis son départ de McGill. Durant ses études, il avait souvent été gravement malade, surtout en deuxième année. Il s'était toujours rétabli, mais ces graves crises avaient sapé toute son énergie et l'avaient laissé pâle et léthargique, déprimé et appréhensif. Il mettait de plus en plus longtemps à se rétablir; tout effort supplémentaire ou toute angoisse risquait de déclencher d'autres crises. Une fois inscrit au barreau, il fut obligé de gagner sa vie, Carolus ayant dès lors mis fin à son aide financière. Wilfrid choisit de pratiquer le droit à Montréal non parce qu'il aimait la ville, non plus pour l'amour de Zoé, mais bien parce qu'une grande ville lui offrirait plus d'avantages, et qu'il serait plus près de sa famille et de ses amis; en plus, il y avait des contacts. Se débrouillant seul, il tenta de joindre les deux bouts. Cependant, sa pratique juridique n'était pas rentable, et ses dettes s'accumulaient. Ses problèmes financiers alimentaient sa déprime et provoquaient des quintes de toux, en plus de lui rendre la respiration difficile et de lui faire cracher le sang. Incapable de se reposer durant de longues périodes, ce qui attristait et inquiétait Maman Adéline, il devint de plus en plus faible et, par conséquent, moins résistant à sa maladie. Son association à Lanctôt lui assurerait un revenu régulier: ce dernier était populaire et attirait les clients.

Laurier avait rencontré Lanctôt peu après son arrivée à Montréal. Celui-ci lui avait immédiatement plu. Il appréciait la passion de Lanctôt, son esprit brillant, sa nature fougueuse, son énergie et ses talents oratoires. Mais Lanctôt effrayait souvent Laurier, tant il était fantasque, extrême dans ses opinions, souvent emporté par la rage et obsédé par la vengeance. Ils se rencontraient au cabinet de Laflamme ou au tribunal, où ils essayaient de régler les problèmes de l'humanité et, en particulier, ceux de leur pays. Ils se disaient tous deux patriotes et de philosophie libérale, et ils affirmaient consacrer leur vie et leur carrière à l'amélioration du sort de leur peuple. Comme Laurier, Lanctôt avait une mauvaise santé; de plus, il buvait trop. Il voyait en Laurier un «homme de l'avenir». En son partenaire, il sentait le poète, percevait le législateur, savourait l'orateur, communiquait avec le penseur et était ému par le tourment intérieur qu'il entrevoyait. Lanctôt était certain que Laurier ferait son chemin.

Lanctôt était un homme petit, aux cheveux blonds, au front haut et à la barbe longue. Il avait environ trois ans de plus que Laurier. Son père avait participé aux rébellions, et il avait été arrêté et exilé. Cet événement avait marqué Lanctôt. Après être devenu avocat, il commença à publier *La Presse* et à s'opposer au projet confédératif. Il était l'âme de l'opposition à la Confédération, passant son temps non seulement à écrire des articles et à prononcer des discours, mais aussi à rallier à sa cause tous les jeunes gens qu'il pouvait. Il était persuadé que la Confédération était proposée dans le seul but d'angliciser les Canadiens français. Si le projet confédératif était mené à terme, tonnait-il, une majorité hostile aux intérêts de son peuple serait créée pour le détruire. Cela, il ne pouvait l'accepter.

Éditant *La Presse* et livrant des discours contre la Confédération, il n'avait plus beaucoup de temps à consacrer à la pratique du droit. C'est là qu'intervint Laurier. De mars 1865 à novembre 1866, celui-ci dirigea le cabinet à titre d'associé-adjoint. Les bureaux étaient situés au 24, rue Saint-Gabriel, dans le quartier de la loi. Le travail ne manquait pas; les interruptions étaient nombreuses. Laurier travaillait de l'aube au crépuscule; il lui restait peu de temps pour participer aux débats sur la Confédération qui se multipliaient autour de lui.

Pourtant, il trouva le temps de s'engager dans la discussion. Comment aurait-il pu en être autrement? Lanctôt, rongé par sa rage contre les Anglais, les curés et George-Étienne Cartier, qui menait l'opinion publique en faveur de la Confédération, fit de son cabinet le point de ralliement de la campagne anti-Confédération. Laurier assista à quelques réunions de planification, prit la parole au cours de rassemblements tenus en 1865 et 1866, et rédigea quelques articles dans le journal anti-confédération *L'Union Nationale*. Il se joignit même à la société secrète fondée par Lanctôt, le Club Saint-Jean-Baptiste, qui se réunissait dans un lieu situé dans la rue du même nom, juste en face d'un couvent de religieuses enseignantes. Il fallait entre autres prêter serment en orientant la pointe d'une dague contre son cœur et utiliser les mots de passe secrets. Beaucoup de citoyens opposés à la Confédération firent partie de cette société secrète, qui ne dura toutefois pas longtemps.

Laurier n'eut aucune difficulté à accepter le fait que le gouvernement d'Union était bel et bien mort, et que, malgré ses réussites, comme l'utilisation du français et le principe du gouvernement responsable, ce gouvernement avait été un échec. Qu'est-ce qui pouvait le remplacer? Laurier n'était pas indépendantiste et n'avait envisagé que très peu de temps l'annexion aux États-Unis. La vraie solution, c'étaient les rouges qui la détenaient: une fédération du Canada-Est et du Canada-Ouest, laquelle, avec le temps, pourrait devenir la plus importante union de toutes les colonies nord-américaines britanniques. Cette solution permettait la croissance et les ajustements, et elle laisserait aux Canadiens français, dont la presque totalité habitait le Canada-Est, la pleine maîtrise de leur développement. Ce qui était proposé en 1864-1865, c'était une union plus large qui, à son avis, aurait pour conséquence que les Canadiens français, largement surpassés en nombre, se trouveraient à la merci d'une imposante majorité susceptible d'être déployée contre eux. En d'autres mots, cette union n'était qu'une autre façon d'atteindre l'objectif qui avait échappé à Durham et à l'Union précédente. Il fallait s'opposer à la Confédération.

Pourtant, le cœur de Laurier ne semblait pas y être. Sa principale obligation, selon lui, était de réussir dans sa profession. Seule cette réussite assoirait sa réputation, réglerait les factures et assurerait son avenir. En outre, Lanctôt buvait de plus en plus, et il était si accaparé par les propositions de Confédération qu'il ne faisait presque plus rien au cabinet. Dans ces circonstances, Laurier devait travailler inlassablement.

Il trouva à loger au 23, rue Saint-André, juste au nord de la rue Dorchester, à une dizaine de rues à l'est de la résidence des Gauthier. Pour se rendre au bureau, il marchait le long de la rue Dorchester jusqu'à la rue Saint-Denis, où il montait dans le tramway tiré par des chevaux. Après un court trajet, il descendait à la rue Gosford et continuait à pied jusqu'à son bureau, rue Saint-Gabriel, passant devant le Champ-de-Mars, le palais de justice et l'église Notre-Dame. Le soir, il rentrait chez lui en suivant le même itinéraire. Mais souvent, après 22 h, quand il n'y avait plus de transport public, il faisait tout le trajet à pied. Généralement, il arrivait chez lui épuisé et trempé jusqu'aux os.

S'installer coûtait cher; Laurier était impécunieux. Carolus vint à sa rescousse, aiguillonné par Maman Adéline, quasiment morte d'inquiétude devant la détérioration de la santé de Wilfrid. Ses hémorragies étaient de plus en plus fréquentes; son épuisement s'aggravait. Il mangeait peu et maigrissait. Il n'avait pas les moyens de s'acheter des médicaments. Vu la précarité pécuniaire de son fils et la détérioration de sa santé, à la fin de mai 1865 Carolus loua sa maison de Saint-Lin et vint vivre avec sa famille, et ses meubles, au 23, rue Saint-André. Dès lors, Wilfrid prit du mieux et envisagea son avenir avec plus d'optimisme. Il continua de travailler de longues heures, mais il trouva le temps d'apporter son aide à la cause anti-Confédération. Il tira davantage de plaisir de son travail à l'Institut, s'engageant à fond dans ses activités et s'immergeant dans sa bibliothèque. La vie prenait un nouveau sens.

Tout cela ne dura pas longtemps. À l'automne de 1866, sa famille retourna vivre à Saint-Lin; sa relation avec Zoé était tendue; une fois de plus, il était surmené, anxieux et déprimé. Un jour, en octobre, il s'effondra sur son bureau; le sang qui coulait de ses lèvres éclaboussa les documents étalés devant lui. Un médecin fut appelé, soigna certaines lésions, lui fournit des médicaments, lui prescrivit le repos et le grand air, et admonesta ses amis pour qu'ils prennent soin de lui, faute de quoi il ne vivrait pas plus de dix ans, si toutefois il se rétablissait de cette dernière crise. Un message fut envoyé aux Laurier à Saint-Lin. Au bout de quelques jours, Maman Adéline arriva avec Carolus; mais celui-ci dut rentrer aussitôt pour prendre soin des enfants. Maman Adéline passa un mois avec Wilfrid, convalescent.

À ce moment difficile de la vie de Laurier, Antoine-Aimé Dorion, chef des rouges — il préférait qu'on appelle son groupe politique le Parti libéral du Canada-Est —, proposa une solution pour sortir Wilfrid de sa pénible situation. Au début de novembre 1866, le frère de Dorion, Jean-Baptiste-Éric, était décédé. Rouge fervent, il avait fondé un journal, *Le Défricheur*, dans la petite ville de L'Avenir. Dorion proposa à Laurier de remplacer Éric: de publier le journal et de poursuivre sa pratique du droit. «Il nous faut poursuivre l'œuvre d'Éric dans les Cantons-de-l'Est, dit Dorion; l'air de la campagne conviendra mieux à l'état de Wilfrid que l'air pollué de la ville.» Dorion s'arrangea pour qu'un collecteur de fonds rouge, Louis-Adélard Sénécal, l'aide financièrement; il trouva également un associé disposé à imprimer *Le Défricheur*.

[illegible] village de L'Avenir, appelé Durham à sa fondation, avait été le lieu [illegible]dence d'Éric Dorion depuis les années 1850. La population était mi-francophone, mi-anglophone; mi-catholique, mi-protestante. Par l'intermédiaire du *Défricheur*, qu'il avait fondé alors que Laurier était en deuxième année à McGill, Éric Dorion avait fait connaître à ses lecteurs, durant les quatre dernières années de sa vie, ce que le rougisme avait de mieux à offrir. Ce faisant, il s'était souvent attiré les foudres des autorités ecclésiastiques. Le journal connaissait un succès mitigé; l'idéologie Rouge faisait peu de progrès. Dorion lui-même, cependant, était fort populaire. Les possibilités étaient nombreuses. Mais Laurier hésitait. Son départ laisserait Lanctôt le bec dans l'eau. Même si l'idée de perdre son associé le déprimait, Lanctôt se montra ferme: à la campagne! Les parents de Wilfrid étaient du même avis, même s'ils savaient à peine où se trouvait L'Avenir. Wilfrid et Zoé ne se disputèrent pas au sujet de son départ. C'était la meilleure solution possible.

Le 17 novembre, trois jours avant le vingt-cinquième anniversaire de Laurier, tout était arrangé. Les amis de Dorion lui avaient trouvé un logis, et les bureaux du *Défricheur* serviraient aussi de cabinet à Laurier. Il fit ses adieux à Zoé; le même soir, ses amis se rassemblèrent en son honneur à l'hôtel Saint-Louis. Ils burent à sa santé et portèrent maints toasts à leur amitié. La plupart des participants étaient rouges, mais beaucoup ne l'étaient pas. Oscar Archambault parla du collège de L'Assomption; Laurent-Olivier David et Joseph-Adolphe Chapleau taquinèrent le radical en Wilfrid; Louis-Amable Jetté, un rouge tempéré qu'il avait connu à L'Assomption, prêcha la modération; et Laflamme parla avec éloquence de son ancien étudiant. Il échut à Médéric Lanctôt de tirer les conclusions: Wilfrid était digne de poursuivre l'«œuvre nationale» qu'Éric Dorion avait entreprise dans ce coin de pays. Le lendemain, après les nombreuses mises en garde de Maman Adéline, qui avait rempli les bagages de Wilfrid de mets qu'elle avait cuisinés toute la semaine, celui-ci, tout emmitouflé, quitta Montréal en carriole à destination de L'Avenir. Dix jours plus tard parut la première édition du *Défricheur*.

Dans le journal, Wilfrid jurait allégeance aux principes et programmes mis de l'avant par les rouges, par Papineau et par Dorion. Il s'opposait, écrivait-il, à toutes les tendances qui étaient défavorables au bien-être de la société ou antireligieuses. En ce qui avait trait à la Confédération, il voulait que ses lecteurs sachent qu'il y était opposé, parce que le projet confédératif était mal conçu, inique, immoral et «cruel dans ses détails».

L'Avenir, toutefois, n'était pas une ville faite pour Laurier. Malgré ses bonnes intentions, il n'était pas Éric Dorion; ses lecteurs le sentaient, comme tout le monde. Il perdit des abonnés; à peu près personne ne le consultait en tant qu'avocat. Il ne se rétablissait pas aussi rapidement qu'il l'avait espéré; en fait, sa santé se détériorait, sans doute à cause de toutes les factures qui s'accumulaient. Laurier n'avait plus le choix: il devait déménager. Environ un mois après son arrivée à L'Avenir, il annonça que, à compter du 1er janvier 1867, *Le Défricheur* quitterait L'Avenir et s'installerait à Victoriaville, à une cinquantaine de kilomètres au nord. Avant son départ, il rédigea un article caustique contre la Confédération dans lequel il répéta tous les arguments que Lanctôt et les autres avaient mis de l'avant à Montréal.

Victoriaville était une ville plus intéressante pour lui car elle lui offrait davantage de perspectives. La population y était en majeure partie francophone; elle était desservie par le Grand Tronc; le principal tribunal du district se trouvait à proximité; et, de l'avis de Laurier, Victoriaville pourrait devenir avec le temps un centre commercial important. Son journal et son cabinet pourraient s'y développer mieux qu'à L'Avenir. Il consacra la période de Noël à son déménagement. Il trouva un immeuble dans lequel loger son journal et son cabinet. Le premier de l'an, il était prêt. Mais il n'était pas le bienvenu.

Wilfrid était un rouge. Il était l'éditeur et, apparemment, le seul rédacteur d'un journal fondé par un autre rouge. En tant que tel, il était l'ennemi de l'Église. Il fallait l'arrêter avant que son abominable idéologie n'ait prise dans les Bois-Francs, région du diocèse de Trois-Rivières. C'est le coadjuteur, monseigneur Louis-François-Richer Laflèche, qui régnait sur le bien-être spirituel du peuple et sur les pouvoirs et prérogatives de l'Église. Laflèche, qui surgirait fréquemment dans la vie de Laurier pour lui faire du tort, était un tyran mesquin, qui avait été ordonné prêtre trois ans après la naissance de Wilfrid. Missionnaire dans le Nord-Ouest, il était rentré au Québec en 1856, où il avait été professeur au collège de Nicolet, vicaire général, puis coadjuteur du diocèse de Trois-Rivières, avec le droit de succéder à l'évêque. C'était un homme impossible, excessivement critique, sévère et mégalomane, bien qu'il camouflât ces traits derrière son apparente dévotion envers l'Église et sa mission. Laflèche déclara la guerre à Laurier dès l'arrivée de celui-ci à Victoriaville, guerre qui allait durer jusqu'à la mort de l'évêque en 1898. Dans ce conflit, le curé d'Arthabaska, Philippe-Hippolyte Suzor, le membre du clergé le plus puissant dans la région de Drummond-Arthabaska, servait à Laflèche de commandant sur le terrain.

La guerre fut violente. Laurier ne put jamais en comprendre la virulence. Du haut des chaires, les curés le dénoncèrent, lui et ses opinions. Ils le qualifièrent de tous les noms. Un jour il était un révolutionnaire et un monstre, le lendemain, un blasphémateur et un hypocrite. Ils invitaient ni plus ni moins les gens à s'armer pour défendre leur religion et leurs droits. Ils interdirent à leurs paroissiens d'acheter *Le Défricheur* sous peine de péché mortel. Pour stopper Laurier, ils lancèrent leur propre journal, *L'Union des Cantons de l'Est*, dans lequel ils attaquèrent Laurier sans merci, le blessant au plus profond de son être.

Laurier, toutefois, avait appris à rendre les coups. À toute autorité arbitraire, injuste ou inique, tyrannique, écrivait-il dans *Le Défricheur*, nul n'est tenu d'obéir. «Vous voulez la guerre, vous l'aurez!» Laurier était armé d'une plume et d'un journal, et il savait se servir des deux. «Rira bien, qui rira le dernier.»

Malheureusement pour lui, ce furent les curés qui l'emportèrent. À cause de l'interdiction, peu de gens achetèrent son journal, ce qui l'accula à la faillite. Sénécal, l'éditeur et l'imprimeur acceptèrent l'inévitable; la source de fonds était tarie. Le cabinet de Laurier pâtit de cette guerre; les dettes s'accumulaient. Découragé, Wilfrid tomba malade. Trois mois après qu'il eut relancé *Le Défricheur* à Victoriaville, il se voyait obligé de cesser de le publier. Il donna pour excuse sa maladie, qui prenait des proportions inquiétantes. Cependant, il resta à Victoriaville.

Laurier n'oublia jamais ce que les curés lui avaient fait au nom de Dieu. À la seule mention du nom de Bourget ou de Laflèche, la colère montait en lui; sa lèvre supérieure se durcissait et ses yeux, généralement doux, s'embrasaient d'indignation. Laurier, quelques années plus tard, en meilleurs termes avec le curé de sa paroisse, Suzor, demanda à ce dernier pourquoi la hiérarchie ecclésiastique s'était tant acharnée à le détruire. «Oh, nous étions d'avis que vous deveniez trop puissant», fit le curé. Ce à quoi Laurier répondit: «N'avez-vous pas songé que vous priviez un honnête homme de son gagne-pain, que vous ruiniez le placement dans lequel j'avais mis tout ce que j'avais pu rassembler ou emprunter?» Pour toute réponse, Suzor haussa les épaules.

Avec la proclamation de la Confédération, les élections au premier Parlement du Canada et à la première Assemblée législative de la nouvelle province de Québec auraient lieu au début de septembre. Laurier descendit dans l'arène avec enthousiasme. Le 1er août 1867, il y eut un rassemblement des électeurs libéraux de la circonscription à l'hôtel Boisclair. Selon le compte rendu d'un journal de l'époque, l'objectif du rassemblement était de forcer un libéral bien connu de la région à renoncer en faveur de Laurier à sa candidature à l'Assemblée législative provinciale. Tous les participants étaient saouls, à part Laurier, qui ne buvait jamais. La séance fut turbulente; on laissa tomber la proposition. Dans une lettre à Zoé, Laurier mentionne à quel point il était ravi qu'on ait pensé à lui comme candidat. Il participa à d'autres réunions, plus sobres celles-là, pour discuter de sa candidature possible, mais cela n'aboutit à rien. Toutefois, il voyagea beaucoup dans la région, pour assister à des rassemblements et pour y prononcer des allocutions. Il décrivit ces activités comme étant son «amusement» à lui. À la fin du mois d'août, il était épuisé. Néanmoins, à quatre jours des élections, il reprenait le collier. Il négligea même son cabinet pour y participer. Et il déménagea.

Plus tôt cette année-là, en février, tandis que Wilfrid faisait une course, le cocher qui conduisait son traîneau dépassa la gare et emprunta le chemin Saint-Christophe. Sur huit ou neuf kilomètres, ils traversèrent une plaine morne, couverte de neige, et arrivèrent près d'une rivière. Ils franchirent un pont de bois délabré, puis arrivèrent à Arthabaska, connue aussi sous le nom de Saint-Christophe ou d'Arthabaskaville. Cette petite ville tranquille d'environ 2000 âmes était blottie dans une vallée entourée des Appalaches, dominée par les monts Saint-Christophe et Saint-Michel, arrosée par deux rivières, la Nicolet et la Gosselin. Laurier aima Arthabaska. Il y retourna au printemps et en été: les érables et les peupliers bourgeonnaient; les routes étaient couvertes de boue; les voitures devaient diviser leur charge en deux pour gravir la pente abrupte. Les gens à qui il parla lui semblaient amicaux. Il décida d'y chercher une demeure. En septembre, il déménagea dans la grande maison de briques rouges qui appartenait au docteur Médéric Poisson et à son épouse; il loua un salon, qui lui servirait également de bibliothèque et de chambre. Sa pension et son loyer étaient chers pour la campagne, mais c'était ce que Laurier avait pu trouver de mieux.

Il aimait les Poisson. Le médecin était le coroner du district, et sa femme était tout aussi dévote que Zoé. Elle allait à la messe tous les matins. Au début, elle n'avait pas voulu de Laurier dans sa maison. Le curé ayant souvent répété à ses ouailles que ce dernier était un monstre, madame Poisson craignait pour le salut de son âme. Laurier entreprit de lui prouver que les rouges étaient «des êtres avec qui on peut vivre sans danger». Elle le trouva charmant et poli, et pas du tout dangereux. La maison était propre; il la partageait non seulement avec les Poisson, mais aussi avec une quarantaine d'oiseaux rassemblés dans une magnifique volière. Il trouvait agréable de s'éveiller chaque matin au son de leur musique joyeuse, ce qui le mettait de bonne humeur pour le reste de la journée. De temps à autre, Wilfrid souhaitait que Zoé fût près de lui. Mais ce moment n'était pas encore venu.

4

Les débuts en politique 1871-1877

Le dimanche 28 mai 1871, après la grand-messe, sur le parvis de l'église, Laurier accepta d'être le candidat libéral de la circonscription de Drummond-Arthabaska aux élections provinciales du mois de juillet suivant. L'été précédent, les organisateurs du Parti libéral le lui avaient proposé, mais il avait hésité à accepter avant de jauger le soutien sur lequel il pourrait compter. Ses amis politiques d'Arthabaska et d'ailleurs étaient derrière lui. Mais il avait de nouveau reporté sa décision. Il avait été malade durant la majeure partie de l'automne et de l'hiver de 1870-1871; même le printemps ne l'avait pas requinqué. Il était déprimé; il toussait et crachait le sang; il manifestait beaucoup d'indécision et d'insatisfaction. Il négligeait Zoé, qui était venue le rejoindre chez les Poisson, et il la rendait malheureuse.

Elle s'opposait à ce qu'il se porte candidat. Elle lui rappelait sans cesse qu'ils étaient heureux ensemble à Arthabaska. Toute cette paix et cette tranquillité, ils les perdraient dès qu'il ferait de la politique. Chaque fois qu'ils discutaient de l'éventualité de sa candidature, elle lui disait franchement qu'elle acceptait difficilement le rôle d'épouse d'un homme politique. Chaque fois que des curés ou qu'un éditorialiste attaquaient Laurier, elle se sentait blessée. «Tu vas en mourir, tu sais», lui disait-elle.

Laurier différa sa décision jusqu'au moment où il reçut une lettre de Dorion, à la mi-mai. Selon Dorion, le parti comptait sur lui pour entraîner la circonscription dans les rangs libéraux; lui seul était capable d'y parvenir. «J'espère que vous ne nous ferez pas défaut», ajouta Dorion, sans insister. Pour Laurier, c'était un ordre. Il ne pouvait pas laisser tomber le parti, ni Dorion.

~

En Europe, au début du XIXe siècle, les catholiques étaient divisés en deux groupes. À droite, les ultramontains, qui considéraient le pape comme le vicaire du Christ, le chef de l'Église, l'autorité suprême dans les questions temporelles. Empereurs, rois, chefs d'États, politiciens — tous devaient se soumettre à sa volonté sous peine d'être condamnés. À gauche, les catholiques libéraux, qui reconnaissaient l'autorité spirituelle du pape et de l'Église, tout en l'encadrant de principes comme la liberté de conscience, la séparation de l'Église et de l'État, et la conciliation de la doctrine de l'Église avec le modernisme, plus particulièrement avec le libéralisme. Laurier se considérait comme faisant partie de ce camp.

L'Église rejetait le libéralisme catholique. C'était une erreur, avait déclaré le pape en 1864, d'accepter que le souverain pontife puisse et doive accepter le progrès, le libéralisme et la civilisation moderne. Cinq ans plus tard, au premier concile du Vatican, en 1869, les quelque 600 patriarches, archevêques, évêques, abbés, généraux des ordres religieux et théologiens présents proclamèrent le dogme de l'infaillibilité papale. Par la suite, l'ultramontanisme fut à l'ordre du jour.

Au Canada, la conquête ecclésiastique de l'âme politique des Canadiens français s'amorça lentement. Vers le milieu du siècle, certains politiciens catholiques suivirent l'exemple des libéraux radicaux d'Europe; ils fondèrent l'Institut canadien et s'opposèrent à la Confédération en 1867. Les évêques, d'abord divisés, se rallièrent dès que leur influence, leur pouvoir et leur magistère furent mis en doute, compromis ou minimisés. Puisqu'ils étaient tout-puissants dans leur diocèse, ils pouvaient imposer impunément leur interprétation des déclarations qu'ils avaient signées ensemble.

Cinq évêques québécois étaient particulièrement engagés dans la bataille que se livrèrent les libéraux et les ultramontains au Québec durant les dix premières années de la Confédération, bataille dans laquelle Laurier était souvent la cible la plus visible. Dans le camp des ultramontains, où la suprématie de l'Église ne pouvait être mise en doute, et où l'autorité des évêques et des prêtres à titre de mandataires de cette suprématie était intouchable, se trouvait Ignace Bourget, évêque de Montréal de 1840 à 1876. En 1844, quatre ans après la fondation de l'Institut canadien, Sa Grandeur lui déclara la guerre. Théoriquement, plusieurs raisons expliquaient le conflit: les livres de la bibliothèque de l'Institut interdits aux catholiques; l'adhésion à l'Institut ouverte tant aux protestants qu'aux catholiques, association qui, à ses yeux, incitait à l'hérésie; les discussions politiques sur les relations Église-État; et le langage anticlérical qu'on tenait souvent à l'Institut. En réalité, si l'évêque s'opposait si férocement à l'Institut, c'était que ses membres osaient penser avec indépendance et agissaient sans tenir compte de leur premier devoir de catholiques: défendre les intérêts de l'Église et faire ce qu'on leur demandait de faire. Condamnant l'Institut et ses membres en 1858, tandis que Laurier fréquentait encore le collège de L'Assomption, Bourget écrivit dans une lettre pastorale que, du fait que les membres de l'Institut se croyaient compétents pour juger de la moralité de leur bibliothèque, aucun catholique ne pouvait appartenir à l'Institut, sous peine d'excommunication. Bon nombre de membres obéirent, mais d'autres restèrent à l'Institut. Celui-ci était toujours frappé d'interdit quand Laurier s'y joignit en 1862. Au yeux de Bourget, Laurier, comme tous les autres membres, était en rébellion contre l'Église.

On appela du jugement devant Rome, mais en vain. Durant le premier concile du Vatican, l'Institut fut vertement condamné, les autorités trouvant appropriée la position de Bourget. À ce moment-là, Laurier n'appartenait plus à l'Institut, du fait qu'il résidait à Arthabaska. Il ne regretta jamais son adhésion à l'Institut. Ce qu'il regretta, toutefois, fut la triste comédie de l'affaire Guibord, qui affaiblit le Parti libéral en le faisant paraître plus radical et révolutionnaire qu'il ne l'était.

Joseph Guibord était membre de l'Institut canadien quand Rome en proclama la condamnation en juillet 1869. Guibord refusa d'obéir à l'évêque et fut excommunié. En novembre de la même année, il mourut, sans s'être réconcilié avec l'Église. Par conséquent, il ne pouvait y avoir de cérémonie religieuse et le défunt ne pouvait être enterré dans le cimetière catholique où il avait déjà acheté un terrain. Le curé proposa qu'on l'enterre dans la partie non consacrée du cimetière, ce que la veuve refusa. Celle-ci intenta une poursuite contre le curé et la fabrique; Laflamme et l'un des frères Doutre la représentèrent. La cause se rendit jusqu'au Conseil privé de Londres où, en 1874, les juges donnèrent raison à madame Guibord. Quand la dépouille de Guibord, qui avait été gardée temporairement dans le cimetière protestant, fut transportée vers le cimetière catholique, en septembre 1875, une foule attaqua le cortège funèbre et lui barra la route. Ce n'est que deux mois plus tard, le 16 novembre, en présence du maire de Montréal, d'un juge et de 1235 soldats, que le défunt fut finalement enterré près de sa femme, qui, entretemps, était décédée, après être rentrée dans le giron de l'Église. Pour éviter que la tombe soit profanée, on la recouvrit de béton armé et on la fit garder par des soldats. Le même jour, Bourget sécularisa le lot dans lequel reposait Guibord. Avec délectation, l'évêque écrivit à ses fidèles: «Là repose un rebelle qui a été enterré par la force des armes.» L'allié de Bourget dans sa lutte contre les rouges fut Laflèche, coadjuteur et, après 1870, évêque de Trois-Rivières. C'est lui qui avait ni plus ni moins ordonné la faillite de Laurier quand ce dernier était éditeur du *Défricheur*, et il l'avait poursuivi sans relâche depuis lors. À ses yeux, Laurier était l'incarnation du grand mal qui menaçait ses diocésains. Laflèche était convaincu que, s'ils votaient pour lui, une révolution s'ensuivrait, et que l'Église en souffrirait ou serait détruite. Quand il accusa Laurier d'avoir trahi l'Église, de fomenter le mal, et de séduire par l'hypocrisie et la mauvaise foi, Laflèche ne plaisantait pas. Quand lui ou ses prêtres menaçaient les catholiques de son diocèse, s'ils osaient voter pour Laurier, il savait exactement ce qu'il faisait.

Cependant, les évêques n'étaient pas tous de l'avis de Bourget et de Laflèche. Le primat et archevêque de Québec, Elzéar-Alexandre Taschereau, s'opposait à l'intervention du clergé dans la politique. Il avait contribué à obtenir le consentement unanime de ses collègues à une déclaration contenue dans une lettre pastorale publiée le 14 mai 1868: il était strictement interdit aux prêtres de se mêler de la vie politique au Québec. Il tenait à ce que cette injonction soit respectée, surtout parce qu'il craignait une réaction négative des protestants qui, après tout, étaient majoritaires au pays. Dans des lettres et dans des conversations avec l'archevêque de Toronto, Taschereau montre qu'il avait compris que l'intervention du clergé dans la politique au Québec mettait en péril l'Église dans le reste du pays. À moins que la crise ne fût résolue en faveur du mode de vie politique britannique, Rome interviendrait. De cela, Taschereau était certain. Ses opinions étaient plus ou moins acceptables pour Charles Larocque, l'évêque de Saint-Hyacinthe et, dans une moindre mesure, pour Jean-Pierre François-Laforce Langevin, celui de Rimouski.

Il se produisit en 1871 un événement qui accentua la rivalité entre les évêques et les politiciens québécois. Le 21 avril, *Le Journal des Trois-Rivières* publiait un document préparé par un groupe d'éminents conservateurs liés de près aux intérêts de l'Église, document que Bourget et Laflèche avaient examiné soigneusement et approuvé. C'était un manifeste politique intitulé *Programme catholique*. Les idées qui y étaient exprimées feraient partie de la politique québécoise longtemps après la mort de Laurier. Son objectif principal était de donner plus de chances au maladroit Parti conservateur en appuyant un groupe de politiciens qui subordonneraient les intérêts de leur parti aux intérêts religieux et raciaux — langue, traditions et religion — de ce qui s'appelait alors la «nation canadienne-française». Ce groupe croyait, sans doute sincèrement, que la Confédération avait créé des conditions uniques qui laissaient à l'Église toute sa liberté d'action dans l'accomplissement de sa mission. Le rôle des laïcs était d'aider à la réalisation de cette mission. En d'autres mots, le Québec formait un État dans l'État, avec une Église établie, et il n'était que juste que les décisions politiques soient soumises aux directives et à l'examen ecclésiastiques.

Pour atteindre leur objectif, les «programmistes», plus tard appelés ultramontains, devaient obtenir le pouvoir et le conserver. Leur alliance avec le clergé les aiderait dans ce sens. Leur manifeste précisait que seuls les conservateurs qui acceptaient la plate-forme du groupe recevraient son appui électoral. En échange du soutien ecclésiastique, les programmistes débarrasseraient le Québec des lois sur le mariage, sur l'éducation, sur l'érection des paroisses et autres lois que les évêques considéraient comme défavorables aux droits de l'Église et à l'administration harmonieuse de ses affaires. Ils promirent que toute nouvelle loi serait «mise en harmonie avec les doctrines de l'Église catholique romaine». Ils jurèrent d'anéantir les libéraux et, ce faisant, les maux du libéralisme.

Laurier ne se faisait pas d'illusions: les évêques ne manqueraient pas de voir les avantages que le *Programme catholique* pouvait leur apporter; mais appuieraient-ils les programmistes? Contrairement à ses amis, Laurier en doutait. Les évêques, disait-il à David et à d'autres, n'aiment généralement pas que des laïcs viennent se mêler de leurs affaires: «Notez bien ce que je vous dis. Ils diront que le *Programme* n'est rien de plus ni rien de moins que l'empiétement des laïcs sur les droits des évêques.» Il avait raison. C'est exactement ce que la plupart des évêques soutinrent. De plus, l'archevêque de Québec craignait que le *Programme* ne divise irrémédiablement le Parti conservateur, ce qui risquait de mener au triomphe électoral des libéraux. Aux yeux de Taschereau et de ses partisans dans l'Église, c'était là la calamité à éviter. Laurier trouva valable l'analyse de l'archevêque. À Dorion et aux autres, il affirma catégoriquement: «Le Parti conservateur pourrait éclater. Je ne vois pas Joseph Chapleau, Arthur Dansereau, Joseph Mousseau et les autres soi-disant libéraux-conservateurs s'allier aux ultramontains, la pire classe de conservateurs. C'est tout simplement impossible. Ils n'accepteront jamais, pas plus que nous ne l'accepterions nous-mêmes, d'être les agents de l'Église ni de se plier aux diktats des évêques. Jamais! Par conséquent, ils résisteront et, s'ils ne l'emportent pas, que se passera-t-il? Se joindront-ils à nous?»

Laurier faisait figure de prophète sur tous les points. La majorité des évêques se dissocièrent du *Programme*. Cependant, ils se montrèrent tellement circonspects dans leur opposition que le manifeste devint pour les conservateurs une arme importante en politique provinciale pour lutter contre les libéraux, et le resta pendant près d'un quart de siècle. Mais, durant ses dix premières années, le *Programme* remporta relativement peu de succès électoral, ce qui allait changer par la suite. L'esprit du *Programme* allait subsister jusqu'à notre époque. Le nationalisme ultramontain se fondait sur la conviction que la sécurité et la survie des Canadiens français ne dépendaient pas des partis fédéraux, des coalitions ou des groupes d'experts. Non. C'était plutôt en s'appuyant sur leurs traditions et institutions, en mettant l'accent sur leurs différences raciales et religieuses, que les Canadiens français pourraient survivre. Cette concentration de l'attention sur les affaires provinciales explique pourquoi les ultramontains n'eurent jamais de programme fédéral distinct et pourquoi ils se sentirent rarement chez eux à Ottawa. Le même constat pourrait sans doute s'appliquer à ceux qui les suivirent.

Si le Parti conservateur connaissait une crise de conscience, il en était de même pour les libéraux. Ils ne voulaient plus être condamnés; il leur déplaisait d'être associés au radicalisme du passé et de se faire critiquer du haut des chaires et dans les lettres pastorales. Eux aussi souhaitaient être acceptés et se sentir en sécurité. Par conséquent, le 25 janvier 1872, quelque neuf mois après la publication du *Programme catholique*, Louis-Aimable Jetté et les éléments modérés du parti fondèrent le Parti national. «Nous sommes un parti national, déclarèrent ses fondateurs, parce que (...) nous sommes attachés à notre nation et parce que nous avons juré allégeance au Canada avant tout.» Le Parti national prônait l'abolition du Conseil législatif, l'élection des sénateurs, le scrutin secret et les élections à date fixe, l'abolition de la double représentation fédérale-provinciale, une plus grande liberté pour le Canada dans la conclusion de traités, une plus grande autonomie provinciale et, nouveauté par rapport à l'ancienne politique des rouges, la protection de l'industrie canadienne. *Le National*, organe quasi-officiel des libéraux, proclama même sa dévotion et son obéissance à l'Église.

Laurier et presque tous les rouges de l'ère pré-confédération participèrent à l'organisation du Parti national, mais lui le fit avec peu d'enthousiasme. Sa santé l'empêchait d'assister aux congrès et rassemblements de fondation. Cependant, il approuva la plupart des politiques proposées par le parti, notamment la protection de l'industrie, même s'il était plus enclin à privilégier le libre-échange. Il regretterait plus tard d'avoir soutenu le Parti national.

~

La campagne de Laurier aux élections provinciales de 1871 donna en grande partie raison à Zoé. Durant toute cette campagne, il fut malade: il crachait le sang, tremblait de fièvre et avait de la difficulté à respirer. Zoé et les collègues de Laurier craignaient que la campagne ait des conséquences désastreuses sur sa santé. Mais c'était trop tard; Zoé ne pouvait plus l'implorer d'y mettre fin. Malgré l'épuisement qui suivit les assemblées contradictoires, qui attiraient deux ou trois milliers de personnes et qui constituaient à cette époque le principal moyen de communication politique, Laurier mena une campagne des plus énergiques. Les conservateurs et les programmistes le poursuivaient inlassablement, l'interrompant, l'insultant, cherchant la bagarre. Puisque la circonscription de Drummond-Arthabaska se trouvait dans le diocèse de monseigneur Laflèche, celui-ci se servit de son journal, *L'Union des Cantons de l'Est*, pour rappeler à ses ouailles que Laurier était rouge et, en tant que tel, ennemi de la religion. Avec l'aide du curé de la paroisse de Laurier, l'abbé Suzor, Laflèche organisa la lutte du clergé. Tous les dimanches, le candidat libéral se faisait attaquer, souvent sur le plan personnel, et condamner. Zoé était déchirée, fréquemment irritée, fondant en larmes devant pareille injustice.

Toutefois, Laurier poursuivait sa route. Mille fois durant le mois de juin, il répéta que son adversaire conservateur n'avait rien fait pour le comté depuis son élection en 1867. Armé de faits et de chiffres, il incitait son auditoire à se demander si le transport avait été amélioré; si l'industrie était florissante; si le flux d'émigration vers les États-Unis avait été freiné; si le système d'éducation répondait bien aux besoins des enfants. Tout ce qui s'appliquait à sa circonscription, rappelait-il à son auditoire, s'appliquait aussi au reste de la province. Il refusait de parler de ses antécédents de rouge. Oui, il avait édité *Le Défricheur*, mais c'était le passé.

Au début, ce nouveau poulain dans le voisinage piquait la curiosité des hommes. Les femmes, qui n'avaient pas le droit de vote, se tenaient derrière leur mari, leurs frères ou leur père, et écoutaient attentivement. Hommes et femmes étaient captivés par l'homme de 29 ans, grand, beau, digne dans son haut-de-forme et sa redingote, les cheveux flottant au vent, le regard perçant, la voix profonde et séduisante. Ils trouvaient logique ce qu'il leur disait à propos des hauts et des bas de leur vie quotidienne. Recourant à des arguments que tous pouvaient comprendre, Laurier annonçait des jours meilleurs, en des termes compréhensibles et nobles. Vers le milieu de la campagne, les foules commencèrent à lui accorder beaucoup d'attention.

Rentrant souvent tard le soir, il travaillait jusqu'à l'aube à l'élaboration de ses arguments, puis sombrait dans un sommeil agité, sous l'œil toujours vigilant de Zoé. Au matin, une calèche venait le chercher. Encore un rassemblement, un pique-nique, une assemblée; encore des insultes. Il se rendait compte qu'il s'en demandait trop à lui-même, qu'il allait peut-être au-delà de son endurance, mais il ne voulait pas laisser tomber Dorion. Il gagnerait pour lui Drummond-Arthabaska.

Au début de juillet, à neuf ou dix jours de la fin de la campagne, il devint évident pour les conservateurs que Laurier allait être élu. Ils redoublèrent d'efforts. Monseigneur Laflèche écrivit à ses prêtres, les enjoignant de manifester plus d'ardeur dans la défense de la bonne cause. En chaire, Suzor mit en garde ses paroissiens: si Laurier l'infidèle était élu, il démissionnerait de sa cure. Zoé était atterrée. Ce dimanche-là, bon nombre de paroissiens — mais pas assez — dirent au curé qu'ils ne voulaient pas perdre leur berger.

En 1871, c'était le gouvernement au pouvoir qui décidait de la date des élections — lesquelles duraient généralement deux jours —, et qui engageait les scrutateurs et autres officiels. C'était lui aussi qui dressait la liste électorale. Par conséquent, même les morts votaient. Puisque le scrutin n'était pas secret, les électeurs devaient affirmer ouvertement leur vote, ce qui les rendait vulnérables aux représailles. On achetait les votes au vu et au su de tout le monde, la discipline de parti était relâchée, l'intimidation était constante, et les prêtres se servaient de l'administration des sacrements pour atteindre leurs fins. Dans un tel système, il n'était pas facile d'être démocrate.

Les 9 et 10 juillet 1871, les programmistes furent battus: ils n'élurent qu'un seul candidat. La vieille administration conservatrice remporta une quarantaine de sièges, mais aucun de ses nouveaux candidats ne fut élu. Quant aux libéraux, ils pouvaient compter sur une vingtaine de députés — selon l'enjeu —, un léger gain par rapport à 1867. Cinq des élus étaient nouveaux en politique.

Laurier remporta le siège de Drummond-Arthabaska avec une majorité de près de mille voix. Épuisé au point d'être quasiment invalide, il ne put assister à la messe du dimanche 9 juillet. Le lendemain, chez lui, avec les Poisson et Zoé, il entendit un bruit dans la rue qui interrompit la conversation. Le bruit, qui s'amplifiait, semblait joyeux. Ce n'était toutefois pas un signe certain de la victoire, car les conservateurs célébraient peut-être la leur en le narguant. Peu disposé à ouvrir sa porte à une foule frénétique, il attendit qu'on frappât. Deux coups secs. Madame Poisson ouvrit. Aussitôt, le salon se remplit de partisans. Laurier resta calme, même s'il était manifestement ravi. Il vit de la fierté, mais aussi de l'inquiétude, dans les yeux de Zoé. Il arrivait à peine à croire à une telle majorité de voix. Il remercia ses partisans de sa manière habituelle. «Nous avons, ma femme et moi, dit-il en ne regardant que Zoé, passé des jours heureux ici, dans cette maison, dans ce village, auprès de nos amis. Il est possible qu'un jour nous revivions tout cela.» Il sourit timidement, serra le bras de Zoé et sortit dans la rue pour saluer la foule qui avait accompagné les messagers de la victoire. Au bout d'une heure environ, le docteur Poisson renvoya tous les partisans chez eux et obligea Laurier à se coucher. Dorion avait eu raison de faire confiance à Laurier.

Durant le reste de juillet, les lettres de félicitations affluèrent; on lui disait: «La carrière parlementaire sera ta vie.» Si Zoé lut ces prédictions selon lesquelles la vie de son mari allait se passer au Parlement, elle dut être dans tous ses états. Par ailleurs, il est fort possible que, après le 10 juillet 1871, elle ait compris qu'il allait en être ainsi.

> Arthabaska, le dimanche 23 juillet 1871
>
> Mon cher Oscar (Archambault),
>
> Comment puis-je te remercier pour ta gentille lettre! De toutes les félicitations que l'on m'a adressées, ce sont les tiennes, seulement les tiennes, que j'attendais. Les tiennes, je le savais, émaneraient d'un cœur amical. Mon propre cœur a sauté de joie quand j'ai reconnu ton écriture et vu le cachet de la poste de L'Assomption. À la vue de ce nom, toute ma vie, toute notre vie au collège, toute notre vie d'étudiants a défilé dans mon esprit. En une seconde, j'ai revu dix années de ma vie. Que d'événements, que de pensées intimes, que d'anxiétés, que d'espérances ensevelies par la main du temps ont surgi dans mon cœur, aussi frais qu'il y a dix ans. Je me suis alors dit que je renoncerais volontiers à mon siège de député si je pouvais retourner à cette époque bénie.
>
> Oui, ami, je suis maintenant député; j'ai remporté un triomphe, un vrai triomphe; j'ai battu le gouvernement; j'ai été porté sur le parvis par la seule force des sympathies populaires. Pourtant, une fois de plus, je sacrifierais tout cela pour me retrouver à 19 ans, avec ma pauvreté, mais avec mes espoirs, mes illusions et ton amitié. Il y a au fond de mon cœur un regret permanent que le temps ne peut effacer: celui de n'avoir pu réaliser nos rêves de jeunesse, de n'avoir pu concrétiser dans la vie adulte l'union de nos carrières que nous planifiions depuis si longtemps.

Combien de fois ces pensées me viennent à l'esprit, et ces regrets, au cœur! Je me dis: «À quoi bon regretter ce qu'il est impossible de changer? À quoi bon me plaindre des décisions implacables du destin?» Pourtant, au même moment, je me surprends à avoir les mêmes pensées, les mêmes regrets.

Certes, je devrais être parfaitement heureux. Il ne dépend que de moi de l'être, et je le serais n'était-ce de ce regret. Je ne sais pas ce que tu penses de tout cela, mais pour moi c'est un chagrin de tous les instants.

Comme toi, je regrette que tu n'aies pas pu entrer en politique cette année. Nous y aurions fait notre entrée ensemble, nous aurions pu travailler ensemble, nous aurions pu de nouveau goûter les beaux jours du passé. Mais cette occasion n'est pas perdue, elle n'est que reportée. À la prochaine élection, ton tour viendra. Tu arracheras ce beau comté de L'Assomption à Papin, qui se laisse aujourd'hui hypnotiser par une coterie abominable. Je sais que ce sera une dure lutte à livrer, mais le jeu en vaut la chandelle.

Pour moi, je n'ai pas les idées ambitieuses que tu me prêtes. J'entre dans la vie politique sans idée préconçue, sans y chercher aucun avantage personnel, je puis dire sans désir ou, si j'ai un désir, c'est celui de faire triompher mes idées. Nous sommes à une époque de transition il est vrai, et il y a du champ pour qui voudra se donner la peine de faire son chemin. Il fut un temps où je me sentais énormément d'ambitions, mais l'âge a dissipé ces fumées de l'adolescence. Je deviens un positiviste.

Adieu, mon cher Oscar, ou plutôt au revoir. Je suppose que je te verrai à Québec cet hiver durant la session parlementaire. Reçois mes cordiales salutations et celles de ma femme et, s'il te plaît, rappelle-moi au bon souvenir de ta famille, dont les nombreuses gentillesses à mon égard resteront toujours gravées dans mon esprit.

Ton ami,
W. Laurier

Il se fit que, à ce moment-là, à force de cajoleries, on avait pu convaincre l'abbé Suzor de rester le curé d'Arthabaska. Zoé était soulagée.

~

Le mardi 7 novembre, Laurier était déjà à Québec. Il avait loué une chambre à l'hôtel Saint-Louis. Le lieutenant-gouverneur arriva en grande pompe pour inaugurer la nouvelle session de l'Assemblée législative du Québec. Selon la plupart des observateurs, il avait fort peu à dire. Il y eut des bals, des soirées et des soupers pour marquer l'événement. Zoé resta à Arthabaska; l'ancien président de l'Assemblée fut réélu; le seul programmiste élu annonça qu'il appuierait le gouvernement conservateur.

Laurier n'arriva pas à Québec comme un parfait inconnu. Il faisait partie du monde politique provincial depuis le milieu des années 1860, mais il n'y occupait pas le premier échelon. Il ne représentait pas un électorat urbain, et il n'avait jamais fait campagne à l'échelle provinciale. Cependant, son succès dans la circonscription de Drummond-Arthabaska avait été remarqué. Grâce à ce succès, il apparut comme le personnage le plus prometteur de la nouvelle génération de libéraux. Il avait rencontré les principaux dirigeants du parti et, dans la petite communauté politique du Québec, il connaissait la plupart des conservateurs. Le seul député de l'Assemblée dont il pouvait dire qu'il était un ami, bien qu'ils fussent ennemis politique, était Joseph-Adolphe Chapleau, qui avait fréquenté le collège de L'Assomption en même temps que lui, et qui lui avait fait la guerre, à lui et à Médéric Lanctôt, au sujet de la Confédération. Chapleau en était à son second mandat de député de Terrebonne.

Les cérémonies n'impressionnèrent pas Laurier outre mesure. Il se plaignit à Zoé de ce que l'Assemblée n'avait rien d'autre à faire que de participer à des rituels sans fin qu'il trouvait fastidieux et quelque peu irréels. Il s'ennuyait à mourir. Quand il lui écrivit, il venait tout juste de faire son premier discours. Le groupe parlementaire libéral l'avait choisi pour prononcer «l'adresse en réponse au discours du Trône». Le 9 novembre, quand le président de l'Assemblée donna la parole à «l'honorable député de Drummond-Arthabaska», l'attitude de Laurier, comme d'habitude, inspira la confiance et la sympathie. Il jeta un coup d'œil à ses notes, qu'il avait mémorisées. Il regarda son auditoire pour en jauger l'humeur. Tous les députés de son parti étaient présents — George-Étienne Cartier, Joseph-Édouard Cauchon, Joseph-Adolphe Chapleau, son chef et les autres membres de son groupe parlementaire —; les bancs de l'autre parti étaient également remplis. Les représentants de la presse étaient nombreux et la tribune du public était bondée. Tous semblaient attendre de sa part quelque chose d'excitant, d'improvisé. Ne les décevrait-il pas? Il devint nerveux, voire un peu agité.

Il entama son discours par une question: «Le tableau qu'on a mis devant vous est-il bien l'expression de la vérité?» Il ne le croyait pas. La réalité de la vie quotidienne au Québec était bien loin de ressembler à la peinture en rose qu'en faisait le gouvernement. «On nous dit que nous sommes riches», poursuivit-il. Mais si on se donnait la peine d'observer ce qui se passait, on pouvait noter «une gêne» qui cachait une grande souffrance. La cause? L'absence d'une «industrie nationale». C'était là la cause du formidable exode des Canadiens français vers les États-Unis. Le Québec perdait tout son sang. Beaucoup de bébés naissaient, mais, une fois adultes, il leur était impossible de trouver du travail, et ils étaient condamnés à la pauvreté et à l'exil.

En tant que Canadien français, il était mortifié de constater que ses compatriotes d'origine britannique réussissaient mieux que son peuple: «Nous sommes obligés d'avouer que, jusqu'ici, nous avons été laissés en arrière.» Il y eut une rumeur dans la salle et des murmures de mécontentement. Il les fit taire: «Nous pouvons l'avouer sans honte, parce que le fait s'explique par des raisons purement politiques qui n'accusent chez nous aucune infériorité. Après la Conquête, les Canadiens français, soucieux de préserver leur héritage national, se fermèrent, sans conserver avec le dehors aucune relation. La conséquence immédiate, dit-il avec fermeté et courage, fut qu'ils restèrent étrangers à toutes les réformes entreprises tous les jours au delà de leurs frontières, qu'ils demeurèrent fatalement enfermés dans le cercle de leurs vieilles théories.» Cela ne pouvait plus durer. Le moment était venu pour les Canadiens français d'entrer dans le monde moderne, le monde du commerce, de l'industrie, de la science et des arts «de la paix».

Il conclut par un appel à la solidarité et aux réformes qui donneraient une assise plus solide à la démocratie, créeraient un nouveau programme d'éducation, amélioreraient les transports et les communications, et instaureraient une politique de développement industriel susceptible d'assurer l'avenir du Québec. Il s'assit; un lourd silence s'abattit sur la salle. Puis des applaudissements et des bravos jaillirent de toutes parts, même des tribunes. Chapleau manifesta son plaisir par un hochement de tête. Les reporters se précipitèrent pour rédiger leurs articles enthousiastes sur la nouvelle étoile. Laurier n'avait déçu personne; une fois de plus, il avait répondu aux attentes.

Dans son premier discours parlementaire, il se concentra sur les affaires sociales, économiques et nationales qui intéressaient particulièrement son peuple. Il souhaitait que des changements importants se produisent au sein de la société francophone du Québec. La tradition avait peu d'importance à ses yeux, surtout si elle nuisait au progrès. Il était libéral, et le libéral prône le changement, pas le *statu quo*. Pour lui, conserver une petite société canadienne-française attachée à la terre et peu instruite ne garantissait en rien l'avenir. Il était très clair à ce sujet; en disant cela, il énonça ce qui toute sa vie resterait pour lui un principe directeur. S'il fallait faire la transition d'une société agricole à une société industrielle, il incombait au seul gouvernement que les Canadiens français contrôlaient de concevoir des politiques propres à réaliser cet objectif. Laurier avait toutefois un léger désavantage en la matière: l'économie n'avait jamais été un domaine dans lequel il se sentit à l'aise. Il se contenta donc d'énumérer des principes généraux sur la manière de créer une «industrie nationale». Il n'était pas en mesure de déterminer les moyens pratiques à mettre en œuvre pour l'instaurer.

Dans son deuxième discours à l'Assemblée législative du Québec, le 22 novembre 1871 — deux jours après son trentième anniversaire —, Laurier traita du double mandat. Il parla de la constitution, de droits et libertés, de garanties, de la division des responsabilités et des pouvoirs au sein de la fédération, et de la différence entre légalité et légitimité. Il ne marqua pas une seule hésitation durant son exposé. Il avançait aisément ses arguments, en pleine possession de son sujet, et débita avec maîtrise les mots qui habillaient ses idées.

Deux fois durant son discours il évoqua l'avenir. La première, ce fut lorsque, jetant un regard circulaire sur la salle puis sur les sièges occupés par les membres du gouvernement, où bon nombre de députés provinciaux étaient également députés fédéraux, il murmura presque ce qu'il savait bien être clair pour tous: «Avec le simple mandat, Québec est Québec; avec le double mandat, ce n'est plus qu'un appendice d'Ottawa.» Par cette phrase lapidaire, il annonçait le principe constitutionnel canadien de l'autonomie provinciale. C'est dans ce principe que résidait la protection des droits des Canadiens français. La deuxième fois qu'il parla d'avenir, ce fut lorsque, dans une rhétorique jusque-là rarement entendue dans le débat politique, il établit le cadre du contrat social constitutionnel liant son peuple et les autres citoyens avec lesquels il partageait la même terre.

> «Quand un peuple accepte une constitution, il sacrifie une partie de sa liberté, sacrifice généreux de chaque citoyen qui renonce à quelque chose qui lui appartient individuellement en vue de la sécurité collective.

> Quand un peuple accepte une constitution, il trace lui-même le cadre de ses libertés. Dans un certain sens, il se dit: cet espace m'appartient; ici je peux parler, penser, agir; pour mes paroles, mes pensées et mes actes, je n'ai de compte à rendre qu'à ma propre conscience et à Dieu; mais en ce qui concerne la société, voici où son domaine commence et où le mien finit, et je n'irai pas plus loin.
>
> Comme toutes les œuvres humaines, les constitutions sont imparfaites. De nouveaux horizons, insoupçonnés hier, s'ouvrent constamment, et des abus imprévus sont découverts. C'est alors le devoir de l'Assemblée législative d'intervenir, pour élargir ou rétrécir, selon les besoin et les circonstances, le cadre dans lequel évoluent les institutions du pays.»

Lorsqu'on eut procédé au vote, le double mandat fut maintenu, mais Laurier eut la satisfaction de voir Chapleau voter pour son abolition. En 1872, l'Ontario l'abolit. Un an plus tard, le gouvernement fédéral fit passer une loi rendant inéligibles au Parlement fédéral les députés des législatures provinciales, et le double mandat mourut de sa belle mort.

Durant son mandat à l'Assemblée législative du Québec, Laurier ne participa pas activement aux débats et aux affaires de la province. Au cours de la session, il passa la majeure partie de son temps à exercer sa profession d'avocat. La ville de Québec ne l'attirait pas. Il se promenait peu; il passait généralement la journée et la soirée à rédiger des brefs; il écrivait fréquemment à Zoé. Dieu merci, aimait-il à répéter, les sessions étaient courtes, et il pouvait retourner au confort et à la sécurité d'Arthabaska. Il se fit toutefois des amis à Québec.

~

La crise politico-religieuse qui se développait autour de lui attira son attention, bien qu'il l'observât sans beaucoup intervenir activement. Après les élections provinciales de 1871 et les élections fédérales de 1872, les programmistes, encore ébranlés par leur maigre succès électoral, amorcèrent sérieusement leur campagne contre le libéralisme catholique et, disaient-ils, contre son associé, le Parti libéral. La stratégie programmiste porta fruit aux élections provinciales de 1875.

À cette époque, le clergé intervenait directement pour influencer le résultat des élections et les activités politiques de l'État. Tous les mandements, lettres et circulaires antérieurs qui prônaient la réserve furent mis de côté. Aux élections de 1875, au cours desquelles l'ingérence du clergé se fit sentir un peu partout, la province élut 39 conservateurs, 19 libéraux et 5 indépendants. Cauchon, alors devenu libéral, menaça de faire annuler les résultats pour cause d'«influence cléricale indue». Cependant, une telle manœuvre n'était pas sans risque, comme le rappela aux libéraux Joseph-Israël Tarte, ami de Laurier du temps de L'Assomption, devenu un programmiste, et éditeur d'un journal farouchement catholique, *Le Canadien*. Le peuple catholique du Québec ne verrait pas d'un bon œil que l'on traîne les prêtres et les évêques devant les tribunaux civils, comme de vulgaires criminels. Des esprits plus sages finirent par l'emporter. Un mois après les élections, on demanda à l'archevêque Taschereau de déclarer officiellement que les libéraux du Québec n'étaient pas coupables du libéralisme catholique condamné et d'affirmer que le Parti libéral, tel qu'il existait au Canada, n'était rien d'autre qu'un parti politique voulant des réformes pour le bien-être du peuple, conformément à la constitution du pays. Autrement dit, il y avait une distinction entre libéralisme catholique et libéralisme politique, et on demandait à l'archevêque de tracer la ligne.

Taschereau et ses collègues refusèrent d'accéder à cette requête. Dans leur mandement du 22 septembre 1875, ils restèrent dans les limites des directives papales et ne condamnèrent pas le Parti libéral en tant que tel. Cependant, ils affirmèrent que le démon du libéralisme catholique était bien vivant au Québec. Comme cela revenait à être le pire ennemi de l'Église, aucun catholique ne pouvait en conscience être un libéral catholique. Ils réaffirmèrent le droit, en vérité le devoir, des prêtres de s'engager directement dans la politique. Ils donnèrent deux raisons à l'appui de cette affirmation. Premièrement, le prêtre était un électeur comme n'importe quel autre citoyen; en tant que tel, il avait le droit d'exprimer son opinion. Deuxièmement, le prêtre, de concert avec son évêque, avait reçu de Dieu la responsabilité de guider la conscience de ses paroissiens dans toute matière reliée à la loi morale de l'Église et à ses enseignements, droits et prérogatives; par conséquent, le prêtre devait intervenir en politique pour distinguer le bien du mal. Quiconque défendait le contraire était coupable du péché de libéralisme catholique.

Pour ce qui était du clergé, les évêques proclamèrent qu'aucun prêtre ne devait accepter de comparaître devant un tribunal civil; le prêtre devait exiger d'être jugé par un tribunal ecclésiastique. S'il était néanmoins condamné, il devait souffrir patiemment cette persécution «par amour pour la sainte Église». Bref, les évêques stipulèrent que les prêtres ne devaient jamais discuter en chaire d'affaires temporelles, mais se limiter à l'énonciation de principes, rester en communion avec leur évêque et ne pas participer directement aux élections.

Les prêtres et les laïcs ne furent pas dupes du langage habile et contourné des évêques. Ils comprirent parfaitement que le Parti libéral était condamné. Il fallait faire opposition à tous ses adhérents; les curés avaient le devoir d'éradiquer le mal dans leur paroisse. Quand une belle occasion se présenta au clergé en janvier 1876 — l'élection fédérale partielle dans Charlevoix, circonscription se trouvant dans le diocèse de Taschereau —, celui-ci la saisit avec ardeur. Les questions politiques furent reléguées au second plan; les questions religieuses devinrent le seul enjeu. On rappela à satiété aux électeurs que les libéraux avaient étranglé des prêtres durant la Révolution française. Souhaitaient-ils que cela se reproduise dans leur province bien-aimée? À ceux qui objectaient que tel candidat libéral était un catholique bien connu, dévoué à l'Église, on répondait que Victor-Emmanuel et Garibaldi aussi étaient catholiques et que cela ne les avait pas empêchés de faire la guerre à l'Église en Italie. À l'heure de la mort, les électeurs préféreraient certainement être dans le camp du pape plutôt que dans celui de ces traîtres! On ordonna aux femmes de refuser de faire leur «devoir conjugal» aux maris qui étaient partisans libéraux; les enfants devaient s'agenouiller et implorer Dieu que leurs parents ne soient pas damnés s'ils avaient eu la témérité de voter pour le candidat libéral. Lorsque les électeurs demandaient carrément pour qui ils devraient voter, les prêtres méfiants se contentaient de leur répondre par une analogie on ne peut plus limpide au Québec: «Le ciel est bleu, l'enfer est rouge.»

Les protestants étaient en rébellion ouverte. Un mois avant l'élection dans Charlevoix, les libéraux qui n'étaient pas catholiques avaient fondé une Protestant Defence Association à Montréal et à Québec, pour repousser les prétentions du clergé catholique et protéger les éventuelles victimes de persécution pour des questions de conscience. Entre-temps, au Canada anglais, la minorité catholique demanda à Rome de remettre les évêques du Québec à leur place, avant que l'Église catholique ne devienne la cible de la répression dans le reste du pays. Les évêques des autres provinces s'étaient réconciliés avec le libéralisme politique; ils ne comprenaient pas pourquoi leurs collègues québécois ne pouvaient en faire autant.

Incapables d'obtenir quelque justice que ce soit de la part des autorités ecclésiastiques du Québec, les libéraux firent aussi parvenir des mémoires au

Vatican. Ils portèrent devant les tribunaux le cas de l'élection dans Charlevoix, conformément à la loi électorale de 1874, qui interdisait toute influence indue dans les élections. La cour de première instance, présidée par un programmiste, mit un an à conclure qu'il n'y avait aucune preuve d'une quelconque influence indue, puisque les prêtres n'avaient fait que leur devoir sacerdotal. De plus, le juge déclara qu'ils étaient à l'abri du pouvoir temporel dans l'exercice de ce devoir. La cause fut immédiatement portée en appel devant la Cour suprême, établie l'année précédente. Le 19 décembre 1876, la Cour, par décision unanime, annula pour cause d'influence indue l'élection provinciale dans Charlevoix. Ironie du sort, c'est le frère de l'archevêque de Québec qui rédigea le verdict. Néanmoins, à l'élection partielle de 1877, le candidat conservateur fut de nouveau élu.

Rome, ayant été inondée de pétitions, de mémoires et d'opinions contradictoires, décida d'envoyer un légat constater la situation et essayer d'y voir clair. Monseigneur George Conroy, évêque d'Ardagh, en Irlande, arriva à Québec le 24 mai 1877.

Le décor était en place; il restait à Laurier à trouver une issue à l'imbroglio dans lequel se trouvaient la religion et la politique au Québec.

~

Au moment où la guerre politico-religieuse faisait rage au Québec, au milieu des années 1870, Laurier n'était plus député à l'Assemblée législative du Québec. En 1874, il avait été élu député de Drummond-Arthabaska au Parlement fédéral. Une telle transition paraissait inévitable. Sa carrière de politicien provincial n'allait nulle part, et il avait cessé de savourer la gloire — quelle qu'elle ait été — qu'elle lui avait apportée. Il se désengagea de la politique provinciale, qu'il trouvait banale, pour concentrer son attention sur la pratique du droit. Il passait le plus de temps possible à Arthabaska avec Zoé, qui prenait soin de lui. Celle-ci espérait que le virus de la politique était bien mort en Wilfrid, mais ce n'était pas le cas.

C'est une série d'événements que Laurier trouvait intrigants qui lui firent envisager de passer de l'Assemblée législative du Québec à la Chambre des communes du Canada. Aux élections de 1872, la vulnérabilité des conservateurs était devenue évidente. Leur majorité à la Chambre s'était amenuisée, ce qui redonnait espoir aux libéraux pour les élections suivantes. De plus, le scandale du Pacifique de 1873 avait provoqué la chute du gouvernement de John A. Macdonald, qui avait été remplacé par le gouvernement libéral d'Alexander Mackenzie. Les libéraux étaient arrivés à Ottawa, mais réussiraient-ils jamais au Québec? Laurier en doutait. Lorsque Mackenzie déclencha des élections en janvier 1874, le député libéral fédéral de Drummond-Arthabaska annonça qu'il prenait sa retraite.

Laurier était couché. Revenu grippé de sa dernière session parlementaire à Québec, il était soigné par l'infatigable Zoé. La toux lui irritait les poumons et provoquait des hémorragies. Sa fièvre s'aggrava; il délirait parfois. Il luttait contre l'abattement qui accompagnait la maladie, et la tendance qu'il avait dans ces moments-là à être morose, déprimé et inhibé. Zoé refusait de parler de politique et même d'y penser. Noël arriva et passa. Laurier ne se rétablissait toujours pas.

Un beau jour d'hiver, un groupe d'amis politiques locaux se rendirent chez Laurier. Zoé refusa de les laisser entrer. Ils insistèrent, et Laurier, ayant entendu le bruit, demanda à les voir. Contre sa volonté, Zoé se plia aux vœux de son mari. Au lit, appuyé sur des oreillers, pâle et ébouriffé, Laurier les écouta parler de sa candidature. Ils savaient que la campagne serait rude, mais il disposerait de toute l'aide dont il aurait besoin. Les conservateurs présentaient un candidat moins populaire que lui, et les libéraux pouvaient conserver le siège si Laurier se présentait. Qui plus est, insistaient-ils, Laurier s'ennuyait à Québec, sa stature et sa réputation grandissaient au sein du parti, les enjeux fédéraux étaient complexes et nécessitaient l'attention d'un esprit vif comme le sien, et sa carrière politique fédérale profiterait à sa pratique du droit. Ils étaient convaincus qu'il avait l'étoffe d'un ministre, et ils calmèrent son appréhension de ce qu'Ottawa était bien loin d'Arthabaska et que la session parlementaire y était plus longue qu'à Québec. Quand Laurier aborda la question de sa santé, l'un des visiteurs lui répondit que l'excitation électorale lui avait toujours été bénéfique dans le passé. Avant le départ de ses visiteurs, Laurier avait accepté leur offre. Lorsque Zoé revint les chercher pour les raccompagner à la porte, son mari était déjà en train d'échafauder des projets. Il était plus animé qu'elle ne l'avait vu depuis des semaines.

La campagne électorale fut ardue et féroce. Laurier faillit se noyer en traversant la Nicolet, près du petit village de Horton, dans sa circonscription. L'alcool coulait à flots chez les libéraux comme chez les conservateurs; on achetait les votes; et les grands enjeux du jour, surtout la corruption des conservateurs, illustrée par le scandale du Pacifique, faisait l'objet de débats dans d'innombrables assemblées contradictoires. Le candidat conservateur, cependant, ne possédait pas le talent oratoire, l'intelligence et le charme de

Laurier, et le clergé resta relativement silencieux. À la fin de janvier 1874, Laurier fut élu avec une majorité de 238 voix. Il irait à Ottawa.

Lorsque Laurier entra au Parlement, les libéraux gagnèrent 138 des 206 sièges, avec 54 pour cent du vote populaire. Au Québec, les libéraux avaient fait élire 35 députés, 8 de plus qu'en 1872, et les conservateurs, 30. Les libéraux faisaient face à trois problèmes susceptibles de nuire sérieusement à l'avenir du Canada: la construction du chemin de fer Canadien Pacifique, objet d'un scandale aux proportions épiques, l'agitation au Manitoba, qui accentuait l'antagonisme des races et menaçait l'unité nationale, et la récession économique causée par la panique de 1873.

Et le chemin de fer? Laurier n'en avait aucune idée. Lorsque la Colombie-Britannique entra dans la Confédération en 1871, le gouvernement fédéral conservateur dirigé par Macdonald et par Cartier s'était engagé à construire au cours des dix années suivantes un chemin de fer transcontinental. Ce serait un travail national herculéen; les difficultés seraient énormes, le coût formidable et les revenus faibles pendant de nombreuses années. Les libéraux, eux, considéraient le projet comme téméraire et irréfléchi. Leur principal journal à Toronto, le *Globe*, était d'avis qu'il s'agissait d'une entreprise imprudente et désastreuse, imposée par une poignée de personnes habitant à 4000 kilomètres à l'ouest. Le Parti national, qui regroupait les diverses nuances du libéralisme québécois, tonnait lui aussi contre le projet. Laurier, qui construirait plus tard un autre chemin de fer transcontinental, semblait partager cette opinion. À la fin du mandat des libéraux, en 1878, la cause du transcontinental n'avait guère progressé.

Cependant, Laurier adopta une position ferme dans le débat sur le Manitoba. L'insurrection de 1869 — causée par le cafouillage de Macdonald durant l'intégration des terres de la Compagnie de la baie d'Hudson, que le Canada avait achetées en novembre de cette année-là, dans le cadre constitutionnel et le tissu social du Canada — avait encore des répercussions au moment où Laurier alla à Ottawa en 1874 participer au gouvernement du pays. L'événement le plus contesté avait été l'exécution de Thomas Scott, arpenteur ontarien, orangiste, et raciste au langage ordurier. Qu'un «sauvage», le Métis Louis Riel, ait fait mettre à mort un Blanc était absolument inacceptable. Une armée fut envoyée pour remettre de l'ordre et établir l'autorité du Canada dans les territoires. Après la fin des hostilités, Cartier avait créé la province du Manitoba, en 1870, et avait prévu des droits linguistiques et religieux semblables à ceux reconnus au Québec. À l'automne de 1870, tout était calme sur le front ouest. Mais ce n'était pas le cas en Ontario et au Québec.

Les Ontariens étaient courroucés par le «meurtre» de l'un des leurs; de plus, ils voulaient à tout prix compenser l'influence du Québec en élargissant le rôle de l'Ontario dans l'Ouest. La création d'une petite Ontario, voire d'un chapelet d'Ontarios, sur les anciennes terres de la Compagnie de la baie d'Hudson, servirait merveilleusement cette fin. Par conséquent, ils souhaitaient que soient punis les meneurs de l'insurrection, et que l'autorité de la loi rende l'Ouest plus sûr, afin qu'ils puissent s'en emparer. Le gouvernement de l'Ontario offrit une récompense de 5000 $ pour l'arrestation de Riel.

Par contre, les Canadiens français avaient voyagé dans toutes les Prairies avant que les orangistes et les Ontariens connaissent même l'existence de ces territoires. Ce faisant, ils avaient ouvert l'Ouest, s'étaient mariés avec des autochtones, et avaient créé une nouvelle nation, la nation métisse. Certains, une poignée, avaient envisagé la possibilité d'une émigration des Canadiens français vers l'Ouest pour contrer l'exode vers les usines textiles de la Nouvelle-Angleterre. Les Canadiens français étaient d'avis qu'il fallait passer l'éponge, et accorder à Riel et aux siens une amnistie inconditionnelle.

Macdonald chercha à faire arrêter Riel et Ambroise Lépine, tout en leur donnant de l'argent pour qu'ils puissent s'enfuir aux États-Unis et négocier leur amnistie avec l'évêque de Saint-Boniface, monseigneur Alexandre Taché. Malheureusement, les termes de l'entente, n'étant pas consignés, étaient ouverts à toutes les interprétations. L'exécution de Scott était-elle visée par l'entente? Macdonald prétendait que non, comme le firent les libéraux lorsqu'ils furent élus; l'évêque disait que oui.

Au moment où eurent lieu les élections de 1874, des mandats d'arrestation avaient été lancés contre Riel et Lépine, qui étaient retournés dans la vallée de la rivière Rouge en 1872. Lépine fut arrêté, mais Riel réussit à s'enfuir; il eut l'audace de laisser son nom sur la liste des candidats, dans la circonscription de Provencher, au Manitoba, aux mêmes élections qui menèrent Laurier à Ottawa. Quand Mackenzie et le cabinet libéral apprirent la nouvelle, ils furent stupéfiés, craignant les répercussions en Ontario. Ils demandèrent à Taché d'intervenir pour éviter le désastre. Pas bête, l'évêque demanda en échange une déclaration officielle écrite de la part du gouvernement libéral selon laquelle l'amnistie serait accordée. Mackenzie refusa. Riel fut élu avec une majorité de 127 voix sur son adversaire libéral. Se rendrait-il à Ottawa pour son assermentation? Lui permettrait-on d'occuper son siège? Que ferait Mackenzie, qui avait mille fois parlé de Riel durant sa campagne en Ontario, et qui avait accusé ses adversaires conservateurs de trahison pour avoir promis l'amnistie à un rebelle, un meurtrier? Quelle position Laurier adopterait-il le moment venu?

Le mardi 26 mars 1874 fut une journée particulièrement froide à Ottawa. C'était l'ouverture du Parlement. Laurier était arrivé le dimanche précédent et s'était installé à l'hôtel Russell. Le lendemain, il avait été assermenté, en présence de ses amis québécois. À la réunion du groupe parlementaire, on lui avait confié la tâche de seconder, en français, la réponse au discours du Trône que l'administration Mackenzie avait préparé. Le whip libéral lui montra son siège, à la droite du président de la Chambre, mais loin derrière. Puis, le mardi, Laurier se rendit avec ses collègues au sénat pour écouter le discours lu par le gouverneur général, lord Dufferin.

Ce jour-là, tandis que la foule grouillait dans le hall des édifices du Parlement, trois hommes entrèrent dans la Chambre. L'un d'eux était Louis Riel. Élégamment vêtu, il portait une barbe épaisse; personne ne le reconnut. Avec ses compagnons, il se promena dans le corridor, souriant aux gens et se comportant comme tout le monde. Peu après 13 h, Riel et le député de Rimouski, qui l'accompagnait, entrèrent dans le bureau du greffier principal. Riel prêta serment, signa le registre, salua le greffier et sortit de son bureau. Regardant la signature dans le registre, le greffier fut stupéfié. Il se précipita à l'autre bout du corridor pour en informer le ministre de la Justice, Antoine-Aimé Dorion; quelques minutes plus tard, la nouvelle s'était répandue sur toute la colline parlementaire. Mais Riel avait disparu.

C'est dans ces circonstances que Laurier livra son premier discours à Ottawa, le 30 mars. Lorsqu'il se leva pour prendre la parole, bien des députés eurent l'impression qu'ils avaient devant eux un simple campagnard. «Ses longs cheveux châtains, notera l'un d'eux, rejetés en arrière de chaque côté de son visage rasé de près ajoutaient à cette impression. On le supposait beaucoup plus jeune qu'il ne l'était en réalité.» Beaucoup se trouvaient là parce qu'ils avaient entendu vanter son éloquence. Il ne les déçut pas quand il livra un discours inoffensif sur la grande liberté dont le peuple du Canada jouissait en vertu de la constitution; sur l'harmonie qui régnait entre les races et qui était sans égale dans le monde entier; sur le libéralisme au Québec, qui était fondé sur les principes politiques des libéraux de Grande-Bretagne; et sur les possibilités que présentait le plan mis de l'avant par le gouvernement pour le Canada. Il parla avec assurance et, comme le fit remarquer un observateur de l'époque, avec la maîtrise de soi d'un orateur expérimenté: des manières charmantes, une touche de dignité, un air de candeur et une éloquence naturelle. Les députés l'applaudirent et le premier ministre le félicita, tout comme le chef de l'opposition, le très honorable John A. Macdonald. Toutefois, Laurier ayant prononcé son discours en français, il ne fut compris que par une minorité de la Chambre.

L'administration du pays fut paralysée tant que l'affaire Riel, qui se cachait alors à Montréal, ne fut pas réglée. Durant la deuxième semaine d'avril, les choses en arrivèrent à un point critique. Le gouvernement constitua un comité de la Chambre, présidé par Donald Smith, ancien dirigeant de la Compagnie de la baie d'Hudson, chargé de faire enquête sur les tenants et les aboutissants de la rébellion du Nord-Ouest, y compris la question de l'amnistie. Les conservateurs proposèrent une motion pour expulser Riel; les libéraux s'y opposèrent: la motion était prématurée, et la Chambre devrait attendre le rapport de Smith. L'ami conservateur de Laurier, l'affable Joseph-Alfred Mousseau, ainsi que le seigneur de Terrebonne, l'austère Rodrigue Masson, proposèrent une motion ordonnant au gouvernement d'accorder l'amnistie complète.

Le mercredi 15 avril, Laurier se leva en Chambre pour prendre la parole. C'était son premier discours en anglais. Il craignait de «massacrer l'anglais de la reine». Cependant, il avait bien étudié l'affaire, ayant cherché tous les précédents juridiques qu'il pourrait invoquer pour prouver que, selon le droit britannique, nul ne peut être arbitrairement privé de ce qui lui appartient — ce que les conservateurs voulaient faire à Riel. Selon lui, personne n'avait clairement démontré que Riel avait commis un meurtre et qu'une sommation de comparaître avait été émise contre lui. Il poursuivit en disant que ce n'étaient pas là de simples détails ou subtilités juridiques, mais plutôt les garanties britanniques de la liberté. Depuis l'époque de la Magna Carta, la Grande Charte de 1215, il n'était plus possible en terre britannique de dépouiller un homme de sa liberté, de son bien ou de son honneur, «sans lui avoir donné le bénéfice de toutes les formes légales pour se défendre», ce que l'on avait qualifié dans ce débat d'expressions techniques et de subtilités juridiques.

Laurier demanda aux conservateurs d'éclaircir la question de l'amnistie. Entre-temps, il fallait donner à Riel le bénéfice du doute: «Non, messieurs, tant que cette question d'amnistie n'aura pas été éclaircie, pour ma part, je ne déclarerai jamais que cet homme fuit la justice de son pays.» La Chambre ferait mieux d'attendre le rapport du comité d'enquête. Cependant, il n'était pas disposé à accepter l'amnistie inconditionnelle proposée par Mousseau, bien qu'il souhaitât une amnistie. Cela aussi, c'était prématuré. Quant à la rébellion de 1869-1870 dans la vallée de la rivière Rouge, il en était fier. «Pourquoi ces braves hommes se battaient-ils?» demanda-t-il à ses collègues. Selon lui, tout ce que Riel et ses amis voulaient, c'était être traités comme des sujets britanniques et «ne pas souffrir qu'on trafiquât d'eux comme d'un vil bétail». «Si c'est là un acte de rébellion, dit-il, lequel d'entre nous, s'étant trouvé avec eux, n'aurait pas été rebelle comme eux?» Il conclut en affirmant que, tout compte fait, il considérait «les événements de la Rivière-Rouge en 1869-1870 comme une page glorieuse, si malheureusement elle n'avait pas été souillée du sang de Thomas Scott». Il ajouta: «Mais telle est la condition de la nature humaine et de tout ce qui est humain: le bien et le mal y sont constamment mêlés; la cause la plus glorieuse peut n'être pas exempte d'impureté, et la plus vile peut avoir son côté noble.»

Il parla pendant une heure en un excellent anglais. Lui qui n'avait pas appris cette langue dans les règles la parlait mieux que les anglophones de naissance. Pourtant, même si Laurier avait été calme, logique et réfléchi, que son discours avait été considéré comme le meilleur de tout le débat, et que les députés l'avaient applaudi pendant plus de cinq minutes, il n'arriva pas à convaincre la Chambre. Dans un vote de 124 voix contre 68, Riel fut expulsé du Parlement et son siège déclaré vacant.

Toutefois, les choses n'en restèrent pas là. Le cas de Riel domina la politique canadienne pendant encore environ un an. Cinq mois après son expulsion, il fut réélu *in absentia* dans sa circonscription. Cette fois-là, il ne se rendit pas à Ottawa.

En novembre 1874, Lépine fut déclaré coupable de meurtre et condamné à la pendaison. Une puissante agitation se manifesta au Québec: on voulait prévenir son exécution. Le gouverneur général en fut informé et, au début de 1875, sans le conseil ni le consentement de ses ministres, il commua la sentence de Lépine et la réduisait à deux ans de prison. Durant la session parlementaire de 1875, Donald Smith rapporta que Macdonald et Cartier avaient en fait promis l'amnistie. Cela suffisait pour que Mackenzie passe à l'action. Le 11 février, il présenta une motion d'amnistie «pour toutes les personnes concernées par les Troubles du Nord-Ouest (...) sauf pour L. Riel, A. D. Lépine (...)» à qui l'amnistie serait accordée «à condition qu'ils soient bannis pour cinq ans des Dominions de Sa Majesté». Quant au «fenian» du nom de O'Donoghue, il devait être banni à vie. Riel fut privé de son siège à la Chambre des communes et partit pour les États-Unis. Lépine, lui, refusa l'amnistie et purgea toute sa peine de prison; il quitta le pénitencier en octobre 1876. Entre-temps, Laurier avait rencontré Riel, qui logeait dans un presbytère situé non loin d'Arthabaska. Il trouva le rebelle plutôt charismatique, mais extrêmement perturbé, et le considéra comme un monomane.

Laurier pouvait-il appuyer la politique de Mackenzie? Après tout, il avait participé à la campagne menée en faveur de Riel, même s'il n'éprouvait que peu de sympathie pour le chef des Métis. Lui et d'autres libéraux du Québec avaient épousé la cause de Riel et avaient allumé l'enthousiasme du peuple pour cet homme et ses amis. Sans doute Laurier l'avait-il fait pour punir le gouvernement de Macdonald, qui n'avait pas fait grand-chose pour désamorcer la crise, mais, en agissant ainsi, Laurier avait manqué à son vœu d'«éliminer du domaine de notre politique les questions de race et de religion». Il en était conscient et, dans une lettre à son ami libéral James Young, il le reconnut: «Nous avons été imprudents en excitant de la sorte les sentiments du peuple.» Il n'allait pas répéter son erreur. Il souhaitait que l'agitation cesse et que le dossier soit clos. Par conséquent, il appuya le gouvernement en février 1875. Toutefois, il profita de l'occasion pour rappeler à la Chambre que «notre nation est composée d'individus de croyances et de races différentes». Tous devaient être traités équitablement et, dans l'administration des affaires publiques, nul ne devait oublier ce simple fait. C'est ainsi que l'affaire Riel fut enterrée — et le resta pendant dix ans.

La situation économique ne permettait pas de répit. Dès 1873, la demande de biens canadiens déclina aux États-Unis et en Grande-Bretagne; la vulnérabilité du Canada aux fluctuations financières étrangères mettait le pays à rude épreuve. Des entreprises, même les plus prospères, faisaient faillite, les banques aussi, et le crédit était difficile sinon impossible à obtenir; les manufactures et les usines fermaient; des milliers de travailleurs chômaient; beaucoup d'entre eux n'arrivaient pas à nourrir leur famille. Telles furent les conditions économiques qui prévalèrent durant toute la période du gouvernement de Mackenzie.

Du fait que les revenus du gouvernement fédéral provenaient en majeure partie des taxes à l'importation, et que le volume de marchandises importées diminuait toujours, il fallait trouver de l'argent. En 1875, le tarif douanier sur la plupart des importations fut haussé d'environ 2,5 pour cent. Mais on réclamait de plus en plus fort un tarif encore plus élevé pour assurer de plus grands revenus à l'État et pour empêcher le massacre des entreprises canadiennes dans leur propre marché. Mackenzie et le ministre des Finances, Richard Cartwright, étaient libre-échangistes; Laurier avait appuyé le libre-échange durant sa jeunesse, lorsqu'il était rouge, mais, au sein du Parti national, il était devenu favorable à un protectionnisme modéré. En 1876, le gouvernement envisagea d'augmenter une fois de plus le tarif douanier, mais il se ravisa à la dernière minute. Laurier en fit autant.

«Je ne nie pas avoir été un protectionniste; je le suis encore, déclara Laurier au cours du débat sur la question. Mais je suis un protectionniste modéré.» On pouvait sans doute affirmer, ajoutait-il, que le libre-échange était un but ultime vers lequel tendre; entre-temps, toutefois, le protectionnisme était nécessaire à la jeune nation, afin qu'elle atteigne au plein développement de toutes ses ressources. Il demanda dans quelle mesure le Canada devait se protéger. Il se répondit à lui-même: «Je considère que le tarif douanier actuel fournit une protection suffisante (...) La dépression n'est pas le fait du Canada seulement; elle est universelle et frappe les pays très protectionnistes autant que les pays libre-échangistes.»

Pourtant, la position du Parti libéral au Québec et dans le reste du pays continua de se détériorer, en partie à cause de la dépression, en partie en raison de son incapacité d'enflammer l'âme des électeurs. Il ne savait pas comment bâtir un pays, et il était toujours entravé par des questions de leadership. Mackenzie et les siens donnèrent au Canada bien des choses importantes: la Cour suprême, le vote secret, la tenue des élections à la même date dans tout le pays, la Police montée du Nord-Ouest, le Collège militaire royal, la livraison à domicile du courrier dans les grandes villes canadiennes, et un gouvernement honnête. Mais la question du leadership restait un problème.

Cette question tournait autour d'Alexander Mackenzie et d'Edward Blake, avec Laurier souvent pris entre les deux. Mackenzie était né en Écosse en 1822, de parents pauvres. Lorsqu'il vint faire fortune au Canada, en 1842 — en posant des briques et des pierres —, il avait conservé ses principes politiques radicaux et son envie de réformer le monde qu'il connaissait. Il entra dans l'arène politique en 1861. Blake, de onze ans le cadet de Mackenzie, était issu d'une riche famille du Haut-Canada. Diplômé de l'Université de Toronto, libéral, c'était un avocat redoutable. En 1867, il fut élu à l'Assemblée législative de l'Ontario et à la Chambre des communes. Il devint premier ministre de l'Ontario en 1871, Mackenzie devenant son trésorier. À l'abolition du double mandat, en 1872, les deux hommes choisirent la scène politique fédérale.

Blake était reconnu pour son intelligence; presque tous les membres du parti, dont Mackenzie, avaient souhaité qu'il en devienne le chef en 1873. Un homme ne partageait pas cet avis: le ministre des Finances de Mackenzie, Richard Cartwright, doutait des qualités de chef de Blake. Ce dernier, après avoir refusé d'accéder à la direction, fut surpris de voir son refus pris au sérieux. Il entra au cabinet à titre de ministre sans portefeuille, pour démissionner trois mois plus tard. On ne pouvait compter sur son appui durant les élections de 1874, mais, en 1875, la désillusion au sujet de Mackenzie était telle que les membres du parti firent pression sur Blake pour qu'il revienne au cabinet. Mackenzie lui proposa une fois de plus le poste de premier ministre, mais Blake se contenta du portefeuille de la Justice, auquel il avait renoncé deux ans auparavant pour devenir président du Conseil privé. Aux élections de 1878, Blake prit soin de demeurer effacé; il se rendit en Europe et perdit sa circonscription.

Laurier était quelque peu rebuté par Mackenzie, qu'il trouvait dénué de vision et incapable d'agir. En Blake, de huit ans son aîné, il voyait par contre un génie, un esprit contemplatif, un travailleur, un être timide et distant, un homme d'État des plus constructifs. Ils se trouvaient souvent ensemble dans la bibliothèque du Parlement, penchés sur d'épais volumes, discutant de leurs lectures respectives. Ils se lièrent d'amitié et restèrent proches malgré les vicissitudes de leur vie politique. Ils se faisaient mutuellement confiance, discutaient franchement des grandes questions et cherchaient toujours à concilier leurs opinions. De toute évidence, Laurier préférait Blake à Mackenzie comme chef.

Laurier avait aussi l'impression que Mackenzie l'avait laissé tomber. Il ne s'attendait pas à faire partie du cabinet au début du mandat de Mackenzie. Cependant, en 1875, le ministre de la Justice, un Canadien français, démissionna et fut nommé juge à la Cour suprême. Qui le remplacerait? Mackenzie penchait en faveur de Cauchon, qui avait ses entrées à l'archevêché, qui connaissait tout le monde et qui possédait trente ans d'expérience parlementaire. Blake préférait Laurier, qui représentait l'avenir du parti. Cette différence d'opinion souleva une difficulté qui ne pouvait être résolue que par la mise à l'épreuve de Laurier. Si celui-ci pouvait organiser une victoire libérale dans Bellechasse, la circonscription de l'ancien ministre de la Justice, il serait promu au cabinet. En novembre 1875, les libéraux perdirent l'élection; Laurier fut puni. Cauchon fut nommé en décembre 1875, ce qui irrita, voire enragea, bon nombre de libéraux québécois.

Un autre poste ministériel s'ouvrit en octobre 1876. La candidature de Laurier ne fut même pas envisagée. Son ancien professeur et mentor, Rodolphe Laflamme, devint ministre en novembre. Un mois plus tard, autre ouverture; on mentionna le nom de Laurier, mais Cauchon contribua à tuer sa candidature dans l'œuf. Un autre que lui fut nommé ministre. Mackenzie s'excusa de cette décision, invoquant des circonstances qui échappaient à sa volonté et la nécessité de tenir compte de la représentation régionale du Québec dans son cabinet. Laurier n'en crut pas un mot.

Cependant, Laurier avait du ressort; il était sûr de lui et déterminé. Son jour viendrait. Lorsque, en juin 1877, Cauchon rompit avec Mackenzie et Blake et fut nommé lieutenant-gouverneur du Manitoba, Laurier fut pressenti pour le remplacer. Mais il fallait d'abord attendre que les autorités épiscopales éclaircissent la distinction entre libéralisme politique et libéralisme catholique. Laurier décida de leur donner un coup de main.

5

«Je suis un libéral!»

En juillet 1867, une nouvelle ère commença pour les Canadiens français. Pour la première fois de leur histoire, ils disposaient d'un gouvernement et d'une Assemblée législative qu'ils contrôlaient, et ils pouvaient agir, librement et efficacement, au plus haut niveau du Parlement fédéral et de ses tribunaux. Cela représentait une occasion extraordinaire pour des hommes comme Laurier, qui ne pensaient qu'à la politique, qui avaient des idées, qui manifestaient des qualités de meneur et qui se rendirent disponibles. Cependant, en 1877, il était devenu évident que, ni à l'échelon provincial ni à l'échelon fédéral, les intérêts des Canadiens français n'étaient pas aussi fermement protégés que l'ordre constitutionnel l'avait prédit. Le gouvernement du Québec semblait être un appendice du gouvernement fédéral, et l'influence à Ottawa sur laquelle comptaient les Canadiens français était devenue faible et incertaine. De plus, la confusion entre le libéralisme politique et le libéralisme catholique autorisait plus ou moins le clergé à intervenir en politique, ce qui, et c'est peu dire, fragilisait l'autonomie des politiciens québécois.

Dans cette période d'incertitude, le Club canadien, club politique libéral, invita Laurier à donner une conférence à ses membres sur le libéralisme politique canadien, à Québec, le 26 juin 1877. Alexander Mackenzie et quelques libéraux influents du Québec, dont Rodolphe Laflamme, se sentaient mal à l'aise: ils craignaient que Laurier ne perturbe par inadvertance les délicates négociations qui avaient alors cours entre le Parti libéral du Canada et les autorités papales. Mieux valait, écrivit Mackenzie dans une lettre, reporter la conférence. Même Zoé se mit de la partie. Elle craignait que son mari se trouve mêlé à un affrontement sans fin avec les représentants de Dieu qu'elle chérissait tant.

Laurier était toutefois persuadé qu'il fallait faire quelque chose, et vite. «Nous ne pouvons attendre, fit-il remarquer à Zoé. Dans quelques mois il sera peut-être trop tard, et notre parti sera le grand perdant dans tout cela.» À Laurent-Olivier David, qui était convaincu que Laurier ne tiendrait pas de propos regrettables, ce dernier dit, non sans émotion: «Il est certain que si nous ne pouvons parler aujourd'hui avec la voix du simple bon sens, le sort de notre parti est compromis, encore plus qu'il ne l'est actuellement, tandis que nous attendons que Rome se prononce sur notre pureté politique.»

~

Le mardi 26 juin 1877, à 18 h 30, les jeunes gens qui avaient invité Laurier vinrent le chercher à son hôtel pour le conduire à la salle de l'Académie de musique de Québec, rue Saint-Louis, salle qui pouvait contenir quelque douze cents personnes. Laurier fut surpris de la multitude de calèches et de fiacres qui étaient garés autour de l'immeuble ou qui faisaient la queue pour décharger leurs occupants, et par la foule de piétons qui affluaient en direction de la salle. Dans une antichambre située près du hall, il rencontra certains des dirigeants du Parti libéral, qui étaient venus de loin, même de Montréal, pour l'entendre. Quelques-uns avaient même fait le voyage d'Ottawa. Les journalistes étaient nombreux; il en connaissait la plupart. Beaucoup, comme son ami Tarte, étaient programmistes et s'étaient fait pas mal de capital politique sur le dos du diabolique libéralisme. David était là, de même qu'Ernest Pacaud, l'agent électoral non officiel de Laurier à Arthabaska, qui lui avait apporté un mot de Zoé. Archambault lui avait envoyé un télégramme. Beaucoup des députés libéraux de l'Assemblée législative du Québec, dont le chef de l'opposition et le chef de l'aile provinciale du parti, le grand seigneur Henri-Gustave Joly de Lotbinière, entrèrent dans la salle peu avant le début de l'allocution. L'archevêque anglican de Québec apparut, ainsi que deux ecclésiastiques protestants, trois ou quatre chanoines catholiques, plusieurs prêtres du diocèse, un jésuite ou deux, et bon nombre de professeurs laïcs ou cléricaux de l'Université Laval — en tout plus de 2 000 personnes. Le président du Club canadien annonça enfin: «Le temps est arrivé, Monsieur Laurier!»

Celui-ci se leva, pâle comme un drap — si pâle, en fait, que les gens crurent qu'il se trouvait mal. Mais Laurier avança jusqu'au devant de la scène et, levant la tête, jeta un regard circulaire sur la salle, tandis que les membres de l'assistance le regardaient, l'œil scrutateur. Il avait la ferme intention de leur énoncer clairement sa position, de leur dire ce en quoi il croyait et ce qu'il recherchait, et eux, ils l'écouteraient. Sa voix résonnerait jusqu'à Ottawa, en passant par Montréal, et retentirait dans chaque village, paroisse, cour, séminaire et collège du Québec, et même dans la maison où l'évêque Conroy, le légat du pape, s'était retiré. Personne ne serait épargné.

Laurier alla droit au cœur du sujet. D'abord, sa voix trembla; il craignit un instant la quinte de toux, mais cela lui passa.

> «Je sais que, aux yeux d'un grand nombre de mes compatriotes, le Parti libéral est composé d'hommes aux doctrines perverses et aux tendances dangereuses, marchant sciemment et délibérément à la révolution.»

Levant les yeux de son texte, Laurier vit beaucoup de têtes s'incliner en guise d'approbation. Il ne s'arrêta pas:

> «Je sais que, aux yeux d'un certain nombre de mes compatriotes, le Parti libéral est composé d'hommes aux intentions honnêtes, peut-être, mais qui sont victimes et dupes de principes qui les mènent, inconsciemment mais fatalement, à la révolution.»

D'autres hochements de têtes marquèrent l'approbation des membres de l'assistance, quelques-uns manifestaient la désapprobation. Laurier poursuivit:

> «Je sais que, aux yeux d'une autre portion de notre population, et sans doute pas la portion la moins considérable, le libéralisme est une nouvelle forme de mal, une hérésie porteuse de sa propre condamnation.»

Sans donner la chance à quiconque d'approuver ou de désapprouver ses propos — il avait l'impression que ce petit jeu était terminé — Laurier continua en répétant qu'il connaissait toutes ces peurs. C'était pourquoi il avait accepté de prononcer cette allocution, de prendre parti, de faire connaître à tous les principes politiques qui l'animaient.

Non, son libéralisme n'avait rien à voir avec le libéralisme catholique: toutefois, tant que les libéraux y seraient associés dans l'esprit des gens, «nous (catholiques), poursuivit-il, serions obligés de nous abstenir complètement de prendre part à la direction des affaires de l'État, et alors, la constitution

— cette constitution qui nous a été octroyée pour nous protéger — serait pour nous lettre morte». Ce n'était pas son destin. Son credo politique n'était pas influencé par le libéralisme européen. L'histoire de ce libéralisme avait été écrite «en lettres de sang». Non, c'était plutôt dans le libéralisme anglais qu'il cherchait inspiration. Laurier emprunta les paroles suivantes à lord Macaulay, le grand historien britannique qu'il admirait tant:

> «Il existe partout une classe d'hommes qui s'accrochent avec amour à tout ce qui est ancien et qui, lorsqu'on les convainc au moyen d'arguments irréfutables que l'innovation serait bénéfique, y consentent avec beaucoup de crainte et de mauvais pressentiments.
>
> Il existe partout aussi une autre classe d'hommes, exubérants d'espérance, hardis dans leurs idées, allant toujours de l'avant, prompts à discerner les imperfections de tout ce qui existe, estimant peu les risques et les inconvénients qui accompagnent toujours les améliorations, et disposés à regarder tout changement comme une amélioration.»

Laurier estimait faire partie du second groupe.

À ceux qui prétendaient que son libéralisme n'était que républicanisme camouflé, il répondit:

> «La forme importe peu; qu'elle soit monarchique, qu'elle soit républicaine, du moment qu'un peuple a le droit de vote, du moment qu'il a un gouvernement responsable, il a la pleine mesure de la liberté.»

À la suite de ces paroles, il affirma, solennellement et avec émotion, qui il était sur le plan politique:

> «Je suis un libéral! Je suis un de ceux qui pensent que partout, dans les choses humaines, il y a des abus à réformer, de nouveaux horizons à ouvrir, de nouvelles forces à développer.»

Les membres libéraux de l'assistance applaudirent; les autres ne bronchèrent pas. Une fois le silence revenu, Laurier reprit son discours:

«Nos âmes sont immortelles, mais nos moyens sont limités. Nous tendons constamment vers un idéal que jamais nous n'atteignons. Nous rêvons le bien, mais ne réalisons jamais ce qu'il y a de mieux.

Quand nous atteignons le but que nous nous sommes fixé, nous découvrons que de nouveaux horizons s'ouvrent devant nous, dont nous n'avions jamais soupçonné l'existence. Nous nous précipitons vers ces horizons qui, une fois explorés à leur tour, nous en révèlent d'autres, qui nous mènent toujours plus loin.

Il en sera ainsi tant que l'homme sera homme, tant qu'une âme immortelle habitera un corps mortel: ses aspirations dépasseront toujours ses moyens, et ses actes n'atteindront jamais la hauteur de ses conceptions. Il est le Sisyphe de la légende: son travail, une fois terminé, doit toujours être recommencé.

C'est précisément cette condition de sa nature qui fait la grandeur de l'homme, car elle le condamne irrémédiablement au mouvement, au progrès. Nos moyens sont limités, mais notre nature est perfectible et notre champ d'action est infini. Ainsi, il est toujours possible qu'un plus grand nombre de citoyens accèdent à un mode de vie plus facile.

À mes yeux, c'est cela qui fait la supériorité du libéralisme.»

Les applaudissements étaient encore plus nourris. Même si Laurier parlait déjà depuis plus d'une demi-heure, il lui restait beaucoup à dire. Il avait le sentiment que personne n'était las de l'entendre et que plus d'un trouvait dans ses paroles une inspiration à poursuivre le rêve dont il parlait. Beaucoup, de par leur expérience, étaient d'accord avec lui: plus de révolutions avaient été causées par l'entêtement conservateur que par l'exagération libérale. Il n'était pas possible de freiner chaque homme dans la poursuite de la liberté et de ses buts. Chaque fois que cela avait été tenté — l'histoire le prouvait —, il y avait eu explosion, violence et ruine.

Laurier avait puisé dans deux sources l'inspiration de son activité politique: le Parti libéral britannique et le Parti libéral canadien. Dans le premier, les réformes entreprises en Angleterre par des hommes d'État tels Charles Fox, Daniel O'Connell, Charles Grey et John Russell étaient l'œuvre du libéralisme. Grâce à ces réformes, les opprimés étaient défendus, les catholiques avaient obtenu leurs droits et privilèges en tant que sujets britanniques, la suprématie de l'oligarchie aristocratique et terrienne avait été abolie, le suffrage avait été étendu au travailleur, et l'Église d'Angleterre avait cessé d'être la religion d'État en Irlande. «Membres du Club canadien, libéraux de la province de Québec, proclama-t-il, voilà quels sont nos modèles! Voilà quels sont nos principes! Voilà quel est notre parti!»

Au Canada, le Parti libéral était aussi ancien que la liberté qu'il réclamait. En 1848, tous les Canadiens français en étaient; le schisme se produisit plus tard, menant à des excès de langage — par exemple, quand on en appela à la «révolution complète» dans la province — de la part de «jeunes gens de grand talent, mais dont l'impétuosité de caractère était encore plus grande»; de jeunes gens qui avaient grandi sous les abus vengeurs des autorités coloniales, abus dirigés contre les participants aux rébellions de 1837 et de 1838, et sous la répression majeure imposée à la population en général; de jeunes gens dont les plus âgés avaient à peine 22 ans; de jeunes gens contre qui le clergé menait une «guerre sans merci». La population anglaise, «éprise de liberté, mais également éprise du maintien de l'ordre, se rangea également contre le nouveau parti». Par conséquent, ces jeunes gens et leur parti, lui, Laurier, et son parti, n'étaient pas acceptés, pas même considérés comme acceptables.

Pourtant, il éprouvait une grande fierté à être membre de ce parti, malgré ses excès. C'était son parti qui, depuis près de trente ans, «avait pris l'initiative de toutes les réformes accomplies durant cette période». Entretemps, «la génération de libéraux de 1848 avait presque entièrement disparu de la scène», et les jeunes de cette génération, «devenus adultes, désavouaient les actes impétueux de leur jeunesse». Lui et ses amis libéraux, les jeunes gens du Club canadien auxquels il s'adressait ce soir-là de juin, étaient encore proscrits.

Laurier prit une gorgée d'eau, puis posa près du verre les papiers qu'il avait en main. Il regarda de nouveau l'assistance avec attention; il souriait intérieurement. Le moment était venu de passer à l'attaque. Il se campa solidement et, doucement, sans colère mais avec puissance, il dit à Bourget, à Laflèche et aux autres évêques; à Suzor et aux prêtres qui le harcelaient, lui et d'autres; aux programmistes et aux conservateurs qui faisaient honte à Cartier:

> «Vous voulez organiser un parti catholique. Vous voulez organiser les catholiques comme un seul parti, sans autre lien, sans autre base que la communauté de religion.»

Laurier sentait la colère monter chez certains membres de l'assistance. Il les regarda droit dans les yeux et les réduisit au silence en posant deux questions:

> «Mais n'avez-vous pas songé que si vous aviez le malheur de réussir, vous attireriez sur votre pays des calamités dont il est impossible de prévoir les conséquences?
>
> N'avez-vous pas réfléchi que, par le fait même, vous organisez la population protestante comme un seul parti, et qu'alors, au lieu de la paix et de l'harmonie qui existent aujourd'hui entre les divers éléments de la population canadienne, vous amenez la guerre, la guerre religieuse, la plus terrible de toutes les guerres?»

Les auditeurs visés cessèrent de se tortiller dans leur fauteuil. Mais Laurier ne les laisserait pas tranquilles.

> «Je vous accuse devant tout le Canada! Vous ne comprenez pas votre pays, ni l'époque dans laquelle nous vivons!»

L'envolée guerrière de Laurier ne pouvait se terminer avant qu'il aborde l'enjeu central. On reprochait aux libéraux, dit-il, de «vouloir fermer la bouche» aux évêques, de vouloir les «empêcher d'enseigner au peuple ses devoirs de citoyens et d'électeurs», et de chercher à reléguer le clergé «à la sacristie».

> «Au nom du parti libéral, au nom des principes libéraux, je repousse cette assertion! Je soutiens qu'il n'y a pas un seul libéral canadien qui désire empêcher le clergé de prendre part aux affaires politiques, si tel est son désir.»

Laurier étant un ami de la liberté, comment pourrait-il entraver la liberté d'action de quiconque? Ce serait là un accroc à ses principes les plus chers, aux principes qui l'avaient poussé dans une carrière politique. «Non!» cria-t-il avec une telle force que certains sursautèrent, «que le prêtre parle et prêche comme il l'entend, c'est son droit. Jamais ce droit ne lui sera contesté par un libéral canadien.» Il poursuivit:

> «Mais j'ai l'intention de dire tout ce que j'ai à dire; j'ajoute que je trouve loin d'être opportune l'intervention du clergé dans le

domaine politique, telle qu'elle se pratique depuis quelques années.

Je crois, au contraire, que du point de vue du respect dû à sa personne le prêtre a tout à perdre en se mêlant de questions politiques ordinaires.

Néanmoins, son droit de le faire est incontestable, et, s'il juge approprié d'intervenir, notre devoir de libéraux est de lui garantir ce droit.»

Il y avait toutefois une mise en garde:

«Ce droit, cependant, n'est pas illimité. Personne n'a de droits absolus. Les droits de chaque homme, dans notre société, finissent à l'endroit précis où ils empiètent sur les droits d'un autre.

Le droit d'intervention en politique finit à l'endroit où il empiéterait sur l'indépendance de l'électeur.»

Aux yeux de Laurier, dans la constitution et dans la loi du pays, chaque homme avait droit à son opinion. Cela signifiait qu'il n'était pas permis d'essayer de l'en faire changer par la fraude, la menace ou la corruption, sans quoi le gouvernement ne serait pas exercé par le consentement de la majorité. Ce serait plutôt un gouvernement de la minorité, ce qui était inacceptable.

«Je ne suis pas de ceux qui s'affichent en tant qu'amis et champions du clergé. Cependant, je dis ceci: comme la plupart de mes jeunes compatriotes, j'ai été instruit par les prêtres et, parmi les jeunes gens qui se sont faits prêtres, je me flatte de compter des amis sincères. À eux, tout au moins, je puis dire et je dis: demandez-vous s'il y a sur cette planète un pays où l'Église catholique est plus libre et plus privilégiée qu'ici!

Pourquoi alors devriez-vous, en réclamant des droits incompatibles avec l'état de notre société, exposer ce pays à des agitations dont les conséquences demeurent imprévisibles?»

Plus doucement, comme s'il se parlait à lui-même et aux quelques séminaristes de l'assistance, il répéta: «Pourquoi?» Le moment était venu de conclure:

> «Je m'adresse à tous mes compatriotes indistinctement et je leur dis: nous sommes un peuple heureux et libre; et nous sommes heureux et libres grâce aux institutions libérales qui nous régissent, institutions que nous devons aux efforts de nos pères et à la sagesse de la mère patrie.
>
> La politique du Parti libéral est de protéger les institutions, de les défendre et de les propager et, sous l'empire de ces institutions, de développer les ressources latentes de notre pays. Telle est la politique du Parti libéral; il n'en a pas d'autre. Merci.»

Laurier s'assit, épuisé, en sueur. Il y eut un moment de silence. Puis 2 000 personnes — amis, adversaires, membres du clergé, journalistes, politiciens, femmes, jeunes libéraux, séminaristes, doyens des partis politiques, placeurs — se levèrent comme un seul homme. Les applaudissements, assourdissants, explosèrent. L'orateur se leva pour saluer la foule. Si Laurier était mort à 22 h le 26 juin 1877, sa place dans l'histoire du Canada aurait été assurée.

~

Le lendemain, deux prêtres du Séminaire de Québec se rendirent dans une petite maison de Sainte-Foy, en banlieue de Québec. Ils livrèrent au légat du pape qui y résidait le texte intégral du discours de Laurier. L'évêque Conroy les remercia et retourna dans son bureau pour réfléchir à ce qu'il devait en faire.

~

Trois mois plus tard, le lundi 8 octobre, Laurier prêta serment comme ministre du Revenu de l'Intérieur dans le gouvernement de Mackenzie. Il devint alors l'Honorable Wilfrid Laurier, député au Parlement du Canada. Dix-neuf jours plus tard, il n'était plus député car, à cette époque, tout député de la Chambre des communes qui était nommé au Cabinet devait subir le supplice d'une élection partielle, sous prétexte que son statut avait changé et que ses électeurs avaient le droit de se prononcer. L'élection de Laurier devait avoir lieu entre le jour de sa nomination, le 8 octobre, et le jour ordinaire du scrutin, le 27 octobre.

Son discours sur le libéralisme avait calmé certaines des têtes brûlées du Parti conservateur et de la presse. Durant l'été de 1877, la vie politique au

Québec fut relativement tranquille. Les journaux travaillaient dur, sans grande malice, à analyser le discours de Laurier. Aux yeux des libéraux, il avait remis les pendules à l'heure; aux yeux des conservateurs, il avait brouillé les cartes. Son inspiration, insistaient ces derniers, il ne l'avait pas puisée en Angleterre, mais plutôt chez les radicaux et les révolutionnaires d'Europe. Et la vie se poursuivit gaiement au Québec, sauf que les récoltes y furent mauvaises.

L'évêque Conroy mettait la dernière main à ses directives aux évêques; John A. Macdonald était reçu comme un roi dans toute la province; une armée d'orangistes, avec leurs insignes, leurs drapeaux et leur bigoterie, envahirent Montréal en juillet pour proférer des menaces: la prochaine conquête serait moins bénéfique aux vaincus; Laurier, comme tous les autres politiciens, participait à toutes sortes de pique-niques, au grand déplaisir de Zoé; Médéric Lanctôt mourut à l'âge de 40 ans; Chapleau, au cours d'une allocution prononcée à Saint-Lin à la fin d'août, laissa entendre que l'idée d'une coalition de bons éléments des deux partis lui plaisait, surtout si elle comprenait Laurier.

Le 9 octobre, lorsque Laurier arriva à Arthabaska, il pleuvait. Mauvais présage. Pacaud avait organisé une immense démonstration: 200 voitures, dans les rues décorées d'arches, de drapeaux et de banderoles. Il pleuvait encore durant l'assemblée contradictoire qui eut lieu à L'Avenir, à laquelle 700 personnes seulement participèrent; mais les journaux y étaient bien représentés, comme l'étaient les deux partis. Laurier était secondé par Honoré Mercier, tandis que le candidat conservateur l'était par Chapleau. En Laurier, Mercier et Chapleau, le Québec avait trouvé ses chefs qui savaient le mieux s'exprimer, ses plus grands orateurs. L'assemblée se déroula sans anicroche pour les deux partis; tous les participants restèrent amis.

Deux jours plus tard, le 11 octobre, ce fut le grand jour pour monseigneur Conroy. Depuis son arrivée au Canada, en mai, il s'était affairé à tenter d'établir une ligne de conduite uniforme que les évêques devraient tous suivre dans leurs relations avec les partis politiques. Conroy devait les convaincre de ne pas intervenir directement dans la politique et de se rappeler que le pape, quand il avait condamné le libéralisme catholique, n'avait pas condamné les partis politiques qui se qualifiaient de libéraux. Rome proclama: «A tort quiconque, sans autre résolution, déclare que l'Église condamne l'un des partis politiques du Canada (celui qui s'appelait Reform Party), parti qui jouit même du soutien de certains évêques.» Pour ce qui était de l'influence indue et de la comparution de prêtres devant des tribunaux civils, le Saint-Siège fit remarquer qu'il n'y aurait nul besoin de remettre en question la compétence des cours civiles si les prêtres s'abstenaient de mentionner l'un ou l'autre des partis par son nom, et s'ils ne mettaient jamais l'influence de leur ministère au service d'un parti politique.

Entre mai et octobre, Conroy avait visité le centre et l'est du Canada, où il discuta de la situation politico-religieuse avec des évêques, des prêtres, des religieuses, des politiciens, des juges et des citoyens ordinaires. Chaque jour, une masse de documents, propositions, contre-propositions, accusations et justifications atterrissait sur son bureau. Il rencontra le premier ministre, qui fut choqué d'entendre que son parti politique avait été présenté à Rome comme un parti extrêmement révolutionnaire, lié de près aux communes républicaines rouges de France et d'Italie. En septembre, après avoir épuisé toutes les sources d'information, Conroy convoqua les évêques de la province à Montréal pour l'adoption d'un nouveau mandement qu'il avait préparé à leur intention et qu'il rendit public le 11 octobre.

Le mandement approuvait la distinction entre libéralisme catholique et libéralisme politique que Laurier avait établie. L'électeur était libre de déterminer dans son cœur lequel des candidats et lequel des partis il ferait mieux d'appuyer en tant que catholique. Quant au clergé, on lui ordonnait de ne pas se mêler de politique, de se contenter, en public et en privé, d'expliquer les principes qui devraient guider le choix des électeurs. Plus question de clamer que c'était un péché de voter pour les libéraux! Plus question de refuser pour des motifs politiques l'administration des sacrements! Laflèche avait perdu. Laurier avait gagné, mais cela ne lui rapporterait pas grand-chose.

~

Les alliés politiques de Laurier, ses amis, sont tous à Arthabaska avec lui, en ce grand jour: Pacaud, David, Fréchette et bien d'autres. Il est tard. Ils partent. Zoé supplie son mari d'aller se coucher. Il en est incapable. Il sent ses démons se réveiller en lui. Il a été vaincu. Son adversaire conservateur a remporté 24 voix de plus que lui.

C'est un coup dur. La défaite est toujours difficile à accepter. Celle-là, toutefois, l'est encore plus que tous ses autres revers. Il est déchiré. Personne, pas même Zoé, ne sait à quel point. La défaite était si inattendue. Encore une fois, tout s'écroule autour de lui; il devra décider s'il reconstruira ou pas. La décision ne sera pas aisée.

«C'est beaucoup trop dur!» murmure-t-il.

Pourtant, il sourit. Sa main n'a pas tremblé quand il a levé son verre, après l'annonce de sa défaite, pour porter un toast à des jours meilleurs; et il était resté calme et maître de lui-même, même si, à l'intérieur, il pleurait.

Une heure plus tard, il est toujours là, assis, seul. Zoé le trouve en larmes et tourmenté par une douleur qui le fait trembler de tous ses membres. Il tousse. Sa respiration est irrégulière et superficielle. Zoé a l'impression qu'il arrive à peine à respirer. Elle veut appeler le médecin. Il la supplie de s'en abstenir. Elle le prend dans ses bras et le berce lentement, comme le bébé qu'elle n'a jamais eu, et elle lui parle doucement. Peu à peu, ses paroles commencent à pénétrer l'esprit de son mari et à avoir du sens:

> **«C'est l'histoire de ta vie! Tu te relèveras et redresseras ce terrible tort. Tu es trop fataliste (...) Je le suis aussi quand il s'agit de toi.**
>
> **Rappelle-toi: il y a dix ans, je t'ai dit que si je n'avais que deux ans de bonheur à vivre avec toi, j'en serais satisfaite. À cette époque, nous croyions tous deux qu'il ne te restait que deux ans à vivre. (...) Bien! Nous sommes mariés depuis près de dix ans. Et je t'ai encore (...) et je suis encore heureuse.**
>
> **Alors! Prends ton courage à deux mains! Tu as vécu au-delà de tes espérances. Tu as accompli des choses dont tu n'avais que rêvé au collège et à McGill, quand j'étais moins amoureuse de toi que je ne le suis maintenant.**
>
> **Viens, mon Wilfrid. Ce sera bientôt demain. Ton courage te portera. Je serai là! Tu as encore tes idées à défendre. Ils ne te les ont pas prises. Tu les as encore. Tu dois les défendre. Viens. Ça ne fait que recommencer!»**

Il la laisse le mettre au lit, dans leur lit. Il passe une nuit agitée, leurs chats et leurs chiens — leurs «enfants» — ne faisant aucun bruit autour d'eux.

~

Que s'est-il passé entre le 8 et le 27 octobre 1877? Laurier était-il trop sûr de sa victoire? Était-il aussi bien préparé qu'il aurait dû l'être? Son organisation laissait-elle à désirer? Était-il au meilleur de sa forme?

Au début de la campagne, ses amis politiques étaient d'avis que les conservateurs auraient l'obligeance de ne pas lui faire opposition. Il y avait des précédents, en Grande-Bretagne et au Québec. Laurier n'était pas de leur avis. Monseigneur Laflèche ne le laisserait pas s'en tirer à si bon compte. De plus, les conservateurs devaient se servir de lui pour faire du tort à Mackenzie. S'ils arrivaient à le battre, ce serait le signe que les libéraux seraient bientôt évincés. S'ils arrivaient à le remettre à sa place dès le départ, tant mieux! «On me fera opposition», dit-il tristement à Zoé. Aux autres, il ajoutait, plus joyeux: «La bataille m'attend. Je suis prêt.»

Laurier avait raison dans les deux cas. Il devint de nouveau la cible des programmistes et des curés, aidés par les conservateurs modérés. Encore une fois, il était le libéral de la pire espèce, l'ami de Garibaldi, l'allié de Guibord. Encore une fois, il était un rebelle, un révolutionnaire condamné par le pape et par les évêques dans leurs lettres épiscopales. Cette fois, néanmoins, il y avait un élément nouveau: Laurier, ministre de la couronne, était transformé en ministre de la foi protestante, et presbytérien par-dessus le marché! On disait aussi — et on le croyait — qu'il avait refusé de faire baptiser ses enfants. Tout le monde savait au pays qu'il n'en avait pas, mais cela n'avait aucune importance. Zoé riait de l'accusation, mais elle cessa de rire quand elle lut quelque part que son mari était d'avis que les prêtres devraient avoir le droit de se marier. Quand la campagne devint un peu ennuyeuse, la population anglophone de la circonscription de Laurier se fit dire qu'il avait fait partie d'une société secrète vouée à l'anéantissement de la race anglaise sur le continent américain. On disait aux catholiques irlandais qu'il était devenu orangiste.

Le premier jour de la guerre — car c'était une guerre —, on envoya dans le comté Israël Tarte de Québec pour qu'il y dirige la campagne des conservateurs. Tous les conservateurs, jeunes ou vieux, malades ou vigoureux, programmistes ou pas, que Tarte avait réussi à recruter aux quatre coins de la province arrivèrent avec lui. Adolphe Chapleau vint dans un train spécial que lui avait prêté Louis-Adélard Sénécal; Arthur Dansereau fit quelques apparitions et bombarda tout le monde d'articles et de déclarations incendiaires; Charles Thibault, un homme des plus exaspérants, s'asseyait dans la calèche de l'évêque, avec toujours en main quelque télégramme du Vatican encourageant les électeurs à voter contre Laurier. Les conservateurs s'agitaient un peu partout dans le comté. Tarte mit sur pied un réseau de messagers composé de jeunes hommes du Club Cartier de Montréal. Sénécal, qui avait changé de camp parce que Mackenzie avait refusé de le nommer sénateur, s'amena le dernier week-end de la campagne avec deux riches amis. Ils se mirent à «acheter» tous les électeurs qu'ils purent; l'alcool coulait à flots; des bagarres éclataient, même dans les écoles, où les enfants se disputaient l'élection en déchirant les cahiers de leurs rivaux et en se faisant mutuellement saigner du nez. Les adultes ne se comportaient guère mieux.

Laurier rendit tous les coups. Ernest Pacaud dirigeait sa campagne; il savait ce qu'il avait à faire. Jour et nuit, des libéraux arrivaient de partout au Québec. Les membres du Club canadien de Québec et du Club national de Montréal envahirent les villes, les villages et les rangs tranquilles pour livrer le message, rassembler les électeurs, haranguer les foules, et pour interrompre et huer les conservateurs. Pacaud dirigeait ses troupes d'une main de maître. Il était aussi efficace que Tarte.

Les rassemblements politiques étaient généralement imposants. Le jour de la présentation des candidats, 5 000 personnes vinrent écouter les gros canons des deux partis et restèrent sur place les sept heures que dura l'événement. Malheureusement, il y eut une bagarre, et un libéral de Victoriaville fut blessé. Il mourut quelques jours plus tard. Il y eut de nombreuses assemblées contradictoires, consacrées en grande partie aux maux que le libéralisme causait à la religion et dénuées de substance politique. Les libéraux composaient des chansons, dont la plus célèbre était:

«Pas d'Thibault! Pas d'Thibault!
C'est Laurier qu'il nous faut!»

Tarte, pour ne pas être en reste, en écrivit une qui parlait d'un corbeau tenant dans son bec un laurier tout fané, dont les électeurs d'Arthabaska n'auraient que faire:

«Maître Corbeau, sur un arbre perché
Tenait dedans son bec un laurier tout fané
(...)
Eh quoi, dit-il, les gens d'Arthabaska
Ne voudront pas du Laurier que voilà!»

Durant les premiers jours de la campagne, Laurier était sûr de l'emporter. Même le 22 octobre, il écrivit à Mackenzie que tout allait bien. La seule chose qu'il craignait, c'était l'achat des votes. Selon lui, s'il n'y avait pas de corruption électorale, sa majorité ne pouvait être inférieure à 300 voix. Ce n'est que durant la dernière semaine que l'idée lui vint, à lui et à Pacaud, qu'il pouvait perdre l'élection. Il redoubla d'efforts, mais trop de choses avaient été dites et trop de votes avaient été achetés avec les 5000 $ de Sénécal et de ses riches amis. Dans la circonscription de Drummond-Arthabaska, où 3200 électeurs étaient inscrits, Tarte réussit à en faire voter 3800. Les conservateurs avaient fait venir les 600 électeurs supplémentaires en payant toutes leurs dépenses, en plus de leur offrir la prime de Sénécal. Les libéraux fédéraux ne firent pas grand-chose pour aider Laurier. C'est ainsi que Laurier fut battu par 24 voix. Un an plus tard, les tribunaux annulèrent l'élection, lorsque les conservateurs reconnurent publiquement avoir acheté de nombreux électeurs.

~

Au début de novembre, Laurier se rendit à Montréal pour rencontrer Mackenzie. Leur entretien ne se déroula pas très bien. Laurier eut l'impression que le premier ministre le blâmait, lui et rien que lui, pour la défaite. Quand Mackenzie fit allusion à la trop grande assurance du député, Laurier lui rappela, assez vertement, que, ayant remporté l'élection de 1874 avec une majorité écrasante, il était normal qu'il ait été convaincu de remporter celle-ci aussi. Laurier ne mentionna pas l'évidence: le gouvernement n'était pas aimé et le parti n'avait pas fait beaucoup d'efforts pour le faire réélire.

Ce qui ulcérait Laurier, c'était la corruption électorale flagrante. Il montra à Mackenzie, à l'aide des chiffres et tableaux fournis par Pacaud, comment les trois paroisses les plus importantes de la circonscription — Saint-Guillaume, Sainte-Germaine et Saint-Bonaventure — avaient été achetées. Selon les calculs de Pacaud, les libéraux auraient dû y obtenir une majorité de 150 voix. Le vendredi soir précédant l'élection, Sénécal était arrivé avec deux autres entrepreneurs en chemins de fer qui travaillaient pour le gouvernement provincial. Ils s'étaient mis à acheter les votes comme dans le bon vieux temps. La majorité de Laurier dans ces trois paroisses avait par conséquent été réduite à deux voix. La même corruption avait régné ailleurs dans la circonscription. Il était étonnant qu'il ait perdu par si peu de voix.

Entre-temps, Pacaud était allé à Québec chercher un siège pour Laurier. On lui en proposa trois: Québec-Centre, Québec-Est et Iberville. Laurier opta pour celui de Québec-Est. Il écrivit à Mackenzie que, si on voulait qu'il se présente de nouveau, il fallait que le parti l'aide de son prestige et de ses fonds: «Je suis la dernière carte du parti dans cette province. Si je péris, le parti est destiné à périr également. Je ne saurais entreprendre une nouvelle lutte à moins que nous ne soyons déterminés à la mener à bien.»

Mackenzie, qui hésitait à nommer Laurier au Cabinet, consulta tout un chacun avant d'engager le parti. Au milieu de la première semaine de novembre, il accepta les conditions de Laurier. Pacaud était prêt. On choisit la circonscription de Québec-Est, dont le député démissionna presque immédiatement. Un train spécial conduisit à Arthabaska Pacaud et un homme remarquable du nom de François Langelier, ainsi qu'un groupe d'électeurs de la circonscription, afin d'offrir la candidature libérale à Laurier. Zoé toute souriante à ses côtés, Laurier accepta, et le même train le conduisit à Québec. Une autre campagne électorale allait commencer. Laurier habiterait chez Langelier, qui promit à Zoé de prendre bien soin de son mari.

Québec-Est devint le centre politique de tout le pays. Les libéraux fournirent un effort intense pour faire élire Laurier, tandis que les conservateurs firent de même pour le battre. John A. Macdonald donna des directives à son lieutenant du Québec, Hector Langevin, pour qu'il déploie tous les efforts nécessaires pour battre Laurier. Langevin devait communiquer avec tous les amis du parti pour leur expliquer à quel point une victoire conservatrice était importante. Macdonald demanda même à l'un de ses partisans, l'entrepreneur Thomas McGreevy, de dépenser beaucoup, mais judicieusement. Chapleau fut envoyé à Montréal pour y collecter des fonds. Il n'obtint pas beaucoup de succès auprès des Canadiens français. Après une semaine de labeur, il n'avait encaissé que 500 $ des marchands et partisans francophones. Mais il avait reçu plus de 5000 $ des hommes d'affaires anglophones qui voulaient montrer leurs couleurs protectionnistes en aidant les conservateurs à battre le candidat libéral.

Laurier et les libéraux avaient tiré une leçon de l'élection précédente; ils ne se laissèrent pas gagner par une assurance excessive. Les jeunes gens des clubs libéraux, les vieux partisans libéraux, la base du parti qui se dissémina dans toute la circonscription, et les étudiants qui sautèrent des cours et renoncèrent à leur sommeil — tous étaient déterminés à faire ce qu'il fallait, et le plus légalement possible. Ils se montreraient encore plus vigoureux que les conservateurs; ils seraient partout; et, cette fois-ci, ils essaieraient de toujours avoir une longueur d'avance sur leurs rivaux. Ils sauraient où se trouvait chaque électeur et s'assureraient de son inscription le jour de l'élection; de plus, ils contesteraient le droit de vote de quiconque ils n'auraient pas rencontré et essayé de convaincre. Ils ne laisseraient aucune attaque sans réponse. Laurier consacrerait son temps à parler de protectionnisme et de libre-échange, et de la façon dont le gouvernement fédéral pourrait aider à résoudre les problèmes locaux. Il promit, par exemple, que le gouvernement négocierait avec la France l'entrée des bateaux canadiens dans les ports français aux mêmes conditions que les bateaux britanniques. Par-dessus tout, il ne fallait pas laisser les conservateurs — qui présentaient un homme d'affaires comme candidat — faire croire aux électeurs qu'à cause de Laurier, libre-échangiste, l'industrie serait ruinée, des usines seraient forcées de fermer, et les emplois des travailleurs perdus. Laurier expliqua plutôt que le protectionnisme constituait une taxe de plus sur le pain, le charbon et autres nécessités de la vie quotidienne. Les électeurs l'écoutèrent.

Durant l'un de ses discours, Thibault, pour la première fois de sa carrière, se laissa exaspérer par la foule. Chaque fois qu'il ouvrait la bouche, des milliers de personnes commençaient à scander:

«Thibault est à l'eau
Dondon
Thibault est noyé
Dondé!»

Thibault éclata. Il prononça des paroles si terribles que même les conservateurs le renièrent. Il osa déclarer publiquement que madame Laurier n'aimait pas son mari. Il s'empressa ensuite d'expliquer que ce n'était pas vrai, que ce n'était pas ce qu'il avait voulu dire. Mais ses paroles restaient néanmoins inacceptables. Les femmes n'avaient pas le droit de vote et il ne fallait pas les salir dans l'arène politique, et surtout pas en les nommant. La galanterie l'interdisait. Cinq jours avant l'élection, Thibault quitta la campagne électorale à la hâte.

Du fait que Québec-Est se trouvait sous l'œil vigilant de l'archevêque de Québec et non sous celui du pontife de Trois-Rivières, le clergé resta coi. C'était une bénédiction, car ce silence permit une discussion plus rationnelle, non seulement de la valeur des candidats mais aussi des politiques des partis en lice.

Durant toute la campagne, Laurier se sentit confiant, mais sans excès. Il ne connaissait pas très bien Québec-Est, mais les frères Langelier, François et Charles, le guidèrent et l'empêchèrent de tomber dans les pièges. Ils le conseillèrent: que dire, comment plaire, quand mentionner le nom de son prédécesseur, un homme aimé dans sa circonscription et à qui beaucoup d'électeurs étaient redevables. Le 23 novembre, les journaux rapportèrent que les conservateurs étaient en mauvaise posture, et Laurier écrivit à Mackenzie que l'affaire était dans le sac. Tous les libéraux poussèrent un soupir de soulagement.

Le mercredi 28 novembre, les hommes de Québec-Est votèrent. Les deux partis se sentaient assurés de la victoire. Le cinquième bataillon de volontaires avait pris position au marché Jacques-Cartier, tandis que la batterie B, confinée dans sa caserne, était prête à intervenir en cas de troubles sérieux. Trois cents constables spéciaux avaient été recrutés pour seconder la police provinciale, responsable de la protection de chaque bureau de scrutin. Les agents du corps de police local étaient tenus en réserve. D'autres jeunes libéraux arrivèrent de Montréal et d'ailleurs par le train de nuit, un peu fatigués. Les paris étaient nombreux et favorisaient apparemment le candidat conservateur.

Le jour de l'élection fut un suspense. À 11 h, les bureaux de vote étaient animés partout, et des bagarres avaient déjà éclaté. Il était difficile de prédire l'issue du scrutin, mais la rumeur voulait que le conservateur fût en avance. À 13 h, tout était tranquille dans Québec-Est, et le *Chronicle* de Québec annonça la victoire de Laurier avec une majorité de 70 voix. On disait que les «travailleurs» du Parti conservateur s'affairaient. Entre 13 h 15 et 14 h 15, 500 personnes votèrent. Les conservateurs affirmaient qu'ils étaient en train de remporter l'élection: 862 voix pour leur candidat, 725 pour Laurier. Le soir venu, après la fermeture des bureaux de vote, on fit le décompte: 1864 voix pour les libéraux et 1548 pour les conservateurs. Laurier irait se coucher fort d'une majorité de 316 voix. Les libéraux réservèrent un train spécial qui le conduirait chez lui, à Arthabaska, puis à Ottawa.

Avant que Laurier puisse se reposer, toutefois, on devait célébrer la victoire. On alluma des flambeaux, et une procession longue de près de deux kilomètres se forma. Laurier adressa cette déclaration à tout le pays: «J'ai déployé l'étendard libéral au-dessus de l'antique citadelle de Québec, et je verrai à ce qu'il y reste.» Il tint promesse, puisqu'il représenta les électeurs de Québec-Est jusqu'à sa mort, en 1919.

Le train du triomphe démarra le samedi 1er décembre. Près de 6000 personnes accompagnèrent Laurier jusqu'au traversier qui le conduisit à la gare de Lévis, où un millier d'autres partisans l'attendaient pour l'acclamer. Beaucoup de ses amis montèrent dans le train avec lui. Ils restèrent à bord tandis que Laurier se reposait avec Zoé, acceptait les félicitations de ses amis, écoutait les petits discours des notables d'Arthabaska, et recevait une lettre chaleureuse du curé de la paroisse, ainsi que des télégrammes de joie et de soutien provenant des quatre coins du pays. Laurier prit le temps d'écrire à sa famille, à Saint-Lin, pour lui annoncer la bonne nouvelle. Lorsque la lettre arriva chez Carolus, celui-ci avait déjà appris la nouvelle par les journaux, et Maman Adéline s'était rendue à l'église pour y faire brûler un lampion et remercier le Ciel.

Laurier se sépara de nouveau de Zoé; il continua jusqu'à Montréal en passant par Saint-Hyacinthe, et fit plusieurs arrêts en chemin. Partout des banquets, des réceptions, des discours et encore des discours. Quand le train roulait la nuit, les fermiers allumaient des feux de joie dans leurs champs pour saluer la victoire de Laurier. À Montréal, les processions, félicitations et accolades ne manquèrent pas. Tout le monde était fier de voir que Laurier s'était rendu à la porte même du gouvernement conservateur de Québec et l'avait battu à son propre jeu. Que ne pouvait-on pas attendre de ce seul exploit?

Le mercredi 5 décembre, dans la soirée, Laurier arriva près de sa destination. À Prescott, une délégation d'Ottawa — comprenant le maire et deux députés fédéraux libéraux, un francophone et un anglophone — monta dans le train et fit le reste du voyage avec lui jusqu'à la capitale. Des fusées et des feux d'artifice illuminaient la voie. Une fois arrivé, Laurier fut acclamé et complimenté. Il répondit chaleureusement à la foule, parlant sans doute trop longtemps, car il pleuvait à torrents. Après son discours, une procession se forma: d'abord la fourgonnette des feux d'artifice, puis une fanfare et deux voitures. Laurier était monté dans un landau dont la capote était baissée, tiré par quatre chevaux blancs; il était trempé jusqu'aux os. Quatre autres voitures suivaient la sienne, puis six fiacres, une autre fanfare, cinq fiacres, une fanfare encore, neuf autres fiacres, une dernière fanfare, sept voitures de maîtres, et de nombreux citoyens à pied. La procession emprunta les rues principales de la capitale, tandis que la fourgonnette des feux d'artifice projetait chandelles romaines et autres feux de toutes les couleurs. À la résidence du premier ministre, où Laurier devait passer quelques jours, les Mackenzie sortirent sur le porche pour l'accueillir. Laurier prononça un autre discours dans les deux langues; Mackenzie prédit que l'étendard libéral que Laurier avait fait flotter à Québec flotterait aussi triomphalement dans toutes les capitales du pays. Avant de prendre congé de la foule, il lui fit acclamer trois fois la reine. Laurier, lui, devait encore assister à une réception, à la résidence d'un partisan libéral. Il ne se sentait pas bien.

Vers la mi-décembre, Laurier retourna à Arthabaska où il retrouva Zoé, les chats, les chiens, les oiseaux et les poissons, sa famille qui y était venue pour Noël, et son lit de malade. Il passa la majeure partie de décembre à

Arthabaska; le reste de l'hiver de 1878, il fut peu utile à son gouvernement et à son parti au cours de la session parlementaire. Il lui fut presque aussi peu utile durant les élections provinciales de mai, qui installèrent un gouvernement libéral à Québec. En juin, on parlait d'élections fédérales; Laurier était déterminé à ne pas se laisser prendre au dépourvu. Mackenzie, toutefois, reporta les élections au 17 septembre. La campagne galvanisa l'énergie de Laurier, qui surmonta l'indolence qui le caractérisait depuis le mois de novembre précédent. Il se promena de circonscription en circonscription, faisant sa première tournée en Ontario. Il en revint persuadé de la défaite imminente du gouvernement. Quand il fit part de ses craintes à Mackenzie, celui-ci sortit ses tableaux pour lui prouver qu'il avait tort. Laurier, comme presque tous les autres membres du parti, n'était pas convaincu, mais la campagne électorale fut amorcée, et il se consacra corps et âme à sa circonscription. Zoé s'inquiétait de sa réélection et de l'argent qu'engloutissait la campagne. Trois jours avant le scrutin, il lui écrivit, l'enjoignant de ne pas s'inquiéter. L'argent était là. «Ne t'alarme pas! Tout va bien. Dans trois jours, ce sera fini.»

Laurier avait vu juste. Les libéraux firent élire 69 députés; les conservateurs, 137. Macdonald remplaçait Mackenzie à la direction du pays. Au Québec, les libéraux perdaient treize sièges. Laurier était réélu avec une majorité de 778 voix. Le 9 novembre, il n'était plus ministre de Sa Majesté la reine Victoria. Les libéraux ne prendraient plus le pouvoir avant que Laurier le leur redonne, dix-huit ans plus tard.

6

Zoé, Wilfrid et Émilie

Le dimanche 26 juin 1881, il faisait beau et ensoleillé, avec une faible brise. Émilie Lavergne, l'épouse de l'associé de Laurier, s'éveilla tôt pour allaiter son fils de seize mois, Armand, et pour calmer sa fille, Gabrielle, avant de les confier à la bonne et de retourner se coucher. Une heure plus tard, Joseph, son mari, s'éveilla. La famille devait se préparer pour l'une des activités les plus importantes de la semaine dans la petite ville, la grand-messe. Soudain, Émilie se souvint de quelque chose:

«Joseph, c'est l'anniversaire de Zoé.

— Mais oui, je le sais. Elle a 40 ans aujourd'hui. Il y a une fête pour les enfants cet après-midi, et un souper pour les adultes à 20 h ce soir.»

La messe commençait à 10 h. Joseph et Émilie se rendirent à l'église à pied, bras dessus, bras dessous, saluant amis et voisins en cours de route. La colline menant à l'église était difficile à gravir; les femmes avaient donc le temps d'admirer mutuellement leurs toilettes. Peu avant le début de la messe, les Laurier arrivèrent dans leur voiture et se rendirent au banc qu'ils achetaient tous les ans. Ils étaient accompagnés de Carolus et de Maman Adéline, ainsi que de deux de leurs enfants, d'un petit-enfant et des Gauthier.

Tous les fidèles présents semblaient savoir que c'était l'anniversaire de Zoé. Tout le monde lui adressait des sourires chaleureux. La messe fut peu mouvementée — le père Suzor avait quitté la paroisse en 1878 —, et le sermon fut plutôt ennuyeux. Mais la musique de l'orgue était intéressante, car l'organiste, Roméo Poisson, n'hésitait pas à mêler le sacré et le profane. Zoé reçut la communion, tandis que son mari resta sur son banc. Après le service, bon nombre de paroissiens offrirent leurs voeux à Zoé. Celle-ci embrassa Émilie sur les deux joues, lui rappelant de ne pas oublier d'amener les enfants vers 15 h, pour la fête. Zoé rentra ensuite chez elle.

La fête est magnifique; toute la famille y est.

Carolus a l'air frêle; il a maintenant 66 ans. Toutefois, il est resté le même: curieux, avide d'apprendre ce qu'il ne sait pas déjà, conscient de ce qui se passe autour de lui, mais méfiant à l'égard de toute forme d'autorité. «Quand les libéraux reprendront le pouvoir, nous dit-il, les politiciens se rappelleront d'exercer l'autorité avec sagesse. Ce sera une nouveauté.»

Zoé me dit que je suis comme lui. Tant mieux! Sauf que je ne suis pas aussi doué que lui pour faire des farces, et je n'ai pas sa fantaisie auprès des enfants. Tant pis!

Serait-il le porteur secret de ma maladie? Cette idée m'est venue. J'avais toujours pensé que c'était ma mère, mais aucun Martineau, pour autant que je sache, n'a eu de problèmes pulmonaires. Par contre, tous les enfants de Carolus ont les poumons fragiles. Ma sœur, Malvina, est morte à l'âge de 11 ans; moi, j'ai souvent failli mourir, et cela m'arrivera sans doute avant longtemps. Parmi les cinq enfants que Maman Adéline a eus de Carolus, Doctorée est de constitution faible; Romuald-Charlemagne est censé être de nouveau en bonne santé, mais il a souvent été malade durant sa jeunesse; Ubald ne vivra sûrement pas très vieux; Carolus a toujours toussé; seul Henri ne s'est jamais plaint de sa santé. C'est un beau jeune homme de 18 ans qui aime Arthabaska et souhaite venir y vivre. J'espère qu'il le fera.

Mon ami Oscar Archambault, sa femme et leurs trois enfants sont arrivés hier soir en train, avec David et Fréchette. On me dit qu'ils ont passé tout le voyage à parler de philosophie et de poésie. Je ne les laisserai pas parler de religion.

Les Lavergne sont venus à la fête et reviendront souper ce soir, avec les Pacaud, les Poisson et d'autres amis. Il y a tellement de gens qui vont et qui viennent que nous avons dû embaucher quelqu'un pour nous aider. Sinon, Zoé et moi serions accablés, de même que nos deux serviteurs.

À la fête des enfants, Ubald était en grande forme. Il a regroupé les enfants, garçons et filles, en pelotons pour prendre d'assaut la colline du parc, avec Émilie qui marchait aux côtés d'Armand vêtu d'un uniforme militaire. Émilie a ruiné ses chaussures! Plus tard, il y a eu une parade dans laquelle Henri jouait le rôle de capitaine. On avait demandé aux garçons d'apporter leur charrette à deux roues, que les petites filles ont décorées. Ensuite, celles-ci, vêtues comme des reines, se sont fait pousser dans les charrettes devant Zoé et Oscar, qui jouaient les juges. Il y a eu des courses et des jeux de toutes sortes. Joseph a organisé un concours d'amateurs,

puis on a servi de la crème glacée et du gâteau. Nous avons eu une heureuse surprise. Aurèle Suzor-Côté a apporté à Zoé une peinture représentant la vallée telle qu'on peut la voir du haut de notre colline. Il a 12 ans, mais il peint avec une telle ferveur! Zoé a décidé de l'adopter.

Vers 17 h, les enfants sont rentrés chez eux, afin que les adultes puissent se reposer un peu, s'habiller et revenir souper à 20 h.

Zoé et moi adorons Arthabaska. Il y a une paix dans cette nature qui me revigore. J'ai tendance à être plus serein ici que partout ailleurs, et j'ai toujours hâte de revenir. Il en sera ainsi le reste de mes jours. Les arbres, les fleurs, l'air — tout cela me rappelle l'époque où je me promenais avec ma mère près de la forêt ou dans les champs de Saint-Lin. J'ai aussi le temps de lire et de préparer mes activités. Arthabaska est le centre de mon univers. Je suis ravi de m'être établi ici et enchanté que Zoé soit venue y vivre avec moi, comme épouse.

~

Les dix premières années de leur vie conjugale, Laurier et Zoé vécurent dans des chambres louées chez les Poisson. En 1876, ils achetèrent un terrain de quelques hectares, rue de l'Église, où ils se firent bâtir une maison, dans laquelle ils emménagèrent deux ans plus tard. La maison à deux étages était située presque en face de celle des Lavergne et de leur cabinet, et à environ cinq kilomètres de la gare. Recouverte de briques, elle respirait le confort. Elle était en retrait d'une quinzaine de mètres de la rue, et une allée sinueuse, bordée d'énormes érables, menait à un escalier de sept marches, qui donnait accès à un perron étroit orné de deux colonnes blanches. À l'étage, il y avait un balcon entouré d'une balustrade ajourée; une lucarne ronde était percée juste sous le toit en pavillon. Les fenêtres étaient hautes et élégantes. À l'arrière, une véranda faisait toute la largeur de la maison; l'été, elle était remplie de fleurs, et les Laurier y passaient des heures à lire, à prendre un déjeuner tranquille, à se reposer dans leurs fauteuils berçants ou à recevoir des amis. C'était aussi le seul endroit où Zoé permettait que l'on fume. Entrant dans la maison par une haute porte à deux vantaux, invités et visiteurs se trouvaient dans un large hall, devant un escalier couvert de moquette qui menait à l'étage. À gauche, une salle de réception faisait toute la longueur de la maison. Elle contenait une grande cheminée, des rideaux de soie argent et, comme le reste de la maison, elle était garnie de meubles Louis XVI, que Zoé affectionnait particulièrement, de belles œuvres d'art d'artistes locaux, et du piano de Zoé. À droite du hall se trouvaient le salon, la salle à manger et, à l'arrière, la cuisine. À l'étage, les Laurier disposaient d'une bibliothèque, de chambres et d'une salle de bain.

La pièce préférée de Laurier était la bibliothèque. C'est là qu'il méditait, qu'il lisait ses chers livres sans être dérangé, qu'il conservait les souvenirs de sa vie, et qu'il prenait ses décisions importantes. Rares étaient ceux qu'il invitait dans sa bibliothèque: David, toujours; Ernest Pacaud, de temps à autre; Émilie, jamais. Dans des étagères vitrées anciennes, il gardait une belle collection d'auteurs français et anglais, beaucoup d'ouvrages philosophiques et quelques-uns de théologie, et plusieurs volumes de poésie, de discours et de rhétorique. Des portraits de libéraux célèbres qu'il connaissait et des portraits de famille ornaient les murs.

Derrière la maison, le parc était planté d'érables et d'ormes. Zoé l'aimait tel quel et s'opposait à ce qu'on le soigne à l'excès. Au milieu se trouvaient une petite élévation et un escalier permettant d'y monter. De cette hauteur, les Laurier avaient une vue splendide de la vallée, du mont Saint-Christophe et, un peu plus loin, du mont Saint-Michel.

Pour Laurier, sa maison était une oasis, un refuge, et il y revenait le plus souvent possible. Il s'y trouvait à l'abri des tempêtes intérieures et extérieures; elle calmait ses démons; et elle lui permettait de rejoindre Zoé, sa famille, ses amis et, par-dessus tout, les enfants. Il n'en avait pas, mais lui et Zoé avaient adopté ceux des autres. Les enfants venaient chez les Laurier pour participer à ce que Zoé appelait «la fête»: tantôt un goûter, tantôt une compétition sportive, tantôt un pique-nique. La demi-sœur de Zoé, Mathilda-Georgina, habituellement appelée Maggie, vécut un temps avec les Laurier, comme le fit plus tard Yvonne, la fille d'Emma Gauthier-Coutu, et il y eut toujours à la maison un demi-frère, un neveu ou une petite-nièce pour égayer l'esprit des Laurier et leur alléger le cœur. Toutes les créatures, humaines ou pas, grandes et petites, étaient les bienvenues dans leur maison.

~

Lorsque Laurier arriva à Arthabaska à l'automne de 1867, il y régnait une vie sociale active et il rencontra bon nombre des notables de l'endroit: les Beauchesne, les Garneau, les Béliveau et d'autres gens de la campagne, riches, indépendants d'esprit, tenaces et intéressants. Au fil des ans, il se fit des amis dans le monde des affaires et dans les professions libérales — avocats, notaires et médecins, comme les Cannon, les Pacaud et les Poisson. Plus tard, il y eut les artistes dont Zoé «prenait soin», qu'elle acceptait et recherchait. Laurier était également emporté dans le tourbillon politique, au centre duquel se trouvaient les Pacaud, une grosse famille de quatorze enfants: sept garçons et sept filles. Cinq des frères habitaient dans les Bois-Francs; le journal ultra-conservateur de la région les comparait aux sept plaies d'Égypte, aux sept péchés capitaux et aux sept Maccabées. Tous donnaient de belles fêtes, rassemblant autour d'une bouteille de porto ce qu'il y avait de mieux dans la région en fait de personnalités et d'esprits libéraux. Laurier assistait généralement à ces réceptions. Trois des frères Pacaud jouèrent un rôle important les premiers temps de la vie de Laurier à Arthabaska.

Édouard-Louis Pacaud (on l'appelait parfois Louis-Édouard) était le doyen du barreau d'Arthabaska quand Laurier y arriva. Il était riche, puissant et controversé; il rendait fou le père Suzor. Pacaud se prit d'amitié pour Laurier sur-le-champ et contribua à le convaincre de présenter sa candidature à l'Assemblée législative du Québec en 1871 et, trois ans plus tard, à la Chambre des communes, apaisant chaque fois les appréhensions de Zoé. Philippe-Napoléon Pacaud, notaire, habitait aussi à proximité d'Arthabaska dans les années 1860. Il envoya des causes à Laurier, organisa des réceptions et poursuivit le curé de sa paroisse. Il était le père d'Ernest Pacaud, ami de longue date et agent électoral de Laurier. Enfin, le troisième frère, Georges-Jérémie, causa un grand scandale lorsque lui et sa famille quittèrent l'Église à la suite de la proclamation de l'infaillibilité papale en 1869. Selon la rumeur, il vivait dans une maison hantée, mais la superstition n'empêchait pas Laurier de rendre visite à Georges-Jérémie et d'écouter madame Pacaud jouer du piano.

Ernest Pacaud vint vivre à Arthabaska en 1870 pour pratiquer le droit; un an plus tard, il fonda *Le Journal d'Arthabaska*, qu'il édita jusqu'à son départ à Trois-Rivières, en 1877. Laurier écrivit souvent dans ce journal, tout comme dans *L'Électeur*, journal que Pacaud fonda à Québec en 1880. Pacaud était plus jeune et beaucoup plus petit que Laurier, plus noir, moins beau, et il se laissa pousser une moustache fort impressionnante. Plein d'énergie et d'enthousiasme, Ernest Pacaud, toujours en état d'ébullition, entraînait tout le monde dans ses activités, dont certaines étaient plutôt suspectes. Il admirait Laurier et, tandis que ce dernier n'arrivait pas à prendre une décision, Pacaud, lui, les prenait trop vite. Il était aussi un organisateur politique hors pair, comme Tarte, et aussi infatigable que lui. Laurier était convaincu que Pacaud avait transformé sa vie en l'obligeant à considérer la politique comme un sujet sérieux. Pacaud ne douta jamais que Laurier serait le plus grand homme d'État que le Canada ait jamais produit, et son meilleur premier ministre. Laurier avait sans doute le génie de se faire des amis, un charme qui attirait les gens vers lui, une compréhension intellectuelle des grands enjeux et des talents oratoires étonnants; mais Ernest Pacaud lui apportait l'esprit pratique et la loyauté tenace qui caractérisaient le clan Pacaud. Il enseigna à Laurier tout ce qu'il fallait savoir sur la pratique quotidienne de la politique: comment gagner des voix, comment acheter des électeurs, comment exploiter les faveurs politiques, comment faire des choses qui sont parfois déplorables mais nécessaires, et comment supporter les amères déceptions que la carrière politique rend inévitables. Souvent, Pacaud n'était pas assez prudent au goût de Laurier et se trouvait mêlé à des affaires malhonnêtes; Laurier préférait alors ne pas être au courant.

Lorsque Laurier établit son cabinet juridique à Arthabaska, il avait un associé absentéiste du nom d'Eugène Crépeau, conservateur en politique et brillant dans la conversation. Ils partageaient un bureau, mais travaillaient rarement ensemble. En 1870, cette association fut dissoute. Laurier, toutefois, maintint son association avec son troisième associé, Édouard Richard. Avec ce dernier aussi, l'association était plus nominale que réelle. Richard était invalide, incapable de lire à cause d'une terrible tumeur au cerveau. Néanmoins, il se rendait régulièrement au bureau, possédait une connaissance encyclopédique du droit et était un politicien passionné. Malgré ce qu'il appelait son «défaut de santé», il se présenta comme candidat libéral aux élections fédérales de 1872 et 1874 dans le comté de Mégantic, où il fut élu. En 1878, il refusa de se porter de nouveau candidat et partit pour Winnipeg, puis à Battleford et enfin à Regina, dans les Territoires du Nord-Ouest. Il fit rapidement fortune et, en 1895, à la publication de son histoire des Acadiens en deux volumes, il était devenu un auteur de réputation internationale.

Le premier véritable associé de Laurier fut Joseph Lavergne. Leur association dura de 1874 à 1897, bien que Laurier, une fois devenu chef du Parti libéral en 1887, consacrât de moins en moins de temps à la pratique du droit. Lavergne, âgé de 27 ans à ses débuts, était de six ans le cadet de Laurier. C'était un homme calme, efficace, infatigable et loyal. Ami des Pacaud, il avait ses entrées dans toutes leurs maisons. Ernest le présenta à Laurier sans doute en 1872. Lavergne et Laurier continuèrent de se rencontrer à diverses réceptions — Lavergne, célibataire, était très en demande. Zoé le sentait sur la même longueur d'onde qu'elle, car l'intérêt de celui-ci pour la politique était très limité à cette époque; acteur, il préférait penser du bien des gens. En 1874, lorsqu'il devint évident qu'Édouard Richard ne serait jamais un associé actif, Laurier invita Lavergne à se joindre à son cabinet. Ils devinrent vite amis, et leur association s'avéra florissante. Leur bureau comportait quatre petites pièces; le seul employé jouissant d'une fenêtre était le clerc, dont le bureau faisait face à la rue. À l'arrière, un gros poêle à bois chauffait l'endroit. La chaleur circulait au plafond, passant d'une pièce à l'autre par des trous pratiqués dans les murs.

Les Pacaud étaient résolus à ce que Lavergne se marie et ils le présentèrent à une parente venue en visite, une femme que Laurier avait rencontrée avant d'épouser Zoé. À cette époque, âgée d'environ 19 ans, elle avait flirté avec lui et avec tous les hommes présents à la fête. Laurier l'avait vite oubliée, sauf qu'il se rappelait qu'elle avait des idées bien arrêtées. Émilie Barthe, née à Montréal en 1847, était la fille de l'écrivain Joseph-Guillaume Barthe. Politicien rouge, celui-ci avait fait trois mois de prison en 1839. La famille avait plus tard vécu à Paris pendant quelques années. Les Pacaud étaient parvenus à leurs fins, et Joseph et Émilie s'épousèrent le 29 novembre 1876, à Arthabaska. Émilie rencontra Zoé pour la première fois au mariage, où elle renoua connaissance avec Laurier. Les Pacaud aidèrent Lavergne à acheter la grande maison dans laquelle il emménagea avec Émilie après son mariage. Leur maison était située dans la même rue que celle des Laurier, mais un peu plus près de l'église.

Émilie n'était pas une belle femme. Ses dents étaient irrégulières; plutôt petite, elle donnait l'impression d'être assez grande, car elle marchait toujours la tête haute et avec beaucoup de grâce. Des taches jaunâtres ternissaient l'éclat de ses grands yeux. Elle avait tendance à l'embonpoint et elle était rosse comme pas une. Mais elle s'habillait magnifiquement. Émilie achetait des vêtements dessinés à Paris; leur arrivée chez elle faisait toujours sensation. Lavergne était rappelé de son bureau, et les domestiques se rassemblaient, ainsi que les enfants, une fois qu'ils en eurent l'âge. Les boîtes, enveloppées d'un luxueux papier noir, étaient ouvertes avec solennité. On en sortait les toilettes. Tout le monde poussait des oh! et des ah! Après de nombreuses exhortations, Émilie se précipitait dans sa chambre, avec sa servante, pour en ressortir une demi-heure plus tard, élégante comme une princesse.

Sa réputation de séductrice — en grande partie inventée par les Canadiens, français et anglais, en mal d'histoires d'amour — se fondait sur certains traits qu'Émilie présentait en public: sa gaieté, sa gestuelle et sa coquetterie, cette vertu féminine qui peut faire des miracles avec peu. Elle avait une conversation brillante; elle lisait beaucoup de romans et de romans-feuilletons, surtout français, et elle avait le don de se rappeler tout ce qu'elle lisait, entendait ou se faisait dire, ce qui constituait pour une femme comme elle un atout certain. Elle savait comment plaire à un homme et comment détruire un ennemi, et elle faisait preuve de génie dans le choix de ses amis et dans la façon dont elle «gérait» ses relations importantes. En outre, Émilie avait les idées bien arrêtées; elle était prompte à juger; elle adorait ridiculiser les autres; et elle rejetait du revers de la main tout ce qui n'était pas britannique ou européen. À ses yeux, seuls les Anglais savaient comment manger, s'habiller, servir le thé, se comporter dans un salon, diriger une maison et recevoir correctement des invités. Elle excellait dans toutes ces activités. C'est à Montréal qu'elle avait acquis cette admiration pour tout ce qui était britannique. Il semblait lui importer peu que son obsession se dirigeât vers un groupe qui avait fait jeter en prison son père et au moins deux de ses oncles. Si elle n'avait pas été une catholique si dévote, elle aurait fait une femme fatale spectaculaire.

Elle s'intégra bien dans la société d'Arthabaska, jouant l'hôtesse parfaite, la mère bienveillante, l'épouse attentionnée. Elle aidait à l'organisation des ventes de charité, traitait bien ses domestiques et manifestait un amour sans bornes pour ses enfants. Elle en avait deux: Gabrielle, née en 1878, et l'«incorrigible» Armand, comme on le surnommait affectueusement, né en 1880. Tout le reste de sa vie, Laurier, qui n'était ni le père ni le parrain d'Armand, s'intéressa vivement aux deux enfants, qui le déçurent toujours.

Comme par hasard, Zoé aimait Émilie. Dans la mesure où ce genre de choses comptait pour elle, Zoé se trouvait plus jolie qu'Émilie. D'accord, Zoé n'avait ni la démarche ni l'élégance vestimentaire d'Émilie, et elle ne se sentait jamais à l'aise dans la haute société, mais elle possédait une grande aptitude à apprendre — ce qu'elle fit, sa grâce naturelle lui assurant le succès. En Émilie, elle trouvait son contraire exact, comme si cette dernière la complétait. La gaieté, la vivacité et l'aplomb d'Émilie ne faisaient que mettre en valeur les qualités de Zoé: sa dévotion envers la grande famille qu'elle avait adoptée et la simplicité de son style de vie. Zoé se savait saine de jugement et claire dans ses objectifs; elle acceptait l'inévitable avec foi et confiance; elle n'avait certes pas besoin qu'Émilie lui enseigne la cuisine anglaise. Émilie modelait l'avenir; Zoé vivait pour le réaliser. Zoé était sans prétention; Émilie aurait voulu être non seulement duchesse en Grande-Bretagne, mais aussi la grande dame d'Arthabaska. Zoé n'aspirait à rien de tout cela. Avec la même détermination qui lui avait servi à apprendre toute seule l'anglais quand cela avait été nécessaire et à devenir la première protectrice des arts au Canada, Zoé s'était en quelque sorte appris à elle-même à jouer du piano, à cuisiner, à jardiner, à tenir maison, à accueillir avec grâce ses invités, à prendre soin des animaux et à donner des réceptions.

Durant toute sa vie avec Laurier, Zoé était satisfaite de ce qu'elle faisait et de qui elle était. Elle s'engageait constamment dans les ventes de charité paroissiales, dans les collectes de fonds et dans l'organisation de fêtes pour les enfants de ses amis. Un jour que Zoé collectait des fonds pour une cause chère au cœur du curé Suzor, Lavergne déclara à Laurier que le prêtre, qui avait été malade, se rétablissait à une vitesse directement proportionnelle à l'ampleur des fonds amassés. Laurier ne put s'empêcher de sourire. «Si tu réussis à collecter 800 $, écrivit-il à Zoé, tu ajouteras vingt ans à sa vie. Si tu collectes 1000 $, Suzor vivra jusqu'à 120 ans.» Elle lisait moins de livres que Wilfrid ou Émilie, mais elle se tenait au courant de la scène politique et lisait tout ce que l'on écrivait sur son mari. Dès ses premières années de mariage, elle apprit à connaître la vie que Wilfrid menait, les causes qu'il épousait et le monde politique dans lequel il évoluait. Elle était très perspicace en politique; son jugement sain et ses analyses quasi prophétiques furent très utiles à son mari. Être la femme de Wilfrid Laurier suffisait amplement à Zoé.

Laurier lui écrivit presque quotidiennement des endroits où sa pratique juridique, ses obligations familiales et ses devoirs politiques le conduisirent. Quand Zoé se rendait à Montréal pour voir les Gauthier, il lui donnait des nouvelles de leurs «enfants» chéris, pour lesquels ils avaient des noms comme Ti-Paze, Delphine, Fanny et Aurélie. «Mademoiselle Topsy, expliquait-il dans une de ses lettres, est déterminée à prendre la place de sa maîtresse dans notre lit. Ah! Cette enfant me cause bien des tourments. Vingt fois par jour, je dois la laisser sortir de la maison, puis la laisser rentrer; il faut lui servir son petit déjeuner, son dîner et son souper: je plains ceux qui ont une famille nombreuse.» Lorsque l'un de ces animaux mourait, il le pleurait avec Zoé, et ils n'en aimaient que davantage ceux qui restaient. Les Laurier se montraient particulièrement soigneux dans le choix de la famille ou de l'enfant à qui ils donnaient les rejetons de leurs animaux de compagnie.

Par conséquent, Zoé ne souffrit d'aucune angoisse à l'égard de la relation qui naquit entre Émilie et Wilfrid peu après le mariage de celle-ci, et qui mûrit au fil des ans. De bien des façons, elle l'encouragea. Zoé n'était pas stupide. Elle comprenait qu'elle ne pouvait jouer tous les rôles pour son mari, un homme anxieux, aux visages multiples. Elle lui nourrissait l'âme et prenait soin de son corps; Émilie pouvait satisfaire son esprit et son intellect. Zoé ne craignait pas que Wilfrid dépasse la mesure. Elle savait que les femmes le trouvaient séduisant et qu'il était attiré par elles, mais elle comprenait aussi que son indolence naturelle le retiendrait de se mettre dans le pétrin. Elle rejetait avec un sourire les rumeurs et les sous-entendus. Elle connaissait bien son Wilfrid! Elle ne se trompa jamais sur le compte d'Émilie.

Et Laurier dans tout cela? À mesure qu'il connut mieux Émilie durant les années 1880, lui et elle s'engagèrent dans une relation intime qui devint capitale pour leur bien-être. Malheureusement, cette relation fut à l'époque — et depuis — mal interprétée par certains de leurs voisins et connaissances, par les commères, par les journalistes et par les historiens en mal d'histoires d'amour. L'intense attachement platonique qu'ils éprouvaient l'un pour l'autre est devenu la liaison romantique du siècle au Canada. On a même parlé d'un enfant illégitime.

La relation de Laurier avec Émilie était connue de tout le monde à Arthabaska et à Ottawa. Durant les sessions parlementaires, il lui arrivait de lui écrire jusqu'à trois fois par mois. Une quarantaine de ces lettres, datées de 1890-1893, nous sont parvenues, en plus de quelques autres écrites plus tard. Durant les dix premières années de mariage d'Émilie, elle et Laurier eurent peu d'occasions de passer du temps ensemble sans que ce soit sous l'œil scrutateur de tiers. Mais ils aimaient leur compagnie mutuelle et se voyaient aussi souvent qu'ils le pouvaient. Tous deux enclins à l'isolement, à l'incompréhension et aux entreprises solitaires, Émilie trouva en Wilfrid un homme avec qui elle pouvait partager ses champs d'intérêt. Ils potinaient ensemble, et elle eut de formidables jugements sur leurs amis et sur leurs voisins. Ils se faisaient mutuellement la lecture et échangeaient des livres; elle lui fit connaître des œuvres plus légères que ce qu'il lisait habituellement, et il fit l'inverse avec elle, en lui proposant des ouvrages plus intellectuels. Elle apprenait vite, s'intéressait à tout et ne reculait pas devant l'effort. Elle fut la première femme avec qui il pouvait converser sur les sujets et les grandes questions qui le captivaient. Elle l'amusait. Il aimait sa façon de s'habiller, sa joie de vivre, son irrévérence et son indépendance d'esprit. Comme elle, il admirait les mœurs anglaises; il était peut-être encore plus anglophile qu'elle; il l'était certainement sur le plan intellectuel.

Le sexe ne faisait pas partie de leur relation. Il aimait les femmes, les admirait et recherchait leur compagnie; il était ravi que des femmes se sentent attirées par lui. Il jouait bien de son charme. Mais ni lui ni Émilie n'étaient disposés à renoncer à leur avenir en mettant en péril leur présent. Elle n'aurait pu envisager la vie sans ses enfants — sort qui aurait inévitablement été sien si elle avait cédé à l'adultère. Quant à Laurier, il cherchait désespérément à atteindre la «cime de la montagne».

~

1884. La situation financière de Laurier est florissante. Son cabinet, prospère, lui rapporte chaque année trois ou quatre mille dollars. De plus, il touche ses émoluments de député, qu'il considère comme satisfaisants. Laurier comptait ses sous (trait qu'il avait hérité de son grand-père) et les investissait judicieusement, mais jamais sans la participation de Zoé. Lui et elle échangeaient des opinions et des informations financières, et ils discutaient de leur actif personnel respectif, dont chacun pouvait disposer à sa guise. Cependant, Zoé s'inquiétait constamment de manquer d'argent. Malgré cela, les Laurier réussirent à atteindre leur objectif financier: jouir d'un capital confortable. Wilfrid consulta les meilleurs courtiers et financiers, qui le trouvèrent fort malin. Il trouvait important de posséder de l'argent. Il dit un jour à Zoé: «Avec l'argent on est à l'abri de tout ce qu'il y a de plus fâcheux dans la vie.» Ce qu'il souhaitait par-dessus tout, c'était de travailler fort comme avocat et de voir ses profits s'accumuler lentement mais sûrement. Il reconnut avec satisfaction qu'il n'avait pas beaucoup d'argent, mais assez «pour se payer des caprices».

Pour assurer ses vieux jours et la sécurité de Zoé après sa mort, il y avait, en plus du capital qu'il amassait, la police de 3000 $ qu'il avait pu se procurer pour la première fois en 1884. En outre, il fut durant toute sa vie membre de l'Ordre indépendant des forestiers, ce qui lui permettrait de recevoir une pension de vieillesse le moment venu.

~

En tant que député fédéral, Laurier était obligé de vivre à Ottawa une partie de l'année. En règle générale, les sessions duraient environ trois mois, de février à mai. Avant 1885, il n'y avait pas beaucoup de trains rapides, et le voyage entre Arthabaska et Ottawa était éprouvant. Le voyageur partait d'Arthabaska au beau milieu de la nuit, arrivait à Montréal vers 6 h 30, en repartait à 8 h, pour enfin arriver à Ottawa cinq ou six heures plus tard. Les trains avaient souvent du retard; le service Pullman Palace, cependant, était plus efficace et plus agréable. Le voyage de retour était semblable. À son arrivée à Ottawa ou à Arthabaska, Laurier était toujours épuisé. Souvent, il ne réservait pas de couchette et, quand il le faisait, la mauvaise condition du lit lui causait beaucoup d'inconfort.

La capitale du Canada n'avait rien de spécial, à part les édifices du Parlement, car elle offrait peu de choses qu'on ne pouvait trouver dans toutes les autres villes canadiennes de taille comparable. Elle était en réalité un méli-mélo de quatre villes distinctes: une ville basse, avec son marché et ses maisons construites dans le style de celles de Montréal; une ville centrale, qui servait de cœur financier; le quartier de Sandy Hill, réservé à une élite qui s'était bâti des maisons imitant les châteaux anglais et des églises gothiques; et une ville haute, où se trouvaient le Parlement et les hôtels chic de la rue Sparks.

Ottawa était aussi noyée dans les ordures, les égouts n'arrivant pas à absorber tous les déchets. La puanteur y était parfois insupportable. L'Ottawa des années 1880 ne ressemblait en rien à la capitale d'un pays en plein essor: le chemin de fer découpait la ville en morceaux, la saleté faisait partie de la vie quotidienne, l'électricité n'arriva dans les rues qu'en 1885, et les tramways hippomobiles ne furent que lentement remplacés par des véhicules électriques. La rue Sparks essayait de devenir le Broadway d'Ottawa; et, même si le quartier du marché était animé, il était difficile d'y maintenir l'ordre.

Jusqu'au moment où il devint premier ministre, en 1896, Laurier demeura à l'hôtel Russell, situé à l'intersection des rues Sparks et Elgin. Au début, c'était un immeuble de pierres de trois étages couvert d'un toit métallique, avec, rue Elgin, un porche couvert, ainsi qu'une entrée pour les dames, rue Sparks. En 1875, un an après l'arrivée de Laurier à Ottawa, un système de plomberie rudimentaire fut installé dans l'hôtel, suivi quelques années plus tard d'un système de chauffage à la vapeur. Avant cette innovation, chaque chambre disposait d'un poêle à charbon. Il y avait un excellent bar, qui servait de Chambre des communes officieuse. Il s'y concluait plus de marchés que dans les corridors et bureaux du Parlement. Si l'hôte était un homme important ou riche, sa chambre était confortable et relativement grande. En règle générale, celle de Laurier l'était. La nourriture, toutefois, était «détestable».

Laurier se sentait terriblement seul la plupart du temps. Aussitôt arrivé à Ottawa, il ne songeait qu'à rentrer à Arthabaska. La bonne cuisine de Zoé lui manquait, de même que son petit bureau où, sans être dérangé, il pouvait s'occuper de ses affaires, ainsi que les discussions avec Lavergne et les conversations avec Émilie. Par-dessus tout, il s'ennuyait de sa bibliothèque, où il pouvait lire en paix. La vie politique en vint à l'intéresser de moins en moins.

«D'après l'idée que j'en ai, ce qu'il y a de mieux dans le mandat de député fédéral, écrivit-il à Zoé, c'est l'indemnité.»

Tout n'était pas morne, cependant, même Laurier devait en convenir. À l'arrivée du printemps, Ottawa devenait plus que tolérable. «Un temps sans pareil, écrivit-il un jour à Zoé, un soleil admirable.» Il assistait à des lectures des œuvres de Shakespeare et, en mai 1882, il rencontra Oscar Wilde dans le hall de l'hôtel Russell. Il recevait beaucoup d'invitations à souper — à Rideau Hall, chez les Blake, et chez d'autres brasseurs d'affaires. Zoé lui rendit visite presque à chaque session et, quand elle se trouvait à Ottawa, les Laurier recevaient leurs invités à l'hôtel ou dans un restaurant huppé. Laurier assistait à des bals et à des soirées; les femmes souriaient tant elles étaient contentes de se trouver en compagnie d'un homme si élégant, courtois, raffiné et amusant.

En mars 1883, les Laurier se rendirent à Montréal à un récital de la célèbre cantatrice canadienne-française Emma Albani, l'une des grandes sopranos de son époque. Le billet coûtait 5 $; après le spectacle, il y eut une magnifique réception à l'hôtel de ville. Les Laurier conversèrent pendant quelques minutes avec la cantatrice; Louis Fréchette lut un long poème qu'il avait composé en l'honneur de celle-ci.

~

Entre la défaite du gouvernement Mackenzie en septembre 1878 et les remous de l'affaire Riel en 1885, les exigences politiques imposées à Laurier ne furent pas très lourdes, et il ne fit pas grand-chose pour les alourdir. Cependant, il était parfois rattrapé par les événements.

Lorsqu'il rentrait à Arthabaska après son séjour à Ottawa, il ne lui était pas toujours possible d'échapper à la politique, même s'il le souhaitait ardemment, surtout à la politique provinciale. Il avait besoin d'une voix amicale à Québec et, en 1880, il s'associa à Ernest Pacaud et à d'autres pour y fonder un journal libéral, *L'Électeur*. Pacaud en était l'éditeur, Laurier rédigeait des articles et collectait des fonds. *L'Électeur* était un journal percutant, vigoureux, polémique et sans peur; sur une période de sept ans, il dut répondre à cinquante poursuites en diffamation. Pas une seule fois il ne fut reconnu coupable. Pacaud était un fin renard.

Par conséquent, il savait ce qu'il faisait lorsque, le 20 avril 1881, *L'Électeur* publia un éditorial non signé, intitulé «La caverne des 40 voleurs», qui fit sensation. Son auteur portait des accusations contre le premier ministre du

Québec, Adolphe Chapleau; contre l'entrepreneur, financier des chemins de fer et agent de financement conservateur, Louis-Adélard Sénécal; ainsi que contre Arthur Dansereau, éditeur du journal montréalais *La Minerve* et dispensateur des faveurs politiques de Chapleau. Selon l'article, ces «voleurs» n'étaient pas n'importe qui, mais bien des hommes importants qui s'étaient vu confier une tâche glorieuse, celle d'assainir les finances de la province de Québec. Le chef de la bande n'était nul autre que Louis-Adélard Sénécal. Suivait une série d'accusations, toutes plus graves les unes que les autres, démontrant une corruption si vaste et si naturelle qu'il s'agissait vraiment de «vol érigé en système». Les «voleurs», surtout Sénécal, devaient être chassés du temple. Le lendemain, un autre article comparait Sénécal au tristement célèbre Bigot, l'intendant de la Nouvelle-France. Sénécal, furieux mais invaincu, intenta au journal une poursuite en diffamation: il réclamait 100 000 $.

Le procès s'ouvrit à Montréal un mois plus tard. Laurier représentait le gérant du journal. Personne à *L'Électeur* n'était en mesure de révéler l'identité de l'auteur de l'article prétendument diffamatoire. Quelques jours après l'ouverture du procès, Laurier admit qu'il connaissait l'auteur. Le procès fut interrompu. À l'automne, quand il devint évident que son client allait être déclaré coupable, Laurier avoua qu'il était l'auteur de l'article. Dès lors, ce fut lui qui se trouva sur la sellette; son procès s'ouvrit le 5 octobre 1881. Il était prêt. Il avait remis à ses avocats, Honoré Mercier et George Irvine, député libéral de Mégantic à l'Assemblée législative, un rapport contenant toutes les preuves qu'il avait amassées au fil des ans contre Sénécal. Irvine lui-même avait monté un dossier sur Sénécal durant les 53 procès au cours desquels il avait plaidé contre cet homme. Le procès de Laurier s'éternisa. La campagne électorale se déroula en même temps, durant tout le mois de novembre. Laurier menait de front son procès et sa campagne, plus concerné par le premier que par la seconde. Finalement, le 2 décembre, le jour où Québec élut avec une forte majorité Chapleau et son gouvernement conservateur, le juge ajourna le procès pour défaut d'unanimité dans le jury: neuf jurés souhaitaient l'acquittement, trois la condamnation. Aucune autre procédure ne fut engagée contre Laurier. Celui-ci était vengé, même en l'absence d'une décision claire. Il avait certes accompli la mission qu'il s'était donnée: régler ses comptes avec Sénécal, à qui il n'avait jamais pardonné d'avoir contribué à la faillite du *Défricheur* et d'avoir machiné sa défaite dans Drummond-Arthabaska en 1877.

Après cet épisode, Laurier se fit moins visible sur la scène politique provinciale. Les tentatives persistantes menées entre 1879 et 1883 pour forger une coalition entre les conservateurs de Chapleau et le Parti libéral provincial l'irritaient, même s'il comprenait que la division qui régnait dans chacun des partis entre l'aile modérée et l'aile extrémiste faisait qu'il était virtuellement impossible aux conservateurs et aux libéraux de gouverner, tandis que la province s'en allait implacablement vers la faillite. Les programmistes, qui s'étaient transformés en castors — «cette secte détestable, fanatique, séditieuse et intolérante» aux yeux de Tarte —, s'étaient juré d'anéantir Chapleau, d'éliminer tous les modérés, et de mettre la politique au service des évêques et des causes raciales. Les quelques libéraux «extrémistes» qui restaient — des hommes comme Honoré Beaugrand, éditeur de *La Patrie* — étaient résolus à finir le travail entrepris par les rouges quelque quarante ans plus tôt. Cette situation amena Chapleau, Mercier, Dansereau, David, Pacaud et d'autres à favoriser la formation d'une coalition des éléments modérés des deux partis.

Laurier changea d'opinion à mesure que les discussions progressèrent et que les difficultés s'accentuèrent. Au début, il s'opposa à toute idée de coalition, arguant du fait que celle-ci brouillerait les lignes de partis à l'échelon fédéral et qu'elle n'empêcherait pas les prêtres de lancer des insultes aux libéraux. Cependant, après les élections provinciales de 1881 et les élections fédérales de 1882, au cours desquelles les libéraux furent battus à plates coutures, il se déclara en faveur de l'union en une seule formation politique des conservateurs modérés — de l'école de Cartier — et des conservateurs libéraux, parmi lesquels il se comptait. À l'automne de 1882, il écrivit à Blake une lettre qui allait dans ce sens. Il y disait qu'il était trop tard pour reculer et qu'il souhaitait que la coalition se forme le plus tôt possible. Il espérait que, dès que ce serait un fait accompli, le parti s'en trouverait renforcé. Néanmoins, il laissait la porte ouverte: s'il était possible de faire en sorte que les deux ailes du Parti libéral parlent d'une seule voix sur les enjeux capitaux, cela vaudrait mieux qu'une coalition de modérés. Il n'entretenait toutefois pas beaucoup d'espoir à ce sujet. Deux mois plus tard, en novembre, il changea de nouveau d'idée. Aucune alliance n'était plus possible avec les conservateurs provinciaux, du fait qu'ils étaient «pourris jusqu'à la moelle». De plus, une alliance ne serait pas dans l'intérêt public: trop de libéraux avaient été contaminés et ne prônaient la coalition qu'en vue des faveurs politiques qui leur seraient accordées une fois qu'ils seraient en position d'autorité. Les discussions se poursuivirent sans aboutir. Ce ne serait qu'en 1896, grâce à l'aide de Tarte et au silence de Chapleau, que Laurier attirerait le groupe conservateur Cartier-Chapleau dans les rangs du Parti libéral.

Entre-temps, la première chose à régler à Ottawa, c'était la question de la direction du Parti; cela signifiait un autre duel entre Mackenzie et Blake. Il fallut deux ans pour régler cette question. Tout de suite après le revers électoral de 1878, Mackenzie, déprimé, avait offert sa démission afin de donner à son groupe parlementaire l'occasion de le confirmer dans son poste de chef ou de choisir un autre chef en qui les députés auraient davantage confiance. Mais durant la session parlementaire, il renonça à son projet et n'en reparla jamais. En octobre 1879, Blake revint à la Chambre des communes grâce à une élection complémentaire. Mais Mackenzie ne lui fit aucune ouverture pour qu'il prenne la tête du parti. En réalité, Mackenzie ne consultait personne, ne tenait jamais de réunion avec les députés de son groupe parlementaire, et se conduisait comme s'il était à lui-même le parti. Le désenchantement engendra la rébellion. Vers la fin d'avril 1880, l'abcès fut crevé. Le whip du parti convoqua les membres du groupe parlementaire à une réunion à laquelle le chef ne fut pas invité. Malade, Laurier était chez lui, à l'hôtel Russell, mais il put quand même recevoir trois de ses collègues qui avaient besoin de son appui pour détrôner Mackenzie et le remplacer par Blake. Sympathique à leur cause, Laurier accepta de les accompagner au bureau de Mackenzie, à la Chambre des communes, le matin du 27 avril.

L'expérience fut des plus désagréables pour Laurier, qui, la redoutant, avait à peine fermé l'œil de la nuit et avait toussé plus que jamais. Mais il fallait que cela soit fait. Cinq hommes frappèrent à la porte de Mackenzie. L'atmosphère était tendue. Après un pénible échange de civilités, Laurier alla droit au but:

> «Nous avons été battus, vous avez été battu. Or, il est dans l'ordre des choses qu'une armée vaincue se cherche un autre général. Personne ne sous-estime vos éminents services, mais de l'avis de tous...»

À ce moment précis, Mackenzie l'interrompit: «Très bien. Si tel est le cas, je cesserai bientôt de diriger le Parti libéral.»

Mackenzie reconduisit le groupe jusqu'à la porte. Vers deux heures du matin, juste avant que la Chambre des communes ne suspende ses travaux jusqu'au lendemain, il se leva pour annoncer qu'il cessait d'être le chef de l'opposition: «À partir d'aujourd'hui, je ne parlerai ni n'agirai pour personne d'autre que moi-même.» En mai, Blake fut nommé chef du Parti libéral, Laurier devenant son lieutenant au Québec. Blake, chef malgré lui, parla souvent de démissionner, mais Laurier réussit chaque fois à lui faire changer d'avis. En décembre 1882, par exemple, il écrivit à Blake une longue lettre dans laquelle il révélait ses propres attentes par rapport à l'exercice d'un leadership politique. «J'ai souvent pensé que, pour une nature comme la vôtre, diriger le parti, dans notre rude atmosphère politique, revient davantage à s'abaisser qu'à s'élever.» Laurier ajoutait que les membres d'un parti se sentaient attachés à leur chef non seulement par l'allégeance politique, mais aussi par un solide lien personnel en raison duquel il leur était impossible d'accepter d'être dirigés par quelqu'un d'autre. Selon Laurier, le chef avait la responsabilité morale de rester à son poste tant qu'il n'était pas convaincu que quelqu'un d'autre pouvait prendre la direction du parti. Il lançait un défi à Blake: au lieu de démissionner, mieux vaudrait reconstituer le parti en lui donnant des objectifs plus élevés et plus nobles. Quels objectifs? Élever le niveau du parti: «Comme je vous l'ai déjà dit, je ne peux que répéter que, à mon avis, aucune réforme n'est plus urgente que celle qui permettrait d'apprendre la générosité à l'opinion publique et à l'opinion privée; tant que cette réforme-là ne sera pas accomplie, aucune autre ne sera possible.»

Pendant que Blake était chef du Parti libéral et chef de l'opposition, les conservateurs instaurèrent une «politique nationale» et réalisèrent le rêve national. Macdonald fit construire le chemin de fer transcontinental, établit des droits de douane protectionnistes et essaya de peupler l'Ouest.

Laurier contribua peu aux débats entourant ces grandes questions politiques. Il se contenta d'apprendre le plus possible de Blake. Ce fut dans le cadre de cet apprentissage que, à l'été de 1881, Laurier fit son premier voyage à l'extérieur du Québec et de l'Ontario. En compagnie de Blake et de Pacaud, il se rendit en Nouvelle-Écosse, arrivant à New Glasgow le 5 août. Trois jours plus tard, sous une pluie battante, il assista à un premier rassemblement, de 4000 personnes. Le lendemain, il prononça un discours à Port Hawkesbury, discours trop long au goût de certains! Puis vinrent St. Peter's, Windsor, Kentville, Bridgetown, Digby, Clark et Yarmouth. Partout où Blake et lui se rendirent, les foules furent nombreuses et les acclamations nourries. Laurier parla surtout des tribulations entourant le Canadien Pacifique: coût énorme, occasions de corruption et «odieux monopoles». Il était élégant, charmant, mais pas très enthousiasmant. Il abandonna soudainement la tournée après la visite à Yarmouth et rentra à Arthabaska le 18 août. Il avait plu trop souvent pour lui. Il se sentait faible et étourdi, à tel point que Pacaud le raccompagna chez lui. Zoé le mit au lit et l'y garda quelques jours. Laurier avait toutefois apprécié son voyage et était ravi de l'accueil que son groupe avait reçu. Il avait été fort impressionné par l'océan, qu'il n'avait jamais vu auparavant.

Durant la première moitié des années 1880, les seuls débats à Ottawa dans lesquels il engagea son esprit puissant et ses principes furent les droits et l'autonomie des provinces. Laurier fut le premier politicien à déclarer catégoriquement que le fédéralisme canadien exigeait une politique cohérente pour le maintien de l'équilibre des pouvoirs entre les gouvernements fédéral et provinciaux. Tout plan susceptible de faire pencher la balance en faveur de l'un ou des autres devait être évité, faute de quoi l'unité canadienne ne pouvait être préservée.

Sa première sortie à ce sujet eut lieu durant l'affaire Letellier. Luc Letellier de Saint-Just, Rouge et libéral non réformé, avait été nommé lieutenant-gouverneur du Québec par Mackenzie en 1876. Deux ans après sa nomination, il choisit de renvoyer le premier ministre dûment élu, Charles-Eugène Boucher de Boucherville, programmiste et serviteur des évêques, ainsi que son gouvernement conservateur. Lorsque Laurier fut informé du coup d'État de Letellier, il écrivit à Pacaud: «Nous sommes d'avis ici que Letellier a tout gâté: son action ne peut guère être défendue et elle est certainement inconstitutionnelle, à moins de faits qui, s'ils existaient, seraient déjà publics.» Abattu, il ajouta: «Nous ne pouvons et ne devons rien faire.» Cependant, après le retour au pouvoir des conservateurs aux élections fédérales de 1878, l'aile québécoise du parti demanda la destitution de Letellier durant la session de 1879. Cette manœuvre avait été ourdie par Tarte, avec l'aide de Chapleau, Dansereau et Sénécal. Ils déménagèrent tous à Ottawa durant l'affaire. Sénécal hypothéqua son assurance sur la vie et acheta une maison, rue Metcalfe, laquelle fut vite connue sous le nom de «la maison bleue»; ses amis et lui y vécurent pendant qu'ils mettaient au point leur stratégie.

Dans le débat qui s'ensuivit, Laurier, sans pour autant défendre Letellier, opta pour la primauté des droits provinciaux. Il y avait eu élection au Québec, et le peuple avait porté au pouvoir un gouvernement libéral — encore que ce dernier ne pût gouverner qu'avec le vote du président de l'Assemblée. L'affaire aurait dû être close, puisque le gouvernement fédéral n'avait aucun pouvoir ni aucun droit légitime d'intervenir dans ce qui était essentiellement une affaire provinciale. Laurier exprima alors la philosophie, en matière de relations fédérales-provinciales, qui le guiderait au fil des ans: les pouvoirs d'intervention du fédéral dans les affaires provinciales — droit de réserve et veto — ne peuvent être invoqués que pour la protection des droits impériaux ou fédéraux, mais jamais pour satisfaire une partie de la population provinciale qui se sentirait lésée par une loi. Une intervention d'Ottawa dans ces circonstances violerait directement le système fédéral. À qui donc la population lésée pourrait-elle s'adresser pour demander réparation? Selon Laurier, celle-ci devait chercher et trouver réparation dans l'application du principe du gouvernement responsable.

Letellier fut destitué en bonne et due forme, et remplacé par un conservateur. Le Conseil législatif déclencha une crise, une élection suivit en 1881, et Chapleau devint premier ministre de la province avec une forte majorité. Laurier le prit mal. Il écrivit à Blake: «Je n'ai jamais anticipé une victoire, mais j'ai toujours cru que nous pourrions remporter entre 20 et 25 sièges.» Ce nombre de députés constituait le noyau libéral. Les résultats obtenus aux élections provinciales ne laissaient rien présager de bon pour les élections fédérales qui auraient lieu en 1882.

Laurier appréhendait ces élections. La corruption régnait alors à tous les niveaux de la société québécoise. La population anglophone ne valait guère mieux. Cet état de choses le décourageait. Il écrivit à Blake: «Vous admettrez avec moi qu'avec une opinion publique corrompue, avec de l'argent qui coule à flots chez les conservateurs, avec le clergé contre nous, nous serons toujours battus.» Il ne savait que faire. Au début de sa carrière, il était convaincu que l'influence du clergé constituait l'obstacle majeur pour les libéraux. Cette influence se faisait encore sentir, mais les libéraux pouvaient désormais faire valoir — du moins auprès des catholiques intelligents et consciencieux — que le pape avait décrété que le peuple avait le droit de voter pour qui il voulait.

Laurier était persuadé que la corruption constituait désormais l'obstacle majeur au Québec sur le chemin d'une vie démocratique saine. «La corruption est presque universelle parmi nous, Canadiens, à cause de l'éducation que nous recevons. Les jeunes, comme moi, ont été éduqués par des prêtres qui sont des hommes bons, mais qui ont des préjugés, des hommes qui, sauf en théologie et en philosophie, sont très ignorants, surtout en histoire moderne. Les livres qu'ils ont lus, toutes les sources d'information auxquelles ils ont accès, sont la presse et les livres ultramontains d'Europe. Ils nous ont prédisposés à avoir en horreur le libéralisme et la liberté. Ainsi, ils ont créé en nous une dépendance à l'ignorance et à la tradition. C'est de là que vient la corruption.»

Aux élections fédérales du 20 juin 1882, Laurier joua son rôle habituel: se faire élire et appuyer d'autres candidats libéraux un peu partout au Québec.

Mais il ne prit pas la direction de la campagne électorale dans la province. Cela irrita Blake qui, dès janvier, avait imploré Laurier de commencer à l'organiser. Laurier n'en avait rien fait. Il avait son cabinet juridique, ses livres, Zoé, ses «enfants»; l'hiver était rigoureux; il était fatigué et souvent malade. Il trouvait les électeurs apathiques; il n'avait pas de fonds; il répugnait à s'imposer comme chef. En mai, bien peu avait été accompli. Pour comble, plusieurs candidats poussèrent l'audace jusqu'à exiger des milliers de dollars pour se présenter dans les circonscriptions difficiles. «C'est absolument intolérable!» dit-il à Zoé. Les conservateurs de Macdonald remportèrent 139 sièges, les libéraux de Blake, 72. Au Québec, la proportion resta la même: 52 conservateurs et 13 libéraux. Laurier fut réélu dans Québec-Est, mais avec une faible majorité.

On le blâma pour les résultats médiocres obtenus par son parti. Dans une certaine mesure, les critiques étaient justifiées. Laurier avait tendance à exagérer les difficultés qu'il rencontrait; son fatalisme inné le suivait partout; il avait commencé à croire que tout le monde lui en voulait. Sa tendance à remettre tout au lendemain lui causait beaucoup d'ennuis. C'était toutefois son aversion pour l'exercice du pouvoir qui inquiétait le plus ses amis politiques. Pacaud le réprimandait souvent pour ce qu'il considérait comme une faiblesse de caractère. Il le semonçait si vertement que, à un moment donné, il crut mettre leur amitié en péril. Avec sa bonne grâce habituelle, Laurier le rassura: «Je regrette que tu me croies capable de t'en vouloir. Je n'ai aucune raison d'être irrité. Nous avons des opinions différentes sur bien des sujets, mais cela ne nous empêche pas d'être amis.»

À part cela, Laurier resta généralement silencieux. William Dafoe, qui commençait à Ottawa sa carrière journalistique dans les années 1880 comme correspondant parlementaire du *Montreal Star*, écrirait plus tard que, en 1884, la carrière de Laurier était finie: «Son intérêt pour la politique semblait presque disparu. Il jouait alors, ni plus ni moins, le simple rôle de secrétaire de Blake.» La brillante éloquence de Laurier n'existait plus que dans la mémoire des parlementaires, car il ne prenait presque plus la parole. Il consacrait la majeure partie de son temps à lire à la bibliothèque. Un organisateur politique libéral déclara un jour à Dafoe que Laurier ne serait jamais un chef parce qu'il n'avait pas assez le diable au corps.

7

La tragédie du Nord-Ouest de 1885

Le mercredi 2 juillet 1884, Laurier reçut un télégramme l'informant que Louis Riel était arrivé à Batoche, dans les Territoires du Nord-Ouest. Laurier se donna pour première tâche d'apprendre tout ce qu'il ignorait de l'Ouest. Il savait qu'il s'agissait d'un très vaste territoire, habité par une population disparate, surtout indienne et métisse; que le bison en avait disparu; que le chemin de fer le traversait; que la population blanche y augmentait en nombre; et c'était à peu près tout. En ce qui concernait l'Ouest, l'ignorance de Laurier était grande, son intérêt étroit et sporadique, son attention dispersée. Il n'était jamais allé au Manitoba ni plus loin à l'ouest, et il ne connaissait pour ainsi dire personne qui en était originaire. À cet égard, Laurier était le politicien typique du Canada central. Le Canada se limitait à l'axe Toronto-Montréal, avec une bretelle menant à Ottawa et une autre à Québec. Le reste existait bien, mais n'avait pas d'importance. Laurier n'avait pas encore acquis le sens du pays *mare usque ad mare.*

Bien entendu, il s'était engagé dans le débat qui avait entouré l'amnistie de Riel en 1875. Son premier discours prononcé en anglais à la Chambre des communes avait porté là-dessus. À cette époque, toutefois, il était tombé sous le charme d'une certaine forme de nationalisme qui lui avait temporairement fait considérer comme valable la notion selon laquelle les Canadiens français devraient voir les enjeux fédéraux, c'est-à-dire pancanadiens, à la lumière de leurs intérêts nationaux, de leurs intérêts de race. Il avait manqué à son vœu de toujours voir les enjeux pancanadiens à la lumière de l'équité et de la justice, sans se laisser influencer par la race ni par la religion. Il avait contribué à transformer une affaire de justice et de droits de la personne en une question de race et de religion. Il avait eu tort et il le savait. Il aurait dû s'en tenir à son plan initial, qui consistait à réclamer l'amnistie de Riel en invoquant le fait que celui-ci et son peuple, au cours de la rébellion de 1869-1870, n'avaient rien fait d'autre que d'exiger d'être traités comme des sujets britanniques au lieu qu'on «trafiquât d'eux comme d'un vil bétail». Ce problème était-il toujours pertinent en 1884? Était-ce parce que la situation n'avait pas changé que Riel était revenu mener un autre mouvement populaire? Privait-on encore des hommes, des femmes et des enfants de leurs droits en tant que sujets britanniques? Laurier chercherait réponse à ces questions et, espérait-il, n'y mêlerait ni la race ni la religion.

Il chercha à en apprendre le plus possible sur l'Ouest durant l'année qui précéda son discours du 7 juillet 1885 à la Chambre et qui suivit le retour de Riel. Il examina les documents, lut les rapports, prit connaissance des pétitions, s'informa à gauche et à droite, et finit par posséder une solide connaissance de tout ce qui s'était passé depuis que le gouvernement canadien avait repris les terres de la Compagnie de la baie d'Hudson, en 1870. Il suivit aussi de près les événements tragiques qui se déroulaient dans l'Ouest, autour de Batoche et, plus tard, à Regina, à partir du milieu de mars 1885 jusqu'à leur dénouement un morne jour de novembre de la même année. Il était résolu à ce que l'on ne puisse l'accuser d'ignorance ou d'indifférence.

~

Louis Riel est le personnage le plus paradoxal et le plus compliqué de l'histoire du Canada. Né le 22 octobre 1844 dans la colonie de la Rivière-Rouge — aujourd'hui au Manitoba —, il était le fils aîné de Louis Riel, marchand de fourrures, fermier et défenseur des Métis. Sa mère, Julie Lagimodière, était la fille de la première Blanche de l'Ouest, Marie-Anne Gaboury. La grand-mère paternelle de Riel était une Métisse, d'origine franco-chipewyanne; par conséquent, il avait du sang indien. Il appartenait à une famille nombreuse et aimante — ils étaient onze enfants — pour qui la religion catholique était au centre de tout. Enfant brillant, il put, grâce à son évêque, entrer en 1858 au Petit Séminaire de Montréal en vue de la prêtrise. La mort de son père, en janvier 1864, l'affecta profondément; il abandonna ses études un an avant de recevoir son diplôme. Il tenta sa chance dans le droit — fait intéressant, dans le cabinet de Rodolphe Laflamme — mais, quand il se rendit compte que cette profession ne convenait pas, tout comme la prêtrise, à son tempérament, il repartit dans l'Ouest. Il arriva à Saint-Boniface à l'été de 1868. Il y trouva son peuple dans le dénuement le plus complet, à cause de l'invasion de sauterelles de l'année précédente et du harcèlement des colons et arpenteurs blancs venus d'Ontario, membres du tristement célèbre Parti canadien. La vaste majorité d'entre eux, surtout Charles Mair, poète à ses heures, John Christian Schultz, médecin et futur lieutenant-gouverneur, et Thomas Scott, homme passionné et arrogant, étaient des bigots dont la mission essentielle consistait à établir l'autorité et le pouvoir de la race anglaise dans les anciennes terres de la Compagnie de la baie d'Hudson. Ils ne reculeraient devant rien pour atteindre leurs fins, créant un précédent qui tourmenterait Laurier après son accession à la direction du Parti libéral, en 1887.

La cession des terres situées entre l'Ontario et les Rocheuses n'avait pas tenu compte des habitants de la région, qui n'avaient pas été consultés. Selon certaines interprétations du droit international, il ne faisait aucun doute qu'il était également superflu de discuter avec eux du type de gouvernement à établir ou de la forme que prendrait désormais la division des terres, division qui entrait en conflit avec celle qui avait été arrêtée avant l'arrivée des Blancs. Lorsque les représentants du gouvernement canadien, officiels et non officiels, arrivèrent dans l'Ouest pour exercer la suzeraineté canadienne sur ces vastes territoires, ils les trouvèrent habités par deux groupes de personnes qui n'avaient pas l'intention de se laisser bousculer au nom des intérêts supérieurs de l'État canadien: les Premières Nations et les Métis.

Dans la colonie de la Rivière-Rouge, les colons blancs étaient en minorité. Ils comprenaient les descendants des Écossais que lord Selkirk avait parrainés au début du XIXe siècle, des fermiers, des spéculateurs fonciers, des marchands, un mélange de francophones et d'anglophones, des catholiques et des protestants, des Américains prônant l'inévitable expansion territoriale des États-Unis, des orangistes et des missionnaires de toutes sortes. Parmi eux vivaient quelque 10 000 fils et filles d'une nouvelle nation, la nation métisse. Les pères de cette nation étaient les coureurs des bois de la Nouvelle-France et les voyageurs de l'après-Conquête; les mères étaient autochtones. Les enfants de cette alliance, francophones et catholiques, avaient été élevés dans la culture maternelle. Ils constituaient la majorité dans la colonie. Quelques Métis étaient protestants et anglophones: les descendants des colons de Selkirk.

Les Métis étaient un peuple semi-nomade qui menait une vie indépendante de celle des Blancs et des Indiens qui les entouraient. Ils gagnaient leur vie en pratiquant le piégeage, en fournissant des fourrures et d'autres marchandises aux colons blancs et aux Indiens, en exécutant de petits travaux et en s'adonnant à l'agriculture. Leurs terres étaient divisées en longues bandes étroites donnant sur la rivière; ce régime de possession était incompatible avec la réglementation sur l'arpentage imposée par Ottawa. Au début, leur gagne-pain et leur survie dépendaient entièrement du bison; mais, en 1885, la chasse avait pratiquement anéanti l'espèce.

Avec la progression de l'invasion des Blancs, plus particulièrement à l'époque de la Confédération, les Métis commencèrent à s'agiter pour protéger leurs droits et libertés, craignant d'être dépossédés de leur bien, s'inquiétant pour leur mode de vie, leur langue et leur religion. Personne ne les ayant informés de ce qui se passait ni de leur place dans le plan de construction du Canada, ils se trouvèrent un chef en la personne de Louis Riel, 25 ans, établirent un gouvernement provisoire et finirent par prendre les armes pour défendre leur vie et leur survie. La première rébellion de Riel (août 1869 à août 1870) fut matée par une armée envoyée du centre du Canada à cette fin, mais pas avant que les Métis aient pu arracher quelques concessions à Macdonald et à Cartier: la protection de la langue française et de la religion catholique, la concession de terres conformément aux droits ancestraux des Métis, et l'entrée dans la Confédération, sous le nom de Manitoba, de la colonie de la Rivière-Rouge en tant que cinquième province du Canada. Avant que cela ne se concrétise, toutefois, survint la mort la plus désastreuse de l'histoire canadienne, celle de l'aventurier Thomas Scott.

Scott était arrivé à Upper Fort Garry, aujourd'hui Winnipeg, probablement en novembre 1869. Il se fit vite des amis au sein du Parti canadien. Il appuyait Mair, Schultz et tous ceux qui s'opposaient à Riel et à ses projets pour la colonie de la Rivière-Rouge. Scott et 53 hommes furent arrêtés le 7 décembre 1869. Un mois plus tard, il s'échappa et fit des siennes avant d'être arrêté de nouveau le 18 février 1870. Durant son incarcération, il insulta les Métis, les qualifiant de toutes sortes d'épithètes racistes. Incapables de le maîtriser, même après en être venus aux coups, les Métis qui le gardaient prisonnier exigèrent qu'il passe en cour martiale conformément à leurs traditions. Scott, reconnu coupable et condamné à mort, fut fusillé le 4 mars 1870. Cependant, on ne peut pas dire qu'il reposa en paix. Son exécution — un meurtre aux yeux de certains — fut une grave erreur qui empoisonna pendant des décennies la construction du Canada et qui causa la mort de Riel.

Laurier voulait savoir à tout prix ce qui s'était passé entre le 15 juillet 1870, date à laquelle le Manitoba devint une province bilingue investie du pouvoir de sauvegarder les intérêts des Métis, comme il leur avait été garanti dans l'entente, et le retour de Riel à l'été de 1884. Ce qu'il découvrit n'était pas très encourageant.

Riel avait alors 40 ans. Citoyen américain, marié et père de deux enfants, il vivait dans la mission St. Peter's, au centre du Montana, à quelque 13 000 kilomètres de Batoche, où il avait été instituteur. Après son exil du Canada, il avait erré aux États-Unis, avait séjourné plusieurs fois dans des sanatoriums et n'avait rien fait de significatif. Cependant, les Métis se souvenaient de lui, surtout de ce qu'il avait accompli à la Rivière-Rouge. Ils espéraient qu'il répéterait le miracle et sauverait la nation métisse une fois de plus. C'est pourquoi ils le firent chercher.

Lorsque Gabriel Dumont, l'un des meilleurs chefs militaires de l'histoire canadienne, partit au Montana pour y chercher Riel, en juin 1884, la situation des Métis s'était détériorée encore une fois. Il ne leur avait pas été possible de vivre en harmonie avec les hommes et les femmes d'une autre langue et d'une autre culture qui avaient envahi leur territoire et les avaient souvent dépossédés des terres auxquelles ils avaient droit — leur propre imprévoyance jouant contre eux. Ils étaient devenus une minorité, de nouveau harcelée, dont la survie était menacée. Mais, au lieu de prendre les armes, ils avaient déménagé, certains aux États-Unis, d'autres, plus nombreux, sur les rives de la sinueuse Saskatchewan. Ils s'y étaient faits squatters jusqu'à l'arrivée des représentants du gouvernement — arpenteurs, agents de la police montée et magistrats — vers la fin des années 1870. Encore une fois, cette présence étrangère parmi eux leur fit connaître l'angoisse, la peur et la hantise de la disparition. Les Indiens aussi étaient agités: leurs récoltes étaient désastreuses, leur vie dans les réserves était lugubre, et l'empiétement de l'homme blanc, dévastateur. Durant l'hiver de 1884-1885, ils avaient besoin de nourriture, de couvertures et de vêtements, faute de quoi la misère et la famine séviraient. Mais les agents du gouvernement ne firent aucun cas de l'état désespéré des Indiens et des Métis.

Que voulaient donc ces gens «insignifiants»? En 1884-1885, sur les rives de la Saskatchewan, les Métis voulaient ce pour quoi leurs pères s'étaient battus sur les rives de la rivière Rouge en 1869-1870: que l'on cesse de «trafiquer d'eux comme d'un vil bétail». C'était là la conclusion à laquelle arriva Laurier. Le gouvernement Macdonald, qui avait gâché la première rencontre avec les Métis, faisait de même avec la seconde. Les Métis demandaient que les terres qu'ils occupaient soient reconnues comme étant les leurs; que leur système d'arpentage traditionnel soit adopté dans leurs établissements, au lieu du système rectangulaire américain privilégié par l'administration; que, en reconnaissance de ses droits en tant qu'autochtone, chaque Métis reçoive environ un quart de section de terre, comme cela avait été le cas au Manitoba; et qu'ils soient adéquatement représentés et consultés. Laurier était convaincu que ces exigences étaient justes et qu'elles devraient être satisfaites le plus vite possible.

Elles ne le furent pas. Des pétitions furent envoyées à Ottawa, des délégations s'y rendirent, évêques et curés rédigèrent lettres et rapports, chefs de police et officiels du gouvernement firent des mises en garde contre l'orage qui se préparait. Pourtant, les élus à Ottawa continuèrent de dormir sur leurs deux oreilles. Lorsque Riel revint au Canada en juillet 1884, il tenta de négocier. Il offrit même de se laisser acheter, mais sans succès. Il organisait des réunions, discutait avec les missionnaires et priait. Pendant ce temps, l'agitation grondait. Laurier, qui ne faisait pas confiance à Riel et qui ne l'estimait pas, voyait dans ses actes la manipulation du pouvoir à ses propres fins. Mais cela n'entamait en rien la validité des griefs des 26 000 Indiens et 7 000 Métis des Territoires du Nord-Ouest. Le désespoir engendrait la colère; Ottawa réagissait en renforçant les corps policiers. Au début d'octobre 1884, Riel avait déjà rédigé la version préliminaire d'une pétition du peuple aux autorités siégeant à des milliers de kilomètres de leurs territoires. Cette pétition, discutée et modifiée au cours de nombreuses assemblées, fut envoyée au gouverneur général le 16 décembre. Un accusé de réception arriva trois semaines plus tard. Les gens attendaient réparation. Pour les apaiser, le gouvernement fédéral attribua quelques emplois fédéraux à certains chefs; une commission fut chargée de recueillir des données démographiques; des renforts policiers furent encore une fois envoyés, tandis qu'on mettait au point un plan pour expédier rapidement et efficacement des troupes dans la région, pour le cas où une rébellion éclaterait. Au même moment, le Cabinet annonça que les Métis de Saskatchewan n'avaient pas le droit de réclamer des terres en vertu de leur sang indien parce que la plupart d'entre eux avaient reçu un «scrip», certificat des Métis, au Manitoba après 1870. Dix jours plus tard, cette politique fut annulée; ce que les Métis quémandaient depuis de nombreuses années était désormais jugé acceptable. Mais la cause métisse, d'affaire politique qu'elle avait été, s'était métamorphosée en croisade religieuse.

Lorsqu'il commença à tenir un journal au début de l'automne de 1884, Riel manifesta la mégalomanie religieuse que Laurier avait observée en conversant avec lui dix ans auparavant. Riel se voyait comme le prophète envoyé par Dieu pour établir l'Église vivante, apostolique et catholique du Nouveau Monde. Des voix lui disaient ce qu'il devait faire. À partir de ce moment, les décisions de Riel, que Dumont et ses disciples acceptaient, comme le voulaient leurs traditions, furent toutes motivées par sa mission apostolique, et dictées par ces voix. En agissant ainsi, Riel nuisit à la cause qu'il était censé défendre.

À la fin de février 1885, il était devenu évident que personne ne se presserait pour satisfaire les Indiens et les Métis. Le 17 mars, sur le conseil de Dumont, un gouvernement provisoire fut formé; Riel en était le président, Dumont le chef militaire. Pour améliorer sa position — ce qui, encore une fois, ne fit que nuire à la cause —, Riel se fit appeler «David» ou «Exovede», ce qui signifie «celui qui a été choisi dans le troupeau». Huit jours plus tard, le nouveau régime livra sa première bataille. L'insurrection dura deux mois, durant lesquels s'affrontèrent 3500 soldats venus du Canada central — transportés par des traîneaux fournis par le chemin de fer Canadien Pacifique — et 850 Métis; durant lesquels une espèce de mitrailleuse appelée Gatling cracha un déluge de projectiles; durant lesquels les prêtres refusèrent l'absolution aux femmes qui osaient aller voir leur mari, tandis qu'eux-mêmes transmettaient des renseignements stratégiques aux soldats; durant lesquels Dumont démontra quel grand tacticien il était; durant lesquels des vieillards se battirent avec des balles faites de vieux clous; durant lesquels le général des Blancs ordonna qu'on utilise des balles explosives, en contravention des principes de guerre fondamentaux à l'époque; durant lesquels Riel porta son crucifix, adressa des prières à ses voix et encouragea ses hommes; durant lesquels l'armée «canadienne» se livra au saccage et au pillage à volonté. Une fois l'insurrection matée, 200 Métis et soldats avaient péri, un plus grand nombre encore avaient été blessés, six millions de dollars avaient été dépensés, et le pays avait connu son premier affrontement «racial». Tout cela à cause d'un différend portant sur quarante ou cinquante mille acres de terre, dans une région sauvage qui en comptait des dizaines de millions, comme un observateur le fit remarquer à l'époque.

Le 15 mai, Riel se rendit au «général anglais». Emmené à Regina, il fut jugé pour trahison et déclaré coupable le 1er août; le jury composé de six hommes recommanda la clémence, convaincu qu'il était du mérite de la cause des Métis. Le gouvernement avait été négligent et, à bien des égards, était responsable de l'insurrection. Mais le code criminel de l'époque ne prévoyait pas la clémence, même si le juge y avait été enclin. Par conséquent, le 18 septembre 1885, il condamna Riel à la pendaison. La date de l'exécution fut repoussée trois fois tandis qu'on interjetait appel à la Cour du Banc de la Reine du Manitoba et au Conseil privé de Londres. Les deux appels rejetés, le gouvernement de Macdonald décida de laisser la sentence s'appliquer. Cependant, pour calmer les trois Canadiens français du Cabinet, une commission de trois médecins du gouvernement fut constituée pour déterminer si Riel était sain d'esprit, la question de sa folie ayant été soulevée durant le procès. Les médecins le jugèrent sain d'esprit, même s'il était en proie à des fantasmes quand il était question de politique et de religion. Le 16 novembre 1885, Riel fut pendu. Le Canada n'allait plus jamais être le même.

~

Tandis que se déroulaient ces événements capitaux, la Chambre des communes, qui avait appuyé le gouvernement durant l'insurrection, dirigea son attention sur les causes du problème. Le 6 juillet 1885, Edward Blake présenta une motion de blâme, alléguant la «négligence grossière, l'inaction et la mauvaise administration». Laurier prit la parole le lendemain et fit un discours dans lequel il condamnait le gouvernement de Macdonald:

> «Je reproche ceci au gouvernement: d'avoir, pendant des années et des années, ignoré les justes réclamations des Métis de la Saskatchewan, bien que ces derniers aient, pendant des années et des années, pétitionné auprès du gouvernement, toujours en vain. Je dis qu'ils ont été traités par le gouvernement avec une indifférence qui équivaut au mépris non déguisé, qu'ils ont été poussés dans la malheureuse voie qu'ils ont suivie, et que, si leur rébellion est un crime, la responsabilité de ce crime revient autant aux hommes qui l'ont provoqué par leur conduite qu'à ceux qui l'ont perpétré.»

Pendant six ans, le gouvernement avait atermoyé et avait refusé d'accorder aux Métis ce qui leur revenait de droit; Riel était revenu, et encore une fois on avait fait fi des Métis; mais le sifflement des balles à Duck Lake avait réveillé le géant endormi à Ottawa. À la dernière minute, le gouvernement avait trouvé une certaine légitimité dans ce qui lui était réclamé. Comme Macdonald le dit, il le fit par amour de la paix. Laurier acceptait difficilement cet argument: «Pour l'amour de la paix, quand nous étions en pleine guerre! Pour l'amour de la paix, quand les insurgés étaient sur le champ de bataille et que le sang coulait!» Non, l'argument ne tenait pas. Le gouvernement ne pouvait se cacher, comme il le faisait, derrière l'animosité et la colère contre Riel, assez généralement répandues en Ontario. Selon Laurier, ce n'était pas la faute de Riel. Et il ne suffirait pas d'aviver les préjugés contre Riel pour camoufler l'ineptie du ministère de l'Intérieur.

«Notre nation est trop jeune pour que nous ayons oublié nos origines respectives; je le dis franchement: le peuple de ma propre province, qui a une communauté d'origine avec les insurgés, sympathise avec eux, tout comme la sympathie du peuple de l'Ontario irait dans la direction opposée.

Je suis d'origine française et j'avoue que, si je ne devais agir que selon la voix du sang qui coule dans mes veines, je serais fortement en faveur des insurgés; mais par-dessus tout, je prétends être en faveur de ce qui est juste, droit et loyal, en faveur de la justice due à chacun, et je dis: faites justice et que les conséquences en retombent sur les coupables, soit sur la tête de Louis Riel, soit sur les épaules du gouvernement.»

Laurier était convaincu que Riel, Dumont et les autres ne s'étaient pas révoltés contre la reine, mais «contre la tyrannie du gouvernement canadien». Durant toute l'agitation qui suivit, il ne démordit pas de cette conviction et de cet argument. La motion de blâme présentée par Blake fut rejetée et, le jour même où s'ouvrit le procès de Riel, la Chambre suspendit ses travaux jusqu'au 25 février 1886. Pendant ce temps, l'ombre de Riel assombrirait les rues du pays.

~

À la nouvelle de l'insurrection de la Rivière-Rouge, les Canadiens français, comme tous les autres citoyens du pays, déplorèrent l'événement et demandèrent que l'autorité de la loi et du pays fût rétablie. Aux cérémonies entourant l'envoi du 9e Bataillon du Québec, en avril 1885, l'opinion publique convenait majoritairement que la mission de ces soldats était de faire respecter la loi et l'ordre, et de servir en tant qu'agents de la paix. Les prières du peuple les accompagnaient.

Un sentiment d'insécurité s'installa. Tous les jours, la presse faisait état des pétitions ignorées, de la pauvreté abjecte, de la position précaire d'un peuple qui, après avoir ouvert un pays, le voyait devenir étranger. Une fois la rébellion matée, des voix discordantes se firent entendre dans tout le pays, et des interprétations contradictoires furent données aux événements. Au Québec, Riel s'était rendu; en Ontario, il avait été capturé. En Ontario, on réclamait son châtiment; au Québec, on plaidait en faveur de la clémence.

Le 7 juillet, lorsque Laurier avoua en Chambre qu'il se sentait une sympathie naturelle pour les Métis, il exprimait ce qui était en fait la disposition générale dans la province de Québec. Les Canadiens français éprouvaient du déchirement. Ébranlés par les révélations de tyrannie et d'incompétence, et par les rapports sur le comportement des soldats ontariens à l'endroit de la population civile, ils réclamaient la clémence, surtout après la condamnation à mort de Riel. Il y avait là davantage qu'une émotion. «Riel est l'un des nôtres!» Si on le pendait, c'était toute la nation française qui monterait au gibet. De plus, bien entendu, il y avait l'éternel problème de l'état de minorité. Il fallait sauver Riel parce qu'il était Canadien français, et son sort serait une indication du pouvoir et de l'influence des Canadiens français dans la Confédération.

Laurier, si circonspect qu'il tentât d'être, fut pris par ce sentiment, «entraîné par le courant», comme le dit Tarte. Mais, tout comme Tarte et les autres, il tenta d'y résister. Il n'éprouvait aucune sympathie pour Riel; les rébellions et insurrections ne lui plaisaient guère. Le sang versé l'effrayait et lui répugnait. Toutefois, il était convaincu que les riverains de la Saskatchewan avaient été lésés. L'injustice faisait monter la colère en lui; il souhaitait que les responsables soient punis. Il déchaînerait son éloquence pour plaider ce qui était devenu *sa* cause. En même temps, Laurier reconnaissait que toute cette affaire était un cadeau du ciel pour les libéraux, provinciaux et fédéraux. Il y avait un avantage à en tirer, mais les pièges ne manquaient pas non plus.

Riel est mort. À 8 h 15 ce matin, heure de Regina, on l'a emmené de sa cellule, et il a été pendu dans la cour. Le choc est incroyable. Zoé est en larmes. Avec bon nombre de ses amies, elle s'est rendue à l'église pour prier pour le repos de l'âme du condamné. Émilie, aussi fragile que Zoé, y est allée avec elle.

Même s'il est tard, les télégrammes réclamant justice arrivent encore en grand nombre.

Il est incroyable qu'une nation civilisée comme la nôtre ait pu s'abaisser à ce point. Ce que mon pays a fait au nom de la loi et de l'ordre est moralement indéfendable. Riel n'est pas mort pour la loi et l'ordre; il est mort à cause de Thomas Scott. La mort de ce dernier a finalement été vengée.

Que fera notre peuple, dans un camp comme dans l'autre? Ici, déjà, on entend le cri: «Mon frère, Riel!» En Ontario et ailleurs, c'est : «Qu'il meure!» Qu'entendra-t-on demain?

Zoé et moi avons longuement discuté des répercussions de cet acte. Notre pays sera plus que jamais divisé. Tous les préjugés, toutes les vieilles blessures, tous les affronts — seul le Dieu de Zoé sait quoi d'autre surgira et dictera le cours des événements.

La race et la religion sont sur le point de dominer la politique au Canada. Pas la justice, pas la clémence, pas la liberté: la race et la religion. Un gouffre séparera nos deux peuples.

Ma position doit être claire. Ce n'est pas de Riel qu'il s'agit. Ni du fait qu'il soit d'origine canadienne-française. Ni du fait qu'il soit catholique, qu'il ait été élevé parmi nous. C'est de l'incurie du gouvernement Macdonald qu'il s'agit. C'est là-dessus seulement que je prendrai position.

Cela signifie en partie qu'il faudra faire siennes les souffrances des Métis. Cela signifie en partie qu'il faudra clairement déclarer que les sujets britanniques ne peuvent être arbitrairement dépouillés de leurs droits et traités injustement. Quand cela se produit, ils doivent se défendre. Cela signifie également qu'il faudra insister sur le fait que la clémence est un geste beaucoup plus noble que la vengeance.

Jusqu'à quel point cette position est-elle possible? Jusqu'à quel point serai-je mal compris? Pourrai-je résister au tumulte?

Zoé me dit qu'elle priera.

Le 17 novembre 1885, la province de Québec entra en deuil. Depuis mai, les gens avaient dépensé sans compter leurs émotions, leur argent et leur énergie pour sauver Riel, malgré l'épidémie de variole qui sévissait à Montréal. Ils avaient échoué. Quelque chose en eux était mort avec Riel sur l'échafaud de Regina. Les drapeaux étaient en berne sur les édifices municipaux; les marchands affichaient la photo de Riel dans leurs vitrines, décorées de noir; le système de transport public de la métropole s'était arrêté; hommes et femmes allaient prier avant et après le travail; les instituteurs décrivaient en détail l'horreur de la mort par pendaison; les élèves en état de choc disaient leur haine à l'endroit des «maudits Anglais»; les évêques refusaient la consolation des messes et autres cérémonies pour le repos de l'âme de Riel; les paroissiens se vengeaient en faisant brûler en effigie les évêques et leurs alliés politiques, et en menaçant d'incendier les évêchés. Les politiciens assistaient à réunions sur réunions.

Entre son intervention de juillet à la Chambre et la pendaison de Riel en novembre, Laurier participa à des réunions au quatre coins de la province. Il imputait au gouvernement la responsabilité des «troubles dans l'Ouest». Il s'opposait à ce que l'on décerne titres et décorations, qui ne feraient que perpétuer le souvenir d'une guerre civile, d'un conflit fratricide. Pas une seule fois, cependant, il ne laissa entendre que Riel avait été pendu parce qu'il était canadien-français, bien que bon nombre des compatriotes de Laurier fussent d'avis que c'était là le vrai motif de son exécution.

Dès la mort de Riel, un Mouvement national fut formé à partir des comités qui avaient été mis sur pied dans la province pour financer la défense du Métis et pour obtenir des signatures sur des pétitions réclamant la clémence. Laurier ne participa pas à la formation du Mouvement, même s'il accepta d'assister au grand rassemblement, au Champ-de-Mars, du dimanche 22 novembre.

Ce matin-là, il rencontra Honoré Mercier — qui avait pris la tête du mouvement nationaliste et s'apprêtait à former un parti politique, le Parti national — et d'autres hommes afin de mettre au point une série de résolutions. Tous adhérèrent à l'argumentation de Laurier: le gouvernement avait eu tort et devait être battu; dans cette entreprise, la province devait s'unir. Une entente devait être conclue avec beaucoup des conservateurs qui, lui disait-on, étaient prêts à abandonner leur parti.

Après l'élaboration des résolutions vinrent les discours. Trois estrades furent érigées, autour desquelles se rassemblèrent 50 000 personnes. Quiconque était francophone et en mesure de se rendre au rassemblement s'y trouvait. Les politiciens, quelle que fût leur allégeance politique, s'y rendirent nombreux. Seuls manquaient les ministres fédéraux canadiens-français: Hector Langevin, Joseph-Adolphe Chapleau et Joseph-Philippe-René-Adolphe Caron.

«Où sont-ils?» demanda Laurier, planté au centre de l'estrade qui lui avait été réservée. «Pourquoi Chapleau ne s'est-il pas rendu à Regina pour défendre son compatriote, Louis Riel?» Il conclut son discours en répondant à la question qu'il avait lui-même posée en 1875, lorsqu'il avait parlé de l'amnistie de Riel à la suite des incidents de 1869-1870, dans la colonie de la Rivière-Rouge: quand les droits de sujets britanniques sont bafoués par un pouvoir arbitraire, «quel est celui d'entre nous qui, s'étant trouvé avec eux, n'aurait pas été rebelle comme eux?» Puisque les principes de justice et de liberté qui l'avaient poussé à parler en faveur de Riel en 1875 restaient les mêmes en 1885, il déclara: «Si j'avais été sur les bords de la Saskatchewan lorsque éclata la révolte, j'aurais moi-même pris les armes contre la négligence du gouvernement et la cupidité éhontée des spéculateurs.»

On ne lui permettrait pas d'oublier ces paroles.

~

À la fin de l'année, Blake revint au Canada. Ce qu'on lui rapporta sur l'agitation au Québec et sur le rôle que Laurier y avait joué ne lui plut guère. Il obtint sans aucun doute cette information de libéraux ontariens, comme Richard Cartwright, qui avaient incité Laurier à agir avec vigueur afin que le Parti conservateur se divise en deux factions au Québec. Blake en vint à la conclusion que Laurier et les autres libéraux québécois s'étaient tus tout l'été et, une fois Riel mort, avaient attisé l'agitation entourant son exécution. Le dernier jour de 1885, Laurier décida d'expliquer sa conduite à Blake et de justifier la stratégie qu'il avait adoptée.

Après la suspension des travaux de la Chambre le 20 juillet et jusqu'à la mort de Riel en novembre, la personnalité de ce dernier est restée quelque chose de secondaire. La question principale, c'étaient les griefs de la population du Nord-Ouest. Nous avons sans cesse attaqué le gouvernement au sujet de sa mauvaise conduite.

Puis est venue l'exécution, et la perturbation générale dans la province. J'ai pensé que nous pouvions rallier tous les segments de notre parti pour condamner à l'unanimité la pendaison de Riel. J'avait tort. La presse ontarienne me laisse croire que cette ligne de conduite est intenable. Si c'est le cas, il faut y renoncer.

J'étais fermement convaincu, et je le suis encore, que, si nous arrivions à briser l'unité du Parti conservateur dans la province, nous pourrions obtenir une majorité aux prochaines élections générales, qui devraient avoir lieu d'ici 1887. Il nous serait plus facile d'atteindre ce but si nous arrivions à convaincre les libéraux de tout le Canada de condamner l'exécution de Riel. Peut-être puis-je encore y parvenir. Nombreux sont ceux au Québec qui voient les libéraux comme les défenseurs des droits des minorités et, en tant que tels, les défenseurs des intérêts des Canadiens français au sein de la fédération.

Immédiatement après la mort de Riel, toutefois, il y a eu une agitation générale au Québec. À certains égards, je l'ai encouragée. Je suis prêt à le reconnaître, comme je suis prêt à reconnaître qu'il y avait une vague irrépressible de passion, de colère irréfléchie, de préjugés aveugles.

Riel n'a pas été exécuté pour avoir mené une insurrection. Il a été pendu pour le meurtre de Scott; c'est la simple vérité. Je viens tout juste d'apprendre que le shérif de Regina, Jack Henderson, avait été prisonnier à Fort Garry en 1870. On dit qu'il a murmuré à Riel, au moment de lui passer la

corde au cou: «Louis Riel, tu m'as déjà attrapé et je me suis enfui. Je t'ai entre les mains maintenant, et tu ne m'échapperas pas.»

Je suis certain que nous avons raison de tenir le gouvernement pour responsable non seulement de la rébellion, mais aussi de toutes ses conséquences, y compris la mort de Riel.

~

Le 25 février 1886, Laurier était de retour à Ottawa pour la session parlementaire. Il y trouva 52 conservateurs du Québec et 13 libéraux. À ce moment-là, Blake avait fait connaître clairement sa position dans un discours prononcé à London, en Ontario, au milieu de janvier: «Je ne veux pas un conflit dans le parti au sujet de la tragédie de Regina, je ne propose pas de construire une plate-forme politique à même l'échafaud de Regina ou de créer ou cimenter des liens de parti avec le sang d'un condamné.» Laurier avait longuement réfléchi au sens des commentaires de Blake. Signifiaient-ils que Blake se rangerait derrière les libéraux ontariens pour condamner l'administration du gouvernement dans le Nord-Ouest, mais pas ce qui en avait inévitablement découlé: le procès et l'exécution de Riel? Vu leurs rapports d'amitié, Laurier et Blake en discutèrent franchement dans la bibliothèque du Parlement. Ils en vinrent sans doute à une entente. Contrairement à bon nombre de libéraux ontariens, Blake inclurait la pendaison de Riel dans sa motion de blâme.

Par des manœuvres astucieuses, toutefois, le gouvernement limita le débat sur Riel. L'opposition n'eut d'autre recours que de débattre toute la question de l'insurrection et de ses conséquences par le dépôt d'une simple motion ainsi libellée: «Cette Chambre croit de son devoir d'exprimer son profond regret que la sentence de mort prononcée contre Louis Riel, convaincu de haute trahison, ait été mise à exécution.» Les conservateurs avaient mieux manœuvré que les libéraux. Puis vint le mardi 16 mars 1886. L'histoire allait s'écrire.

Il était tard, presque 23 h. Zoé était arrivée à Ottawa quelques jours auparavant. Elle avait pris place dans la tribune du président. En attendant, elle tricotait. Elle n'avait aucune idée de ce qui allait ce passer ce soir-là. Dans la Chambre presque vide, les parlementaires étaient agités. Assis dans la rangée avant, à gauche du président, Laurier se leva. Zoé rangea son tricot et s'avança sur le bord de son siège. Elle vit entrer plusieurs députés des deux partis, dont Blake et Chapleau. Les tribunes se remplirent; des officiers de la garde du gouverneur général ainsi que des membres de son entourage arrivèrent sans être annoncés. Laurier, pâle, toussotant, commença à parler.

«Monsieur le président», dit-il, déplaçant les papiers entassés sur sa table; il attendait que les retardataires regagnent leurs sièges. Quand il eut l'attention de tous, il déclara que la mort de Riel avait été un meurtre judiciaire, et que les Canadiens français n'avaient pas perdu la tête. Il reconnut que, si une injustice avait été commise contre un être humain, le coup avait porté encore plus durement dans son cœur parce qu'il s'était agi d'un des siens.

Il passa en revue l'action du gouvernement et la procédure suivie au procès de Riel. Il déclara la première inexcusable et la seconde injuste. Puis, dans une prose inégalée dans les annales des débats parlementaires canadiens, il eut le courage de poursuivre sur sa lancée:

> «Je m'adresse maintenant à mes amis de la liberté dans cette Chambre, non seulement aux libéraux qui siègent à mes côtés, mais aussi à quiconque a un cœur britannique dans la poitrine. Et je leur demande ceci: quand des sujets de Sa Majesté revendiquaient depuis des années leurs droits, que ces droits ont été non seulement ignorés mais refusés, et quand ces hommes mettent leur vie en jeu et se rebellent, quelqu'un dans cette Chambre dira-t-il que ces hommes, une fois leurs droits sauvegardés, n'auraient pas dû avoir la vie sauve, et que les criminels, s'il y en a eu dans cette rébellion, ne sont pas ceux qui se sont battus et qui ont versé leur sang, mais bien ceux qui prennent place sur ces sièges du Trésor?»

À ceux qui l'attaquaient pour avoir déclaré au Champ-de-Mars, ce dimanche de novembre 1885, que lui aussi, sur les bords de la Saskatchewan, aurait pris les armes, Laurier tenta d'expliquer la vive réaction de sa province à l'exécution de Riel. Il savait que cette explication serait difficile, mais il se sentait obligé de la donner. Il fit remarquer que les hommes qui avaient pris les armes sur les bords de la Saskatchewan avaient eu tort et que leur rébellion devait être matée. Selon lui, ils étaient toutefois «excusables», parce qu'ils étaient les victimes d'hommes haineux qui jouissaient des privilèges du pouvoir sans en assumer les devoirs; qui, investis du pouvoir de redresser les torts, refusaient de répondre aux pétitions qui leur étaient envoyées; qui, quand on leur demandait un pain, donnait une pierre. Il poursuivit en dévisageant Chapleau, assis en face de lui, puis le chef de l'Orange Order of Ontario, assis à proximité de Chapleau: «Je le demande à tout ami de la liberté: ne sentez-vous pas monter dans votre cœur le sentiment, plus fort que la raison, que ces hommes étaient excusables?»

Quant à Riel, il n'était certes pas un héros pour Laurier: «Dans ses pires moments, il n'était bon qu'à interner dans un asile; dans ses meilleurs moments, c'était un maniaque religieux et politique.» Que Riel n'ait pas été «un esprit bien équilibré» ne faisait aucun doute, mais ce n'était pas un homme mauvais. Alors, s'il était fou, pourquoi l'avoir exécuté? La réponse facile — parce qu'il avait été déclaré coupable de trahison —, Laurier la rejetait avec mépris. Il déclara que le procès avait été injuste, qualifia d'imposture la commission médicale qui avait examiné Riel et se demanda à voix haute comment il se faisait que le secrétaire de Riel, William Jackson, avait été déclaré fou à la suite d'une brève audition, tandis que Riel ne l'avait pas été. Comme beaucoup de Québécois, il posa la question suivante: «Était-ce parce que l'un était de sang anglais et l'autre de sang français?» La question était cruciale, et sa réponse difficile à trouver. Mais un fait était indéniable: «Jackson est libre aujourd'hui; Riel est dans sa tombe.»

C'étaient là les sentiments de Laurier, et il les fit connaître à son peuple. Il n'allait pas faire d'excuses. Il ne retirerait pas ses déclarations du Champ-de-Mars. Était-il déloyal? Certainement pas. Si les hypocrites du Parti conservateur attendaient de lui qu'il permette que des compatriotes comme les Métis, «sans amis, sans défense, sans protection et sans représentation à la Chambre se fassent piétiner par le gouvernement», ils se trompaient. «Ce n'est pas ce que j'entends par loyauté; j'appellerais plutôt cela de la servitude», ajouta-t-il.

Aux yeux de Laurier, Riel avait été exécuté pour venger la mort de Thomas Scott. La même administration qui avait refusé d'agir — de punir le crime — en 1870, avait, quinze ans plus tard, corrigé cette omission. Les députés furent choqués et irrités par cette remarque. Mais Laurier trouva les mots pour calmer sa propre colère et, du coup, aller au-delà de la politique du moment: «Monsieur l'orateur, nous sommes un peuple nouveau, nous cherchons à pacifier et à unir les éléments divers et opposés dont se compose cette nation nouvelle. Réussirons-nous si le seul lien d'union doit être un esprit de vengeance?»

Il parlait depuis plus d'une heure et demie; mais ses paroles avaient le pouvoir de captiver son auditoire. Zoé sentait que toute la Chambre était suspendue aux lèvres de son mari, car on aurait pu entendre voler une mouche.

Laurier regarda dans la direction de sa compagne, puis se retourna vers le président et, avec beaucoup d'émotion et d'amour, dit:

> «Aujourd'hui, à part ceux qui ont perdu la vie, nos prisons sont remplies d'hommes qui, ayant perdu tout espoir d'obtenir justice par des moyens pacifiques, ont cherché à l'obtenir par la violence; qui, ayant perdu tout espoir d'être traités comme des hommes libres, ont pris leur sort en main au lieu d'être traités comme des esclaves. Ah! ces hommes ont cruellement souffert, ils souffrent encore: mais patience! Leurs sacrifices ne resteront pas sans récompense. Leur chef est dans la tombe; ils sont eux-mêmes dans les fers, mais du fond de leurs cachots, déjà ils peuvent voir qu'elle s'est levée sur leur pays, l'aurore de cette justice, l'aurore de cette liberté qu'ils ont réclamée en vain. Leur sort illustre bien la vérité de l'invocation à la liberté du grand Byron, dans l'introduction de son *Prisonnier de Chillon*:
>
> Esprit éternel de l'âme sans chaînes!
> Liberté, tu es encore plus lumineuse dans les cachots!
> Car là tu habites le cœur,
> Le cœur que l'amour de toi seulement peut lier;
> Et quand tes fils sont mis aux chaînes,
> Et condamnés à l'obscurité humide du cachot,
> Leur martyre prépare le triomphe de leur pays.»

Zoé épongea une larme. Beaucoup de députés firent de même. Mais on ne perçut aucun autre mouvement dans la Chambre.

> «Oui, leur martyre a préparé le triomphe de leur pays. Ils sont mis aux fers aujourd'hui, mais les droits pour lesquels ils se sont battus ont été reconnus. Deux mille réclamations longtemps refusées ont été accordées. Mieux encore. Nous apprenons dans le discours du Trône que la représentation sera enfin accordée à ces Territoires.»

Se tournant vers ses collègues, assis à la gauche du président, Laurier leur rappela qu'il avait été prouvé qu'ils avaient eu raison: «Ce côté de la Chambre a longtemps cherché, mais en vain, à obtenir cette mesure de justice.» Il regarda Blake, qui l'avait solidement appuyé dans sa condamnation de l'exécution de Riel, et ajouta, comme s'il ne s'adressait qu'à son chef: «Ils ne pouvaient l'obtenir; ils ne l'ont obenue qu'après la guerre; elle a été la dernière conquête de cette insurrection.» Laurier se tourna de nouveau vers le président et, d'une voix forte et fière, déclara:

> «Je répète que leur pays a triomphé grâce à leur martyre, et ce seul fait aurait dû être suffisant pour que l'on accorde la clémence à celui qui est mort et à ceux qui sont encore vivants.»

Laurier se rassit. Des applaudissements assourdissants montèrent des deux côtés de la Chambre. Blake serra la main de Laurier; le président suspendit le débat; Chapleau traversa la Chambre pour parler à Laurier; les députés se rassemblèrent autour de lui. Zoé prit son tricot et marcha lentement jusqu'au bureau de son mari, où elle l'attendit pour l'emmitoufler avant leur retour à l'hôtel Russell. Il était près de deux heures du matin quand ils se couchèrent. Un jour ou deux plus tard, elle rentra à Arthabaska, convaincue que quelque chose d'irrévocable s'était produit ce soir-là. Elle ne savait pas trop quoi, mais un autre changement majeur dans leur vie de couple se produirait bientôt. Cette éventualité l'inquiétait moins qu'auparavant.

D'autres eurent le même pressentiment. Beaucoup de membres du Parti libéral commencèrent à voir Laurier d'un autre œil. Ils admiraient le courage qu'il avait de suivre sa propre ligne de conduite, sa vigueur dans la défense de ce qu'il appelait justice et liberté, sa courtoisie dans ses relations avec l'opposition, son intelligence des grands enjeux, ainsi que son étonnante capacité de trouver les mots pour exprimer les plus hauts idéaux de la citoyenneté et la redéfinition du pays. Ils se sentaient en présence d'un chef. Jusqu'où cette idée de leadership irait-elle? Cela restait à voir. Mais tôt ou tard, elle serait mise à l'épreuve.

Blake, dont la santé inquiétait sa famille, avait encore parlé de démissionner à la fin de la session parlementaire de 1885, et envisageait sérieusement de le faire. Le 16 mars 1886, il fut convaincu une fois pour toutes de ce qu'il avait pressenti de nombreuses années auparavant: Laurier serait un chef idéal pour le Canada. Blake aurait son mot à dire dans le choix du moment où Laurier prendrait les rênes du parti. Pour l'instant, au début d'un discours de cinq heures à la Chambre des communes, il déclara que le discours de Laurier avait fait la preuve de la domination française, cette domination que les tories, les orangistes et leurs journaux d'Ontario craignaient tant. Selon lui, Laurier s'était saisi de la langue anglaise et avait prononcé le plus beau discours jamais prononcé au Parlement du Canada depuis la Confédération.

La soirée avait été significative dans le camp du gouvernement aussi. Lorsque Chapleau traversa la Chambre pour parler à Laurier, il comprit qu'il devait renoncer à toute ambition. Il avait refusé d'assumer le leadership du Québec que Mercier lui avait offert avant le rassemblement du Champ-de-Mars, et, depuis, il lui avait été impossible de faire taire les critiques de l'opposition à son endroit. Plus tard, quand il se trouvait sur la même estrade que Laurier, il se faisait constamment interrompre, et on lui lançait des petits bouts de corde, symboles de la pendaison de Riel. À Longueuil, au cours d'une campagne électorale dans la circonscription de Chambly, Chapleau cessa de parler et Laurier, s'avançant au bord de l'estrade, furieux, déclara: «Je le considérerai comme une insulte personnelle si on ne permet pas à monsieur Chapleau de terminer son discours.» Chapleau était convaincu d'avoir adopté la bonne ligne de conduite, mais ce à quoi il avait aspiré dans le petit bois du collège de L'Assomption ne se réaliserait jamais.

Le 24 mai 1886, au milieu de la nuit, la Chambre des communes procéda au vote sur la motion de regret relative à l'exécution de Riel. Le gouvernement de sir John A. Macdonald l'emporta par une majorité imposante: 146 voix contre 52. Vingt-quatre libéraux anglophones, soit la moitié du groupe parlementaire, avaient eux aussi appuyé la motion.

~

Le 19 mai 1886, Carolus, le père de Laurier, mourut à Saint-Lin.

~

Laurier passa l'été et l'automne à Arthabaska, la plupart du temps à prononcer des discours en vue des élections provinciales du 14 octobre. Honoré Mercier était le chef, et Ernest Pacaud l'organisateur, tandis que les libéraux provinciaux s'efforçaient de transformer les éléments du Mouvement national de l'ère post-Riel en un Parti national. Laurier était chargé d'obtenir le vote des anglophones en faveur des libéraux, surtout dans les Cantons-de-l'Est, où il parla longuement de la façon dont le gouvernement conservateur avait réglé la crise du Nord-Ouest. Cela l'amenait souvent à parler de Riel, même s'il n'avait rien de nouveau à dire à ce sujet. À Blake, qui désapprouvait que Laurier mît l'accent sur cette question, ce dernier répondait qu'il devait consacrer beaucoup de temps à l'affaire du Nord-Ouest et, du coup, à Riel: «Le terrain que nous avons gagné, et que nous gagnons encore, nous le devons à cette question, et à cette question seulement. Si nous cessions d'en parler, nous nous retrouverions au même point qu'avant ou presque.» Toutefois, le fait que Laurier mît l'accent sur les incidents qui s'étaient produits en 1885 dans la vallée de la Saskatchewan ne signifiait pas qu'il appuyait ce que Mercier tentait d'accomplir: fonder un parti purement nationaliste sur les cendres de Riel.

Grâce au flux et au reflux des allégeances politiques, Mercier fut déclaré vainqueur: il serait premier ministre trois mois plus tard. Laurier, cependant, n'avait pas obtenu le succès qu'il avait espéré dans les circonscriptions anglophones de la province. Aucun libéral anglophone ne fut élu dans les Cantons-de-l'Est ni à Montréal le 14 octobre 1886.

~

Après les élections provinciales, le moment vint de se préparer pour les élections fédérales. Il fallait continuer sur sa lancée. Le 4 novembre, Pacaud, toujours en place, organisa un rassemblement monstre à Saint-Roch, dans Québec-Est, la circonscription de Laurier. Devant une foule enthousiaste, ce dernier mit l'accent sur ce qui serait son thème durant toute la campagne: le Nord-Ouest et Riel. Encore une fois, il prit soin de ne pas s'associer de trop près au Mouvement national, même s'il permettait à ses amis politiques de se montrer plus catégoriques que lui. Il se rendit ensuite à Trois-Rivières, à Montréal, à Saint-Lin, puis à Toronto le 10 décembre.

Si Laurier se rendit à Toronto, c'est parce qu'on l'avait mis au défi d'affirmer sa position sur l'exécution de Riel dans ce bastion tory. Il voulait y aller, contrairement à Blake et aux autres éminences du parti, moins enthousiastes à cette idée. Ceux-ci craignaient que des incidents ne viennent nuire aux libéraux et que la position de Laurier leur coûte beaucoup de voix. Le Toronto Young Men's Liberal Club était du côté de Laurier et l'avait invité à prononcer un discours. Blake rencontra Laurier à la gare, en compagnie d'un garde du corps. Il y eut une réception dans un grand hôtel, puis Laurier fut emmené en quatrième vitesse au Horticultural Pavilion, qu'il trouva rempli à craquer. Lorsqu'il monta sur l'estrade avec Blake, il fut accueilli par quelques huées; il sourit nerveusement. Il marcha la tête haute jusqu'à sa chaise, où il s'assit tranquillement, les mains sur les genoux, les yeux fermés, attendant qu'on le présente à l'assistance. Cela fait, il se leva et s'avança. Il n'y eut pas de huées, mais pas d'applaudissements non plus. Il commença à parler.

Ce ne fut pas un discours exceptionnel. Laurier avait cru que les Écossais, les Irlandais et les Anglais de l'assistance préféreraient la logique de ses documents à son éloquente interprétation de ceux-ci; il choisit donc d'être cérébral. Ce fut une erreur qu'il ne répéta jamais dans ses rencontres avec l'esprit anglo-saxon. Il réitéra à Toronto ce qu'il disait depuis juillet 1885: le gouvernement tory s'y était mal pris dans son intendance du Nord-Ouest. «Je l'accuse d'avoir traité les Métis avec mépris, avec un mépris non déguisé, commença-t-il. Je l'accuse d'avoir été sourd à leurs prières. Je l'accuse d'avoir poussé les Métis au désespoir, de les avoir poussés à l'irréflexion, à la folie, au crime qu'ils ont par la suite commis.» Après avoir annoncé ses couleurs, il chercha à faire accepter par les membres de l'assistance son credo, sa raison d'être politique: «Quand un gouvernement maltraite un pauvre peuple, pour la seule raison qu'il est pauvre et ignorant, je dis qu'il nous incombe de lutter contre lui avec tous les moyens que la constitution met à notre disposition.»

Laurier choisit ses mots avec soin pour professer sa foi dans les institutions britanniques. Il n'ennuya pas son auditoire, mais il ne parvint pas à l'émouvoir, sauf une fois. Vingt-deux ans plus tôt, à McGill, quand il avait prononcé l'«adresse des finissants en droit», il avait déclaré que l'union entre les peuples était le secret de l'avenir. À Toronto, il définit la nature de cette union et le contenu de ce secret:

> «Nous sommes tous Canadiens. Sous l'île de Montréal, les eaux qui viennent du Nord par l'Outaouais s'unissent aux eaux qui viennent des lacs de l'Ouest; elles se joignent, elles ne se mêlent pas. Elles offrent en cet endroit le spectacle de deux courants parallèles, parfaitement séparés et distincts, et cependant elles suivent la même direction, coulent côte à côte entre les mêmes rives, celles du majestueux Saint-Laurent, et dans leur course elles roulent ensemble vers l'océan, portant sur leur dos puissant le commerce d'une nation. Voilà l'image parfaite de notre peuple.
>
> Nous pouvons ne pas nous assimiler, ne pas nous fusionner, mais pour tout cela nous n'en sommes pas moins les éléments d'une même nation. Nous pouvons être Français d'origine — loin de moi de vouloir renier mon origine, au contraire je m'en proclame orgueilleux. Nous pouvons être Anglais, Écossais ou de

toute autre nationalité; mais aussi nous sommes Canadiens, unis dans nos buts et objectifs.»

Laurier remercia son auditoire de l'avoir écouté attentivement et s'excusa d'avoir parlé si longtemps. Épuisé, comme il l'était toujours après un tel exercice, il se rassit, convaincu qu'il avait encore une fois repoussé les limites du cœur et de l'esprit des hommes. Il fut applaudi et acclamé, même par ceux qui étaient venus avec l'intention de le chahuter. Blake le remercia profusément, avant de parler lui-même pendant une demi-heure. Plusieurs estimèrent que ce fut le discours public le plus puissant jamais prononcé par Blake. Il était si ravi qu'il emmena sur-le-champ Laurier à London, à Stratford et à Windsor, où ce dernier connut le même succès. Certains membres de l'assistance le huèrent, d'autres voulurent l'agresser physiquement, des éditorialistes l'accusèrent de trahison, et des jeunes gens furent chargés de lui livrer des mousquets de bois sur l'estrade. La majorité, toutefois, reconnut que c'était un homme courageux, un visionnaire, et ils ne l'oublièrent pas.

Laurier aussi se souvint d'eux. À la fin de l'année, il écrivit à Blake pour le remercier. Il était heureux de s'être rendu en Ontario: «C'est à vous, cher ami, que je dois le plus, car vous avez risqué davantage que quiconque. Les mots me manquent pour exprimer à quel point je trouve votre conduite généreuse.»

Laurier retourna à Arthabaska pour Noël et pour un bref repos. Ce furent de belles vacances pour lui, car l'attention de la province était rivée sur l'Assemblée, qui allait commencer ses travaux à la fin de janvier 1887. Laurier garda ses distances, tandis que Mercier manœuvrait pour devenir premier ministre du Québec. En février, il y aurait des élections fédérales.

Les libéraux étaient prêts. Laurier s'était déployé dans toute la province; Pacaud avait organisé ses bataillons; Mercier était disposé à aider Laurier, lui rendant la faveur que ce dernier lui avait faite. L'hiver fut rigoureux. Les conservateurs, sous la houlette de Chapleau et de Tarte, financés par Sénécal, refusaient de lâcher prise. Quelques évêques et quelques curés intervinrent çà et là en faveur des conservateurs, et les ultramontains qui avaient déserté le parti à la suite de l'affaire Riel rentrèrent au bercail. Malgré ces «contretemps», Laurier restait optimiste au sujet des résultats des élections. Sa santé et sa vigueur n'avaient jamais été meilleures; la victoire était à portée de la main.

Le 22 février 1887, elle lui échappa, à lui et à Blake. Même si les libéraux gagnèrent 2 sièges en Ontario et 17 au Québec, Macdonald jouissait encore d'une majorité, réduite mais confortable, de 37 sièges dans une Chambre de 215 députés. Les résultats au Québec — 32 conservateurs et 32 libéraux — étaient toutefois satisfaisants et assuraient à Laurier la position de leader québécois du Parti libéral fédéral. Il obtint une bonne majorité dans sa propre circonscription de Québec-Est. Son associé, Joseph Lavergne, fut élu dans la circonscription de Drummond-Arthabaska, enlevant ainsi un siège aux conservateurs.

Blake décida de rester chef de l'opposition, pourvu que Laurier, Richard Cartwright et les autres l'aident dans son travail parlementaire. Mais sa santé déclina encore et, à la fin du mois de mai, ses médecins lui interdirent de quitter son domicile pour se rendre à la Chambre. Le 1er juin, il annonça qu'il allait démissionner. Le même après-midi, son groupe parlementaire envoya une petite délégation pour connaître son opinion sur un successeur éventuel. Fatigué et visiblement ébranlé, il répondit: «Il n'y a qu'un candidat possible: Laurier.» À Laurier lui-même, Blake dit: «C'est parce que vous êtes Canadien français — entre autres qualifications — que vous devez prendre la direction de notre parti. Nos chances sont au Québec. Sans le Québec, nous ne prendrons jamais le pouvoir. En outre, mon cher ami, il n'y a personne d'autre à qui transférer cette charge. Je vous connais bien; vous êtes l'homme qu'il nous faut.»

Les jours qui suivirent, les discussions et consultations se multiplièrent. Afin de trouver une solution, le groupe parlementaire libéral forma un comité dont faisait partie Laurier; il n'y avait pas de temps à perdre. Les membres du groupe en vinrent peu à peu à reconnaître qu'il n'y avait en fait personne d'autre pour diriger le parti. À la réunion du groupe du 7 juin, Cartwright proposa qu'on offre la direction du parti à Laurier. Sans le vote de Laurier, la proposition fut acceptée à l'unanimité.

Poliment, celui-ci les remercia de l'honneur, mais refusa l'offre. Les députés libéraux l'implorèrent de penser au parti, mais sa réponse ne changea pas.

Durant les douze jours suivants, Laurier n'eut pas le temps de se reposer. Les consultations continuèrent sérieusement, et les télégrammes échangés avec Zoé furent nombreux. À la grande surprise de Laurier, celle-ci se disait d'accord avec Blake: son mari était le seul homme capable de prendre la direction du parti. Finalement, par un beau samedi ensoleillé, le 18 juin, Laurier décida d'accepter l'offre pour le bien du parti et «peut-être du pays».

Il dit à son groupe parlementaire qu'il ne serait le chef du parti que jusqu'à ce que Blake soit prêt à en reprendre la direction. Le 23 juin 1887, on annonça officiellement que Wilfrid Laurier devenait le nouveau chef du Parti libéral du Canada.

Laurier avait atteint son Rubicon.

8

Le passage du Rubicon 1887-1891

Ottawa, le 29 juin 1897

Mon cher Ernest,

Les attaques répétées des citoyens du Québec contre l'Armée du salut doivent cesser. Elles sont indignes de la société libérale que je suis fier de représenter. L'Armée doit être en mesure d'organiser ses défilés sans entrave — en toute liberté et en paix.

Au besoin, je suis prêt à défiler à la tête de l'Armée du salut pour la protéger.

Le premier geste officiel de Laurier en tant que chef du Parti libéral du Canada et de l'opposition officielle fut de défendre les droits et libertés d'un petit groupe œuvrant dans la capitale de la province de Québec. Voilà qui laissait présager les trente-deux années à venir.

La nomination de Laurier à la direction du parti lui avait fait manquer l'anniversaire de Zoé. Elle fut contente du cadeau qu'il lui apporta au début de juillet, lorsqu'il rentra d'Ottawa, et elle accepta ses excuses en lui rappelant que les anniversaires ne signifiaient pas grand-chose pour elle. Mais Laurier la trouva anxieuse. Elle n'avait pas encore pleinement saisi la portée qu'aurait la nomination de son mari sur sa vie à elle. Il resterait à Ottawa plus longtemps, même s'il y passait déjà le tiers de l'année. Elle devrait se rendre dans la capitale plus souvent. Il y aurait les tournées, les réunions, les conférences — qu'elle connaissait déjà. Le sténographe et d'autres personnages politiques feraient intrusion dans sa vie et, parfois, envahiraient sa demeure. Cela ne lui poserait pas de problème, car Zoé était une femme spontanée et accueillante, et sa maison était toujours pleine de gens. Une personne de plus ou de moins, ne changerait pas grand-chose. En outre, la vie chez les Gauthier lui avait appris à vivre dans un tourbillon. Cependant, son esprit pratique avait besoin de mettre de l'ordre dans tout ce monde et dans toutes ces activités, et elle devait trouver le moyen de faire ce qu'elle voulait: protéger Wilfrid, lui rendre la vie plus facile, rester en contact avec la famille et les amis, et prendre soin des «enfants». Cela lui causait quelque anxiété.

L'argent aussi était une source d'inquiétude pour Zoé. La pratique du droit rapportait bien à Laurier. Son nom et sa réputation attiraient les clients au cabinet que lui et Lavergne exploitaient. Zoé estimait que son mari ne consacrait qu'environ la moitié de son temps à sa profession. Ses honoraires et son indemnité parlementaire de 1500 $ suffisaient aux Laurier pour vivre dans l'aisance, malgré les nombreuses dépenses qu'occasionnait la carrière politique de Wilfrid, bien que certaines de celles-ci lui fussent remboursées. Laurier, en devenant chef, verrait sa vie changer. Il aurait moins de temps à consacrer au droit; ses deux nouvelles fonctions — chef du Parti libéral et chef de l'opposition — n'étaient pas rémunérées. Lavergne devrait travailler plus fort; mais lui aussi, en tant que député, devait désormais passer plusieurs mois à Ottawa. D'où viendrait l'argent pour combler ce manque à gagner? Et les frais supplémentaires pour le gîte et le couvert à Ottawa, et toutes les autres dépenses auxquelles Zoé n'avait pas songé? Elle craignait que le manque d'argent nécessaire à Wilfrid pour remplir ses obligations financières ne le décourage. Ce souci risquait de miner sa santé et de hâter sa mort. Par ailleurs, elle avait accepté qu'il prenne la tête du parti. Wilfrid avait réussi à la convaincre qu'il faisait ce qu'il y avait de mieux à faire. Comme Zoé s'était vite rendu compte, dans leur vie à deux, que le bien-être de Wilfrid dépendait de bien des choses, qu'elle ne pouvait toutes lui offrir, elle devait le laisser agir à sa guise. Elle prierait, certes, mais elle restait consciente que les quelques années à venir ne seraient pas faciles.

Durant le trépidant mois de juillet, ils ne purent se reposer comme ils avaient prévu le faire. Toutes les circonscriptions s'arrachaient Laurier. Les invitations arrivaient de partout au Québec. À contrecœur, il accepta celle provenant de Somerset, petite ville du comté de Mégantic. Pacaud était furieux: la première sortie publique de Laurier en tant que chef aurait dû se faire dans Québec-Est. Il avait raison, bien entendu, mais Laurier croyait qu'il devait se rendre là où on l'invitait. Il alla donc à Somerset le jeudi 2 août. Il profiterait de ce rassemblement pour énoncer les trois objectifs principaux qui le guideraient à la tête du parti.

Malheureusement pour lui, il n'eut pas beaucoup de temps pour définir ces objectifs. Il y avait trop de choses dont il lui fallait s'occuper: visites de parents et d'amis, élections complémentaires, questions de faveurs politiques et organisation du parti. Son cabinet juridique était rempli de clients à recevoir, et son sténographe devait être tenu occupé pour que son salaire soit justifié. Laurier trouvait une minute, ou une heure, ou une journée tranquille par-ci par-là pour réfléchir à son projet de pays. Il n'avait pas beaucoup de temps à consacrer à Émilie.

~

Lorsque Laurier devint chef du Parti libéral en 1887, le Canada n'était pas en bonne santé. La Colombie-Britannique, temporairement calmée par Macdonald et par le Canadien Pacifique, était constamment au bord de la rébellion; l'affaire Riel causait encore des remous dans le Nord-Ouest, où l'on réclamait davantage d'autonomie; le Manitoba construisait des chemins de fer, en dépit du contrat conclu avec le Canadien Pacifique; l'Ontario se rétablissait à peine des accrochages qu'avaient eus Macdonald et Mowat au sujet du droit fédéral de désaveu des lois provinciales; le Québec, sous la houlette de Mercier, avait adopté une politique nationaliste de plus grande autonomie; et les provinces maritimes, surtout la Nouvelle-Écosse, songeaient à se retirer de la Confédération. Combien de temps le «tissu actuel du Canada» allait-il résister? Laurier devait trouver une solution.

À cette époque, le Canada comptait moins de cinq millions d'habitants, dont la vaste majorité était concentrée en Ontario et au Québec. L'immigration restait faible, mais l'exode des Canadiens français et anglais vers les États-Unis s'accentuait. Comme le fit un jour remarquer Richard Cartwright, il était pratiquement impossible, dans presque toutes les régions du pays, de trouver une famille qui n'avait pas un fils ou une fille, un frère ou une sœur, ou quelque autre parent habitant désormais aux États-Unis. Le Canada ne pouvait croître et prospérer dans de telles circonstances. Encore une fois: combien de temps le tissu actuel du Canada allait-il résister?

Les graines de la discorde religieuse et raciale étaient plantées partout. Riel s'en était chargé. Enterré dans le sol des Prairies, il restait une menace pour le pays. Le Québec tonnait contre l'intolérance de l'Ontario; l'Ontario dénonçait l'influence du pape et la domination française. Dans une telle atmosphère, il serait facile pour un démagogue de surgir et de détruire l'union.

L'unité que la Confédération avait garantie quelque vingt ans plus tôt n'était pas tellement évidente. Le sentiment national qu'elle était censée faire naître se manifestait chez certains Canadiens, mais pas chez la majorité d'entre eux. Les Canadiens se considéraient comme des citoyens de régions divisées en provinces, dont certaines étaient plus puissantes que d'autres. L'ignorance régnait, de même que les préjugés mutuels. Le tissu canadien ne semblait tenir que grâce à la volonté d'un seul homme, Macdonald, et à la force de la corruption.

L'économie déficiente était due, selon certains, à la Politique nationale de protectionnisme et de construction de chemins de fer transcontinentaux instaurée par Macdonald. Les fermiers grognaient, tout comme les marchands de bois et de charbon, ainsi que les autres exportateurs. À bien des endroits au Canada, un mouvement populaire réclamait qu'on libéralise le commerce avec les États-Unis et qu'on bride le Canadien Pacifique, étant donné la récession qui sévissait. Le protectionnisme n'avait pas rempli ses promesses dans les zones rurales et dans l'Ouest, et les marchés intérieurs stagnaient.

En outre, nombreux étaient ceux qui se demandaient quelle était la place du Canada dans les affaires internationales. Quel était le rôle du Canada dans le grand plan de l'empire britannique, où il était censé être le dominion principal? Comment le Canada devait-il s'adapter au programme expansionniste de son voisin du sud, les États-Unis d'Amérique?

Dans son discours de Somerset, le 2 août, Laurier ne mâcha pas ses mots. «Les provinces maritimes se soumettent à la Confédération mais ne l'aiment pas, dit-il; le Manitoba est en révolte ouverte; la Nouvelle-Écosse demande à quitter la Confédération; en fait, où que se porte notre regard de l'est à l'ouest, du nord au sud, c'est un sentiment d'agitation et de malaise, de mécontentement et d'irritation, qui règne.» Laurier s'en prit au gouvernement conservateur d'Ottawa qui n'avait pas compris le pays, qui cherchait à tout dominer et qui utilisait à tout bout de champ son droit de veto, «de loin l'arme la plus arbitraire que la tyrannie ait jamais donnée à un gouvernement fédéral». Selon lui, la Confédération ne pourrait survivre que si l'union fédérale — la seule union possible «qui puisse garantir la liberté civique et politique, et l'unité nationale» — était respectée. Pour Laurier, l'unité nationale dépendait de l'autonomie provinciale, dans les sphères qui appartenaient aux provinces.

Au delà des régions et des provinces, un pays existait: le Canada. Dans son discours, Laurier s'adressait aux Canadiens français, mais aussi, à travers eux, à toutes les régions et à toutes les provinces du pays:

> «Canadiens français, je vous demande une chose, c'est que, tout en vous souvenant que moi, Canadien français, j'ai été élu chef du Parti libéral du Canada, vous ne perdiez pas de vue que les limites de notre patrie ne sont pas confinées à la province de Québec, mais qu'elles s'étendent à tout le territoire du Canada, et que notre patrie est là où flotte le drapeau britannique en Amérique. Je vous demande de vous en souvenir pour vous rappeler que votre devoir est simplement, et avant tout, d'être Canadiens.
>
> Être Canadiens! C'était là le but de la Confédération; la Confédération, dans l'esprit de ses auteurs, avait pour but de rapprocher les différentes races, d'adoucir les aspérités de leurs relations mutuelles, de rapprocher les groupes épars de sujets britanniques.»

Cependant, ce qui préoccupait le plus Laurier entre son accession à la direction du parti en juin 1887 et son discours de Somerset du 2 août, c'était la stagnation économique au pays. Laurier et son parti étaient déterminés à y trouver une solution et, du coup, à offrir à l'électorat une politique imaginative qui contrebalancerait la Politique nationale de Macdonald. Dans la recherche de cet objectif, il consulta d'abord Blake: «Le moment est-il venu de nous donner une politique hardie, ou devrions-nous nous en abstenir, ou encore devrions-nous attendre?»

Laurier avait le choix entre deux lignes de conduite, l'une dirigée vers l'empire, l'autre vers les États-Unis. La première, la Fédération impériale, avait été adoptée depuis 1885 au Canada par la Ligue de la fédération impériale. Son but était de fondre toutes les composantes de l'empire britannique au moyen d'un parlement impérial, de l'unification des forces militaires et de l'instauration d'un tarif impérial commun. La race britannique pourrait ainsi continuer son expansion. Macdonald était d'avis que c'était là un «rêve chimérique», et Blake, que c'était le «rêve d'hier». Laurier, qui avait peu réfléchi à l'empire, resta muet à ce moment-là.

La seconde ligne de conduite passait par Washington. Il y était question d'annexion directe, d'union commerciale, de réciprocité illimitée et ainsi de suite. L'annexion, malgré ses nombreux partisans, ne frappait pas l'imagination des Canadiens. Mais l'union commerciale? Cela, pour Laurier, signifiait l'établissement d'un tarif douanier unique pour les deux pays, dont les revenus seraient partagés en proportion de leurs populations respectives, et la libre circulation de tous les produits entre le Canada et les États-Unis. L'idée n'était pas aussi saugrenue qu'elle le semblait. Depuis l'abrogation du traité de réciprocité, en 1864, le Canada avait souhaité établir des liens économiques plus serrés avec son voisin américain. En 1887, une occasion se présenta d'explorer cette voie car, cette année-là, dans les négociations sur les pêches avec les États-Unis, le Canada proposa un traité élargi couvrant et les pêches et la libre circulation des produits entre les deux pays.

Laurier demanda l'avis de quelques membres de son parti; il y trouva assez d'appui à l'union commerciale pour continuer d'étudier la question. Blake, cependant, ne lui répondit pas. Aux élections de 1887, il avait déclaré que le tarif ne constituait pas un enjeu, et il était désormais trop malade pour participer à ce qui allait devenir une source de division entre lui et Laurier. Il n'avait pas répondu non plus à la note enthousiaste que Laurier lui avait fait parvenir le 14 juillet pour lui annoncer sa politique d'union commerciale. Laurier était alors si emballé par cette politique qu'il avait projeté de se rendre à La Malbaie, où Blake passait ses vacances, pour en discuter avec lui. Il emmènerait Zoé. Cependant, des exigences familiales avaient retenu les Laurier chez eux. Par conséquent, au moment où Laurier fit son discours à Somerset, Blake n'avait pas avalisé cette politique. Le gouvernement américain n'avait pas non plus indiqué qu'il était disposé à traiter avec le Canada. À Somerset, Laurier resta vague sur ce sujet; il mit l'accent sur la nécessité de mettre fin à la politique de représailles des conservateurs — c'est ainsi qu'il appelait le protectionnisme: «Le temps est arrivé où il faut montrer au peuple américain que nous sommes frères. Le temps est arrivé où il nous faut tendre la main, tout en tenant compte des devoirs que nous avons envers notre mère patrie.» Laurier était d'avis que la réciprocité avec les États-Unis serait à l'avantage du Canada. Ses déclarations n'étaient ni claires ni précises. Il cherchait une politique susceptible de donner à tous les Canadiens un sentiment positif d'appartenance à leur pays.

Il passa l'automne à consulter ses collègues. Blake était peu enthousiasmé par l'idée d'une union commerciale, qui répugnait à Mackenzie, mais que Cartwright appuyait. D'autres libéraux, terrorisés, craignaient qu'on les accuse de trahison envers la mère patrie. Laurier fut informé de tous ces points de vue durant son séjour à Arthabaska; il se demandait s'il parviendrait jamais à définir une politique. Au lieu d'unir le parti et le pays, était-il sur le point de les diviser irrémédiablement? Il avait besoin d'une idée qui rallierait son groupe parlementaire, enflammerait l'imagination des Canadiens et ferait avancer le pays. Il déclara à Blake qu'il fallait que les libéraux soient disposés non seulement à discuter du sujet, mais aussi à passer à l'action. Mais Blake, malade, partit se rétablir en Europe d'où il fut peu utile à Laurier. Ce dernier souhaitait frapper vite et «casser des vitres» s'il le fallait. Cette bravade était bien plus politique qu'économique.

~

Laurier n'eut aucun repos. Il devint intolérant à l'égard de Pacaud et de ceux qui l'entouraient. Le parti perdit des élections complémentaires capitales, et Laurier n'eut pas de temps à consacrer à son cabinet juridique. Les factures s'accumulaient, sans aucun espoir en vue. Sa politique hardie ne lui avait valu qu'ennuis et découragement. Il ne savait vers qui se tourner, à part vers Blake. Dans deux lettres très personnelles, l'une écrite avant la session parlementaire de 1888 et l'autre durant celle-ci, il s'épancha.

Il voulait que Blake reprenne la direction du parti afin de pouvoir satisfaire son propre désir: «vivre tranquille dans une place paisible, entouré de livres et de quelques fidèles amis». Il ne voulait pas se dérober à son devoir, mais les responsabilités et le fardeau de la direction du parti étaient trop lourds pour lui. Si Blake ne souhaitait pas redevenir le chef, le parti devrait s'en trouver un autre. Laurier confia à quelques-uns de ses députés qu'il souhaitait démissionner à la fin de la session de 1888. Ce n'était pas une question de choix, dit-il à Blake en mars, mais tout simplement parce qu'il n'avait «aucun goût pour cette tâche» et qu'il n'en tirait «aucun plaisir». En outre, sur le plan financier, il commençait à éprouver des difficultés qui allaient s'aggravant.

Blake sympathisa avec lui et lui conseilla de dire au parti qu'il lui était impossible de consacrer tout son temps à sa tâche de chef. «À mon avis, lui dit Blake, notre parti l'acceptera volontiers. Je ne puis qu'appréhender votre démission; j'espère que cette calamité sera évitée, mais pas au prix de votre embarras, qu'aucun ami n'a le droit de vous imposer.»

La calamité ne se produisit pas; il n'y eut pas de démission. Laurier fut plutôt satisfait de la session parlementaire de 1888, qui commença le 23 février pour se terminer le 22 mai. On ne parlait plus d'union commerciale, mais de réciprocité illimitée. Cette politique était devenue purement commerciale, et Laurier entendait qu'elle le demeure, comme il l'écrivit à Blake, toujours en Italie. Laurier espérait qu'il arriverait à convaincre le pays du bien-fondé de sa politique, que les Américains s'y intéresseraient, et qu'aucune sensibilité patriotique ne serait heurtée.

À l'été de 1888, Laurier et Zoé s'embarquèrent à Québec à destination de La Malbaie, pour rendre visite aux Blake. Ils trouvèrent l'ancien chef en bonne santé et en pleine forme. Laurier et lui passèrent des heures à parler d'union commerciale et de réciprocité illimitée, mais Blake n'était pas disposé à débattre en public de la politique économique des libéraux. Toujours opposé à la réciprocité, il demanda à Laurier de laisser tomber cette question, comme d'autres l'avaient fait en Ontario. Selon lui, les Américains qui avaient été favorables à une quelconque forme d'union commerciale semblaient désormais réclamer l'annexion pure et simple du Canada. Mais Laurier croyait que son idée était bonne et n'était pas prêt à y renoncer. Il était persuadé que Blake ne lui ferait pas opposition en public, puisqu'il lui avait déclaré: «Je ne puis vous aider, mais je ne vous nuirai pas. Soyez-en assuré.»

~

Le 26 mars 1889, un obscur député conservateur, William Edward O'Brien, déclencha une pernicieuse guerre d'intolérance qui durerait plusieurs décennies et qui inciterait Laurier à se demander si un Canadien français ou un catholique pourrait jamais être chef d'un parti politique au Canada. L'inspirateur principal de ce conflit racial fut D'Alton McCarthy, protestant à l'esprit étroit, député conservateur de Simcoe-Nord, en Ontario, fondateur de la Ligue impériale au Canada, grand-prêtre de l'Equal Rights Association et éminence grise des orangistes. La mission de McCarthy était d'éliminer, en dehors du Québec, toute trace de la langue et de la culture françaises, ainsi que le droit à l'enseignement catholique. En fait, il aurait été heureux si la noble race anglo-saxonne avait pu conquérir de nouveau les Français. Sa philosophie était simple: «Un Québec, c'est plus qu'assez!» Il désapprouvait ce qu'il considérait comme la politique de base des deux partis: «chercher à plaire aux Français». «Les Français», comme il appelait les Canadiens français, constituent «la plus grave menace pour la Confédération». Le nationalisme français devait être enrayé partout. McCarthy déclara: «C'est maintenant que le scrutin doit apporter une solution à ce grave problème; s'il n'apporte pas le remède en cette génération, la génération suivante devra avoir recours à la baïonnette.»

Ce qui avait enragé McCarthy et ses disciples, c'étaient les «biens des jésuites». Ces grandes étendues de terre avaient été données aux jésuites avant la Conquête de 1760. Les Anglais les avaient confisquées afin de les transférer au Bas-Canada en 1832, puis à la province de Québec en 1867. La Compagnie de Jésus avait été supprimée par le pape Clément XIV en 1773, puis rétablie par Pie VII, en 1814. En 1887, les jésuites exigèrent soit le retour de leurs biens, soit une compensation. Le premier ministre Mercier leur offrit 400 000 $ — somme de loin inférieure à la valeur des propriétés, estimée à 2 000 000 $ —, pour mettre fin aux chamailleries. Mais la répartition de cet argent soulevait un problème. Mercier contourna ce champ de mines politique en demandant au pape, Léon XIII, de distribuer l'argent. Il fit adopter une loi à cette fin le 28 juin 1888. Cette loi ne tenait qu'en une seule page, mais son préambule, qui contenait toute la correspondance échangée entre le pape, le gouvernement et les jésuites, en faisait plusieurs.

Les «vieux» libéraux de la génération de Laurier étaient opposés à la décision de Mercier. Louis-Amable Jetté écrivit à Laurier, au moment où la loi fut adoptée, accusant Mercier d'agir avec une imprudence dont les conséquences seraient néfastes pour les libertés des Canadiens français. Il y prédisait que les jésuites se serviraient de cet argent pour fonder une université à Montréal, avec le résultat que, dix ans plus tard, «plus un seul Canadien français instruit n'oserait se dire libéral». Laurier ne demeurait pas indifférent, mais jugeait qu'il s'agissait d'une affaire purement provinciale. Par conséquent, cela ne le concernait pas, du moins jusqu'à ce que l'histoire prenne des proportions nationales.

La loi sur les biens des jésuites provoqua une violente réaction chez les protestants, laquelle fut encouragée et attisée par des opportunistes tel McCarthy. Certains protestants étaient si agités qu'au moins deux de leurs ministres du culte déclarèrent en chaire que l'assassinat d'un jésuite serait un geste bien vu par le ciel. Une campagne fut lancée pour forcer le gouvernement Macdonald à désavouer la loi provinciale sous prétexte qu'une puissance étrangère avait supplanté l'autorité de la couronne britannique; que le trésor public servait à dédommager des individus qui ne jouissaient d'aucun droit légal à la restitution; que la loi contrevenait au principe de la séparation de l'Église et de l'État; et que la sécularisation des chasses gardées du clergé, une génération plus tôt, avait réglé la question des biens cléricaux.

Le débat sur la motion de désaveu fédéral de la loi québécoise, présentée par O'Brien, dura trois jours. Laurier prit la parole le 28 mars. Convaincu que Mercier redressait un tort qui avait trop longtemps duré et que l'Assemblée législative du Québec approuvait pleinement l'action du premier ministre, Laurier déclara que l'offre de Mercier devrait être le point final de toute cette histoire. En ce qui avait trait à l'antagonisme racial qui avait imprégné tout le débat, il affirma que, au Canada, «il peut y avoir plus d'une race, mais il ne doit y avoir qu'une seule nation». Il répéta ce qu'il avait dit maintes fois: «Je n'ai pas l'intention d'oublier mon origine, mais je suis Canadien avant tout.» Le lendemain, la motion fut rejetée par 188 voix contre 13, mais l'agitation n'allait pas cesser pour autant.

Cette année-là, aux grandioses fêtes de la Saint-Jean-Baptiste de Québec, Laurier dirigea son attention sur les Canadiens français. Selon lui, il n'était pas possible de continuer au Canada sans la générosité de chacun. À ses concitoyens comme les Castors, aile d'extrême droite du Parti conservateur, ou même à Mercier, dont le nationalisme canadien-français était exclusif, Laurier eut ceci à dire:

> «Nous sommes Canadiens français, mais notre patrie n'est pas confinée au territoire ombragé par la citadelle de Québec. Notre patrie, c'est le Canada.
>
> Nos compatriotes ne sont pas seulement ceux dans les veines de qui coule le sang de la France; ce sont tous ceux, quelle que soit leur race ou leur langue, que le sort de la guerre, les accidents de la fortune ou leur propre choix ont amenés parmi nous et qui reconnaissent la suzeraineté de la couronne britannique.
>
> Je n'hésite pas à dire que les droits de mes compatriotes d'autres races me sont aussi chers, aussi sacrés, que les droits de ma propre race.
>
> Quant à moi, je ne veux pas que les Canadiens français dominent qui que ce soit, et je ne veux pas que quiconque les domine. Justice égale, droits égaux.»

À plusieurs égards, les paroles de Laurier étaient un avertissement et un appel: un avertissement de la nécessité de la modération et un appel à la considération; un avertissement de ce que personne, aucune communauté, aucune race, n'est une île, et un appel à la tolérance et à l'acceptation des autres tels qu'ils sont. Tous devaient avoir une place égale au soleil.

L'avaient-ils? Le 9 août 1889, Cartwright écrivit à Laurier pour lui dire que le Manitoba s'apprêtait à abolir les écoles séparées et la langue française dans cette province. Où la folie s'arrêterait-elle?

Six semaines plus tard, le 30 septembre, Laurier livra le même message à Toronto. C'était risqué. Relativement inconnu dans cette province et dans sa capitale, il n'avait pas encore gagné l'appui enthousiaste des libéraux. Les dirigeants libéraux ontariens ne voulaient pas le voir chez eux. Sa position durant le débat sur les biens des jésuites avait causé de vifs remous au royaume des tories. Presque partout en Ontario, on disait de Laurier qu'il était un agent des jésuites, et son peuple était considéré comme l'ennemi de la Confédération. Laurier devait répondre à ces accusations calomnieuses.

Les membres de l'auditoire, hostiles, étaient venus pour remettre le Canadien français à sa place. Ils savaient apprécier une bonne bagarre et, en raison du discours que Laurier avait prononcé à Toronto en 1886, ils se rappelaient qu'il était courageux. Ils l'écoutèrent donc, mais en l'interrompant souvent. Dès qu'il mentionna le nom de McCarthy, une vague d'agitation, qui dura cinq minutes, faillit tourner au tumulte. Cependant, Laurier ne broncha pas. L'assistance se calma quand il déclara en termes clairs qu'il n'avait de leçon à recevoir de personne pour ce qui était de résister aux curés, aux évêques ou à quiconque dans la défense des libertés civiques et religieuses. Il avait connu tout cela et, si d'autres attaques étaient montées contre ces libertés, il ferait ce qu'il avait fait dans le passé, il les défendrait.

Laurier alla plus loin. S'il y avait des gens au Québec, comme les journaux torontois et la clique de McCarthy continuaient de le prétendre, qui rêvaient de former une petite communauté de Français sur les bords du Saint-Laurent, il n'était pas de ceux-là. Selon lui, si le nom du pape n'avait pas été mentionné dans la loi sur les biens des jésuites — il dut se taire un instant, jusqu'à ce que la clameur s'éteigne —, celle-ci aurait été adoptée sans difficulté. Si une assemblée législative tentait de substituer l'autorité du pape à celle de la reine, ce serait une trahison, qui devrait être traitée comme telle. Si quelqu'un croyait que l'on pouvait priver les jésuites — autre clameur dans l'assistance — de la liberté sous prétexte qu'ils risquaient d'en abuser, ce serait un abus en soi, un abus contre les principes du libéralisme britannique. Et à quiconque dans l'assistance croyait que l'utilisation du français constituait une menace pour la Confédération, Laurier répondait: «Je suis Canadien français; j'ai été élevé sur les genoux d'une mère française, et mes premiers souvenirs sont les souvenirs qu'aucun homme n'oublie jamais. Me privera-t-on du privilège de parler la même langue que les êtres qui me sont le plus chers?» Laurier ne cédait pas d'un pouce.

Avec un courage étonnant, un objectif clair et une attitude d'homme d'État, Laurier avait confondu ses ennemis, renforcé l'esprit et la fibre de ses collègues libéraux, et rendu au pays un grand service. Selon John Willison du

Globe, c'était ce discours qui avait assis l'autorité de Laurier sur le Parti libéral et qui en avait fait le chef incontesté. Il avait montré que rien ne le détournerait de son but: «S'il survenait quelque crise grave au pays, cet homme-là serait un géant.»

~

Un mois plus tard, Zoé, Wilfrid et les Pacaud passèrent cinq jours à New York. Ils descendirent à l'hôtel Park Avenue, visitèrent la cathédrale St. Patrick, se promenèrent devant les somptueuses demeures des riches New-Yorkais, virent Cora Tanner dans *Fascination* au Grand Opera House, et dînèrent au restaurant *Delmonico*. Ces dames firent du shopping sur la Cinquième Avenue, tandis que Laurier lisait à la bibliothèque Astor de Lafayette Place ou discutait interminablement avec Pacaud des événements à venir. Les voyageurs s'amusèrent ferme, et c'est Pacaud qui régla la note. Laurier était d'humeur joyeuse.

Aussitôt rentré à Arthabaska, toutefois, il tomba malade. Zoé verrouilla la porte de sa maison, empêchant tout le monde de le voir, surtout le sténographe, et entreprit de le remettre sur pied. Elle y parvint vers la fin de l'année.

~

Durant la session parlementaire qui s'ouvrit le 1er février 1890, Blake fit sa rentrée à la Chambre, ayant conservé son siège durant son absence de deux ans. Cartwright était désormais assis aux côtés de Laurier; Blake dut donc s'asseoir un peu plus loin. Mais il était resté le même: combatif, brillant et résolu à influer sur la politique nationale. La situation aurait pu être difficile pour les deux hommes si Laurier l'avait permis. Mais il était sincèrement heureux du retour de Blake. De temps en temps, ils bavardaient ensemble dans la bibliothèque du Parlement, comme autrefois, et Laurier ne tint pas compte des remarques et sous-entendus qui circulaient selon lesquels il serait bientôt remplacé à la tête du parti. Il devait toutefois rester plus vigilant que jamais. Cela signifiait-il qu'il s'était fait à l'idée d'être chef du Parti libéral? Le moment de répondre à cette question n'était pas encore venu.

La Chambre ne siégeait que depuis cinq jours lorsque McCarthy déposa un projet de loi visant à abolir l'utilisation du français à l'Assemblée législative et aux tribunaux des Territoires du Nord-Ouest. «Dans l'intérêt de l'unité nationale du dominion, dit-il, il devrait y avoir communauté de langue parmi le peuple du Canada.» Le choix de la langue avait été autorisé depuis le milieu des années 1870 et coûtait à l'ensemble des contribuables des Territoires environ 400 $ par année. Ce choix n'était utile qu'à une poignée de citoyens puisqu'il n'y avait presque pas de Français dans les vastes terres situées entre la frontière ouest du Manitoba et les Rocheuses. Cependant, il y avait des Métis. Le débat sur la motion de McCarthy dura une semaine en février. Ce fut une semaine de discussions émotives et périlleuses sur un sujet certes mineur mais qui risquait de mener à la violence raciale, non pas tant à la Chambre des communes que dans le pays.

McCarthy avait bien préparé son public. Avant la session, il avait dit des Canadiens français qu'ils constituaient une «nationalité bâtarde» et avait incité ses partisans à se battre. «Nous sommes ici en pays britannique, avait-il déclaré, et plus nous nous hâterons d'angliciser les Canadiens français, de leur enseigner à parler l'anglais, moins nous aurons d'ennuis dans l'avenir avec cette nationalité bâtarde.» Il fallait absolument bannir le français dans tout le pays.

Ce fut un moment difficile. L'atmosphère était tendue. Les préjugés affleuraient à la surface de la cordialité, à tel point que beaucoup craignaient que des dommages irréparables ne soient causés à la loyauté politique et à l'harmonie entre les races. La violence menaçait les tribunes et les rues, voire la Chambre des communes. La veille de son discours à la Chambre, Laurier écrivit à Zoé que son bureau avait été rempli toute la journée d'hommes anxieux, à l'air sombre, d'hommes à conseils, d'hommes à prières, d'hommes à d'autres conseils et à d'autres prières. Laurier ne se laissa pas abattre. Ses collègues étaient toujours nerveux avant qu'il livre un discours important. Ils ne faisaient pas trop confiance au «Français» et au «catholique» qu'il était. Pourtant, ils n'avaient rien à craindre.

Bon nombre de députés des deux côtés de la Chambre prononcèrent des discours éloquents pour réparer le mal qui avait été fait. Laurier fut ému par le plaidoyer de Macdonald en faveur de la tolérance, et particulièrement fier de la contribution apportée par beaucoup de ses collègues libéraux. Cartwright fut celui qui adressa les reproches les plus virulents à McCarthy: «J'estime que rien de bon n'est sorti de ce projet de loi; j'estime que rien de bon ne peut en sortir; et j'ai le regret d'ajouter, sans préjugé ni malice, que je ne peux m'empêcher de croire que rien de bon n'était censé sortir de cette proposition.»

Lorsqu'il se leva pour prendre la parole, Laurier avait déjà compris que ce débat n'était qu'une «escarmouche préliminaire» qui serait bientôt suivie «d'un assaut général contre toute la race française du Canada». Cette guerre serait longue. Le feu dans les yeux, d'une voix résolue, il déclara:

> «Je dénonce cette politique comme étant anti-canadienne, comme étant anti-britannique, comme étant fatale pour l'espérance que nous avons un jour conçue, et que, pour ma part, je n'ai pas abandonnée, de former une nation sur ce continent.
>
> Je la dénonce comme étant un crime, un crime national.»

Quelle était donc, selon lui, la solution? Étendre les principes d'autonomie provinciale aux Territoires du Nord-Ouest. Les institutions du Nord-Ouest en étaient encore au stade de la formation. Par conséquent, l'avenir déterminerait les formes qu'elles prendraient. Mais l'autonomie provinciale n'était qu'une abstraction sans chair, sans cœur, sans âme. Tandis qu'une nation, c'était vivant, passionné:

> «Nous sommes une nation, ou nous voulons en être une. L'honorable député s'en remet à l'argument sec et froid voulant que la dualité des races engendrera des frictions, et que ces frictions sont dangereuses. Mais où se trouve la solution? La vraie solution se trouve dans la tolérance et le respect mutuels.»

Macdonald avait permis le vote libre. Mais il ne souhaitait pas que les idées racistes et absurdes de McCarthy se trouvent accréditées par une majorité de la Chambre des communes. Laurier non plus, même si les risques de voir survenir un problème de son côté de la Chambre étaient moindres que de l'autre. Avec l'aide de Blake, le gouvernement Macdonald présenta une motion permettant à l'Assemblée des Territoires de décider de la langue dans laquelle seraient publiées ses délibérations; le gouvernement fédéral, toutefois, continuerait de publier les arrêtés en français et en anglais, et les deux langues seraient encore utilisées dans les procédures judiciaires. L'amendement empêchait McCarthy d'obtenir ce qu'il recherchait: l'uniformité linguistique ne deviendrait pas un objectif national. Laurier fut des 149 députés qui appuyèrent la motion. Cinquante députés votèrent contre, dont quelques libéraux du Québec.

Cette division dans les rangs libéraux vexa Laurier, ce qu'il fit savoir à Pacaud, qu'il pressa de publier dans les articles de son journal que le principe d'autonomie provinciale était capital pour la province de Québec. «En dernière analyse, rappela-t-il à Pacaud, nous n'avons pas d'autre moyen de nous protéger.» Son sens profond de l'équité poussa Laurier à appliquer ce principe, même s'il était contraire aux intérêts de sa cause. «Ce ne serait pas seulement injuste, mais très peu clairvoyant de notre part, de vouloir imposer deux langues officielles dans ces Territoires, si les habitants n'en désirent qu'une seule.»

Laurier, faute de temps, n'avait pas le loisir de se livrer à l'introspection. Il y avait des élections provinciales à disputer: en Nouvelle-Écosse et en Ontario en mai, et au Québec en juin. Le Nouveau-Brunswick avait déjà élu un gouvernement libéral en janvier. Le rôle de Laurier à l'extérieur du Québec était limité, mais, dans sa propre province, il était disposé à travailler pour que Mercier triomphe. «Tu peux m'utiliser quand tu veux», écrivit-il à Pacaud. Une collaboration aussi étroite ne plaisait guère à Blake. Laurier reconnaissait que les méthodes de Mercier allaient à l'encontre de ses convictions, mais que celles des conservateurs étaient encore pires. En outre, il comprenait très bien qu'une base provinciale serait précieuse pour remporter une victoire fédérale. Cependant, il avertit Pacaud et Mercier de se tenir loin des constructeurs de chemins de fer aux goussets bien garnis, conseil que ni l'un ni l'autre ne suivit. Le 17 juin, Mercier fut élu avec une forte majorité. Dans les coulisses se tenaient les constructeurs de chemins de fer et Joseph-Israël Tarte.

~

Tarte jouait un rôle dans la politique provinciale et fédérale depuis le début des années 1870. De petite taille, portant barbiche, il était toujours vêtu impeccablement. Son énergie était étonnante; son esprit, fertile; sa capacité pour la polémique, sans égale; ses talents d'organisateur, insurpassables; et il était incorruptible. Des millions de dollars lui passèrent entre les mains avant d'aboutir dans les caisses électorales: jamais un sou ne fut détourné dans son compte en banque. Versatile, il changeait souvent d'idée et d'allégeance politique. Attaché aux ultramontains au début de sa carrière de journaliste, il les avait quittés pour se joindre à l'aile Chapleau-Sénécal du Parti conservateur dès que Chapleau était entré au Cabinet fédéral en 1882. Huit ans plus tard, Tarte était prêt pour une autre migration, cette fois vers les libéraux de Laurier. Il traînait dans son petit sac des documents portant sur un scandale d'une importance inégalée depuis celui du Pacifique. Quand il aurait vidé son sac, l'un des Pères de la Confédération aurait été anéanti; un député fédéral aurait été expulsé, et lui-même serait devenu l'architecte de la victoire de Laurier en 1896. Il s'agissait du scandale McGreevy-Langevin.

Fait intéressant, Tarte avait commencé à révéler ses secrets durant les élections provinciales de mai et juin 1890, dans le cadre de la stratégie conservatrice destinée à défaire Mercier. L'information lui était parvenue par l'intermédiaire de Robert McGreevy, frère de l'entrepreneur bien connu et collecteur de fonds conservateur, Thomas McGreevy, également député de Québec-Ouest au Parlement fédéral. En 1888, les frères s'étaient brouillés: Thomas, pour des motifs que l'on ignore, avait poursuivi Robert en justice pour récupérer des prêts totalisant 354 000 $. Robert, qui avait juré de se venger, commença alors à monter un dossier sur Thomas, tandis que la cause de ce dernier suivait son chemin d'une cour à l'autre. Au début de la session de 1890, Robert emporta ses documents à Ottawa, où ils furent montrés à Macdonald, à sir Hector Langevin et à Thomas McGreevy. Robert, ne trouvant pas satisfaction parmi ce groupe, se tourna vers Tarte en mars. Celui-ci montra les documents à Chapleau, à Caron et au lieutenant-gouverneur du Québec, Auguste-Réal Angers, avant d'entrer en contact deux fois avec Macdonald. Le premier ministre rejeta les accusations, les considérant comme mensongères. Avec l'approbation tacite de Chapleau et de Caron, tous deux en désaccord avec Thomas McGreevy et Langevin, Tarte commença le 18 avril 1890 à incriminer Thomas McGreevy dans son journal, *Le Canadien*. À la demande de Chapleau, le nom de Langevin ne fut pas mentionné dans ces premiers articles. Tarte avait trois objectifs: forcer Macdonald et Langevin à abandonner Thomas McGreevy; impliquer les libéraux de Mercier, qui étaient sur le point de verser 800 000 $ à Thomas McGreevy pour sa participation à la construction d'un chemin de fer au Québec, dont 300 000 $ devaient aboutir dans la caisse électorale des libéraux provinciaux; et se venger de Thomas, qui avait contrecarré certains de ses projets favoris au cours des années précédentes.

Les révélations de Tarte durant la campagne provinciale choquèrent Laurier, Blake, Cartwright et beaucoup d'autres libéraux fédéraux. Laurier avait prévenu Pacaud de ne pas s'impliquer, mais il était inévitable qu'il le fasse, étant le chef des hommes de Mercier. Quant à ce dernier, il continuait de rassurer Laurier, le pressant de ne pas croire aux accusations de Tarte et lui demandant d'ordonner à leurs amis communs de se taire. Il disait à Laurier de se rappeler que Thomas McGreevy leur avait été fort utile et qu'il pourrait l'être de nouveau durant les élections fédérales et provinciales. Laurier, loin d'être rassuré, maintint tout de même son alliance avec Mercier. Tarte écrivit que l'aide continue que Laurier apportait à Mercier n'était ni honorable ni compatible avec l'honnêteté politique et la moralité qu'il prêchait. La faiblesse de Laurier lui coûterait cher plus tard.

Thomas McGreevy n'était pas homme à se laisser démolir. Il poursuivit le journal. Le 5 mai, il fit arrêter Tarte pour diffamation et, neuf jours plus tard, il intenta une poursuite en diffamation de 50 000 $ contre l'éditeur du *Canadien*. Cela n'ébranla pas Tarte, qui continua, avec l'aide de Robert McGreevy, à rassembler des documents. Ce qui avait été une cause politique devint une cause personnelle. Lorsque Laurier examina les documents de Tarte, il comprit leurs implications et ramifications politiques. Le scandale devait éclater. Les conservateurs seraient sérieusement touchés; les libéraux, beaucoup moins. C'était un juste prix à payer. Il accepta d'être l'avocat de Tarte et de le faire entrer graduellement dans le parti. La cause, toutefois, n'aboutit pas. Elle fut repoussée et, quand elle fut portée à l'attention du Parlement après les élections fédérales de 1891, elle fut tout simplement abandonnée. Entretemps, Mercier triompha aux élections provinciales de 1890.

~

En 1891, le moment était venu de tenir des élections générales. Tarte avait accusé de corruption le trésorier du Parti conservateur au Québec, qui était également député au Parlement, et avait impliqué un ministre important; les Américains abaissaient les droits de douane et instauraient une certaine forme de réciprocité; le Canadien Pacifique — ce gouvernement tory sur roues, comme l'appelait le *Globe* — avait besoin d'autres garanties fédérales. Les circonstances étaient propices au déclenchement rapide d'élections générales. Tarte était dangereux sur le plan politique, mais son impact pourrait être réduit si les libéraux se battaient dans une élection au lieu de réclamer des commissions d'enquête à la Chambre des communes. Le cheval de bataille des libéraux — une amélioration des relations commerciales avec les États-Unis — risquait de leur échapper si le gouvernement était en mesure d'annoncer qu'un accord quelconque de réciprocité commerciale pouvait être conclu avec les Américains sans contrevenir à la Politique nationale de protectionnisme et de loyauté envers l'empire. Et comme il était impossible aux conservateurs de déclencher des élections sans solliciter l'argent du Canadien Pacifique — qui ne leur en donnait pas —, il fallait faire peur à la compagnie pour qu'elle se montre plus généreuse que jamais avec Macdonald. Dans cette dernière partie du scénario, Laurier fut innocemment l'élément catalyseur.

Au début de février, il se rendit à New York pour prononcer un discours lors d'un dîner organisé par la chambre de commerce. Il découvrit que William Cornelius Van Horne, président-directeur général du Canadien Pacifique, se trouvait dans le même train que lui. Laurier alla le voir dans sa voiture et lui parla de diverses questions politiques et économiques. Avant de le quitter, il lui dit: «Je suppose que, puisque vous êtes dans le secret des dieux, vous êtes en mesure de me dire quand les élections auront lieu.» Van Horne, à qui Macdonald avait confié en novembre 1890 qu'il n'y aurait pas d'élections avant au moins dix mois, répondit sans le moindre sentiment de culpabilité: «Je ne suis pas dans le secret des dieux. Posez la question à Macdonald.» Laurier le regarda un instant, et dit: «Alors, c'est moi qui suis en mesure de vous apprendre une nouvelle: le Parlement sera dissous avant notre retour de New York.» Laurier non plus n'était pas dans le secret des dieux, mais sa lecture des implications des événements en cours lui permettait de faire des suppositions éclairées.

Van Horne était stupéfait: cela signifiait peut-être une victoire libérale. Dès qu'il le put, il télégraphia à ses collègues la prédiction de Laurier. Le 3 février, Macdonald fit dissoudre le Parlement et fixa les élections au 5 mars. Deux semaines plus tard, le vieux chef, avec l'appui du Canadien Pacifique, lança sa campagne et son célèbre cri: «Sujet britannique je suis né; sujet britannique je mourrai.» C'est à ce moment que fut aussi lancé le thème conservateur: «Le vieil homme, le vieux drapeau, la vieille politique.» Sur ce thème, Macdonald planifia sa victoire. Il était mourant, son aile québécoise était dépenaillée, la réciprocité était populaire, et son parti était tourmenté par des scandales et discrédité. Mais Macdonald était convaincu de pouvoir remporter la victoire une fois de plus. «Ma ligne de conduite est claire, déclara-t-il. De toutes mes forces, jusqu'à mon dernier souffle, je m'opposerai à la trahison voilée qui tente par des moyens sordides et des présents intéressés de détourner notre peuple de son allégeance. J'en appelle avec une assurance égale aux hommes qui m'ont fait confiance dans le passé et aux jeunes de notre pays, dont les épaules portent notre destinée, pour qu'ils me fournissent leur aide unie et acharnée dans mon dernier effort pour assurer l'unité de l'Empire et la sauvegarde de notre liberté politique et commerciale.»

Le manifeste politique de Laurier ressemblait moins à un cri de ferveur patriotique qu'à une déclaration claire de politique libérale: «La réforme proposée, c'est la réciprocité commerciale absolue entre le Canada et les États-Unis.» Selon Laurier, celle-ci n'entamerait pas les liens entre le Canada et l'Empire, ni ne ferait des traîtres des Canadiens. Néanmoins, disait-il, «le jour viendra où, sans autre cause que le développement de la vie nationale dans la colonie, il y aura conflit d'intérêts avec la mère patrie et, dans un tel cas, j'en déplorerais certes la nécessité, mais je me rangerais du côté de ma terre natale.» Pour l'électorat, ce raisonnement n'était pas aussi enthousiasmant que les slogans de Macdonald, et il fut vite éclipsé par le vol d'un pamphlet dans une obscure imprimerie de Toronto.

Le pamphlet en question avait été écrit par Edward Farrer, éditorialiste en chef du *Globe*, le journal libéral le plus important d'Ontario. Dans la brochure, qu'il avait écrite avant sa nomination au *Globe*, Farrer, dans un moment de stupidité sans bornes, indiquait aux Américains comment annexer le Canada en affaiblissant les Canadiens par une série de mesures économiques. Le gouvernement, Macdonald le premier, cria à la trahison, à la collusion. Les libéraux ne purent rien faire contre cette malencontreuse association, malgré tous leurs efforts.

Ils continuèrent toutefois de se battre. Les Maritimes devaient ni plus ni moins être laissées à leur sort. Sir Charles Tupper était rentré de Londres, où il avait été haut-commissaire, pour diriger l'effort et acheter tous les votes qu'il pouvait. Dans l'Ouest et en Colombie-Britannique, les quinze sièges furent aussi laissés dans les mains de politiciens locaux. C'étaient l'Ontario et le Québec qui constituaient les champs de bataille principaux. Personne d'autre que Laurier ne dirigeait la campagne dans ces deux provinces. Cartwright, dont l'appui enthousiaste à la réciprocité convenait aux régions rurales mais éveillait l'hostilité des populations urbaines, fut envoyé là où il pouvait se rendre le plus utile. Laurier apparaissait un peu partout au Québec, précédé par Pacaud. Quand Laurier lança sa campagne dans sa propre circonscription, le 17 février, Mercier, qui se trouvait à la tête d'une phalange de libéraux provinciaux, lui promit une majorité de 15 sièges; Tarte fit connaître son intention de se présenter comme candidat indépendant dans Montmagny; le Grand Tronc aida la cause libérale, mais pas dans une aussi large mesure que le Canadien Pacifique aidait les conservateurs; et les évêques dirent craindre l'annexion aux États-Unis. Les grossistes, marchands, fabricants, courtiers, banquiers et constructeurs de chemins de fer suivaient Laurier dans tous ses déplacements pour menacer, cajoler et acheter l'appui des électeurs en faveur des conservateurs. Et il y avait Edward Blake.

Blake n'avait jamais accepté la politique économique et fiscale de son parti. Cela, Laurier le savait, car ils en avaient souvent discuté au cours des deux ou trois années précédentes. Même le passage de l'«union commerciale» de 1887 à la «réciprocité illimitée» de 1891 ne l'avait pas rassuré. Comme la conscience de Blake le poussait toujours à dire ce qu'il pensait, il envisagea de le faire avant les élections. Par conséquent, à la fin de janvier, il rédigea un manifeste à l'intention de ses électeurs. Mais à l'annonce des élections, il ne l'avait toujours pas envoyé. Laurier essaya de le convaincre de se taire. Un congrès des libéraux ontariens fut même annulé, afin qu'il n'ait pas l'occasion de parler.

Laurier réussit à obtenir de Blake le silence, mais il ne lui demanda pas de ne pas se présenter. Laurier et d'autres libéraux étaient tout à fait disposés à ce que l'homme se présente comme «un candidat favorisant la libéralisation des relations commerciales avec les États-Unis» au lieu d'un candidat prônant la politique libérale officielle de réciprocité illimitée, tant et aussi longtemps qu'il ne critiquerait pas cette dernière. Blake décida toutefois que son silence requérait qu'il se retirât. Par conséquent, il écrivit à ses électeurs qu'il ne serait pas candidat, et que son manifeste serait publié après les élections. C'était un lourd sacrifice pour lui; Laurier le comprenait et sympathisait avec lui. Malheureusement, le silence de Blake fournit des munitions aux conservateurs, qui l'interprétèrent comme un appui tacite à leur position.

Le 5 mars 1891, malgré tous ces contretemps, Laurier et les libéraux tirèrent assez bien leur épingle du jeu. En fait, ils furent bien près de réussir leur coup. Ils obtinrent une plus grande partie du vote populaire qu'en 1887; la majorité de Macdonald fut réduite à 27 sièges; les libéraux ontariens enlevèrent sept sièges aux conservateurs; les résultats dans les Maritimes et dans l'Ouest, y compris en Colombie-Britannique, restèrent les mêmes qu'en 1887; et au Québec, Laurier assura cinq sièges supplémentaires aux libéraux, même si la majorité du vote populaire dans cette province alla aux conservateurs. Vint ensuite le «coup de poignard dans le dos».

C'était le manifeste de Blake. Celui-ci était déterminé à le publier dès le lendemain des élections. Laurier tenta de l'en dissuader. «Il ne fait aucun doute, lui écrivit-il le 3 mars, que, si votre lettre est publiée au moment même où les amertumes suscitées par l'élection seront à leur paroxysme, elle ne sera pas reçue, par aucun des partis, avec l'humeur calme que le bien public exigerait.» Blake resta inflexible. «Je regrette, lui répondit-il, de me trouver incapable d'être de votre avis.» Le 6 mars, le manifeste de Blake fit la manchette dans tout le pays.

Sa publication affaiblit le Parti libéral, qui perdit presque toutes les élections complémentaires entre mars 1891 et janvier 1893 — 55 en tout —, ce qui augmenta la majorité conservatrice à la Chambre à près de 60 sièges. La plupart des libéraux étaient furieux; certains, comme Cartwright, n'adressèrent plus jamais la parole à Blake. Il fut frappé d'ostracisme; c'en était fini de sa carrière politique au Canada.

La défaite, la trahison de Blake, la corruption électorale et les efforts surhumains durant une campagne menée dans la pluie et la neige sapèrent les forces de Laurier. Il fut cloué au lit pendant plusieurs semaines après les élections. Fiévreux, il mangeait à peine. Mais il lisait un peu et, sans rancœur, envisageait l'avenir. Il n'était pas à la Chambre le 11 mai, quand Tarte ouvrit le petit sac qu'il portait toujours sur lui pour en sortir les «petits papiers» contenant les preuves du plus grave scandale politique au pays depuis 1873. Cette fois, il ne s'agissait pas de la construction d'un chemin de fer, mais du ministère fédéral des Travaux publics. Après avoir lancé 63 accusations contre Langevin, McGreevy et le ministère, Tarte réclama une enquête parlementaire du comité permanent des privilèges et des élections. L'audition des témoins commença le 26 mai.

~

Le soir du samedi 6 juin 1891, sir John A. Macdonald mourut à sa résidence d'Ottawa. Le lundi après-midi suivant, à la Chambre des communes, Laurier lui rendit un vibrant hommage au nom de son groupe parlementaire et de son parti, et en son nom personnel: «Sa perte nous laisse atterrés. La place de sir John A. Macdonald était si grande et si déterminante qu'il est presque impossible de concevoir que la politique de ce pays, que le sort de ce pays puissent se passer de lui.» Ce n'était pas le moment de faire du sectarisme politique; non, c'était le moment d'oublier les différences, «de se rappeler que l'action de Macdonald avait prouvé qu'il était homme de ressources, d'un niveau intellectuel élevé et, par-dessus tout, d'une vision qui allait au delà des affaires quotidiennes, d'un patriotisme sans faille, et d'une dévotion indéfectible pour le Canada, son bien-être, son progrès et sa gloire.»

Laurier fut ému par les hommages rendus à Macdonald, par les milliers de personnes qui se rassemblèrent pour regarder passer son cortège funèbre, et par le chagrin sincère qu'il sentait autour de lui. Par tradition homme d'institution, il considérait Macdonald comme l'une des institutions de son pays. Pendant 17 ans, il avait observé le vieil homme diriger superbement son Cabinet, son groupe parlementaire et ses partisans. En même temps, il considérait Macdonald comme le principal architecte de l'immoralité politique qui régnait partout. «Pour sir John A. Macdonald, reconnut-il un jour, la politique est un jeu, un jeu sans règles.» Mais il ne douta jamais que Macdonald avait toujours travaillé dans l'intérêt du Canada.

~

Après les funérailles d'État et la période de deuil qui suivit, l'affaire Tarte se poursuivit. Le pays fut choqué d'apprendre l'existence de portes secrètes menant à des bureaux, de contrats octroyés à des entrepreneurs fictifs, de soumissions subtilisées dans les bureaux gouvernementaux et montrées à des entrepreneurs amis, de cadeaux d'argenterie et de bijoux remis à des ingénieurs afin qu'ils gonflent le coût des contrats et que la différence serve à payer des dépenses électorales. Les auditions du comité d'enquête prirent fin le 19 août; deux rapports furent publiés. Les libéraux conclurent que McGreevy et Langevin étaient tous deux coupables quant aux chefs d'accusation invoqués; les conservateurs exonérèrent Langevin. Le débat sur les conclusions de l'enquête commença le 21 septembre et, quand Laurier prit la parole, il insista sur le fait que le Parti conservateur avait, au Québec, bénéficié des crimes de McGreevy, ce que Tarte nia. Tôt le matin du 24, la Chambre adopta le rapport majoritaire par un vote de 101 voix contre 86.

L'un des résultats directs du scandale fut l'adoption d'une loi qui rendait coupable d'un délit criminel quiconque, traitant avec le gouvernement ou s'attendant à traiter avec lui, versait ou promettait de verser de l'argent à des fins électorales. Thomas McGreevy fut expulsé de la Chambre et plus tard condamné à quelques mois de prison. Langevin ne succéda pas à Macdonald au poste de premier ministre, même s'il était le ministre le plus ancien et qu'on lui avait promis ce poste. Il n'eut pas le choix: il démissionna le 11 août 1891. Le Parti conservateur était discrédité, et sa désunion au Québec s'en trouva accentuée. Lorsque Chapleau quitta Ottawa pour devenir lieutenant-gouverneur du Québec, en 1892, le Parti conservateur se trouva sans chef, situation qui allait profiter à Laurier en 1896.

Malheureusement, dès que le scandale révélé par Tarte cessa de faire couler de l'encre, Mercier, Pacaud et les libéraux provinciaux du Québec se trouvèrent mêlés à un autre scandale, celui de la Compagnie de chemin de fer de la Baie des Chaleurs, nom d'une voie ferrée construite dans la péninsule de Gaspé. Commencée en 1882, la construction avait à peine progressé en 1891, malgré des subventions fédérales et provinciales. Il s'agissait d'un projet provincial, mais les révélations l'entourant affaiblirent la position des libéraux fédéraux dans tout le pays, plus particulièrement en Ontario.

À l'été de 1891, le comité sénatorial des chemins de fer fut informé que, d'un paiement de 175 000 $ versé au premier entrepreneur qui avait abandonné le projet, 100 000 $ avaient été payés à Pacaud, intermédiaire entre le premier entrepreneur et le gouvernement provincial de Mercier. On disait que Pacaud avait utilisé cet argent à des fins électorales, dont une tranche de 10 000 $ avait servi à remplir la caisse du Parti libéral fédéral. Le 11 septembre 1891, le comité conclut que le gouvernement libéral du Québec s'était en fait donné une subvention à lui-même.

L'affaire ne s'arrêta pas là. Mercier n'était pas joignable dans sa ferme de Sainte-Anne-de-la-Pérade; le ministre du Cabinet qui avait signé l'ordre de paiement de 175 000 $ était en convalescence à La Malbaie; et Pacaud voguait vers l'Europe. Il semblait que le seul officiel qui prît au sérieux le rapport du Sénat était le lieutenant-gouverneur, Auguste-Réal Angers. Il proposa la formation d'une commission royale composée de trois juges qui enquêterait sur toutes les affaires reliées au chemin de fer. Il ordonna aussi à Mercier de limiter l'action du gouvernement à des actes d'administration urgente. Une crise constitutionnelle se préparait.

La commission publia deux rapports, l'un en décembre 1891, l'autre en février 1892. Le premier, rédigé par deux des juges, impliquait Mercier, Pacaud et Charles Langelier, ministre du Cabinet provincial et frère du collègue de Laurier à la Chambre des communes, François Langelier. Le rapport du troisième juge incriminait Pacaud et Langelier, mais pas Mercier. Dès que le lieutenant-gouverneur reçut le premier rapport, il révoqua Mercier et demanda à Charles-Eugène Boucher de Boucherville, sénateur ultramontain, de former un nouveau gouvernement. L'Assemblée législative fut dissoute, et des élections furent fixées au 8 mars 1892. De Boucherville la remporta haut la main: 52 conservateurs, 18 libéraux et 1 indépendant furent élus.

La révélation d'un scandale impliquant ses amis provinciaux traumatisa Laurier. Il craignait qu'on l'y mêlât, lui, personnellement, en tant qu'ami de Pacaud, et son parti, politiquement, parce que Pacaud était le trésorier du Parti libéral fédéral au Québec. Lorsque les premières accusations furent portées au sénat en août, Laurier écrivit à Beaugrand, l'éditeur du journal libéral montréalais, *La Patrie*: «Dites-moi donc s'il n'y a pas une fatalité sur notre parti; juste au moment où nous révélons toute l'ampleur de la corruption du Parti conservateur, une révélation semblable s'abat sur nous.» La stratégie que Laurier proposa initialement pour faire face au scandale était naïve, cérébrale et inefficace. Plus tard, deux semaines avant la publication, le 15 décembre 1891, du premier rapport de la commission royale, il rencontra Mercier et procéda avec lui à la reconstruction du ministère, qui comprendrait des hommes, comme Joly de Lotbinière, dont l'intégrité était au-dessus de tout soupçon. Joly avait accepté, mais le renvoi de Mercier tua dans l'œuf la tentative de sauver la situation. À part cette initiative, Laurier n'eut aucune activité publique jusqu'en janvier 1892, lorsqu'il condamna la décision d'Angers comme étant arbitraire et inconstitutionnelle, et déclara catégoriquement que la transaction entre l'entrepreneur initial et le gouvernement provincial était indéfendable. Il espérait que les personnes impliquées laveraient leur nom et restaureraient leur honneur à la satisfaction du peuple.

Il était beaucoup moins réticent en privé. Dans des lettres à Émilie, il fit allusion à Pacaud. Il y faisait état de sa perplexité: «J'envisage l'avenir rapproché avec appréhension.» Les problèmes de Pacaud lui pesaient. «Je ne peux l'approuver, ni l'appuyer. C'est cela qui me fait mal.» Il demanda à Émilie d'aller voir Pacaud et de dire au «pauvre homme» son «affection inaltérable», même s'il «ne pouvait défendre son action en public, ni l'approuver en privé». Pacaud ne devait pas se laisser abattre: «Il doit garder dignement le silence; il doit maintenant laisser passer l'orage: c'est le seul moyen pour lui de reprendre sa place. Quand il l'aura reprise, j'espère que, dès ce moment, il n'agira que guidé par les meilleures impulsions de sa nature.»

Pacaud rompit finalement le silence en mars 1892, après les élections provinciales dans lesquelles ni lui ni Laurier ne jouèrent de rôle important, et un mois après avoir été accusé, comme Mercier, de fraude contre la reine. Il écrivit une longue lettre à Laurier pour lui expliquer sa situation. Lorsque Laurier fit mention de cette lettre à Émilie, il lui dit que la situation de Pacaud n'était pas aussi désespérée qu'il l'avait craint. «Il parle avec beaucoup d'espoir; je crois fermement qu'il peut reprendre sa place, si seulement il se montre prudent.» Environ un mois plus tard, Pacaud, qui avait longuement hésité à le faire pour ne pas mettre Laurier dans l'embarras, se rendit à Ottawa. Laurier le rencontra à la gare et l'amena à l'hôtel Russell, au vu et au su de tout le monde. Tous deux furent satisfaits de leur conversation. Pacaud reprit ses activités au sein de l'aile fédérale du Parti libéral, et Laurier ne lui parla plus jamais du scandale de la Baie des Chaleurs. Il y eut de nombreux procès; les chefs d'accusations se multiplièrent. Au premier procès, en octobre et novembre 1892, Mercier et Pacaud furent tous deux déclarés non coupables, après que le jury eut délibéré pendant cinq minutes. Au cours d'un autre procès dans lequel Pacaud était le seul accusé, il fut déclaré coupable et condamné à rembourser la somme de 100 000 $. La Cour suprême, toutefois, finit par l'exonérer.

~

Entre-temps, la mise au ban de Blake s'était poursuivie. Puis, d'une façon complètement inattendue, Laurier lui écrivit:

> Le lundi 20 juillet 1891
>
> Mon cher Blake,
> J'espère que nos divergences politiques ne nuiront pas à notre amitié personnelle. Vous savez combien de fois et avec quelle sincérité je vous ai offert l'occasion de reprendre la direction du parti. Mon cœur n'est pas davantage dans la position que j'occupe qu'il y était il y a quatre ans, mais comme j'y suis, je dois assumer mes responsabilités au meilleur de mon jugement. Ne puis-je pas compter sur votre indulgence et sur votre amitié pour que vous m'apportiez votre aide chaque fois que vous le pourrez, conformément à votre propre sens du devoir public? La question du commerce mise à part, je ne connais aucun domaine où nous ne pourrions pas travailler comme par le passé.
>
> Wilfrid Laurier

Qu'est-ce qui motivait Laurier? Il n'avait pas cherché à entrer en contact avec Blake depuis le jour de mars où celui-ci avait rendu public son manifeste. Pourquoi rouvrait-il le dialogue en juillet, tendant la main à Blake, quatre mois après le «coup de poignard dans le dos», un coup qui lui avait causé, à lui et au parti, des difficultés considérables, internes et externes? En fait, il voulait depuis le début renouer avec Blake, mais ignorait comment faire et à quelles conditions. De plus, il avait le sentiment que Blake devrait faire les premiers pas. Quand il se rendit compte que ce ne serait pas le cas, Laurier prit l'initiative. Il consulta Blake sur la question constitutionnelle, certes, mais c'est la magnanimité et la générosité qui marquaient ses relations avec presque tous les êtres qu'il estimait qui poussèrent Laurier à renouer avec son vieil ami. En outre, contrairement à Blake, Laurier était un chef politique d'un courage remarquable, qui ne nourrissait pas de rancunes et qui recherchait constamment l'harmonie. Il n'était pas faible; il était vaillant.

La lettre de Laurier émut Blake, qui répondit par deux missives. Dans la première, qui jeta Laurier dans la perplexité, Blake lui reprochait de ne pas lui avoir écrit plus tôt, et avouait s'être senti triste, blessé et amer devant son silence. Il ne voulait rien avoir à faire avec la direction du parti. «Vous me dites, lui écrivit-il de La Malbaie, où il était en vacances, que vous m'avez souvent et sincèrement offert de reprendre la direction du parti. Vous savez que cette position m'a toujours été désagréable. Ni vous ni moi n'avons jamais voulu de cette couronne d'épines, cela est indiscutable.» Cependant, Laurier lui avait ouvert la porte, et Blake la franchit dans une autre lettre.

Au début du mois d'août, les deux hommes étaient redevenus de bons amis. Laurier écrivit à Émilie, qui prenait elle aussi des vacances à La Malbaie avec ses enfants: «Il y a deux jours, j'ai reçu de lui une lettre des plus affectueuses, dans laquelle tous les malentendus des quelques derniers mois ont été dissipés.» D'autres libéraux éminents reprirent aussi contact avec Blake. L'«Oracle», comme on l'appelait, n'était plus en quarantaine.

Laurier confia à Émilie ses sentiments pour Blake dans deux ou trois lettres qu'il lui écrivit à cette époque. Comme elle séjournait à La Malbaie, il était évident qu'elle verrait les Blake. Laurier souhaitait que sa correspondante tâte les sentiments de Blake: «Parce que je suis convaincu que, lorsque vous le rencontrerez, j'apparaîtrai dans votre conversation; mais, dans aucune circonstance, jamais, vous ne devez lui montrer l'une de mes lettres.» Pourquoi cette injonction? Parce que Laurier ne voulait pas que Blake apprenne, par l'intermédiaire d'Émilie, à quel point le comportement de son ancien chef à son égard lui semblait injuste et injustifiable. Malgré la «gifle» que Blake avait donnée au parti et, en particulier, à Laurier, ce dernier ne pouvait lui en vouloir: «Je le connais et l'aime trop pour cela.» Sa réconciliation avec Blake lui enleva un «lourd poids du cœur», et elle lui donna l'occasion d'envisager encore une fois de quitter la direction du parti. «Je dois maintenant le presser de revenir à l'avant-scène. Entre autres raisons, il est riche; moi, je suis pauvre. Il peut supporter le sacrifice; moi, à peine.» Jusqu'à ce qu'il arrive à convaincre Blake, Laurier se disait qu'il devait continuer d'assumer sa charge sans jamais renoncer à l'espoir d'en être soulagé. Il était déterminé à suivre la ligne de conduite qu'il s'était tracée: «Je vois le but, et vers ce but, je dirige mes efforts, écartant les agressivités des impétueux comme les prudents avis des timides.»

Émilie vit les Blake, qui la reçurent. Elle se vanta à Laurier du fait que Blake avait négligé tous ses autres invités pour concentrer son attention sur elle. Elle feignit d'en être étonnée. Laurier lui reprocha d'être faussement modeste: «Vous connaissez trop bien vos pouvoirs, ma chère amie. Dites-le-moi franchement, n'auriez-vous pas été étonnée si l'inverse s'était produit?» Laurier connaissait bien son Émilie!

Durant les mois qui suivirent leur réconciliation, Blake et Laurier communiquèrent souvent ensemble, par lettres et au cours de longues visites,

Portrait de Laurier, peinture de Marc-Aurèle de Foy Suzor-Côté

Laurier, député de la circonscription fédérale de Drummond-Arthabaska, en 1874

Zoé Laurier, en 1878

Le collège de L'Assomption

La maison des Laurier sous les érables, à Arthabaska

La maison des Laurier à Ottawa

L'honorable Wilfrid Laurier,
chef de l'opposition, en 1891

Zoé, en 1900

Les Laurier avec des amis non identifiés, dans leur voiture avec chauffeur

Wilfrid et Zoé le jour de leur 50e anniversaire de mariage, le 13 mai 1918

Sir Wilfrid Laurier

Lady Zoé Laurier, en 1911

Laurier arrivant au Parlement d'Ottawa

Le bureau de Laurier au Parlement, vers 1902

Laurier se détend au champ de courses

Exposition solennelle de la dépouille de Laurier
au musée commémoratif Victoria d'Ottawa, le 21 février 1919

Cortège funèbre de Laurier devant le Château Laurier;
à l'arrière-plan, les édifices du Parlement

Monument de Laurier au cimetière Notre-Dame d'Ottawa

auxquelles d'autres personnes se joignirent, chacun essayant de raviver l'esprit du passé, de trouver des moyens qui permettraient à Blake de réintégrer la vie publique canadienne en tant que libéral, d'en arriver à une compréhension mutuelle de ce que le principe de réciprocité commerciale illimitée impliquait — compréhension que Blake et le parti pourraient accepter. Malheureusement, ils n'y parvinrent pas et, en mai 1892, Blake s'embarqua pour l'Irlande, où il fut élu député à la Chambre des communes de Londres, et où il embrassa la cause de l'autonomie irlandaise. Il resta en contact avec Laurier et d'autres libéraux, tandis que ces derniers, au fil des ans, passèrent du principe de réciprocité illimitée avec les États-Unis à une politique commerciale favorisant l'empire britannique, au détriment des Américains.

Blake se réjouissait de cette évolution. Le parti était désormais ressoudé.

~

Les lettres que Laurier écrivit à Émilie à cette époque portaient elles aussi la marque de la réconciliation. Depuis qu'ils se connaissaient, leur relation n'avait pas changé de forme ni de contenu. Joseph Lavergne, associé du cabinet juridique de Laurier, était depuis 1887 membre de son groupe parlementaire; lui aussi habitait à l'hôtel Russell. Jusqu'à l'entrée de son fils Armand au Petit Séminaire de Québec, en 1890, et jusqu'à ce que sa fille Gabrielle aille finir ses études au Couvent de Jésus-Marie, à Sillery, Émilie ne se rendit que très rarement à Ottawa.

L'absence et de méchants potins avaient provoqué une crise entre Wilfrid et Émilie. Les rumeurs couraient sur leur relation: adultère et infidélité. Zoé, Joseph et Wilfrid refusaient d'en tenir compte, mais pas Émilie. En 1890, elle avait voulu que Laurier les démente publiquement. Frustrée, elle s'était montrée dure avec lui: elle lui avait reproché son indifférence, son insensibilité et son manque d'égards; elle l'avait menacé avec mille questions et avait tendance à penser le pire de lui. Wilfrid aussi lui avait fait des reproches.

Les lettres que Laurier écrivit à Émilie entre 1891 et 1893 — avec leur sentimentalité expansive, leurs divagations romantiques et leurs déclarations émotives — étaient destinées à la rassurer sur son affection pour elle et sur la place qu'elle occupait dans sa vie. À cette époque, elle était abattue et souvent victime de maladies provoquées par son état de profonde dépression. Elle se plaignait constamment de ceci ou de cela; l'absence de ses enfants, partis étudier, faisait qu'elle se sentait atrocement seule; Arthabaska ne lui était d'aucun réconfort. Laurier était parti; Joseph était parti; les enfants également: elle se retrouvait toute seule. Même quand Laurier revenait à Arthabaska, il était souvent trop occupé pour la voir, pour la rencontrer comme dans le bon vieux temps. Elle ne savait pas vers qui se tourner pour apaiser sa solitude et sa douleur. C'est pourquoi Laurier essayait de la réconforter en ne ménageant pas ses épanchements. Le fardeau de la direction du parti le rendait morose, et il cherchait à l'alléger en se confiant à elle.

Lorsqu'ils se rencontraient, même en tête à tête — ce qui était rare —, Émilie et Wilfrid ne se tutoyaient jamais. Il en était de même dans leur correspondance. Wilfrid écrivait à Émilie surtout en anglais et elle, toujours en français, vu sa connaissance limitée de l'anglais. À cause de cette lacune, elle le comprenait souvent mal et, de ce fait, lui adressait des reproches. Lui commençait ses lettres par «ma chère amie» et les finissait par des formules comme «le plus sincère de tous vos amis» ou «Dieu vous bénisse, vous et les vôtres, amie si chère». Rien dans ces lettres ne pouvait offenser Zoé ni Joseph, qui en connaissaient l'existence. Laurier y priait toujours Émilie de dire ceci ou cela à Joseph; et c'étaient souvent Armand et son cousin qui apportaient le courrier à Émilie. Dans leur correspondance, Wilfrid et Émilie parlaient de livres, mais il s'y trouvait surtout des pensées et des nouvelles sur les enfants Lavergne.

L'un des passages les plus touchants de cet échange épistolaire fut le compte rendu que Laurier fit à Émilie de la visite d'Armand chez son père et chez lui, à l'hôtel Russell, à la mi-juillet 1891. Armand, arrivé le soir «plutôt éreinté», avait vite récupéré et avait mangé «quatre, oui quatre côtelettes de mouton» le lendemain matin. Laurier l'avait trouvé «charmant, plein de magnétisme, avenant et séduisant, et, en même temps, si sincère, si franc, si intelligent aussi et si vif d'esprit». Laurier connaissait bien les qualités du garçon, mais ce qui le frappa, c'était l'étendue de ses connaissances: «Il possède une connaissance générale de la plupart des sujets qui est étonnante pour un garçon de cet âge.» Armand avait aussi le sens de la repartie, «le vrai portrait de sa mère!» Laurier conclut ainsi son rapport à Émilie: «Eh bien, ma très chère amie, laissez-moi vous répéter ce que nous nous sommes souvent dit vous et moi, vous avez toutes les raisons d'être une mère fière de ses enfants.»

Armand était un garçon charmant, brillant, rafraîchissant, d'humeur quelque peu changeante, excessif, indolent comme Wilfrid et toujours très affectueux: «Bonjour ma maman aimée. Embrasse papa et Minnie, les chiens, les chats et les pigeons pour moi, ainsi que ma grosse vache. Pour ce qui est du coq, je craindrais de l'offenser. Dis-lui que je demeure son humble serviteur.» À une certaine époque, Laurier se mit à craindre qu'Armand, vivant au milieu de prêtres, voulût en devenir un. À Ottawa, après avoir assisté à une cérémonie religieuse durant laquelle un dominicain avait prononcé un sermon, Laurier déclara: «La prêtrise ne raffine pas son homme.» Il relata l'histoire à Émilie, et ajouta: «J'ai vu votre cher Armand en soutane et en surplis, et mon cœur s'est rebellé.» Mieux vaudrait qu'il fasse d'Armand un «homme du monde, capable de se battre, d'aimer et de souffrir».

Gabrielle occupait autant qu'Armand les pensées de Laurier. Il s'inquiétait de ses études et de sa solitude: «J'ai appris, lui écrivit-il en octobre 1891, à quel point il vous a été difficile de vous séparer de vos parents et que vous avez pleuré. Je vous comprends, ma chère Gabrielle. Il est difficile de quitter ses parents, surtout un bon père et une bonne mère comme les vôtres. J'ai aussi appris avec joie et fierté, moi qui vous aime, combien vous avez été brave, courageuse et déterminée à faire votre devoir. C'est pourquoi je vous écris, pour vous dire combien je suis fier de vous, pour vous demander de ne pas m'oublier, de toujours me garder dans votre souvenir.»

Wilfrid et Émilie étaient tous deux des solitaires. Les années 1890-1893 furent probablement les plus pénibles de la vie de Laurier, sur le plan politique comme sur le plan personnel, et elles ne furent pas agréables non plus pour Émilie. Par conséquent, ils s'accrochèrent l'un à l'autre, tous deux nourris à certains moments par le sentiment naturel que le destin avait peut-être tracé pour leur vie un chemin différent.

~

Durant les années 1890, l'hôtel Russell avait été complètement remis à neuf, bien que Laurier continuât de le trouver vulgaire, surtout quand il était malade et se sentait seul. La rotonde comportait un dôme immense, décoré de fresques où des nymphes en tons pastel cabriolaient plus ou moins nues, de colonnes de marbre qui s'élançaient du sol en mosaïque, et d'un escalier majestueux aboutissant, au premier palier, à un immense vitrail. En passant par la rotonde, Zoé et Laurier se rendaient au salon de lecture, au café et, rarement, au bar. Toute l'architecture intérieure était bien proportionnée et des plus élégantes. Le café était ensoleillé, les tables bien espacées, le service discret, et la cuisine «susceptible de tenter le palais même d'un moine épicurien». On disait qu'on pouvait y trouver la plus vaste collection de journaux et de revues après celle de la bibliothèque du Parlement. Avant le déjeuner ou le dîner, les invités se rassemblaient dans le salon de l'étage, grande pièce garnie de deux cheminées, d'un piano à queue, de chandeliers étincelants et de hautes fenêtres offrant une vue superbe des édifices du Parlement. La chambre de Laurier était l'une des meilleures de l'hôtel, grande, ensoleillée et gaie; il y disposait d'une salle de bain privée et d'une cheminée, de plusieurs tables et de plusieurs fauteuils. Un théâtre et d'élégantes salles de réception étaient attachés à l'hôtel. Durant la session parlementaire, les Laurier recevaient des députés libéraux et leurs épouses, des politiciens des autres provinces, des hommes d'affaires, des diplomates, des amis, des connaissances et des parents. Dans l'ensemble, les Laurier se plaisaient bien à l'hôtel Russell. Zoé aurait préféré avoir sa propre maison, mais ils n'en avaient pas les moyens.

Laurier restait réservé dans son appréciation d'Ottawa, sauf lorsqu' il faisait soleil, que les parterres étaient en fleurs et que l'Outaouais brillait de tous ses feux. Malheureusement, il ne séjournait dans la capitale que durant les sessions, en hiver et au printemps. En outre, il ne connaissait pas la ville. Il passait presque tout son temps à la Chambre et dans son hôtel, se contentant de la courte marche qu'il faisait pour aller d'un endroit à l'autre. Occasionnellement, il s'aventurait ailleurs, lorsqu'il devait assister à des soirées, faire des visites de politesse ou dîner dans les somptueuses résidences de Sandy Hill. Il se promenait rarement le long du canal Rideau ou sur les deux larges ponts de pierre qui reliaient la haute-ville à la basse-ville. Lorsqu'il allait à la messe, il prenait un fiacre jusqu'à la cathédrale. Mais il ne se rendait presque jamais dans la basse-ville, où vivaient la plupart des Canadiens français. Les collines de Gatineau lui étaient inconnues. Ce n'est que plus tard qu'il connaîtrait mieux Ottawa et qu'il aurait envie d'en faire une capitale digne du Canada.

~

Le mardi 17 novembre 1891, les Canadiens français de la Nouvelle-Angleterre reçurent Laurier à un banquet, à l'hôtel Vendôme de Boston. Des centaines d'invités, dont de nombreux dignitaires, notamment le gouverneur du Massachusetts, étaient présents. François Langelier accompagnait Laurier. La salle de bal était décorée de scènes canadiennes comme les chutes Niagara, de drapeaux des deux pays, et de fleurs en abondance. Le menu était étonnant: huîtres sur leur coquille, turbot, filet de bœuf béarnaise, ris de veau et «nageoires de tortue en caisse», canard, salade de laitue, crème Chantilly, pouding à la crème glacée, gâteaux divers, fruits et fromages, olives et café. On porta quinze toasts, dont un à ces dames.

Dans son discours, Laurier passa en revue l'histoire du Canada, sa lutte d'émancipation, son statut de colonie autonome au sein de l'empire britannique et les politiques du Parti libéral, notamment la réciprocité commerciale. Il parla en anglais et en français; dans son passage en anglais le plus marquant, il dénonça la Fédération impériale, si chère à McCarthy et à sa cohorte. Ce serait un suicide pour le Canada, dit-il, de s'engager dans une organisation qui forcerait le pays à participer aux guerres que la Grande-Bretagne menait constamment de par le monde. La Fédération impériale était à ses yeux une idée absurde, sur le plan des relations internationales comme sur le plan du commerce. Il déclara: «Dans le commerce, je préfère le dollar yankee au shilling britannique, surtout parce que le premier est si près de nous et le second si loin.»

En français, Laurier dit regretter de s'adresser à son auditoire en terre étrangère «dans notre langue maternelle à tous». Il aurait préféré le faire «sur notre terre natale du Canada». Il n'avait jamais compris le besoin des Canadiens français de s'exiler aux États-Unis quand il y avait tant de terres au Canada et tant de richesses sur lesquelles construire un bel avenir. Il ne leur reprochait pas leur décision; il la regrettait simplement. Il souhaita qu'ils réussissent en tant que citoyens américains.

Trois jours plus tard, il rentra à Arthabaska pour célébrer son cinquantième anniversaire.

9

Le long voyage vers le pouvoir 1892-1896

Trois choses occupèrent Laurier de 1892 à 1896: la question scolaire du Manitoba, l'organisation du Parti libéral en vue du congrès de juin 1893 et de sa tournée dans l'Ouest à l'automne de 1894, et les élections de juin 1896. Il traita aussi d'autres affaires d'importance, comme celle de la future indépendance du Canada.

Ce furent des années tumultueuses. Après la mort de Macdonald, le choix d'un successeur au poste de premier ministre déclencha une crise. Le scandale McGreevy-Langevin avait empêché Langevin de lui succéder; John Thompson, le compétent ministre de la Justice, avait refusé la succession sous prétexte que, en tant que catholique, ou «pervers» comme l'appelaient les protestants, il ne serait jamais accepté; et il n'y avait aucun ministre d'assez haut calibre pour assumer la charge de premier ministre. Les tories se rabattirent donc sur le sénateur John Abbott, ancien doyen de Laurier à l'Université McGill. C'était l'homme qui suscitait le moins d'opposition chez les nombreuses factions du Parti conservateur. Il occupa le poste pendant deux ans, avant que l'on parvienne à persuader Thompson d'accepter la charge. Thompson forma un gouvernement au début de décembre 1892. Il mourut, deux ans plus tard, au château de Windsor. Qui allait le remplacer? Mackenzie Bowell, sénateur et ancien grand maître de l'ordre orangiste, fut accepté et resta en poste, à travers toutes les crises, jusqu'au moment où, en avril 1896, il fut supplanté par sir Charles Tupper. Sur une période de cinq ans seulement, le Canada vit défiler quatre premiers ministres!

La cause de toutes ces crises, ce fut la question scolaire du Manitoba, affaire qui domina la politique canadienne pendant plus de six ans.

Au moment de la création de la province du Manitoba, en 1870, le gouvernement fédéral autorisa l'Assemblée législative provinciale à adopter des lois régissant l'éducation, à condition que rien ne cause préjudice aux droits des écoles séparées. Si une minorité devait se sentir privée de ses droits, elle pouvait demander réparation au gouverneur général en conseil. Si la province ne se pliait pas aux décisions du gouverneur général, le gouvernement fédéral avait le droit de demander au Parlement d'y donner suite par des lois réparatrices. L'*Acte du Manitoba* de 1870 accordait donc une protection inconditionnelle à la minorité francophone et catholique du Manitoba, y compris à ses écoles séparées.

Vingt ans plus tard, en 1890, la population de cette province avait considérablement changé; la majorité protestante remettait en question l'existence des écoles séparées, sous prétexte qu'elles coûtaient cher et qu'elles suscitaient des divisions religieuses néfastes pour l'unité du Manitoba. Même si la majorité ne réclamait pas activement l'abolition de ces écoles, une certaine opposition affleurait et pouvait facilement être stimulée.

La fureur suscitée par la loi sur les biens des jésuites fut l'étincelle qui alluma la question scolaire manitobaine, feu qui fut attisé par la croisade férocement anticatholique de McCarthy et par l'appui enthousiaste des loges orangistes du Manitoba. En mai 1889, la campagne commença lorsque le *Brandon Sun* exigea l'abolition du système d'écoles séparées; en juin et juillet, d'autres journaux réclamèrent la même chose. Le gouvernement libéral de Thomas Greenway, impliqué dans un chapelet de scandales politiques, sauta sur l'occasion avec un empressement étonnant afin de détourner l'attention publique de son administration irresponsable des affaires provinciales. Au mois d'août, il annonça qu'un système scolaire non confessionnel serait établi, sous la houlette d'un ministère de l'Éducation unique et d'un ministre responsable. Le 5 août, à Portage La Prairie, McCarthy emboîta le pas au cours de l'un de ses discours racistes et anticatholiques habituels. À ce même rassemblement, Joseph Martin, le ridicule procureur général du Manitoba, promit que le français cesserait d'être une langue officielle. Au cours de sa session de 1890, l'Assemblée législative du Manitoba adopta une loi qui abolissait l'usage officiel du français, qui enlevait aux Canadiens français le droit à un jury francophone dans les tribunaux provinciaux et qui remplaçait le double système scolaire existant depuis 1870 par un système non confessionnel. Les écoles catholiques pourraient continuer d'exister en tant qu'écoles privées, mais elles ne recevraient aucune portion des deniers publics, et tous les Manitobains paieraient une taxe scolaire pour financer le système public.

À l'extérieur du Manitoba, ces mesures draconiennes reçurent peu d'attention au cours des élections fédérales de 1891. Le Parti conservateur et l'épiscopat catholique s'entendirent pour ignorer la question afin de ne pas donner de munitions aux libéraux. Chapleau, au nom de Macdonald et de son gouvernement, promit à l'archevêque de Saint-Boniface, Alexandre Taché, que réparation serait faite dès après les élections. Les libéraux, quant à eux, encouragèrent Macdonald et son gouvernement à différer toute action tant que les tribunaux n'auraient pas rendu jugement. La motion de Blake à cette fin fut adoptée à l'unanimité. Le gouvernement fédéral, qui avait jusqu'au 11 avril 1891 pour désavouer la loi manitobaine, se sentit soulagé; la cause entreprit alors son interminable odyssée de tribunal en tribunal, avec le concours de l'épiscopat et des ultramontains.

En février 1891, la Cour du Banc de la Reine du Manitoba déclara constitutionnelle la loi manitobaine. Immédiatement, le gouvernement fédéral interjeta appel devant la Cour suprême qui, le 28 octobre 1891, annula la décision de la Cour manitobaine. Comme ultime recours, le Manitoba interjeta appel auprès du Comité judiciaire du Conseil privé, à Londres. Sa décision fut rendue le 30 juin 1892: la loi était *intra vires*, c'est-à-dire constitutionnelle. Les catholiques et les Canadiens français du Manitoba n'avaient plus qu'un recours: une loi réparatrice fédérale, en vertu du paragraphe 3 de l'article XXII de l'*Acte du Manitoba* de 1870. Les pétitions inondèrent Ottawa; la crise des écoles du Manitoba était déclenchée.

Le gouvernement fédéral, ne sachant que faire, se déroba à ses responsabilités politiques. Il posa la question suivante: la loi manitobaine respectant la compétence provinciale et n'enlevant, selon le Conseil privé de Londres, aucun droit à la minorité catholique, le Conseil privé canadien (le gouvernement) pouvait-il recevoir l'appel de la minorité? Seule la Cour suprême pourrait répondre à cette question. Le 24 février 1894, la Cour suprême y répondit non, bien entendu. Craignant des répercussions politiques négatives s'il agissait, le gouvernement en appela au Conseil privé de Londres, qui décida que la réponse à la question aurait dû être affirmative, pourvu que le gouvernement n'abroge pas la loi de 1890. Après avoir atermoyé pendant cinq ans, le gouvernement canadien n'avait plus le choix: il devait agir.

Entre-temps, à la fin de 1892, inspiré par ce qui se passait au Manitoba, le Conseil des Territoires du Nord-Ouest abolit son système d'écoles séparées et limita l'enseignement du français dans les écoles. À Ottawa, on n'envisagea même pas de désavouer cette loi. Et en 1894, l'Assemblée législative du Manitoba renforça et raffina sa loi de 1890, sans aucune opposition.

Durant cette comédie judiciaire, les évêques manifestèrent de plus en plus d'impatience. En 1891, ils n'intervinrent pas dans les élections, préférant, comme monseigneur Laflèche l'écrivit à Taché, en appeler au gouvernement après plutôt qu'avant les élections. Devant l'inaction fédérale, les évêques québécois envisagèrent en 1894 de publier un mandement. Cependant, incapables d'obtenir le consentement de leurs collègues de l'extérieur du Québec et sur le conseil des ministres fédéraux ultramontains, les évêques abandonnèrent leur projet et choisirent d'écrire une lettre collective au gouverneur général en conseil. Ils persuadèrent le père Albert Lacombe, missionnaire oblat respecté et ambassadeur officieux du Canadien Pacifique auprès des peuples autochtones de l'Ouest, de livrer la lettre le 9 mai 1894. Dans celle-ci, les évêques canadiens se plaignaient de ce que la loi manitobaine sur l'éducation et les arrêtés des Territoires du Nord-Ouest fussent injustes; ils réclamaient que les droits des minorités fussent restaurés au moyen d'une action réparatrice. Le gouvernement Thompson transmit la lettre aux autorités concernées dans les Territoires et au Manitoba; les évêques attendirent. Ni le Manitoba ni les Territoires du Nord-Ouest ne prirent la peine de répondre.

Dix mois plus tard, le 21 mars 1895, le gouvernement de Mackenzie Bowell adopta un arrêté en conseil ordonnant au gouvernement manitobain de restaurer les pleins droits de la minorité en matière d'éducation. Si le Manitoba refusait, le fédéral recourrait à son autorité constitutionnelle pour légiférer.

Tout le monde était certain que cet «ordre réparateur» n'était qu'un bluff. Il permettait aux conservateurs de se faire passer, au Québec, pour des défenseurs des Canadiens français et des catholiques, et, en Ontario, de faire savoir qu'il n'y aurait aucune intervention fédérale, — que la mesure administrative n'aurait aucune suite.

Le 19 juin 1895, l'Assemblée législative du Manitoba refusa de se laisser intimider. Elle n'obéirait pas.

~

C'est au cours de l'affaire des écoles du Manitoba que Laurier apprit à être politicien et à «gérer» hommes et grands enjeux. Son parti était divisé: certains libéraux canadiens-français souhaitaient la réparation à tout prix, tandis que certains libéraux des autres provinces insistaient sur la primauté de l'autonomie provinciale. Au Québec, on voulait que justice soit rendue pour la minorité, tandis qu'en Ontario on souhaitait la création d'un pays britannique, avec une seule langue et une seule identité d'un océan à l'autre. En périphérie, les évêques catholiques, sur le point d'agir, craignaient que les écoles séparées disparaissent dans ce melting-pot. Laurier devait adopter une ligne de conduite lui permettant d'éviter les pièges placés sur son chemin et réconciliant les deux principes contradictoires qu'il avait toujours avancés: la justice pour la minorité et l'autonomie des provinces. Pour atteindre ces objectifs, il lui fallait le pouvoir, que seule la victoire aux prochaines élections pouvait lui donner. Par conséquent, il devait se rallier le plus de partisans possible pour combattre ses opposants. Durant les cinq années où la question scolaire manitobaine fut au cœur des affaires canadiennes, il refusa de montrer son jeu.

Joseph-Israël Tarte fut moins réservé. En mars 1890, *Le Canadien* réclama le désaveu de la loi manitobaine. Un an plus tard, un fois le désaveu refusé, il écrivit que le Canada français entrait dans une ère de persécution. À cette époque, il rejeta également toutes les tentatives faites pour résoudre le problème devant les tribunaux: il n'avait jamais cru que les juges, nommés parce qu'ils étaient amis du parti au pouvoir, fussent nécessairement apolitiques. Le 6 mars 1893, lorsqu'il lança le premier vrai débat de la Chambre des communes sur la question des écoles du Manitoba, il s'en prit au gouvernement qui, selon lui, se cachait sous les jupes des juges. Avec sa motion de censure, Tarte réussit à obliger Laurier à descendre dans l'arène.

La préférence de Laurier allait à un Canada où Canadiens français et anglais auraient pu vivre en paix ensemble, dans la pleine jouissance de leurs droits. Par conséquent, il rejetait toute tentative de créer un melting-pot. Abhorrant les conflits religieux et raciaux, il était sensible au fait que le Canada, en politique fédérale comme en politique provinciale, devait éviter les débats qui enflamment délibérément les passions et qui ne peuvent être résolus qu'aux dépens de la position minoritaire. On ne pouvait certes ignorer les débats semant la discorde, mais ils devaient être réglés par le compromis. Cette approche de conciliation formait la base de la philosophie nationale de Laurier. Nombreux étaient ceux qui la trouvaient naïve; d'autres la jugeaient impraticable. Laurier lui-même dut fréquemment composer avec son approche; ce faisant, il était toujours abandonné par un camp ou par l'autre. Néanmoins, cette approche demeura une constante chez lui durant ses 45 ans de vie publique.

Dans la question scolaire du Manitoba, Laurier préféra la restauration claire et sans équivoque du système d'écoles séparées. Lorsque John Willison, du *Globe*, insista sur le fait que la position du Parti libéral devrait être basée sur le principe des droits des provinces même si cela signifiait le sacrifice de la minorité, Laurier lui répondit, non sans impatience: «Comment est-il possible de parler de droits des provinces quand, de par la constitution même, compétence est donnée aux autorités fédérales d'examiner et d'annuler la loi provinciale?» Selon lui, les droits des provinces n'étaient pas absolus.

Par contre, que pouvait faire le gouvernement fédéral si sa «réparation» n'était pas acceptable pour les autorités provinciales? On ne pouvait laisser la minorité se débrouiller toute seule, de cela il était persuadé. Le gouvernement fédéral devait trouver le moyen de jouer son rôle constitutionnel. Quel était ce rôle? Laurier ne le savait pas précisément en 1890; par conséquent, il appuya la première volée de renvois judiciaires, tout en penchant en faveur de la minorité. En 1893, il en était arrivé à une décision sur ce que serait la politique du Parti libéral, mais il ne la rendrait pas publique avant trois ans.

Au fil des décisions rendues par les tribunaux, les possibilités de réparation changèrent considérablement. La décision judiciaire clé pour Laurier fut celle que le Conseil privé rendit en juin 1892: la loi manitobaine de 1890 sur les écoles était constitutionnelle. S'il n'était pas possible de convaincre le Manitoba — par la force ou les cajoleries — de restaurer le système d'écoles séparées qu'il avait aboli, rien ne pourrait être fait pour la minorité par le biais d'une loi réparatrice. Il fallait trouver un autre moyen.

Cet autre moyen, Laurier le révéla dans une lettre privée envoyée en 1893 à l'éditeur du *Canada*, journal d'Ottawa. Selon lui, tout dépendait de l'issue des recours juridiques. Si les seigneuries de Londres décidaient que la minorité ne pouvait interjeter appel auprès du gouvernement fédéral, «le seul remède qui resterait à celle-ci serait une demande d'amendement à la constitution». Mais comme une telle politique impliquerait une demande analogue de la part du groupe de McCarthy, qui voulait abolir l'usage de la langue française au Parlement et mettre fin aux écoles séparées en Ontario, le tissu de la Confédération ne résisterait pas. «De telles conséquences, dit Laurier, devraient faire réfléchir tous les hommes sensés.»

Si, cependant, les cours décidaient — ce qu'elles firent — que le gouvernement fédéral pouvait faire droit à la requête de la minorité, Laurier pourrait rechercher un règlement semblable à celui qui avait été obtenu au Nouveau-Brunswick en 1871, après la crise des écoles séparées dans cette province. La solution avait été de créer un système scolaire unique, neutre et subventionné. Cependant, les enfants pouvaient être regroupés en fonction de leur religion, et, là où le nombre d'enfants le permettait, comme en

Acadie, les écoles étaient catholiques et bilingues, les manuels scolaires tenaient compte des sensibilités religieuses, et les enseignants formés dans des écoles normales catholiques pouvaient obtenir un permis provincial d'enseignement. C'était là la politique de Laurier, et ce serait celle de son parti s'il arrivait à concilier les revendications de pleins droits provinciaux de l'Ontario avec l'insistance du Québec sur les écoles séparées.

Laurier mit trois ans à réaliser cette conciliation. Durant cette période, il garda ses intentions pour lui, ne démordit pas de ses principes, découpla Tarte et laissa Willison se vautrer dans les droits provinciaux. C'était de la bonne politique. Si Tarte allait trop loin, il pouvait le remettre en laisse; si Willison devenait trop hargneux, il pouvait le réprimander. En outre, Laurier était d'avis que les deux hommes ne lui causeraient pas d'ennuis, même s'ils se prenaient souvent à partie en public. Sans jamais dire publiquement comment lui, Wilfrid Laurier, réglerait le problème, il était vu en Ontario comme le défenseur de l'autonomie provinciale et, au Québec, comme le défenseur des écoles séparées. Au Québec, on tenait pour acquis que Tarte parlait au nom de Laurier. Pacaud écrivit dans *L'Électeur* que l'opinion de Tarte, qui était l'organisateur au Québec du parti de Laurier, révélait celle de son chef.

Cependant, cette tactique n'était pas sans inconvénients. Il n'était pas dans la nature de Tarte de rester muet. Il attaquait les évêques et les conservateurs, réprimandait les libéraux en privé, et noyait Laurier de paroles. La question scolaire du Manitoba lui tenait à cœur; à ses yeux, elle définissait la place que les Canadiens français occuperaient dans la Confédération, ainsi que leur avenir en Amérique du Nord. Laurier l'impatientait parfois; Tarte aurait voulu qu'il condamne publiquement la position et les calomnies du *Globe*. Laurier ne le fit pas, mais déclara à Willison, en privé, que son journal avait adopté la «position ridicule» voulant que, même si le droit d'appel existait, celui-ci ne serait jamais accordé, car il signifierait une atteinte aux droits des provinces. Willison et Tarte étaient tous deux indispensables à la réussite du Parti libéral. Laurier finit par convaincre le premier de concentrer ses attaques sur le Parti conservateur et d'associer les droits des provinces à la justice due à la minorité. Il réussit également à persuader Tarte que la coercition, exercée par un arrêté en conseil réparateur ou par une loi, n'était pas la solution. Le moyen de rendre justice à la minorité devait être plus «rationnel» et plus susceptible de préserver ses droits légitimes. Lui et Tarte s'entendirent pour que ce dernier attaque l'inaction des conservateurs, tout en affirmant que, avec Laurier au pouvoir, le droit et la justice triompheraient.

Pour mieux assurer la place des Canadiens français dans la Confédération, Tarte profita de la question des écoles séparées pour créer un nouvel alignement politique au Québec et former une force de frappe vigoureuse à Ottawa. «Si vous étiez à la tête de cinquante députés du Québec, dit-il un jour à Laurier, vous seriez maître de la situation, n'est-ce pas?» Tarte préconisait non pas un parti canadien-français catholique, mais un réalignement politique formé de libéraux et de conservateurs modérés partisans de Chapleau au Québec, du parti de Mowat en Ontario et de sympathisants dans les Maritimes. Laurier l'encouragea dans cette voie.

Dans son premier grand discours sur la question scolaire, Laurier appuya la vague motion de blâme que Tarte présenta contre le gouvernement à la Chambre en mars 1893. Le chef libéral profita de l'occasion pour rappeler aux honorables députés que les écoles séparées du Québec et les écoles catholiques d'Ontario étaient protégées par l'Acte de l'Amérique du Nord britannique. À l'origine, cette protection avait été réclamée par les protestants du Québec. «Supposons, déclara-t-il, que la majorité catholique abolisse ces écoles. Est-il un homme dans cette Chambre qui ne nierait le droit et le devoir du gouvernement d'intervenir?» Laurier connaissait la réponse à cette question. Ce qu'il ne comprenait pas, c'étaient les deux poids, deux mesures en ce qui concernait le Manitoba. Il dirigea son attention sur l'assertion de l'archevêque Taché selon qui le Manitoba avait créé non pas un système d'écoles publiques en 1890, mais un système d'écoles protestantes, ce qui forçait les catholiques à fréquenter celles-ci. Laurier ignorait si l'accusation était fondée ou non, mais il lança cet avertissement, pour le cas où elle le serait:

> «S'il est vrai, comme le déclare Sa Grâce l'archevêque Taché, que les écoles protestantes continuent d'exister sous le masque d'écoles publiques et que les enfants catholiques soient forcés de fréquenter des écoles qui sont en réalité protestantes, je dis que la minorité catholique a été soumise à la tyrannie la plus infâme.
>
> Je dis que la preuve de la nécessité d'une intervention gouvernementale a été solidement établie — et que mes paroles soient entendues par mes amis comme par mes ennemis, qu'elles soient publiées dans les journaux de tout le pays. Même si ma carrière politique devait être pour toujours terminée, ce que je dis maintenant je suis prêt à le répéter sur toutes les estrades d'Ontario, sur toutes les estrades du Manitoba, voire devant toutes les loges orangistes du pays.»

Laurier demanda une enquête sur ces faits; il réprimanda le gouvernement, qui manquait à son devoir et, ce faisant, permettait que les passions raciales et religieuses atteignent à une intensité dangereuse; il exhorta tout le monde à rester calme. La motion de Tarte fut rejetée, et la comédie continua.

~

À 14 h, le mardi 20 juin 1893, quelque 2000 délégués libéraux, dont quelques femmes, arrivés en train des quatre coins du pays s'entassèrent à l'aréna Rideau d'Ottawa pour le premier congrès national d'un parti politique au Canada. Idée de Willison appuyée par Laurier, le congrès avait nécessité six mois de préparations. Dans chaque province, des comités avaient été mis sur pied pour former des organisations libérales là où il n'y en avait pas et pour renforcer celles qui existaient déjà. Les membres, dont beaucoup étaient nouveaux dans le parti, avaient discuté ferme, adopté des résolutions et élu des délégués. Au Québec, Tarte, organisateur en chef, fonda des associations libérales dans tous les districts et toutes les circonscriptions.

Laurier, l'air en bonne santé et de bonne humeur, et Zoé, fière et confiante, arrivèrent de Montréal la veille dans un train spécial orné de banderoles aux couleurs du Parti libéral; même la gare était décorée de drapeaux. Une foule nombreuse les y attendait. Laurier écouta un message de bienvenue; il y répondit en prédisant qu'un gouvernement libéral serait bientôt installé à Ottawa, prédiction que la foule enthousiaste apprécia. Il ajouta: «Je me ferai un grand plaisir de rendre la ville d'Ottawa aussi belle que possible, d'en faire un centre de développement intellectuel dans ce pays, pour qu'on la connaisse comme la Washington du Nord.» Sa voiture se dirigea en procession jusqu'à l'hôtel Russell, où le whip du parti et principal organisateur du congrès lui avait réservé une suite où il pourrait recevoir invités et délégués, et où il pourrait passer du temps en tête à tête avec Zoé. Ce soir-là, il inaugura le Reform Club of Ottawa, rue Elgin, et consentit à en être le «parrain». Il était ravi de voir dans la capitale nationale tant de libéraux qui accordaient de la valeur à ses principes, à la démocratie, à l'égalité des races et des religions. Laurier affirma: «Il ne suffit pas d'avoir de bons principes; nous devons posséder en plus une solide organisation. Les principes sans organisation peuvent être perdants, mais une organisation sans principes peut souvent gagner.»

Le lendemain marqua l'ouverture officielle du grand congrès libéral. À 15 h précises, Laurier et Zoé firent leur entrée dans l'aréna Rideau, sous un tonnerre d'applaudissements et d'acclamations soutenues. Selon le

Daily Citizen, l'aréna était joyeusement décorée, avec goût, de drapeaux et de devises énonçant les principes du parti. Du côté droit, une grande estrade avait été montée. Malheureusement, il faisait horriblement chaud dans la salle. Laurier proposa que Oliver Mowat, premier ministre de l'Ontario, fût nommé président du congrès. Des vice-présidents furent élus, et des comités formés pour rédiger les résolutions qui établiraient la plate-forme du parti. C'était là, après tout, un congrès libéral et démocratique. Laurier prononça son discours principal le soir même. Il y rejeta la Politique nationale des conservateurs, la décrivant comme étant une «fraude, un échec et une menace», et il demanda aux délégués de l'aider à en débarrasser le Canada. La foule exprima son accord par des applaudissements et des acclamations. Abordant le sujet des droits de douane, il changea au moyen d'une phrase lapidaire ce qui avait été la politique libérale depuis 1887: le seul tarif nécessaire était un tarif de revenus, et le libre-échange constituait la politique commerciale du parti. Il parla de sa loyauté envers l'Empire britannique, mais se montra clair: il ne sacrifierait jamais les intérêts du Canada à ceux de l'Empire. Le Canada d'abord. À ceux qui auraient souhaité qu'il fasse passer l'Empire avant le Canada, il disait: «Retournez en Angleterre!» Il défendrait le Canada, sa dévotion à son pays serait sans faille. Tonnerre d'applaudissements. Il condamna en bonne et due forme l'*Acte du cens électoral* de Macdonald et mit en veilleuse la question de la tempérance, même si son idée était déjà faite sur ce sujet et qu'il agirait le moment venu. Pour ce qui était de la question des écoles du Manitoba, il souhaitait qu'elle ne fût jamais soulevée. Mais elle l'avait été et il faudrait la régler. Pour l'instant, il se disait d'accord avec Tarte: le gouvernement de poltrons avait référé toute la question aux tribunaux, empêchant ainsi les libéraux d'agir avant que ne soit terminé le processus judiciaire. Les partisans de Laurier refusèrent de relever sa subtile manœuvre d'évasion et applaudirent ses paroles d'homme d'État.

Entre les rencontres privées avec les délégués et les réceptions, Laurier écouta la présentation des résolutions. L'organisation libérale fut resserrée, et un organisateur en chef fut nommé pour chaque province. Tarte, qui faisait à ce congrès son entrée officielle au parti, attira beaucoup l'attention et fut confirmé comme organisateur en chef au Québec. Grâce à son enthousiasme, Laurier était un chef invincible. À sa demande, aucune résolution concrète et formelle ne fut présentée relativement à la question des écoles du Manitoba.

Cependant, au cours d'une séance se déroulant exclusivement en français, il se montra moins évasif que d'habitude. Il se déchargea de toute responsabilité pour ce qui était arrivé. Ce n'était pas lui qui gouvernait; il n'avait pas à faire étalage de sa religion en public. Il ajouta: «Si j'avais été au pouvoir, j'aurais rendu justice.» Il ne se serait pas caché derrière le judiciaire: «J'aurais eu le courage de mes actes.» Il ne donna pas de détails.

Émilie n'était pas présente au congrès.

~

Après 1893, la relation entre Émilie et Laurier commença à se détériorer. Ils avaient moins besoin l'un de l'autre. Elle avait accepté le fait que ses enfants menaient désormais leur propre vie, et elle passait la majeure partie de son temps à Québec ou à Ottawa. Émilie rentrait à Arthabaska entre les sessions et durant les vacances. Quant à Laurier, à cause de l'effondrement inéluctable du Parti conservateur et de la confirmation de son leadership, il souhaitait éviter tout risque de scandale. Le pouvoir était à portée de la main. Et, franchement, il en avait assez de la litanie de reproches qu'Émilie lui adressait.

En outre, Zoé séjournait à Ottawa de plus en plus souvent. Elle et son mari recevaient beaucoup — Zoé perfectionna son anglais —, et ils entrèrent dans la haute société de la capitale. Au début, Émilie était agitée. Elle avait rêvé d'être une «grande dame extraordinaire» et d'éclipser Zoé. Mais celle-ci s'était fait un ami, arrivé à Ottawa le 25 septembre 1893, qui s'établirait au centre du pouvoir politique et social du pays — Rideau Hall, résidence du gouverneur général.

Lord John Campbell Hamilton, septième comte d'Aberdeen, était âgé de 46 ans lorsqu'il fut nommé gouverneur général du Canada. C'était un homme tout petit, immensément riche, d'intelligence moyenne, et disposé à partager sa charge avec son épouse, Ishbel, une femme d'énergie, de passion, de convictions et de zèle. C'était aussi une libérale presbytérienne dotée d'une conscience sociale, une organisatrice née qui aimait bien se mêler d'affaires politiques, une féministe, une complice parfaite pour son mari et une amie des Laurier. Ishbel Aberdeen fut sans doute la femme la plus intéressante de l'histoire canadienne du XIXe siècle. Les Aberdeen restèrent au Canada avec leurs quatre enfants jusqu'au 12 novembre 1898.

Ils aimaient Rideau Hall. Lady Aberdeen trouva les quartiers des domestiques «spacieux et très confortablement organisés», la salle de bal «très bien», le salon «vaste», mais la salle à manger «lugubre et sentant la cuisine». Elle se plaignit du manque de chambres pour les visiteurs et de l'usure des tapis. Cependant, elle nota que sa famille serait sans doute confortablement installée à Rideau Hall, et elle commença immédiatement à projeter la construction d'une «petite chapelle» sur les terrains de la résidence. Cette construction fut terminée avant Noël. Elle fit accrocher dans la maison, partout où elle le put, des portraits du premier ministre britannique et chef libéral, William Ewart Gladstone.

Lorsque les Aberdeen recevaient à dîner, les invités mangeaient dans une salle pouvant accueillir trente convives. C'était une pièce agréable, aux plafonds et aux murs ocre brun, et aux moulures noir et or. Un ours noir empaillé montait la garde dans l'un des coins. Pour les réceptions d'État, la salle de bal, avec ses moulures et corniches blanc et or si admirées, était garnie d'un dais et de trônes pour Leurs Excellences, au-dessus desquels était accroché un énorme portrait du gouverneur général, peint à l'huile par Robert Harris, célèbre auteur du tableau *Les Pères de la Confédération.*

Le samedi 18 mai 1894, les Aberdeen reçurent les Laurier à dîner pour la première fois depuis leur arrivée au Canada. Lady Aberdeen nota dans son journal intime: «C'est un homme brillant et de compagnie très agréable. Il parle très bien l'anglais et voue une admiration sans bornes aux Écossais. Madame Laurier est timide et préfère parler français. Mais elle est très plaisante quand on lui parle. Elle a l'air triste et regrette de ne pas avoir eu d'enfants.» Un an plus tard, le lundi 13 mai, il y eut à Rideau Hall un dîner pour trente convives. Laurier prit lady Aberdeen à part et ils eurent une bonne conversation, tandis que Son Excellence bavardait avec Zoé et Émilie. Les grandes langues mondaines commentèrent à satiété ce que cela pouvait bien signifier, et n'oublièrent pas de relever l'élégance d'Émilie et le manque de chic de Zoé. Tout cela ne signifiait rien. L'élégance d'Émilie manquait de naturel, et les toilettes de Zoé, tout à fait adéquates, s'accordaient avec le type de femme qu'elle était.

Vers le milieu des années 1890, Wilfrid et Zoé s'étaient mis à la mode, Wilfrid étant toutefois plus déterminé que sa femme. Au fil des ans, Laurier n'avait pas pris une once. Il était grand, ses cheveux étaient un peu plus gris, un peu moins abondants, mais encore bouclés bien que coupés court. Son visage était rasé de près et pâle, et ses yeux, encore plus pénétrants et bienveillants qu'auparavant. Il était toujours vêtu impeccablement.

Comme tous les gentlemen de l'époque, Laurier portait quatre types de tenues: la tenue de cérémonie, la redingote, la tenue de ville et la tenue de soirée. Il portait sa jaquette, à simple boutonnage et à basques longues en forme de queue, avec un gilet droit, une chemise empesée, un col cassé et une longue cravate noire nouée. Les pantalons rayés étroits s'arrêtaient aux bottes. Lorsqu'il portait la redingote, il préférait le col cassé et le papillon noir, qu'il décorait de l'épingle en fer à cheval que les Gauthier lui avaient donnée lorsqu'il était à McGill, un gilet qui se boutonnait haut, des pantalons étroits et une redingote qui descendait à hauteur des genoux. Sa tenue de ville comportait un veston à simple boutonnage, un gilet et un pantalon assortis, une chemise empesée à col cassé, et une longue cravate nouée. Sa tenue de soirée était traditionnelle: queue-de-pie, pantalon et gilet noirs, chemise à plastron empesé et à col cassé, et nœud papillon blanc. Il fallait que ses boutons de manchettes soient visibles. Ses bottes étaient pointues et, à partir de 1893, il porta des demi-guêtres. Il avait toujours sur lui des gants de suède gris et, de temps en temps, une canne. Le haut-de-forme était de rigueur avec sa tenue de cérémonie et avec sa redingote, tandis qu'il portait le chapeau Hombourg lorsqu'il était en tenue de ville.

Pour ne pas être en reste, Zoé avait acquis au fil des ans le sens de la mode. Elle commença à s'habiller moins sévèrement et découvrit couleurs et rubans. Souffrant d'embonpoint, elle ne pouvait, contrairement à Émilie, porter des vêtements qui auraient accentué ses rondeurs. Même si elle avait tendance à être traditionnelle, elle restait «très soignée» dans des vêtements lâches et elle évitait les grands décolletés. Lorsqu'elle venait à Ottawa, elle apportait dans ses valises des robes de ville, des robes pour le thé, des blouses-robes, des robes du soir, ainsi que des manteaux, fourrures, manchons et sacs à main. Elle portait toujours un chapeau et des gants durant ses apparitions publiques, et tenait un parasol ou un parapluie. Ses cheveux, grisonnants, étaient généralement noués à l'arrière. Elle adorait les dentelles, les volants, les boucles et autres ornements, ainsi que les bijoux qu'elle achetait chez Birks, à Montréal, ou que Wilfrid lui offrait. Dans ses cheveux, il y avait toujours quelque épingle à pierres; sur son corsage, un petit bouquet. Lorsque l'étiquette l'exigeait, elle tenait à la main un éventail à plumes d'autruche.

~

Deux forces centrifuges — le nationalisme canadien-anglais, braqué sur le resserrement des liens avec l'Empire britannique et la construction d'un pays britannique en Amérique du Nord, et le nationalisme canadien-français, braqué sur l'affirmation et la protection culturelles — s'exercèrent sur Laurier durant toute sa vie politique. Il chercha à concilier les deux sans en détruire le cœur, à les fusionner en une seule nationalité canadienne. Trop souvent, les Canadiens de chacune des deux «races» se montraient paranoïaques et craignaient les intentions de l'autre. Les menaces pleuvaient; on faisait beaucoup de bêtises. Laurier croyait en un Canada biculturel, dont les forces dominantes étaient le Québec et l'Ontario. Il ne s'intéressa pas beaucoup au sort des citoyens qui n'étaient pas d'origine britannique ou française. Le concept de multiculturalisme n'existait pas encore, seulement le dualisme, trop souvent remis en question.

Chez Laurier, la recherche de l'indépendance du Canada se fondait sur la conviction qu'elle était non seulement inévitable mais aussi essentielle pour la survie du Canada qu'il envisageait dans ses rêves et dans son cœur. Il ne douta jamais du fait que la nature de cette indépendance serait unique à son pays et, en tant que telle, satisferait le souhait qu'il avait formulé le jour où il avait quitté McGill: «Bien de puissantes nations pourraient ici venir chercher une leçon de justice et d'humanité.» Sans l'indépendance, le pays pourrait, au pire, glisser vers la guerre civile; au mieux, ne pas atteindre à l'unité. L'un ou l'autre des cas lui serait fatal. Peu importait à Laurier que l'indépendance fût ou non réalisée de son vivant. Ce qui comptait pour lui, c'était que rien ne vienne la rendre encore plus inaccessible.

Pour préparer les Canadiens, français et anglais, au jour inévitable de l'indépendance, il affirmait que les droits et aspirations de chacune des «races» devaient être reconnus et respectés, et que le Canada devait desserrer les liens l'unissant à la Grande-Bretagne. Par-dessus tout, le Canada devait éviter de s'engager davantage dans l'Empire. Modération, conciliation, canadianisme — c'étaient là les clés de l'avenir.

~

Les gains réalisés au congrès libéral devaient être consolidés; c'est pourquoi Laurier entama son premier voyage dans l'Ouest, à l'automne de 1894. Zoé l'accompagnait, ainsi que son frère Henri, qui lui servirait de secrétaire. Étaient aussi du voyage Philippe-Auguste Choquette, député libéral de Montmagny; William Gibson, jeune député de Lincoln, en Ontario, et son épouse; Charles Hyman, trésorier du Parti libéral; Duncan Cameron Fraser, le géant des Maritimes; Sydney Fisher, des Cantons-de-l'Est; et James

Sutherland, whip en chef du parti. C'était une délégation bien équilibrée, destinée à démontrer la diversité du Parti libéral.

Wilfrid, Zoé et Henri s'étaient bien préparés. Wilfrid, en lisant tout ce qu'il pouvait et en posant des questions aux députés de l'Ouest à la Chambre; Zoé, en s'informant auprès de missionnaires qu'elle connaissait; Henri, en consultant des avocats qu'il avait rencontrés dans son travail à la cour d'Arthabaska. Ils se penchèrent sur les cartes et analysèrent les statistiques, surtout celles du recensement de 1891. Ils découvrirent un Canada fragmenté, réuni par le rail et le télégraphe, sur le point de devenir ce que les géographes appelaient «une nation moderne, urbaine et industrielle». Le Manitoba était la porte des Prairies; la Colombie-Britannique devenait rapidement une importante économie basée sur les ressources naturelles. Même si la population du Canada approchait des 5 millions, pas plus de 350 000 Canadiens habitaient les régions que Laurier s'apprêtait à visiter: 153 000 au Manitoba, 99 000 dans les Territoires du Nord-Ouest et 98 000 en Colombie-Britannique.

En cet automne de 1894, le vent avait tourné en faveur de Laurier et de son parti. Une semaine ou deux avant son départ, il y avait eu un grand rassemblement à Saint-Lin, organisé par Tarte, pour souhaiter bon voyage aux Laurier. C'était la première fois que Maman Adéline voyait Wilfrid en public, si sûr de lui, si éloquent, si admiré par ses voisins et par les milliers de visiteurs de l'extérieur. Carolus aurait été enchanté, pensa-t-elle. Les dernières élections complémentaires au Québec avaient favorisé les libéraux, comme au Manitoba. Mowat avait été réélu en Ontario. Oui, le vent tournait. Le message libéral résonnerait bientôt dans tout le bouclier cambrien, dans les vastes Prairies, par-dessus les Rocheuses, jusqu'à l'océan Pacifique.

Laurier et son groupe allaient traverser l'un des plus grands pays du monde; ils parcourraient presque 5000 kilomètres sur une terre qu'ils n'avaient encore jamais vue. En route, ils verraient le Bouclier canadien, cette étendue de plusieurs millions de kilomètres carrés — plus de la moitié de la superficie du Canada — qui forme un U gigantesque autour de la baie d'Hudson. Le chemin de fer du Canadien Pacifique y avait pénétré dans les années 1880, mais les récompenses pour tout ce travail restaient à venir. À l'extrémité occidentale du Bouclier, les voyageurs traverseraient un triangle, qui s'étirait de l'est du Manitoba jusqu'aux pieds des Rocheuses. Dans ce triangle, ils trouveraient une population clairsemée, mais les terres arables les plus vastes du pays: les Prairies, où la ligne d'horizon se noie dans le ciel. Par la suite, l'océan Pacifique les attirerait. Mais, pour l'atteindre, il leur faudrait d'abord traverser des chaînes de montagnes: les Rocheuses, les monts Selkirk, la chaîne des Cascades... partout des obstacles.

Laurier et son groupe prirent place dans une voiture privée à Toronto, le 22 août. Premier arrêt à North Bay, suivi d'une journée à Mattawa, puis Sault Ste. Marie, Sudbury et Port Arthur. Le 3 septembre, ils arrivèrent à Winnipeg, avec une heure de retard. La foule les attendant à la gare était si nombreuse que la réception prévue dut être annulée. Laurier se contenta de prononcer un bref discours, qui fut bien reçu. À Winnipeg, ils demeurèrent dans une maison privée et visitèrent en voiture les attractions de la ville. À l'hôtel Manitoba, ils rencontrèrent Pauline Johnson, la célèbre poétesse mohawk, elle aussi en visite à Winnipeg. Le soir, il y eut un rassemblement au Brydon's Skating Ring, qui pouvait recevoir 3000 personnes.

À 19 h, 6000 personnes remplissaient le Brydon, occupant tous les sièges, se tenant debout dans les allées, perchés sur le rebord des fenêtres, voire sur les poutres du plafond. Les femmes remplissaient le vaste espace qui leur était réservé; l'entrée dut être refusée à des centaines de personnes. Selon le *Manitoba Free Press*, ce fut le plus grand rassemblement jamais tenu dans l'Ouest. Laurier parla encore une fois des effets néfastes de la Politique nationale et promit des solutions conformes aux principes adoptés au congrès libéral de 1893. Il réitéra l'engagement qu'il avait pris au sujet du plébiscite sur la prohibition, accepta d'étudier la faisabilité du chemin de fer de la baie d'Hudson; au sujet des écoles, il n'ajouta rien à ce qu'il avait déjà dit. Il était un tenant des droits des provinces: «À la Chambre des communes du Dominion, j'ai défendu l'autonomie provinciale.» C'est ce qu'il continuerait de faire. C'était là la politique du parti, sur laquelle les libéraux s'étaient mis d'accord au mois de juin précédent. C'était aussi sa politique. Par contre, Laurier voulait que l'on comprenne bien que si, comme l'archevêque de Saint-Boniface l'avait déclaré, des enfants catholiques étaient forcés de fréquenter ce qui était en fait des écoles protestantes, il s'élèverait contre la tyrannie et l'injustice, quel qu'en soit le prix à payer pour lui. Il profita de l'occasion pour répéter son credo politique: «Je refuse de faire appel aux sentiments de quelque race que ce soit, ou aux passions de ma religion ou de ma race. Aujourd'hui, mon seul but est d'unir toutes les races sur ce continent pour en faire une nation canadienne, pour développer cette Confédération dans le même but qui a un jour incité sir John A. Macdonald et George Brown à mettre fin à la bataille de toute une vie et à s'unir pour le bien commun.» Pour ce qui était de l'avenir, il prédit que si l'on était fidèle aux principes libéraux de liberté et de justice, le jour viendrait bientôt où les plaines fertiles de l'Ouest seraient abondamment peuplées — de millions de citoyens, heureux, satisfaits et tournés vers le progrès. Les journaux rapportèrent que l'honorable député se rassit sous des acclamations et des applaudissements nourris.

Plus tard, tandis que Zoé prenait le thé avec les dames, le maire de Saint-Boniface arriva, accompagné d'un groupe de partisans des écoles séparées. En présence de Joseph Martin, ils accusèrent le gouvernement manitobain de Greenway d'avoir mis sur pied un système scolaire protestant que les catholiques étaient obligés de fréquenter et de financer. Ils affirmèrent que l'archevêque Taché avait bien dit la vérité. Laurier les écouta et prit beaucoup de notes. Il était surpris d'entendre ces allégations, puisque le gouvernement lui avait affirmé le contraire. Avant de passer à l'action, il demanderait au gouvernement fédéral de vérifier les faits. Au sujet de la principale question du groupe — appuierait-il une mesure de réparation? —, Laurier les rassura: si des catholiques étaient forcés de fréquenter des écoles protestantes, il admettrait que la question des écoles séparées soit portée devant le Parlement du Canada. Qu'entendait-il par là? Les Manitobains ne le savaient pas trop; mais ils quittèrent Laurier convaincus qu'il agirait dans leur intérêt.

Laurier remporta le même triomphe à Portage La Prairie et à Brandon. Le *Brandon Mail* le décrivit comme un acrobate politique plutôt que comme un homme d'État, incapable d'accuser de mensonge les catholiques ou le gouvernement Greenway. Puis le train repartit vers la Colombie-Britannique.

Le 10 septembre, Laurier et son groupe arrivèrent dans l'île de Vancouver. Leur tournée commença à Victoria par un «immense» rassemblement de 5000 personnes — soit le tiers de la population — au Market Building, que les femmes avaient aidé les hommes à décorer de banderoles, de drapeaux, d'images, de branches, de fleurs et de slogans écrits sur d'énormes planches. Lorsque Laurier se leva pour prendre la parole, il y eut une ovation de plusieurs minutes. Au début, sa voix étant trop faible pour qu'on l'entende dans la vaste salle, les gens se rapprochèrent de l'estrade — dangereusement, selon Zoé. Haussant la voix, Laurier livra le sermon qu'il était venu leur donner: évangile du libre-échange, développement des ressources et canadianisme. Il captiva son auditoire. Jamais ces gens n'avaient entendu envolées si éloquentes, paroles si fines et si dénuées d'amertume, pareille avalanche de mots. Ils ne ménagèrent pas leurs acclamations et leurs applaudissements.

Le lendemain, Laurier et son groupe se rendirent à Saanich, sur la côte orientale de l'île de Vancouver, par le chemin de fer Victoria & Sidney. Il réussit à remplir l'Agricultural Hall et à retenir son auditoire jusqu'à 23 h, une heure tardive pour les habitants de ce coin de pays. Il parla de la controverse entourant les écoles catholiques, sans ajouter à ce qu'il avait déjà dit. À Nanaimo, où il était l'invité du Nanaimo Reform Club, il visita les grandes mines de charbon de la région et s'adressa à une autre foule rassemblée à l'Opera House, rempli à craquer.

À bord du vapeur *City of Nanaimo*, Laurier et son groupe arrivèrent à Vancouver le matin du 13 septembre. Une foule l'attendait au quai et à l'hôtel Vancouver. Après le déjeuner, il visita Stanley Park avec les organisateurs. L'après-midi, il assista à une réception donnée par l'épouse du maire. Plus de 200 personnes s'y trouvaient, dont des visiteurs de Fidji, de Honolulu et d'Australie, qui avaient voulu rencontrer Laurier et surtout entendre sa voix. Zoé et Wilfrid se montrèrent des plus charmants et suscitèrent l'admiration des invités, qui dévorèrent d'énormes quantités de gâteau au chocolat et de crème glacée, en buvant thé et café. À 20 h, Laurier devait prendre la parole à Market Hall. Zoé s'assit avec les femmes, dans les premières rangées. Encore une fois, la salle avait été décorée avec goût, et la foule nombreuse, attentive et enthousiaste, se comporta dignement. Laurier déploya toute sa poésie à propos de la Colombie-Britannique: «De toutes les merveilles que nous avons trouvées en Colombie-Britannique, la plus grande n'est pas vos Rocheuses aux neiges éternelles, ni vos fleuves puissants, ni vos vastes ressources minières, ni votre richesse. La plus grande merveille que l'on puisse trouver dans cette province, c'est sans doute cette nouvelle ville de Vancouver.» Se tournant vers le maire, assis tout près de lui, Laurier ajouta: «Monsieur, quand on pense que, il y a à peine dix ans, une forêt vierge poussait encore là même où nous nous tenons aujourd'hui! Quand on pense que, à la place de cette forêt vierge et de ces arbres géants, on voit aujourd'hui une ville de quelque 18 000 habitants, dotée de tous les instruments de la civilisation moderne, qui promet de devenir l'une des villes les plus puissantes du Canada!»

Il semblait n'y avoir aucun temps pour se reposer, ce qui inquiétait Zoé. Le 14, Laurier s'adressa à 2000 personnes à New Westminster, rencontra les pêcheurs et les ouvriers des conserveries dans le delta du Fraser, puis se rendit à Kamloops et à Revelstoke, où il prononça d'autres discours.

Laurier et son groupe prirent ensuite la direction d'Edmonton, qui comptait alors moins de 5000 habitants, et Laurier y prit la parole le jeudi 20 septembre. Durant sa visite de la ville qui deviendrait la capitale de la nouvelle province qu'il créerait plus tard, il prit connaissance du rôle préhistorique d'Edmonton en tant que lieu de rassemblement des chasseurs et cueilleurs indiens, de ses liens d'origine avec la Compagnie de la baie d'Hudson, et de sa rivalité avec Calgary, qui avait reçu le chemin de fer en 1883 tandis qu'elle-même avait dû se contenter d'une ligne secondaire en 1891. Le samedi, il arriva à Calgary, ville d'à peine 4000 habitants, dont presque tous vinrent l'écouter. C'était un centre majeur pour le Canadien Pacifique et pour l'industrie de l'élevage, qui marquait une croissance rapide. Mais l'économie y stagnait, les frais de transport y étaient prohibitifs, et les droits de douane américains avaient érigé un mur presque impénétrable. Rien d'étonnant donc à ce que l'évangile de libre-échange de Laurier ait été bien reçu, de même que son cri de ralliement: «Soyons Canadiens!» Malgré la récession économique, il fut étonné par le potentiel de ces deux centres et de leur arrière-pays. En Saskatchewan, Laurier fit un bref arrêt dans la ville créée par le Canadien Pacifique en 1882: Regina, capitale des Territoires du Nord-Ouest, qui comptait moins de 2000 âmes.

Au cours de son voyage dans l'Ouest, Laurier a sans doute serré quelque 5000 mains, enlevé son chapeau au moins 500 fois pour saluer la foule, embrassé des douzaines de bébés et de fillettes qui lui présentaient des bouquets, reçu des centaines de délégations de toutes sortes, écouté un message d'accueil partout où il s'est arrêté, mentionné le libre-échange et accusé les conservateurs d'actes abominables mille fois, exposé son point de vue sur la question scolaire du Manitoba une bonne quinzaine de fois, assisté à 45 réceptions officielles, mangé beaucoup plus que d'habitude, et été vu ou entendu par 65 000 citoyens. Zoé était particulièrement étonnée de constater que bon nombre de Canadiens français vivaient dans la plupart des villes visitées.

À Vancouver, Laurier ne se rendit pas dans le quartier chinois. Cela ne se faisait pas. Les Chinois, Japonais et «Indiens orientaux», même s'ils représentaient jusqu'à 11 pour cent de la population de Vancouver, n'étaient pas acceptés par la majorité de leurs concitoyens blancs. Il y avait eu des émeutes et des affrontements — les derniers en 1886-1887 —, et aucun Blanc qui se respectait n'aurait été vu en compagnie de ces «étrangers», sauf quand ceux-ci construisaient leur chemin de fer ou exécutaient d'autres tâches inférieures. Laurier ne rencontra personne parmi ces groupes ethniques, et aucun d'eux n'assista à ses rassemblements. De même, il ne vit que quelques Indiens, qu'il rencontra à peine même si ceux-ci étaient sans doute majoritaires dans l'Ouest à cette époque. Des délégations indiennes lui furent présentées en vitesse au Manitoba et dans les Territoires du Nord-Ouest.

Laurier, ignorant ce qu'il devait faire, remit à leurs chefs des billets de 10 $. On aurait dit que les Indiens n'avaient aucune place particulière dans le Canada que Laurier voulait inventer, à part celle de pupilles de l'État qu'ils occupaient déjà.

Durant le voyage de retour à Montréal, Laurier, avec l'aide d'Henri, prit beaucoup de notes et discuta avec ses collaborateurs des incidences politiques de la tournée. Tous étaient satisfaits. Lui était fatigué, mais de bonne humeur. Il avait accompli ce qu'il voulait accomplir: se présenter aux habitants de l'Ouest, et les toucher profondément avec sa personnalité, son charme, son éloquence et, espérait-il, son message. On lui avait dit que les gens avaient entendu parler de lui et nourrissaient de grandes attentes. Ils ne furent pas désappointés. Même si Laurier parla surtout de son nouvel évangile du libre-échange, il sentit qu'il donnait sa pleine mesure lorsqu'il communiquait son amour profond du Canada, «le pays le plus libre du monde», et la nécessité de l'«harmonie entre toutes les races et religions» dans le pays. Le Canada ne pouvait exister sans cela.

Revenu dans l'Est au début d'octobre, Laurier se sentait conforté dans sa mission, et il était plus conscient des tâches à accomplir dans le pays. Il avait traversé des contrées d'une beauté indescriptible, d'une étendue stupéfiante, et d'un potentiel sans égal. Il avait désormais une meilleure idée des énormes distances à couvrir, des vastes Prairies à peupler, des abondantes ressources à exploiter, des majestueuses montagnes à préserver pour les générations futures, et de la lointaine province du Pacifique à développer. S'il écrivit des discours durant l'aller, il passa tout le retour à rêver du pays qu'il venait de découvrir. Était-il l'homme qu'il fallait pour entreprendre toutes ces tâches? Était-il le chef qu'il fallait pour inventer un pays? Il en doutait encore.

~

Dès que Laurier était arrivé en Colombie-Britannique, il avait reçu un télégramme de Pacaud: Mercier était mourant. Il ne survivrait peut-être pas jusqu'à la fin du mois. Laurier demanda à Choquette d'aller à Montréal le plus vite possible rendre visite à son vieil ami en son nom. Le jeudi 27, Choquette télégraphia à Laurier qu'il avait vu Mercier ce jour-là. Le mourant lui avait murmuré qu'il regrettait de quitter le monde avant de voir Laurier à la tête du pays et de ne pas être en mesure de contribuer à sa victoire. Ces mots émurent Laurier, qui regretta de ne pas avoir pu rendre visite à son ami.

Le mardi 30 octobre 1894

Mercier est mort aujourd'hui. À mon retour de l'Ouest, je suis immédiatement allé le voir. Il ne m'a pas reconnu. C'est vraiment tragique. La politique l'a tué à l'âge de 54 ans; il était mon aîné d'un peu plus d'un an. Il était diabétique. Sa maladie l'a rendu aveugle. Il était indigent, en faillite, et les conservateurs l'ont, jusqu'à tout récemment, persécuté avec une cruauté et un esprit de vengeance sans précédent dans les annales de notre vie politique.

Chapleau lui a rendu visite en septembre et lui a demandé pardon pour le mal que la politique fait aux amis.

Mercier était un homme d'une grande intelligence, d'une énergie et d'un flair étonnants; et un grand patriote. Contrairement à moi et à tant d'entre nous qui avons lutté contre la domination du clergé durant notre jeunesse, lui, comme David, avait conservé des liens avec l'Église de ses ancêtres. Je n'approuvais pas ses méthodes; ses tactiques et son tempérament étaient tout à fait différents des miens. C'était un libéral d'une autre nuance que moi, et il a réussi à briser le monopole des conservateurs. Il a montré que le Parti libéral pouvait être autant le défenseur des intérêts et aspirations des Canadiens français que l'était le Parti conservateur. Dans ce sens, il a fait considérablement avancer notre cause.

~

L'année 1895 commença avec un nouveau premier ministre à Ottawa: Mackenzie Bowell. Avec sa nomination, la question des écoles du Manitoba entra dans la première de ses phases finales. D'abord, le Conseil privé décida que la minorité pouvait après tout chercher réparation auprès du gouvernement fédéral, conformément à la constitution. Deux mois plus tard, après de nombreuses disputes entre les ministres, un arrêté ordonna au gouvernement manitobain de rendre à la minorité ce qui lui avait été enlevé: des écoles catholiques, une partie des subsides provinciaux à l'éducation et l'exemption des taxes destinées à financer un autre système scolaire. Si le Manitoba refusait, il perdrait sa compétence en matière d'éducation dans la province. Un mois plus tard s'ouvrit la session parlementaire. Laurier, malade depuis trois semaines, se sentait assez rétabli pour être présent. La session s'éternisa, et le gouvernement du Manitoba, le 19 juin 1895, répondit un ferme non à l'arrêté d'Ottawa. Que ferait le gouvernement fédéral? Adopter immédiatement une loi réparatrice ou attendre la prochaine session, voire le prochain Parlement? Le Cabinet était divisé: trois des ministres canadiens-français exigeaient une action immédiate; les autres préféraient attendre les prochaines élections, inévitables, et baser leur campagne électorale sur l'ordre de réparation plutôt que sur une loi spéciale. Le gouvernement décida de chercher à gagner du temps. Les trois ministres canadiens-français démissionnèrent, de même que le fils de sir Charles Tupper. Cependant, deux de ces ministres et Tupper rentrèrent vite au bercail. On ne trouva toutefois pas de remplaçant pour Angers, le plus éminent des ministres canadiens-français. Finalement, le 6 juillet, après un marchandage incroyable et toutes sortes de complots et de contre-complots, Bowell annonça que, si l'on ne pouvait en arriver à un accord avec le Manitoba, une loi réparatrice serait présentée au Parlement, au plus tard le 2 janvier 1896.

«Les conservateurs sont dans la fosse aux lions», déclara Tarte à Laurier. C'était vrai. Laurier, ayant prévu la décision du Conseil privé, l'accueillit avec joie: la minorité possédait certains droits constitutionnels qu'il fallait reconnaître. Il choisit cependant de ne pas le dire publiquement. La prudence était de mise. Il fit ce qu'il savait le mieux faire: il critiqua le gouvernement et sermonna les députés. «Je souhaite, dit-il à la Chambre le 15 juillet, pour la minorité du Manitoba, le privilège d'enseigner à ses enfants, dans ses écoles, leur devoir envers Dieu et leur devoir de citoyens en conformité avec l'enseignement de leur Église.» Pour ce faire, le pays devait connaître les faits et procéder à une conciliation: «Je dois dire cependant que l'on n'atteindra pas ce but par un décret impérieux ou par la contrainte administrative. La main doit être ferme, et le toucher doux; jusqu'à présent, le toucher a été rude, et la main faible.» Il dit qu'il aurait le courage d'agir, mais que son courage ne consistait pas à faire des promesses irréfléchies pour ensuite les briser ignominieusement: «Mon courage est de parler avec douceur; mais une fois que j'aurai parlé, mon succès reposera sur mes paroles.» Le but de Laurier était de sauvegarder l'unité de son parti tandis que la division régnait au sein du gouvernement. Il donna à Fielding, de Nouvelle-Écosse, qui n'était pas partisan des écoles séparées, une raison supplémentaire de son silence public au sujet de ce qu'il ferait s'il était au pouvoir: ni un arrêté réparateur ni une loi réparatrice ne rétabliraient le système d'écoles séparées au Manitoba: «L'action du gouvernement conduira vraisemblablement non pas au rétablissement des écoles séparées au Manitoba, mais à une agitation qui abolira les écoles séparées dans toutes les provinces.»

La pression que Laurier sentait était si intense qu'il se demanda s'il resterait chef du parti. Sa santé, son manque d'argent, le fait qu'il était canadien-français et catholique, et les vacillements constants du parti engendraient en lui, sinon le découragement, du moins l'insécurité. Il pratiquait à peine le droit: en 1894, il ne plaida qu'une seule fois en cour. Il était sur le point de s'endetter, même si, comme il le reconnaissait volontiers, le parti s'était montré très généreux dans l'aide qu'il lui avait apportée depuis 1887. Il lui était difficile de tenir bon, surtout que les élections venaient d'être repoussées à 1896. Néanmoins, il lui répugnait de quitter le parti dans les circonstances qui prévalaient à cette époque.

En automne, il entreprit une autre tournée en Ontario, qui dura près de deux mois et le mena dans 56 villes. Il fit l'éloge du libre-échange, se dit au courant de l'agitation en faveur de la prohibition, et exprima son aversion pour l'*Acte du cens électoral* de Macdonald. Une fois adressées les louanges à la plate-forme libérale, il aborda la question des écoles. Tous les discours qu'il prononça en Ontario sur ce sujet furent basés sur les commentaires qu'il fit au début de sa tournée, à Morrisburg, le 8 octobre:

> «J'ai exprimé plus d'une fois mon opinion sur ce sujet, mais je n'ai pas encore exprimé l'opinion que la presse ministérielle voudrait me voir exprimer. Même si je ne suis pas responsable de ce problème, je ne veux pas me dérober. Souvenez-vous que la guerre se fait d'une certaine manière. Lorsque le duc de Wellington se trouvait au Portugal, il se retrancha à un moment donné à l'intérieur des lignes de Torres Vedras, et il y resta plusieurs mois, observant les mouvements de l'ennemi. Messieurs, je suis à l'intérieur des lignes de Torres Vedras, et je ne les quitterai qu'au moment où je jugerai opportun de le faire. Pas avant.»

Il rappela à ses auditoires qu'il avait toujours souhaité une ligne de conduite honorable à l'égard de cette question: cela signifiait qu'il fallait enquêter immédiatement sur le sujet, rassembler les parties pour les écouter, et faire ressortir les faits afin de savoir si une intervention fédérale serait ou non justifiée. C'était là la façon juste et équitable de régler la question des écoles du Manitoba, la façon digne d'un homme d'État. Sa politique n'était pas celle du gouvernement, qui s'était déchaîné sans résultat contre Greenway. Voici ce que lui, Laurier, aurait fait: «Messieurs, si j'avais été au pouvoir, j'aurais essayé les voies ensoleillées avec Greenway, les voies ensoleillées du patriotisme, lui demandant d'être juste et équitable, de se montrer généreux envers la minorité, afin que nous ayons la paix parmi toutes les races et les religions que Dieu a voulu placer dans ce coin de notre pays commun.» En guise de conclusion, il posait la question suivante: «Ne croyez-vous pas qu'il y a davantage à gagner en faisant appel au cœur et à l'âme des hommes qu'en essayant de les contraindre?» Tous étaient d'accord avec lui; ils lui permirent même de rester à l'intérieur des lignes de Torres Vedras et d'en sortir quand bon lui semblerait.

Lorsque Laurier quitta l'Ontario, en novembre, le moment n'était pas encore venu pour lui de sortir des lignes symboliques. Mais il dit à Pacaud que quelque chose se passait à Ottawa. À ce moment-là, le gouvernement était irrémédiablement affaibli; même les journaux conservateurs du Québec se méfiaient de ses manigances et de son incapacité de remplacer Angers. «En ce moment, écrivit Laurier à Willison en novembre 1895, dans cette province, nous pourrions tout balayer.» Quelques semaines avant l'ouverture de la session, au cours de deux élections complémentaires, deux circonscriptions québécoises conservatrices depuis presque une génération votèrent libéral. Laurier attribua ces victoires non seulement à l'incompétence des conservateurs, mais aussi à l'impression de plus en plus répandue au Québec que, si les libéraux étaient au pouvoir, il pourrait lui-même faire davantage pour régler le problème. Tarte avait fait du bon travail.

Le ciel n'était cependant pas tout à fait dégagé. Dans ses lettres à Willison et ses conversations avec Tarte, avant l'ouverture de la session, Laurier se disait convaincu que Bowell présenterait un projet de loi réparatrice. Sa prédiction fut confirmée lorsque Clark Wallace, sans doute l'orangiste le plus important au Canada, démissionna du Cabinet en décembre. Qu'est-ce qui aurait bien pu le pousser à démissionner si ce n'est une loi réparatrice? Dans ce cas, que se passerait-il au Québec? Ne se pourrait-il pas que les conservateurs regagnent le terrain qu'ils avaient perdu? La politique de conciliation — les voies ensoleillées — devenait une priorité pour Laurier. La session à venir éclaircirait tout.

~

Il était presque minuit. La maisonnée était silencieuse, presque tous s'étaient couchés. Dans sa longue robe de chambre damassée, les cheveux défaits, le visage illuminé par le feu qui crépitait dans la cheminée de marbre, Ishbel Aberdeen ne faisait pas ses 39 ans. La pièce dans laquelle elle se trouvait était élégante et agréable — moquette bouclée cramoisie, papier peint vert pâle, fauteuils et sofas en indienne vert foncé, beaux tableaux provenant du Canada et de son domaine écossais, meubles européens et canadiens, et, au-dessus de la cheminée, portrait de Gladstone qui lui souriait. Elle s'assit devant son secrétaire et écrivit dans son journal:

Le 2 janvier 1896

La session parlementaire s'est ouverte aujourd'hui conformément à l'engagement qui avait été pris de le faire avant le 3 janvier, afin d'adopter la loi réparatrice réclamée par la minorité manitobaine, pour le cas où le gouvernement de cette province continuerait de refuser de le faire lui-même.

Comme il est très tôt après le jour de l'An, et c'est une période de festivités au Canada, il a été décidé de suspendre les travaux de la Chambre jusqu'au 7 et de se contenter des cérémonies usuelles d'ouverture. Il a neigé un peu, mais pas assez pour empêcher les voitures de rouler; et les postillons portaient leur livrée habituelle et non des fourrures. J'ai porté mon velours bleu, très beau avec ma popeline blanche brodée d'or. Les pages, vêtus d'or et de blanc, ont fait l'admiration de tous.

Son Excellence a bien livré son discours en français et en anglais, même s'il était plutôt long. C'est toujours difficile pour lui parce que, de son trône, il est forcé de crier son discours. Mais aujourd'hui, les gens ont été très silencieux. Des détectives en civil avaient été placés un peu partout pour demander aux gens de se taire, surtout aux députés, pendant la lecture de la version française du discours. C'est cela qui pose toujours un problème. Ils se taisent durant la lecture en anglais, puis commencent à en discuter dès que commence la lecture en français.

Nous nous sommes retirés dans les chambres du président, où nous avons reçu les ministres et leurs femmes. Puis nous sommes rentrés. Notre dîner d'État de ce soir a été des plus réussis. Des 80 ou 90 convives, j'étais la seule femme. Cette situation, que tous semblaient approuver, a contribué à rendre les choses plus faciles. Après, il y a eu une réception d'État qui a duré assez longtemps; les ministres sont restés tard et se sont généralement montrés agréables.

Lorsque la Chambre reprit ses travaux le 7 janvier, il n'y avait pas encore de projet de loi réparatrice. Au lieu de cela, sept ministres avaient remis leur démission le 5, et Laurier avait écrit à Émilie à Arthabaska: «Il est évident que rien ne peut sauver le gouvernement.» Tout ce qu'il avait à faire, c'était de donner à Bowell et à son groupe assez de corde pour se pendre. Au milieu de la crise, lady Aberdeen resta en contact avec Laurier par l'intermédiaire d'un émissaire appartenant à l'une de ses organisations. C'est ainsi qu'elle découvrit qu'on allait lui demander de former le gouvernement. Elle trouva cela sensé, mais ce ne serait pas le cas, même si, au cours d'une séance de patinage le 11, à Rideau Hall, où elle se trouvait en compagnie de Laurier, celui-ci prit à part l'un de ses hommes de confiance et lui parla de ce qui se passerait s'il était nommé: dissolution immédiate, formation d'un nouveau Cabinet en trois jours; et, si les libéraux étaient au pouvoir au moment de la dissolution, ils balaieraient le pays. Il répéta ces paroles à lady Aberdeen lorsqu'ils rentrèrent se chauffer et prendre le thé. Le lendemain, les assistants du gouverneur général rédigèrent une note: si Bowell ne pouvait reprendre en main son Cabinet et si les ministres démissionnaires ne rentraient pas au bercail, il faudrait faire chercher Laurier. Celui-ci fit bonne impression sur lady Aberdeen. «Laurier, écrit-elle, est l'homme qui regarde constamment vers l'avenir et plus que tout autre il juge les choses avec une perspective d'homme d'État. Il ne cherche pas à s'emparer du pouvoir.» Mais les démissionnaires réintégrèrent le Cabinet lorsque Bowell accepta de démissionner à la dissolution et qu'il fut entendu que sir Charles Tupper le remplacerait. Au lieu de former le gouvernement, Laurier eut une indigestion et un rhume; Ishbel et Zoé l'aidèrent à se rétablir.

Le gouvernement de nouveau complet, le projet de loi réparatrice fut présenté le 11 février 1896, cinq semaines après l'ouverture du Parlement. On y proposait la mise sur pied d'un conseil scolaire séparé qui administrerait toutes les écoles catholiques, nommerait des enseignants et inspecteurs compétents, et choisirait les manuels dans une liste d'ouvrages autorisés soit pour les écoles publiques manitobaines soit pour les écoles séparées ontariennes. Rien n'y était prévu quant au financement de ces écoles, mis à part que les catholiques pourraient choisir de payer leurs taxes scolaires municipales pour financer leurs écoles. Ceux qui le feraient seraient dispensés de contribuer au financement du système d'écoles publiques.

Au milieu du débat qui s'ensuivit, le gouverneur général et sir Donald Smith, puissant conservateur, convainquirent le gouvernement de la nécessité d'une tentative pour régler la situation sans avoir recours à une loi réparatrice. Smith se rendit ainsi au Manitoba pour tâter le terrain et préparer la voie à des négociations plus formelles.

Entre-temps, le projet de loi réparatrice suivit son chemin à la Chambre des communes. Le moment de la deuxième lecture était venu. Le 3 mars, Laurier, qui avait passé beaucoup de temps à hésiter, à réfléchir et à consulter son entourage, était finalement prêt à annoncer la politique du Parti libéral. Il le fit au cours de l'un des discours les plus brefs de sa vie, que Cartwright décrivit ainsi à lady Aberdeen: «Un chapitre de l'histoire vient d'être écrit; le gant a été jeté, et nous entendrons encore parler de ce discours pendant bien des années.» Zoé tricotait dans la tribune. Pâle, des gargouillements dans le ventre, conscient qu'il jouait sa dernière carte, Laurier se leva et, en une seule phrase qui fit une trentaine de lignes dans le *Hansard,* il envoya au diable tous ceux qui s'opposaient à lui — évêques, curés, conservateurs, libéraux récalcitrants, éditeurs de journaux:

> «Monsieur l'orateur, dans un débat d'une telle importance, s'il n'était pas déplacé de ma part de faire allusion à ma personne — allusion peut-être justifiée, non pas tant en raison des sentiments qu'on peut naturellement m'attribuer vu ma race et ma religion qu'en raison de la lourde responsabilité qui m'a été confiée par la considération trop indulgente des amis qui m'entourent ici —, je dirais que, au cours de ma carrière parlementaire, durant laquelle il a été plus d'une fois de mon devoir de prendre part à la discussion de ces dangereuses questions qui ont trop souvent été portées devant le Parlement du Canada, je ne me suis jamais levé avec plus solide assurance, plus convaincu d'avoir raison qu'aujourd'hui, en ce moment d'anxiété où, au nom de la constitution si outrageusement interprétée par le gouvernement, au nom de la paix et de l'harmonie nationales, au nom de la minorité que ce projet de loi est censé ou prétend aider, au nom de cette jeune nation sur laquelle de si nombreux espoirs sont fondés, je me lève pour demander à ce Parlement de ne pas adopter ce projet de loi.»

Zoé, qui était au courant de ce que son mari allait dire, fut tout de même étonnée par la puissance de ses paroles. Les amis de Laurier dans l'enceinte de la Chambre étaient debout, comme la foule qui remplissait les tribunes. Lorsque le président eut rétabli l'ordre, Laurier continua son raisonnement d'une implacable logique: l'autonomie provinciale était garantie par les pouvoirs qui étaient dévolus aux provinces par la constitution; on ne devrait recourir à l'intervention fédérale qu'après avoir analysé exhaustivement tous les faits entourant la question et épuisé tous les moyens de conciliation.

Il y eut un moment de silence. Laurier rassembla ses idées pour énoncer le message le plus important à livrer aux députés de la Chambre et aux Canadiens en général:

> «Je ne saurais oublier, dans le moment, Monsieur l'orateur, que la politique que j'ai préconisée et appuyée du commencement à la fin n'a pas été favorablement accueillie partout. Il n'y a pas très longtemps, on m'a dit en haut lieu, dans l'Église à laquelle j'appartiens, que, à moins que je n'appuie le bill relatif aux écoles, que le gouvernement préparait alors et qui nous est aujourd'hui soumis, j'encourais l'hostilité d'un corps imposant et puissant.»

Avant son discours, on lui avait dit que des représentants de l'Église catholique se trouvaient dans la Chambre, dont le père Lacombe, qui lui avait écrit une lettre ouverte le 20 janvier 1896. Cette lettre contenait l'ultimatum épiscopal: soumission et acceptation du projet de loi, faute de quoi «tout l'épiscopat, uni au clergé, se lèvera comme un seul homme pour soutenir ceux qui seront tombés en nous défendant».

> «Ceci est une phase trop grave de la question pour que je la passe sous silence. Je n'ai que ceci à dire: quand bien même des menaces, venant, comme on me le dit, de hauts dignitaires de l'Église à laquelle j'appartiens me seraient faites, je ne prononcerai jamais de paroles d'amertume contre cette Église. Je la respecte et je l'aime.»

Il se rappela un instant la vaste foule rassemblée à l'Académie de musique de Québec, le 26 juin 1877. Il allait répéter ce qu'il lui avait dit:

> «Je ne fais pas partie de cette école qui a longtemps dominé en France et dans d'autres pays de l'Europe continentale, qui refuse aux ecclésiastiques le droit de se mêler des affaires publiques. Non, je suis un libéral de l'école anglaise. Je crois en cette école, qui a toujours prétendu que c'est le privilège de tous les sujets,

grands et petits, riches ou pauvres, ecclésiastiques ou laïcs, de participer à l'administration des affaires publiques, de discuter, d'influencer, de persuader, de convaincre, mais qui a toujours refusé, fût-ce au plus grand, le droit de dicter même au plus petit la ligne de conduite qu'il doit suivre.»

Il prit une gorgée d'eau, se détendit et ferma les yeux un instant avant de dire à tous qui il était: le chef reconnu d'un grand parti — tout Canadien français et tout catholique qu'il était — composé de protestants et de catholiques, de Français et d'Anglais, de toute la diversité canadienne. Par conséquent, il voulait que tous sachent ceci:

«Tant que j'aurai un siège dans cette Chambre, tant que j'occuperai ma position actuelle, chaque fois qu'il sera de mon devoir de faire connaître mon point de vue sur quelque question que ce soit, ce point de vue ne se fondera pas sur le catholicisme ni sur le protestantisme, mais sur quelque chose qui interpelle la conscience de tous les hommes, quelle que soit leur religion, et qui concerne tous les hommes qui aiment la justice, la liberté et la tolérance.»

Voilà qui disait tout. Il arrivait à la fin du message qu'il avait voulu livrer aux conservateurs, aux libéraux, aux évêques et curés, ainsi qu'à tous les Canadiens. Le moment était venu de conclure:

«Je vous ai fait connaître mes opinions en ce qui concerne ce bill. Je sais, je l'admets, que ce gouvernement possède le pouvoir d'intervenir, mais ce pouvoir ne devrait être exercé que lorsque tous les faits se rapportant à la question auront été examinés par voie d'enquête, et que l'on aura épuisé tous les moyens de conciliation. Nourrissant ces opinions, je propose que le bill ne soit pas lu une deuxième fois maintenant, mais que la deuxième lecture en soit reportée à six mois.»

Courageusement, fermement, Laurier avait mis au défi le gouvernement et les évêques. S'il remportait les prochaines élections fédérales, il n'y aurait pas de loi réparatrice pour régler la question des écoles du Manitoba. Comme Cartwright l'avait dit, le chef libéral avait jeté le gant. À l'adversaire de relever le défi. Laurier se rassit sous l'ovation continue des députés de son parti. Zoé, qui avait posé son tricot vers la fin du discours, le reprit et envoya un sourire à son mari. Tout irait bien, tout finirait par aller bien.

Pour l'instant, cependant, il fallait disposer de sa motion; la Chambre procéda au vote à 5 h 30 du matin, le vendredi 20 mars. Wilfrid était arrivé à son bureau avec Zoé et son secrétaire une heure avant le vote. Il avait le visage gonflé à cause d'un mal de dents lorsqu'il fit son entrée dans la Chambre quelques minutes avant le vote. Durant le vote, quand on cria son nom, il répondit «oui». Puis il attendit le résultat, qui fut à peu près celui que son whip avait prédit. La motion de Laurier était rejetée, mais la majorité gouvernementale était réduite de moitié, et sept de ses libéraux — six du Québec et un de Nouvelle-Écosse — avaient voté avec les conservateurs. Péniblement, il demanda une suspension des travaux de la Chambre jusqu'au lundi, mais sans succès. Tupper était résolu à ce que le projet de loi fût transmis au comité dès l'après-midi. Laurier rentra à l'hôtel pour se coucher.

Le projet de loi ne deviendrait jamais loi, parce qu'il n'y avait tout simplement pas assez de temps pour cela. La constitution accordait une période maximale de cinq ans à la législature. La septième législature, celle-là, avait commencé le 29 avril 1891 et devait donc prendre fin au plus tard le 26 avril 1896. La première lecture du projet de loi avait eu lieu le 11 février, et le débat entourant la deuxième lecture avait duré du 3 au 20 mars. Il y avait ensuite eu une espèce de crise lorsque Smith était revenu du Manitoba convaincu d'avoir une chance de régler l'affaire. Le 2 avril, cependant, le Manitoba avait refusé de considérer la proposition fédérale. À Pâques, le projet de loi était arrivé au comité plénier. Les députés, qui dormaient dans leur bureau ou dans des salles de réception, consommèrent des litres d'alcool et des kilos d'aliments durant les 223 heures qu'ils passèrent à discuter de quelques-uns seulement des 112 articles du projet de loi. Le 15 avril, le comité plénier dut mettre fin aux discussions, toute l'attention de la Chambre étant requise par une importante mesure financière. Le jeudi 23 avril 1896, lady Aberdeen consigna dans son journal:

> «La prorogation de la plus longue législature de l'histoire a eu lieu ce soir, un fait inusité puisque cela se fait généralement l'après-midi. Mais la Chambre avait beaucoup d'affaires en cours et, à la dernière minute, à 20 h, on a demandé à Son Excellence de retarder son entrée de vingt minutes. Il y avait beaucoup de monde à la cérémonie. Nous nous sommes retirés dans les chambres du président et avons reçu tous ceux qui souhaitaient nous voir.

Les élections ont été fixées au 23 juin, et la convocation du nouveau Parlement au 16 juillet. Une session parlementaire d'été est désormais certaine; Son Excellence devra être ici.

Une fois rentrés à Rideau Hall, nous avons soupé.»

10

Le mardi 23 juin 1896

Le lendemain de la dissolution du Parlement et de la fixation des élections au 23 juin, Laurier se trouvait au lancement de la campagne électorale à Montréal, avec Tarte et toute la délégation libérale québécoise à la Chambre. C'était le soir; une foule immense, brandissant des flambeaux, accompagna Laurier de la maison de David jusqu'au parc Sohmer, où une autre foule s'était rassemblée à l'entrée de la salle. Chemin faisant, ils s'arrêtèrent au Champ-de-Mars et à la place Viger pour regarder les feux d'artifice. Dans la salle, qui pouvait accueillir 10 000 personnes, environ 12 000 partisans entendirent Laurier aborder tous les sujets. Ils l'applaudirent, et tous rentrèrent chez eux satisfaits, pleins d'espoir et fiers qu'un homme comme Laurier soit des leurs.

Wilfrid passa le week-end avec Zoé dans la maison de Charlemagne, à Saint-Lin, où il s'assit tranquillement près de Maman Adéline pour se rappeler le passé et se rendit sur la tombe de son père. Pris par l'émotion du souvenir, il pleura avec elle tout ce qu'il avait laissé derrière lui. À Saint-Lin, il eut de longues conversations avec le curé de la paroisse, le remarquable Jean-Baptiste Proulx, ancien recteur de la succursale montréalaise de l'Université Laval. Proulx connaissait tout le monde à Rome, au Québec et au Manitoba, où il avait été missionnaire. Il approuvait les solutions que Laurier proposait aux problèmes scolaires et linguistiques. «Soyez ferme, dit-il à Laurier. Faites une promesse générale mais formelle d'agir dans l'intérêt et de la minorité et de la majorité.» Proulx laissa même entendre que Rome verrait d'un bon œil la résurrection de l'«influence cléricale indue» des années 1870. Sous le pseudonyme de Joannes, il fournit également au chef libéral des renseignements et lui donna des conseils durant toute la campagne. Le lundi suivant, reposé, Laurier partit à la conquête du Québec, sans lequel aucune victoire n'était possible.

L'obstacle dans cette province n'était pas tant les conservateurs ou la presse tory. La vraie lutte se livrerait entre lui et les évêques. Même si la façon dont les conservateurs avaient traité la question des écoles du Manitoba les avait déçus, la sympathie des évêques se dirigeait vers les conservateurs car ils craignaient les libéraux encore plus que ces derniers. À cette époque, c'était monseigneur Laflèche, de Trois-Rivières, qui dirigeait l'épiscopat québécois, ce qui ne laissait rien présager de bon pour Laurier.

Pendant que le projet de loi réparatrice faisait son chemin à la Chambre des communes, Laflèche et ses alliés épiscopaux, parmi lesquels se trouvait le nouvel archevêque de Saint-Boniface, Louis-Philippe-Adélard Langevin, avaient tenté d'intimider Laurier, allant même jusqu'à le menacer. Mais le chef libéral leur avait résisté. Après l'échec du projet de loi, en avril, Laflèche proposa que les évêques du Québec préparent un mandement pour guider l'électorat, devenu le tribunal de dernier recours. Ils avaient promis leur aide aux conservateurs si une loi réparatrice était présentée. Les conservateurs s'étaient acquitté de leur tâche; les évêques devaient donc tenir promesse.

Le mandement fut lu dans toutes les églises le 16 mai. Les douze évêques signataires — tout l'épiscopat du Québec, plus l'archevêque d'Ottawa, dont le diocèse chevauchait le Québec et l'Ontario — y déclaraient être les juges naturels de la question des écoles du Manitoba, soutenant que Dieu leur avait donné le pouvoir de décider de la meilleure solution. Vu l'absence d'unanimité parmi eux, ils n'y condamnaient pas le Parti libéral ni n'appuyaient les conservateurs. Ils concentraient plutôt leur attention sur les candidats. Seuls ceux qui avaient officiellement et solennellement affirmé qu'ils voteraient à la Chambre en faveur d'une loi qui restaurerait les droits de la minorité manitobaine pouvaient être soutenus par l'électeur catholique. Il n'y avait pas moyen de se soustraire à cette «obligation».

Dans la circulaire secrète au clergé accompagnant le mandement, les évêques allaient encore plus loin. Ils disaient aux curés québécois que seule une loi réparatrice pouvait satisfaire l'objectif épiscopal. Il était entendu qu'il fallait faire opposition à Laurier, qui avait promis qu'il n'y en aurait pas s'il devenait premier ministre. De plus, à une exception près, les évêques exigeaient une déclaration écrite des candidats selon laquelle ils appuieraient une loi acceptable pour l'épiscopat. Tous les libéraux du Québec, à part Laurier et sept autres députés, apposèrent leur signature sur la ligne pointillée.

Laflèche déclencha ensuite une offensive personnelle contre Laurier. Dans un sermon qu'il prononça après la lecture du mandement — il ne se sentait pas visé par l'ordre qu'il contenait de ne pas faire de commentaire —, il blâma Laurier, citant son fameux discours du 3 mars. Il le traita de «libéral rationaliste» et, en tant que tel, d'ennemi de l'Église. Voter pour Laurier, c'était commettre un péché mortel; travailler pour lui, donner de l'argent à son parti ou se présenter comme candidat libéral constituaient aussi des péchés mortels.

Laurier devenait dès lors une proie rêvée. Il était de nouveau un rouge, l'ennemi de Dieu et de l'Église. Ceux qui l'appuyaient étaient sur le chemin de l'enfer. Les tentatives pour persuader l'archevêque de Québec, Louis-Nazaire Bégin, d'adopter l'attitude «libérale» de son prédécesseur, le cardinal Taschereau, échouèrent. Laurier supporta plutôt bien les coups, même si parfois, durant les deux mois de campagne, fatigué, la voix rauque, il eut envie de les rendre. Mais il s'en abstint. Seule Zoé savait ce qu'il lui en coûtait.

~

Ce n'était pas en poussant Laurier à se disputer avec des évêques que Tarte espérait en faire le premier ministre du Canada. Avec la franchise qui lui était typique, Tarte reconnut qu'il avait été trésorier du Parti conservateur durant trois élections et, il avoua: «Je dois vous dire que ce n'est pas avec des prières que l'on gagne des élections.» Ce qu'il avait fait pour les conservateurs, il le ferait pour les libéraux. Privé des «ressources du pouvoir» — c'est-à-dire de l'argent fourni par ceux qui avaient profité de faveurs politiques —, il dut s'en remettre à une bonne organisation, à la publicité et à ses contacts personnels.

Avant 1893, à l'époque où Tarte se joignit au parti, il n'existait pas d'organisation libérale permanente au Québec. Avec l'aide de Pacaud, il entreprit d'en créer une. En juillet 1894, il avait déjà mis sur pied un bureau central et, au cours des deux années suivantes, des clubs libéraux furent fondés dans toute la province. Une armée de jeunes gens étaient prêts à rassembler les associations locales, à réviser les listes électorales, à distribuer de l'information, à envahir toutes les circonscriptions pour prêcher l'évangile selon Laurier, à faire du porte-à-porte pour inviter les électeurs à aller écouter le chef libéral et, par-dessus tout, à voter pour lui. Tarte constitua également une presse libérale pour répandre la bonne parole: un nouveau journal, *Le Soir*, fut fondé à Montréal en avril 1896; *Le Cultivateur*, propriété de Tarte, dont le tirage était de 40 000 exemplaires, devint en quelque sorte l'organe officiel du Parti libéral. *La Patrie* aussi avait un bon tirage, mais ce journal était souvent considéré comme trop radical pour être utile.

Tarte trouva également de l'argent. Protectionniste dans le camp des libres échangistes, il disait aux industriels et hommes d'affaires qui doutaient: «Écoutez, Laurier sera le prochain premier ministre du Canada, cela ne fait aucun doute. Je ferai partie du Cabinet, et laissez-moi vous dire que le tarif douanier sera réformé à l'avantage de tous, sans aucun effet négatif sur les intérêts du monde des affaires. Je suis votre ami, votre garantie.» C'était efficace; la caisse du parti gonflait.

Au début de la campagne électorale, Laurier était prêt. Son nom était connu dans tous les foyers, et la semence avait été plantée: un Canadien français catholique aiderait sûrement plus la minorité catholique du Manitoba qu'un parti qui n'avait rien fait dans ce sens depuis cinq longues années. Tarte était confiant, Laurier aussi. Selon les estimations du premier, Laurier remporterait de 40 à 50 sièges rien qu'au Québec.

Les conservateurs aussi étaient prêts. Leurs forces étaient impressionnantes, même si le parti avait perdu beaucoup de son attrait. Ils exploitaient au maximum leurs ressources financières et recevaient l'aide de leur presse, bien pourvue elle aussi. En outre, les évêques et le clergé sympathisaient ouvertement avec eux. Forts de tous ces soutiens, les conservateurs avaient de bonnes raisons de croire qu'ils obtiendraient les mêmes résultats que par le passé.

Laurier resta au Québec durant presque toute la campagne de deux mois. Dans l'Ouest, il se fiait à l'amitié qu'il avait suscitée durant sa tournée triomphale de 1894, et, en Ontario, aux discours et visites qu'il avait faits dans les 56 circonscriptions de la province, à l'automne de 1895. Tarte l'emmenait partout au Québec où il organisait de grands rassemblements et des assemblées contradictoires. Il estima plus tard que, entre 1895 et l'élection de juin 1896, il dut y avoir 300 de ces rassemblements. D'éminents libéraux, comme Mowat et Fielding, y prenaient souvent la parole. Laurier serra probablement la main de quelque 200 000 électeurs. Partout où il se rendait, il impressionnait les gens et les inspirait; son éloquence les émouvait et son charme les gagnait. Ils étaient également amusés par le petit homme, Tarte, qui, avec son défaut d'élocution et ses gestes saccadés, les pressait de voter pour son chef.

Le jour des présentations avait été fixé au 16 juin, une semaine avant les élections. Laurier se trouvait à Québec, comme les Aberdeen. Il fut désigné en bonne et due forme, et prononça son discours habituel; en plus, Tarte l'emmena à un rassemblement dans une autre circonscription. Sur l'insistance de Zoé, il rentra passer une journée à Arthabaska pour soigner un mal de gorge et un malaise digestif. C'est là qu'il vota le 23 juin.

~

Ce beau mardi soir du 23 juin, la province de Québec lui donna 49 sièges, n'en laissant que 16 aux conservateurs. Laurier était plus puissant que les évêques. Dans le reste du pays, le vote était à peu près également divisé — Nouvelle-Écosse: 10 libéraux contre 10 conservateurs; Nouveau-Brunswick: 5 contre 9; Île-du-Prince-Édouard: 5 contre 3; Manitoba: 2 contre 4; Territoires du Nord-Ouest: 5 contre 1; Colombie-Britannique: 4 contre 2; et Ontario: 43 contre 43, plus 3 députés conservateurs indépendants, 2 du parti Patrons of Industry et 1 indépendant. Laurier pouvait dès lors compter sur une majorité de 30 sièges à la Chambre des communes.

Le lendemain des élections, c'était la Saint-Jean-Baptiste. Tôt le matin, un train spécial conduisit Wilfrid et Zoé à Québec, pour le défilé de la victoire. Ce fut une journée de triomphe dans les rues du Vieux-Québec, décorées de drapeaux, de banderoles et de grands portraits du héros. La voiture de Laurier était couverte de fleurs; des foules en délire étaient massées dans les rues; des fanfares jouaient; des feux d'artifice détonaient. La jubilation était telle que le curé de Saint-Sauveur fit crier trois fois à la foule: «Vive Laurier!» tandis que des jeunes gens de sa circonscription dételaient les chevaux, soulevaient sa voiture et le portaient en triomphe sur leurs épaules. Ce fut une journée magnifique, à peine assombrie par l'éditorial raciste du *Mail* de Toronto qui prétendit que le pays était vendu aux Français et que le «Québec exigerait sa livre de chair». Lady Aberdeen fut loin de trouver cela amusant.

Alors qu'il se trouvait à Québec, Laurier téléphona à l'assistant principal du gouverneur général pour lui demander qu'aucune nomination au Sénat ou aux cours ne soit faite. Son Excellence était d'accord. Rassuré sur ce point, Laurier rentra à Arthabaska pour célébrer le 55e anniversaire de Zoé, le 26 juin. Entre-temps, sir Charles Tupper, devenu premier ministre après la dissolution, rageait: le gouverneur général, sous prétexte d'autres engagements, ne pouvait le rencontrer avant le 2 juillet, à 15 h. Lorsque Tupper arriva à Rideau Hall pour l'entretien, lady Aberdeen fut impressionnée par son calme. Elle écrivit dans son journal: «Le vieux courageux est arrivé resplendissant dans son gilet blanc, l'air aussi satisfait de lui-même que d'habitude. Il ne donnait pas du tout l'impression d'un premier ministre battu qui vient rendre compte de sa défaite et de ses causes au représentant de la couronne. Il s'est assis et, pendant une heure et demie, a sermonné Son Excellence.» Tupper, irrité qu'Aberdeen attende de lui qu'il démissionne immédiatement, n'allait pas coopérer. Comme les résultats des nouveaux dépouillements ne seraient pas connus avant le 7 juillet, il attendrait. Aberdeen parla peu, et refusa de sanctionner les nominations que Tupper voulait faire; il lui ordonna de s'en tenir aux affaires administratives ordinaires jusqu'au 7. Tupper était mécontent. Il fit remarquer au gouverneur général que celui-ci ne respectait pas les précédents et contrevenait au principe d'autonomie.

Le 8, Tupper arriva à Rideau Hall à 11 h, mais ne présenta pas sa démission. Il revint à 18 h pour le faire officiellement. À ce moment-là, Laurier était dans un train, entre Québec et Montréal. Des télégrammes lui furent envoyés, auxquels il répondit qu'il arriverait à Ottawa le lendemain.

Le mardi 9 juillet, journée extrêmement chaude et humide, Laurier arriva à l'hôtel Russell vers la fin de l'après-midi; immédiatement, il reçut le capitaine Sinclair, envoyé par le gouverneur général pour lui faire lire le mémorandum décrivant les décisions — et leurs motifs — que Son Excellence avait prises depuis les élections. Lui et Sinclair en discutèrent, puis Laurier accepta d'assumer la responsabilité des actes «despotiques» d'Aberdeen.

Le lendemain, à 11 h, Laurier se présenta à Rideau Hall. Le gouverneur général, seul avec lui dans son bureau, lui demanda de former un gouvernement. Laurier accepta, déclarant que ce serait fait au plus tard le lundi matin 13 juillet. Lorsqu'il quitta Rideau Hall, lady Aberdeen envoya une femme de son entourage lui remettre un billet dans lequel se trouvaient «un brin de bruyère envoyé d'Écosse» l'année précédente et une épingle de bruyère blanche émaillée et ornée d'une feuille de lierre, car, lui écrivait-elle, «lorsqu'une femme rencontre un homme et lui donne un brin de bruyère blanche avant qu'il quitte sa demeure, elle lui porte chance».

Le samedi 11 juillet 1896, Laurier prêta serment en tant que président du Conseil privé. Dès lors, il devenait le septième premier ministre du Canada depuis la Confédération, le premier Canadien français à occuper cette fonction. Le voyage qui l'avait conduit de la ferme de Saint-Lin jusqu'aux plus hautes fonctions du pays avait été long.

~

L'ère de Wilfrid Laurier est arrivée. Elle durera 15 ans. Quand elle prendra fin, en 1911, le Canada aura été complètement transformé, en partie grâce à lui, mais surtout en réaction aux événements et circonstances échappant à sa volonté. Souvent, ce qu'il souhaitera sera impossible; plus souvent encore, ce qu'il redoutera arrivera. Ce qui l'obligera à se contenir et à contenir les événements. Cela, il le sait, pour l'avoir vécu toute sa vie.

Sa santé reste précaire. Chaque année, souvent plusieurs fois, elle lui joue des tours, ce qui le laisse généralement faible et désorienté. Bronchites, gastrites, difficultés respiratoires, sudation, lassitude, impatience. Au fil des ans, toutefois, il a appris à prévoir les crises et à s'y adapter en conséquence.

Lorsque vient son heure, en 1896, il comprend qu'il devra mesurer ses pas et faire son travail dans une atmosphère exempte le plus possible de tensions. Pour lui, cela signifie qu'il lui faut un Cabinet solide, auquel il pourra déléguer une grande partie de sa tâche, un groupe parlementaire loyal qui ne l'entravera pas, un contrôle efficace de la machine gouvernementale, une perception aiguë et juste de ce qui sera possible, et l'astuce de Machiavel combinée à l'idéalisme de sir Galaad.

Émilie Lavergne reste son amie, mais sa relation avec elle doit être clarifiée, afin que soit évité tout incident stressant, non pas tant dans sa vie privée que dans sa vie politique. Pour ce qui est de Zoé, une bonne conversation se fait attendre depuis longtemps. Il ne sera pas facile pour elle de s'adapter. Elle devra se plier à de plus en plus d'exigences politiques et sociales, et répondre à des demandes d'aide. La haute société l'effraiera peut-être; le fait qu'elle ne parle pas couramment l'anglais constituera certainement un obstacle pour elle. Mais elle est courageuse et elle a souvent montré sa grandeur d'âme, à lui et à d'autres. Il sait qu'elle est intelligente, qu'elle est psychologue et presque prophétique dans son évaluation des événements. Elle s'intéresse sincèrement à ce qu'il fait et aux choses qui ont un effet sur lui. Après tout, elle est son gardien. Il l'apprécie et lui demande souvent son avis. Les jugements qu'elle porte ne l'ont jamais placé dans l'embarras; elle est un modèle de discrétion, et cela ne changera pas. Toutefois, il est persuadé qu'elle le harcèlera pour ses causes et pour les artistes qu'elle ne manquera pas d'adopter.

Laurier possède d'extraordinaires qualités d'esprit et d'âme qui en font un chef efficace: il les a manifestées durant sa jeunesse, à L'Assomption. Depuis, les circonstances et le destin l'ont souvent mis à l'épreuve; ils l'ont rarement pris au dépourvu. Il peut formuler les plus profondes aspirations de son âme. Il peut exprimer en termes nobles et exaltants les buts accessibles dans la conduite des affaires humaines. C'est là que réside sa force.

Le Canada aime ce qu'il est, et Laurier a l'intention d'en profiter au maximum. Sa vie est une pièce de théâtre, jouée sur la scène qu'il a construite mais sur laquelle il a souvent hésité à monter. Il se trouve désormais sur cette scène, mais il ne se fait pas d'illusions. Les gens l'acclameront, lui témoigneront affection et respect, mais ne seront pas nécessairement d'accord avec lui ni ne voteront toujours pour lui. Trop souvent ils le railleront et le méjugeront délibérément, trop souvent ils interpréteront mal ses politiques et ses déclarations. Il le sait.

Son autoritarisme, parfois tyrannique, constitue aussi un obstacle. Zoé peut en témoigner. Une fois qu'il a choisi une ligne de conduite, il est presque impossible de l'en faire changer. Pour un libéral qui tient le «changement» pour la condition naturelle de la démocratie, il tient beaucoup à ses habitudes, si conciliantes qu'elles puissent être. Lorsqu'il n'obtient pas ce qu'il désire, il ne perd pas son temps à analyser et à punir: il a appris à se satisfaire de ce qui est possible. À cet égard, il est bien servi par sa forte inclination à ne jamais laisser la critique ou le rejet politique nuire à ses relations personnelles.

Le Canada est une entité sacrée et essentielle à son être. «L'union entre les peuples, le secret de l'avenir», a-t-il déclaré en 1864. Dès qu'il s'installe à Ottawa, dix ans plus tard, il entreprend de modeler cette union, une entreprise difficile. Sous la mince couche de nationalisme se cache le roc de la race et de la religion, du régionalisme et du sectarisme politique. Ils sont trop nombreux dans son entourage à semer le trouble pour atteindre leurs fins. Comment arrivera-t-il à les maîtriser, eux et les situations qu'ils provoqueront?

Si l'unité nationale dépend de compromis, sera-ce toujours son peuple qui les fera? Si la vengeance n'est pas un bon moyen de construire un pays, les refus constants ne l'engendreront-ils pas? Ou n'engendreront-ils pas l'abdication? Le retrait? Peut-il créer une union de tous les peuples à partir d'éléments qui se méfient les uns des autres et craignent d'être dominés? Peut-il, lui, Canadien français et catholique, être accepté comme arbitre impartial de tout cela? Ou sera-t-il le premier et le dernier de son genre à être premier ministre du Canada?

Unité! Modération! Conciliation! Voilà ses outils. Voilà les éléments de sa politique nationale. S'il échoue, au pire le Canada disparaîtra, au mieux il n'y aura plus jamais de Canadien français à la tête du pays. Par conséquent, sa tâche consiste à transformer les deux nationalismes — le nationalisme canadien-anglais qui se tourne vers l'extérieur pour réaliser ses aspirations, et le nationalisme canadien-français qui se tourne vers l'intérieur pour assurer sa survie — en un seul nationalisme, comme les rivières qui se jettent dans le Saint-Laurent. Son rêve est-il un mirage? Est-il plutôt sa colonne de feu la nuit et sa colonne de nuée le jour?

Et la place de Dieu dans tout cela? Il veut croire, prier, mais il en semble incapable. Oh, il croit en un Être suprême, un Créateur à qui tous les humains doivent ce qu'ils ont. Il reconnaît aussi la justice et la miséricorde des lois divines. Mais il lui est impossible d'aller plus loin. Il aimerait trouver consolation à la perte de ses illusions. Sans la foi, il n'y a pas d'espoir, et il devient de plus en plus indifférent aux coups que tous ses efforts n'ont pas réussi à lui épargner. Où est Dieu en ce moment, à l'heure de Wilfrid Laurier?

Deuxième partie

«Suivez mon panache blanc!»
1896-1919

11

Les premières années au pouvoir 1896-1898

Du fait que Laurier avait pris certaine dispositions avant les élections, il put nommer les membres de son Cabinet en deux jours. Il avait été convenu que Oliver Mowat quitterait la direction de l'Ontario pour devenir sénateur et ministre de la Justice; William Stevens Fielding, de la Nouvelle-Écosse, ferait de même et viendrait à Ottawa comme ministre des Finances; tout comme Andrew George Blair, du Nouveau-Brunswick, qui deviendrait ministre des Chemins de fer et des Canaux. Il était évident, depuis au moins 1895, qu'en cas d'une victoire de Laurier, Tarte, si indispensable qu'il fût comme organisateur politique, entrerait au Cabinet comme ministre des Travaux publics. Le portefeuille de ministre de l'Intérieur et surintendant général des Affaires indiennes était réservé au Manitobain Clifford Sifton, s'il se comportait comme on le souhaitait relativement à la question des écoles sa province. Après ces nominations principales, les autres suivirent naturellement. De l'Île-du-Prince-Édouard arriva Louis Henry Davies, député au Parlement depuis 1882; il serait ministre de la Marine et des Pêches. De Nouvelle-Écosse, Frederick William Borden devenait ministre de la Milice et de la Défense. De l'Ontario, Richard Cartwright devenait ministre du Commerce; William Mulock, ministre des Postes; le sénateur Richard W. Scott, qui représentait les catholiques ontariens, Secrétaire d'État; et William Paterson, contrôleur des douanes. Du Québec, outre Tarte, fut nommé Henri-Gustave Joly de Lotbinière, libéral respecté, ancien premier ministre, qui devenait contrôleur du Revenu intérieur. Christophe-Alphonse Geoffrion, un rouge de longue date, devenait ministre sans portefeuille, tout comme Richard Reid Dobell, riche marchand de bois de Québec et nouveau venu au parti. Sydney Arthur Fisher, vieil ami de Laurier et gentleman-farmer des Cantons-de-l'Est, devenait ministre de l'Agriculture. De plus, Charles Fitzpatrick, l'éminent avocat de Québec qui avait défendu Riel, devenait solliciteur général, mais sans faire partie du Cabinet.

Le Cabinet de Laurier était plus nombreux que celui de Macdonald: 17 membres, dont lui-même. Les demandes de représentation régionale étaient satisfaites: quatre représentants des Maritimes, cinq de l'Ontario, un de l'Ouest, et sept, dont lui-même, du Québec. Le Québec occupait le plus de place au Cabinet parce que Laurier était convaincu qu'il ne serait jamais réélu sans l'appui solide de cette province. Lady Aberdeen approuvait la composition du Cabinet, qu'elle trouvait «très fort».

Laurier montra dès le départ qu'il était le patron. Les ministres devaient diriger leur ministère avec intégrité et efficacité, sans mettre le gouvernement dans l'embarras. Ils pouvaient établir des plans et fixer des objectifs, mais les affaires importantes devaient recevoir l'approbation du Cabinet, après un examen minutieux par le premier ministre. Quant aux faveurs politiques, les ministres pouvaient les rendre et agir comme bon leur semblerait, mais en respectant deux règles: Laurier restait juge et pouvait opposer son veto aux nominations, et il devait signer le plus grand nombre possible de ces lettres de nomination. Ainsi, il s'assurait d'avoir dans tout le pays un bon groupe d'organisateurs qui lui seraient directement loyaux. Il ne put attribuer un poste à tous les partisans à qui il en devait, surtout en Ontario et au Québec. Il trouva des emplois à certains, en promit à d'autres, et, grâce à son charme, fit avaler la pilule à la plupart de ceux qui étaient déçus. Les rouges, cependant, se sentant lésés, lui menèrent la vie dure et blâmèrent Tarte.

Le matin du 20 août, les Aberdeen et leur suite — enfants, nurses, aides, secrétaires, domestiques, chevaux — rentrèrent à Ottawa, avec matelas et casseroles, après un séjour à Stanley House, en Nouvelle-Écosse, et à la citadelle de Québec. Lady Aberdeen avait trouvé les déménagements difficiles. Elle écrivit dans son journal que c'était un problème de coucher dans trois endroits différents trois soirs de suite, sur des matelas qu'il fallait emporter d'un lieu à l'autre. Mais elle arriva à Ottawa à temps pour l'inauguration du nouveau régime.

> «L'ouverture de la législature s'est bien déroulée; tout le monde y était. Vu la période de l'année, nous avions cru que les femmes y seraient rares, mais ce ne fut pas le cas. J'ai demandé qu'on me permette d'y assister en tenue de ville, mais on m'a dit que ce changement risquait de ne pas être apprécié. J'y ai donc renoncé

pour cette fois. Mais je pense que madame Laurier est en faveur de ce changement. Il est par trop ridicule d'aller et venir dans cette ville très coloniale, en plein jour, en robe de soirée et couverte de diamants.

Le discours a été très bref. Sir Oliver Mowat m'a dit que le paragraphe annonçant le règlement de la question des écoles du Manitoba aurait peut-être dû être formulé avec plus de force et qu'il croyait que celle-ci serait probablement réglée sans qu'une commission soit nécessaire. Il le regrette, car lui et sir Henri Joly auraient fait partie de cette commission, n'ayant de cesse que la question ne soit réglée. Ce sera un fleuron à la couronne de Laurier s'il parvient à trouver une solution au problème si tôt durant son mandat.»

La 8e législature du Canada était ouverte; l'ère de Laurier commençait.

~

Avec la victoire de Laurier en 1896, la bataille pour la suprématie politique du Québec, commencée avec le *Programme catholique* en 1871, entra dans sa dernière phase. Le premier point à l'ordre du jour, c'était bien entendu les écoles séparées du Manitoba. Des discussions entre les libéraux et le gouvernement manitobain, qui duraient depuis quelque temps, se poursuivirent après le 23 juin. À la fin de juillet, Joseph Martin, le premier des intermédiaires de Laurier, rapporta que le solliciteur général Sifton était disposé à recevoir un mémorandum confidentiel du gouvernement fédéral contenant des propositions pour un compromis honorable. Selon Martin, le gouvernement du Manitoba, qui était déterminé à aller le plus loin possible pour rejoindre le point de vue de Laurier sur la question des écoles sans toutefois enfreindre les principes qu'il avait formulés jusque-là, ferait savoir à Laurier si ses propositions pouvaient être mises en œuvre et, le cas échéant, l'Assemblée législative passerait à l'action. En août, avant le début de la session parlementaire, Laurier, assisté de Mowat, de Fitzpatrick et de Tarte, prépara ce mémorandum, qui fit l'objet de discussions avec Sifton et d'autres membres du gouvernement Greenway lorsqu'ils se rendirent à Ottawa vers la fin du mois. Mowat joua le rôle de négociateur en chef du gouvernement fédéral, et les discussions se déroulèrent sans accroc.

Avant qu'un règlement puisse être conclu ou rendu public, il était nécessaire de tâter le pouls de la minorité. C'est pourquoi le juge Routhier, partisan de Laurier, ancien programmiste et juge de la célèbre cause de l'«influence spirituelle indue» de Charlevoix, se rendit à Winnipeg sous prétexte de rendre visite à sa fille. Il constata que l'opinion de la minorité était partagée, mais conclut qu'un règlement — sans mesure réparatrice — lui serait acceptable.

Vers la mi-octobre, une sorte de règlement était prêt. Le moment était venu de le soumettre au jugement de la minorité, surtout à celui de l'archevêque Langevin. Personne n'était mieux placé que Tarte pour s'acquitter de cette tâche. Le 24 octobre, lui et Henri Bourassa se trouvaient à Winnipeg, soi-disant pour une tournée d'inspection des projets gouvernementaux en cours dans l'Ouest et en Colombie-Britannique. Tarte fut choqué par l'insouciance cavalière de Langevin à l'égard de la condition à laquelle l'enseignement français et catholique avait été réduit au Manitoba: la moitié des écoles avaient été fermées; plus de 1500 enfants ne recevaient aucune instruction. Il était résolu à corriger la situation. Comme il tenait pour responsable du gâchis manitobain l'ensemble de l'épiscopat catholique, Tarte se rendit quatre fois chez Langevin pour l'informer que le règlement serait une affaire intergouvernementale et qu'il ne verrait pas le document avant sa publication. De plus, la plupart des souhaits exprimés par les évêques ne seraient pas réalisés. Ceux-ci réclamaient la restauration complète du système d'écoles séparées qui existait avant 1890, ce qui était impossible. Tarte rencontra Greenway et, plus souvent, Sifton, qui se montra des plus coopératifs. Chacun était conscient qu'il fallait s'entendre et concilier les points de vue. Tarte donnait aussi un conseil à Laurier:

> «Il n'y a pas de raison que le gouvernement fédéral exprime sa satisfaction ou son mécontentement. Laissez la législature adopter les amendements proposés; laissez-la les mettre en vigueur. Si, comme je n'en doute pas, les catholiques se déclarent satisfaits, le point final aura été mis à cette question. Mais il serait très imprudent de notre part de nous engager maintenant et de donner ainsi à nos adversaires au Parlement des motifs de nous attaquer. Notre rôle jusqu'ici a été d'agir comme *amici curiæ*. Tenons-nous-en là. C'est la position que j'ai adoptée auprès des catholiques d'ici. Je leur ai promis que nous continuerions à offrir nos bons offices dans l'application de la loi.

> Sifton vous demandera un arrêté-en-conseil approuvant le règlement. Laissez-le attendre; dites-lui qu'il vaut mieux ne rien entreprendre avant mon retour à Ottawa.»

Les instructions de Tarte furent suivies. Le 17 novembre, Sifton intégra le Cabinet de Laurier, et, le 18, ce dernier écrivit à Pacaud pour l'informer qu'un règlement était sur le point d'être rendu officiel et qu'une copie lui serait envoyée un jour ou deux plus tard. Le lendemain, 19 novembre, Laurier fit parvenir le texte à Pacaud, lui demandant de ne pas le publier avant d'avoir reçu ses instructions. Le jour même, le gouvernement manitobain adopta les instruments législatifs nécessaires à la mise en œuvre du règlement. Le 20, Laurier télégraphia à Pacaud: «Publiez le document que je vous ai envoyé hier.» La publication du «Règlement Laurier-Greenway» eut lieu le jour du 55e anniversaire de Laurier.

Le Règlement Laurier-Greenway ne rétablissait pas le système d'écoles séparées en vigueur au Manitoba avant 1890. Il n'organisait pas les écoles catholiques en districts scolaires catholiques, ni ne permettait aux élèves d'être séparés en fonction de leur confession dans les matières autres que la religion. Cependant, il tentait de répondre aux griefs les plus sérieux de la population francophone catholique. Le Règlement permettait l'enseignement religieux séparé entre 15 h 30 et 16 h, quand les parents ou tuteurs de 10 enfants ou plus, en zone rurale, ou de 25 enfants ou plus, en zone urbaine, en faisaient la demande au conseil des commissaires d'écoles. Un instituteur catholique pouvait être employé dans une école si elle comptait au moins 40 élèves catholiques, en zone urbaine, ou 25, en zone rurale, si les parents en faisaient la demande. Enfin, à la demande des parents, l'enseignement se ferait en français ou dans une autre langue minoritaire si ce groupe linguistique comptait au mois 10 élèves.

Greenway donna à Tarte sa parole que les catholiques seraient représentés au conseil et qu'un inspecteur francophone catholique serait nommé — bien que Tarte fût obligé de le menacer, de le cajoler et de le récompenser pour qu'il tienne promesse. Les instituteurs diplômés d'une école normale du Québec auraient accès au système scolaire, et les manuels qui suscitaient des objections de la part des catholiques ne seraient pas utilisés dans l'enseignement aux enfants catholiques. Ces dispositions ne seraient pas appliquées dans l'immédiat, mais Tarte était convaincu qu'elles le seraient bientôt: Laurier y verrait grâce à la magie des subsides.

Laurier était satisfait. Le Règlement n'était pas aussi avantageux qu'il l'aurait souhaité, mais, après six ans de querelles et d'agitation frisant parfois la guerre civile, «il n'était pas possible d'obtenir davantage». Le Règlement devrait suffire. Il demanda à son groupe parlementaire de rester calme, d'éviter la provocation. Résultat: à la session parlementaire de 1897, on parla peu du Règlement. Laurier continuerait son travail; avec le temps, on pourrait sans doute arracher des concessions au Manitoba.

Laurier avait une autre raison d'accepter le Règlement: l'autonomie provinciale, pierre angulaire de la Confédération, fondement du système politique canadien, clé de son programme d'harmonie nationale. Dans un pays comme le Canada, avec son mélange de races et de religions, et les passions inévitables qu'elles suscitaient, seule l'autonomie provinciale pouvait garantir «la sauvegarde de la Confédération et des intérêts provinciaux, particulièrement ceux du Québec». Cela ne signifiait pas pour autant que le droit d'intervention fédéral ne devait jamais être exercé. Au contraire. Mais il ne le serait «qu'en dernier recours, quand tous les autres moyens auraient été épuisés, et quand tout espoir de conciliation et d'entente avec les autorités provinciales» aurait été jugé vain. Si Laurier trouvait si difficile de gouverner le Canada, c'était que ces principes — autonomie provinciale et centralisation — coexistaient dans un état d'antagonisme.

Néanmoins, d'un trait de sa plume, Laurier souscrivit au Règlement, qui allait irrévocablement modifier la constitution du Manitoba. George-Étienne Cartier l'avait créé en 1870 comme province bilingue, où le droit du français et le droit aux écoles catholiques avaient été garantis à la population francophone de la colonie de la Rivière-Rouge. En 1890, unilatéralement, le gouvernement libéral du Manitoba avait, sans coup férir, brisé la convention. Et, à l'automne de 1896, Laurier avait réduit sa propre langue à un statut secondaire dans cette province. Finie l'égalité du français et de l'anglais. Le français était mis sur le même pied que toutes les langues étrangères. Laurier n'avait-il pas du même coup tué le Canada biculturel qui se trouvait au centre de sa vision du Canada futur?

Lorsque ses collègues et d'autres lui firent des remontrances à ce sujet, il se réfugia derrière l'argument voulant que ce n'était pas lui qui avait créé cette fâcheuse situation au Manitoba: il en avait hérité. Il était convaincu d'avoir tiré le meilleur parti d'une mauvaise situation. Selon lui, le Règlement était un bon moyen d'assurer encore plus la survie de la «race» française, dont le salut se trouvait «non pas dans l'isolement mais dans la lutte». «Donnons à nos enfants la meilleure éducation possible, dit-il, mettons-les sur un pied d'égalité avec ceux de l'autre race, et donnons-leur la légitime fierté qu'ils auront dans une telle lutte. Là est le salut. Là est l'autonomie.»

Langevin ne le voyait pas du tout du même œil. De sa cathédrale de Saint-Boniface, s'adressant à tous les Canadiens, il riposta: «Je vous dis qu'il y aura une révolte au Québec, dont les répercussions se feront sentir d'un bout à l'autre du pays, et les hommes qui sont aujourd'hui triomphants demain seront jetés par terre. Ce règlement est une farce. La lutte ne fait que commencer.» À l'occasion d'une élection complémentaire à Saint-Boniface en 1897, Langevin annonça que les catholiques qui voteraient pour le candidat libéral ne recevraient pas l'absolution et verraient leur cas soumis à l'archevêque. La veille de l'élection, le Saint Sacrement resta exposé toute la journée dans la cathédrale, et les curés allèrent de porte en porte mettre en garde les électeurs: s'ils votaient pour le candidat libéral, ils ne seraient pas inhumés en terre consacrée. Rien d'étonnant à ce que le libéral fût défait.

Au Québec, tous les évêques sauf un encouragèrent Langevin dans son opposition au Règlement. Ils bannirent les journaux qui en faisaient l'apologie. Le pamphlet de David, *Le Clergé canadien, sa mission, son œuvre,* fut banni et envoyé à Rome. David y affirmait que, durant les élections de 1896, le comportement des évêques, surtout celui de Laflèche, avait constitué «la négation de toute liberté politique, le renversement des principes fondamentaux de la constitution, une hérésie aussi dangereuse pour l'Église que pour l'État». En janvier 1897, la congrégation de l'Index mit le pamphlet sur sa liste d'ouvrages défendus. Le dimanche 27 décembre 1896, Ernest Pacaud, qui assistait à la grand-messe à la basilique de Québec, entendit le curé lire une lettre épiscopale qui interdisait aux catholiques de lire *L'Électeur*. En novembre, ce journal avait «insulté» les évêques en critiquant leur conduite au cours des élections de juin, en plus d'avoir publié par tranches l'opuscule de David. Pacaud regimbait: un pape ne l'avait-il pas béni, lui et sa descendance, jusqu'à la troisième génération? L'après-midi du même jour, il rencontra quelques-uns de ses conseillers financiers et, le lendemain, fête des Saints Innocents, il changea le nom de son journal, qui devenait *Le Soleil.*

L'humiliation infligée à ses deux amis faisait rager Laurier intérieurement. D'un autre côté, il ne voulait pas se laisser entraîner dans une guerre contre les évêques, qui pourrait facilement être perçue comme une guerre contre l'Église. Les catholiques jouissaient des mêmes droits civils que les autres Canadiens. Il en appellerait aux autorités de son Église pour qu'elles reconnaissent que les catholiques de sa province et de son pays étaient en mesure d'exercer librement leurs droits civils tout en restant fidèles à leur Église. Il ordonna à Pacaud — se contentant de le proposer à ceux sur qui il exerçait moins d'emprise — de manifester du respect pour le clergé. La victoire finirait par arriver. «Nous devons attendre, dit-il, et, par-dessus tout, attendre en silence.»

Trois jours après l'interdiction de *L'Électeur* décrétée par l'archevêque de Québec, Laurier assista à un banquet organisé à Montréal en son honneur et en l'honneur de Greenway. Il en profita pour s'épancher auprès de qui voulait l'entendre:

> «J'ai consacré ma carrière à la réalisation d'une idée. J'ai repris le travail de la Confédération là où je l'avais trouvé quand je suis entré en politique et que j'ai décidé d'y vouer mon existence.
>
> Rien ne m'empêchera de travailler jusqu'au bout pour préserver à tout prix notre liberté civile.
>
> Rien ne m'empêchera de poursuivre mes efforts pour préserver l'état de société qu'ont conquis nos ancêtres au prix de tant d'années et de tant de sang.
>
> Il se peut que mes efforts me mènent à la roche Tarpéienne; mais si cela doit être le cas, je tomberai sans un murmure, sans récrimination ni plainte, convaincu que de mon tombeau s'élèvera l'idée immortelle pour laquelle je me suis toujours battu.»

~

Entre-temps, un miracle se produisit à Saint-Lin. En juillet 1896, comme Charlemagne, le frère de Wilfrid, le relata à Zoé, les sauterelles envahirent toutes les terres. L'invasion était pire que jamais et menaçait de détruire toutes les récoltes. Le curé de la paroisse, l'abbé Proulx, ne pouvait supporter une telle situation. Au début du mois d'août, il demanda à son archevêque de venir dans la paroisse; il convoqua ses paroissiens au cimetière, où il fit ériger une grande croix par Charlemagne et d'autres gaillards. L'archevêque récita quelques prières, puis Proulx prononça le plus long sermon jamais entendu dans ce coin de pays. Il promit de construire une chapelle au pied de la croix si Dieu, dans Sa miséricorde, débarrassait la paroisse du fléau. Proulx alla même plus loin. À la grande horreur de l'archevêque et des fidèles rassemblés, il ordonna aux autorités célestes de s'exécuter sur-le-champ. Se rendant compte de ce qu'il venait de faire, il se troubla et renvoya ses ouailles.

Charlemagne, qui avait installé son épouse et Maman Adéline dans la voiture, y monta à son tour. Il saisit les rênes couvertes de sauterelles, et les secoua pour les chasser, comme il le faisait constamment depuis plus d'un mois. Cette fois, c'était différent. Au lieu de déguerpir, les petites bêtes tombèrent mortes à ses pieds. Partout, dans les arbres, sur les clôtures, dans les champs, sur les récoltes, sur les animaux, le même phénomène se produisait, et des millions de sauterelles mortes furent charriées à Montréal par les eaux de la rivière de l'Achigan.

Proulx avait eu son miracle. Le moment était venu pour lui de se rendre à Rome — mais certainement pas avant que les ouvriers aient commencé à poser les fondations de la chapelle.

~

De toute évidence, Laurier n'aurait pas la paix avec les évêques et les curés à moins d'une intervention de Rome. Après les élections, Fitzpatrick, Tarte et d'autres furent chargés de rédiger un document à l'intention du Saint-Siège, document qui constituerait à la fois une protestation officielle contre l'intervention épiscopale et cléricale dans la politique et une demande au pape Léon XIII pour qu'il réaffirme clairement les directives promulguées par son prédécesseur, Pie IX, lesquelles avaient protégé les libertés des électeurs catholiques et la paix dans le pays. Fitzpatrick demanda à Gustave-Adolphe Drolet de porter à Rome en leur nom la déclaration des députés du Parlement. C'était un coup de génie. Drolet, âgé de 52 ans, était conservateur par tempérament, serviteur obéissant de l'Église par conviction et amour, avocat, chevalier, ancien combattant et auteur de *Zouaviana*. Vers la fin des années 1860, au moment où Pie IX avait eu des difficultés avec Garibaldi et ses Chemises rouges, Drolet était devenu zouave pontifical, c'est-à-dire soldat chargé de la garde du pape. Ces antécédents, espérait-il, lui ouvriraient des portes. Il partit pour Rome au début de septembre 1896. Une fois que les négociations avec Greenway furent avancées, et que Laurier vit enfin la lumière au bout du tunnel, il s'arrangea pour que Proulx, bien connu et respecté au Vatican, aille à Rome sous quelque prétexte afin de faire connaître la position du gouvernement et de rappeler au pape et aux cardinaux que beaucoup de catholiques au Canada — qui ne cherchaient qu'à exercer leurs devoirs de citoyens conformément aux principes reconnus de la Constitution britannique — se sentaient lésés par le comportement de certains de leurs évêques. Proulx devait également tenter d'obtenir un énoncé de doctrine qui aurait pour effet de mettre fin aux «abus regrettables», de maintenir la paix et l'harmonie au pays, et de rassurer la conscience des catholiques.

Proulx quitta le Canada le 10 septembre et y revint le 17 janvier. Sa mission, comme celle de Drolet, échoua. En fait, tous deux connurent beaucoup de difficultés dans la Ville éternelle. La moitié de l'épiscopat québécois se rendit à Rome durant l'été et l'automne de 1896, et ceux des évêques qui n'y allèrent pas y envoyèrent d'épaisses missives. Les uns comme les autres firent tout en leur pouvoir pour miner le travail des émissaires de Laurier, et pour le calomnier et le diffamer. Laurier redevenait anticatholique, franc-maçon, libre penseur, anticlérical, et quoi encore. Les évêques déformèrent délibérément les décisions judiciaires entourant la question des écoles du Manitoba, sachant parfaitement qu'ils ne risquaient rien. L'ignorance du Vatican au sujet de la mécanique constitutionnelle et politique d'un pays comme le Canada était insondable.

Laurier n'abandonna pas. Il savait ce qu'il voulait: la nomination d'un délégué papal. Cette idée serait difficile à faire accepter. Les évêques canadiens, du Québec et des autres provinces, y étaient opposés, craignant qu'elle soit interprétée comme un reproche à Laflèche et à sa cohorte. De plus, cette idée risquait de susciter l'antagonisme des protestants, qui la verraient comme une autre intervention du pape dans les affaires du Canada.

En janvier, le solliciteur général, Charles Fitzpatrick, se rendit à Rome. Contrairement à celle de ses prédécesseurs, sa démarche fut couronnée de succès. Comme Fitzpatrick était un collègue proche de Laurier, on estima qu'il parlait en son nom. Il arrivait à Rome armé d'opinions juridiques préparées par Edward Blake et par l'archevêque de Westminster. Il était accompagné par le fils d'un éminent lord britannique, Charles Russell, qui jouissait de nombreux contacts et avait un flair inégalé pour la politique du Vatican. Tous deux étaient charmants, diplomates et pieux; Fitzpatrick priait si souvent qu'il avait des callosités aux genoux. Leurs lettres de créance étaient impressionnantes: Russell était un ami de monseigneur Raphaël Merry Del Val, 32 ans, l'évêque espagnol préféré du pape. Léon XIII leur accorda donc une audience; il les écouta d'une oreille attentive et sympathique. Peu de temps après, Sa Sainteté mit sur pied une commission d'enquête spéciale formée de cardinaux. Le 8 mars 1897, les journaux canadiens annoncèrent la nomination d'un délégué papal, Del Val; Laurier poussa un soupir de soulagement.

Del Val passa trois mois au Canada. Comme ceux qui y avaient été envoyés avant lui, le diplomate du Vatican écouta attentivement les divers points de vue — justifications élaborées, interminables affirmations de principes, opinions épiscopales contradictoires — qui lui furent présentés, et assista à de nombreuses cérémonies religieuses. À son arrivée au Canada, le 31 mars, son premier geste fut d'ordonner aux évêques de se tenir tranquilles; son deuxième, de faire enquête sur les plaintes de Langevin.

Laurier comprenait à quel point la mission de Del Val était délicate. Le jeune légat devait mettre un terme aux querelles des évêques du Québec et consolider l'unité de tous les évêques canadiens, sans qu'aucun d'entre eux ne perde la face. Ce ne serait pas une mince tâche. De plus, il devrait faire face à Langevin. L'archevêque se montrait-il intransigeant ou avait-il raison? Laurier avait intérêt à rester sur ses gardes, car Del Val ne manquerait pas de mettre à l'épreuve sa bonne foi et celle de Greenway. Vers le milieu de sa mission, Del Val envoya à Laurier un mémorandum contenant la liste des concessions administratives qui, lui disait-il, rendraient le Règlement moins difficile à avaler et susciteraient «une réaction moins hostile de la part des catholiques». Del Val lança un avertissement à Laurier: si lui et Greenway refusaient de coopérer, Rome trancherait en faveur des évêques.

Laurier était déterminé à ce que Del Val réussisse. Il entreprit donc d'acheter des concessions à Greenway en présentant à la Chambre une motion qui accordait au Manitoba la somme de 300 000 $, puisée dans le «fonds scolaire». Malheureusement, Tarte lui rapporta que les députés catholiques étaient fermement opposés à la motion. Laurier était désespéré; le délégué du pape, pas du tout.

Rentré à Rome, Del Val entreprit de convaincre le pape et les cardinaux que Laurier était sur la bonne voie. Il reconnaissait que les arguments de base des évêques étaient justes: en 1890, les catholiques du Manitoba avaient été privés des droits que la constitution canadienne leur avait accordés, et le Parlement fédéral avait le pouvoir de remédier à la situation. Cependant, Del Val, soucieux de l'avenir, avait compris que le réalisme politique empêchait Ottawa d'adopter une loi réparatrice, quel que soit le parti au pouvoir. Par conséquent, les écoles mixtes — ou quelque autre arrangement comme le Règlement proposé — représentaient la seule solution.

Del Val gagna; les évêques perdirent. Le dimanche 9 juin 1898, les fidèles de toutes les églises catholiques du Canada écoutèrent la lecture de l'encyclique *Affari vos* (vos affaires) que le pape adressait à l'épiscopat et aux catholiques canadiens. Dans celle-ci, Rome réitérait sa condamnation des écoles non confessionnelles et insistait sur l'obligation des parents catholiques d'envoyer leurs enfants dans des écoles catholiques. Par conséquent, déclarait

Léon XIII, les évêques avaient agi en conformité avec les enseignements de l'Église quand ils avaient protesté contre le coup porté par le Manitoba à l'école catholique. Le pape donnait sa bénédiction à l'épiscopat pour ce qu'il avait cherché et cherchait encore à protéger. En même temps, le pape déclarait que le Règlement Laurier-Greenway était un commencement, bien qu'«imparfait et insuffisant». Malgré cela, il incitait chacun à accepter cette «satisfaction partielle», à l'améliorer et à en tirer les plus grands avantages possibles. Laurier était satisfait. C'était tout ce qu'il avait espéré. En ce qui le concernait, l'affaire des écoles du Manitoba était bel et bien réglée.

La guerre avec les évêques ne l'était pas pour autant. Elle dura encore au moins un an après la publication d'*Affari vos*. Laurier disposait d'un allié en la personne du nouvel archevêque de Montréal, Paul Bruchési, qui lui écrivit à la fin de janvier 1898: «Léon XIII m'a demandé de déployer tous mes efforts pour l'obtenir [la paix religieuse et sociale par l'intermédiaire du Règlement Laurier-Greenway]. Je ne ménagerai pas mes efforts à cette fin.» Si Bruchési arriva plus ou moins à contenir Langevin, il ne réussit pas à le faire avec son collègue Bégin de l'archidiocèse de Québec, ni avec les évêques de Rimouski et de Chicoutimi. «La guerre qui se livrait dans ces régions, écrivit-il à Del Val en novembre, s'y livre encore, à cette différence près qu'elle est devenue clandestine au lieu d'ouverte.» Dans ses lettres à Del Val, Bruchési qualifie de «persécution» le sort des prêtres qui ne suivent pas la ligne de l'épiscopat.

La solution de Laurier? Que Rome envoie au Canada un délégué apostolique permanent. Après de nombreuses pressions exercées sur Del Val et une seconde visite à Rome de Charles Russell pour y faire valoir la cause du gouvernement canadien, l'archevêque Diomedus Falconio fut nommé à ce poste en juin 1899.

Laurier obtint finalement la paix avec les évêques; de plus, il disposait désormais d'un moyen de régler tout différend avec l'épiscopat.

~

Après l'ouverture de la session, le 25 mars 1897, Zoé partit à la recherche d'une maison. Elle en trouva une à son goût au 335, rue Théodore, assez belle rue de Sandy Hill. Un bijoutier du nom de John Leslie avait fait bâtir durant les années 1870 ce qui allait devenir la maison Laurier. James Mather, architecte d'Ottawa bien connu, avait dessiné une maison de briques de trois étages dans le style Second Empire à la mode à cette époque: fenêtres en arcades, crête en fer, lucarnes et toiture à la Mansart sur des murs de briques jaunes. Le Parti libéral acheta la maison pour les Laurier au prix de 9500 $. Ceux-ci y firent faire des rénovations, achetèrent des tapis, des tentures et des meubles, et décidèrent d'y emménager en automne.

Durant la session, des douzaines de réceptions et de dîners se succédèrent. Les Aberdeen organisaient de somptueuses réceptions, généralement pour 80 invités, et des dîners plus intimes pour 20 ou 30 convives. Lorsque les Laurier étaient invités à des réceptions officielles à Rideau Hall, ils se mettaient sur leur trente et un et y étaient conduits dans les règles de l'art. À leur arrivée, ils étaient dirigés vers un salon privé, où les Aberdeen, leurs invités et leurs assistants, prenaient un verre de vin avec eux et bavardaient gaîment. Pendant ce temps, les autres invités se rassemblaient sur le court de jeu de raquettes, dans une grande salle, où un assistant les assortissait en couples. Pour l'occasion, le court était couvert de tapis, et des fauteuils, sofas, chaises et tables de diverses grandeurs y étaient disposés. Une fois en couples, les invités bavardaient, mangeaient des hors-d'œuvre et buvaient punch, vin ou jus de fruits. Plus tard, les Laurier arrivaient et se mêlaient aux invités. Au bout de dix minutes, on annonçait l'arrivée des Aberdeen. Ishbel était toujours accompagnée de deux pages, généralement ses fils, vêtus de costumes Louis XIV. Ils portaient sa traîne et, durant le dîner, livraient messages et notes d'un invité à l'autre. Leurs Excellences, dans leurs plus beaux atours, se promenaient dans la salle, saluant chacun. Une fois le service du repas annoncé, le gouverneur général conduisait Zoé dans la salle de bal transformée en salle à manger pour l'occasion; lady Aberdeen, elle, était au bras de Laurier. La table faisait les trois côtés de la grande pièce; plus tard, Ishbel la fit remplacer par des tables rondes. Les Aberdeen étaient assis au centre de la table, l'un en face de l'autre; chacun des Laurier était assis à leur droite immédiate. Les mets étaient toujours excellents, le vin aussi, quoique peu abondant — les coloniaux avaient tendance à être sobres —, et le service était efficace et discret. Au fil des ans, beaucoup d'invités se plaignirent du cornemuseur qui, portant le tartan officiel du clan des Aberdeen, faisait au moins trois fois le tour de la salle à l'heure du dessert en produisant un «bruit infernal».

Avant de déménager dans leur nouvelle maison, les Laurier ne recevaient pas autant qu'ils le feraient plus tard. Après, cependant, ils firent ce qu'il convenait de faire, et plus encore, recevant d'anciens amis, des alliés politiques de toutes les nuances et périodes, ainsi que des membres du Cabinet, du groupe parlementaire libéral et du corps diplomatique, chacun accompagné de son épouse, bien entendu. Durant ces déjeuners, thés et dîners, Zoé ne manifestait aucune prétention. Les plats étaient exquis, les quelques domestiques empressés, et la conversation stimulante, surtout quand Wilfrid était présent. Bon nombre d'amis restaient à coucher. Les Laurier étaient un couple hospitalier: dans l'ensemble, ils donnèrent probablement deux réceptions par semaine et assistèrent à deux autres.

Depuis 1893, Émilie Lavergne venait de temps en temps à Ottawa durant les sessions. Elle descendait toujours à l'hôtel Russell, avec son mari, et occupait une chambre située à un autre étage que celle des Laurier. Elle devint vite populaire auprès des mondaines d'Ottawa. Les Laurier jouaient le rôle de parrains pour elle. Ils l'introduisaient dans des cercles où, en tant qu'épouse d'un petit député inconnu, elle n'avait aucune chance d'entrer, plus particulièrement Rideau Hall. De plus, Laurier ne cachait pas son amitié pour elle. Émilie se conduisait toujours d'une manière correcte avec Wilfrid, déférente avec Zoé, même si son langage corporel et son affectation laissaient supposer l'existence de quelque chose de mystérieux — peut-être une intimité frisant le péché — entre Wilfrid et elle. Les gens simples d'Ottawa y crurent, surtout l'échotière immortalisée sous le nom d'Amaryllis, comme y ont cru la plupart de ceux qui, depuis cette époque, ont écrit au sujet de Laurier et d'Émilie.

Durant l'été de 1897, Joseph Lavergne renonça à son siège à la Chambre des communes et devint juge de la Cour supérieure pour le district d'Ottawa. Ce changement avait été préparé vers la fin de la session. Lavergne n'avait jamais été à sa place à la Chambre; il n'était tout simplement pas bon dans le rôle de député. De plus, la fonction de juge, permanente, payait mieux.

Les Lavergne vécurent à Ottawa de 1897 jusqu'à l'été de 1901, date à laquelle Laurier nomma Joseph juge à Montréal. À cette époque, la relation entre Wilfrid et Émilie était terminée depuis assez longtemps. Leurs chemins se croisaient rarement. Même si elles vivaient à quelques maisons l'une de l'autre, Émilie et Zoé ne fraternisaient plus comme du temps d'Arthabaska. Après le départ des Lavergne à Montréal, il n'y eut pratiquement plus de contacts entre les deux couples. Dans leur cœur, toutefois, ils regrettaient le «bon vieux temps».

~

C'est un Laurier fatigué qui débarqua en Angleterre avec Zoé, le 12 juin 1897, pour assister au jubilé de diamant de la reine Victoria. Le voyage de sept jours avait été assez agréable, et la mer, calme. Malheureusement,

Laurier n'avait pas le pied marin; il passa la majeure partie de la traversée malade, enveloppé dans un châle. Dès l'arrivée, du travail l'attendait, et il n'eut pas le temps de se reposer convenablement. On emmena les Laurier à Londres, où ils occupèrent la plus belle suite de l'hôtel Cecil, le tout aux frais du gouvernement britannique. Des voitures furent mises à la disposition de Laurier, de son épouse et de ses assistants. La cour en vue de gagner le cœur et l'âme de Laurier commença dès son arrivée.

~

Mardi, le 22 juin 1897, soixantième année du règne de Sa Majesté la reine Victoria, reine de Grande-Bretagne, d'Irlande et de ses dominions d'outre-mer, impératrice des Indes. C'est aussi le jour des célébrations de son jubilé de diamant.

Aidé par son valet, Laurier revêt sa tenue officielle de membre du Conseil privé de Sa Majesté, position qui lui confère la qualité de «très honorable»: bas de soie blancs, souliers pointus, chausses blanches, dentelle or, veston foncé et bicorne. Avec beaucoup de cérémonie, le valet lui apporte le coffret de cuir. Il retire du coussin de velours l'étoile à sept rayons de chevalier Grand-Croix de l'Ordre de Saint-Michel et Saint-Georges, et l'épingle sur la poitrine de Laurier. Le premier ministre du Canada, le très honorable Wilfrid Laurier, est prêt.

Tandis que Laurier attend Zoé, l'attaché militaire canadien, le capitaine Bates, et le représentant britannique du Colonial Office passent en revue le programme de la journée avec lui. Lorsque lady Laurier est prête — c'est-à-dire lorsque sa femme de chambre est satisfaite de son apparence —, elle entre chez Wilfrid. Les trois hommes se lèvent pour admirer Zoé dans sa toilette de soie gris perle, des diamants dans les cheveux. Wilfrid lui trouve l'air royal; les yeux de sa femme n'ont pas changé depuis qu'il l'a rencontrée pour la première fois. La sentant nerveuse, il lui caresse la main en posant un baiser sur sa joue. Leur voiture les attend devant l'hôtel. Il faut partir. Elle saisit une grande cape; on lui dit qu'elle ne pourra pas la porter durant la procession vers la cathédrale Saint-Paul. Zoé le sait; elle sourit. Elle l'enfile. Laurier et elle partent en compagnie du capitaine Bates. Il est 7 h du matin.

Ils arrivent à la sortie de l'hôtel: le grand landau les attend, avec ses quatre beaux chevaux, ses cochers, ses postillons en livrée. Ils montent dans la voiture. Zoé trouve le temps humide et se serre contre son mari.

Lentement, majestueusement, ils se dirigent vers le quai Victoria, par les rues d'un Londres nettoyé à fond, décoré de drapeaux et de fleurs provenant de tout l'Empire. Cinquante mille soldats, marins et cadets, sans parler des innombrables détachements de police, montent la garde le long des dix kilomètres de rues qu'empruntera la procession pour se rendre à la cathédrale. Des milliers de personnes sont déjà descendues dans les rues; il y en aura des millions lorsque le carrosse de la reine y passera. Les officiels et les détenteurs de billets commencent à prendre la place qui leur a été réservée dans les estrades. Les toits, les balcons et les fenêtres des maisons privées, des édifices gouvernementaux, des tours à bureaux et des hôtels se remplissent. Le défilé démarre au trot. Certains dans la foule reconnaissent Laurier, dont la photo apparaissait presque tous les jours dans les journaux depuis près de deux semaines, et l'acclament. Il les salue de la main avec enthousiasme; Zoé est plus réservée.

Il est maintenant 8 h; la voiture de Laurier arrive au quai Victoria. Peu de temps après, la garde du gouverneur général du Canada se place devant la voiture de Laurier, tandis que les Toronto Grenadiers et les Royal Canadian Highlanders se mettent en rang derrière celle-ci. Laurier est à la tête des officiels des colonies.

Il y a des gens partout. Tout le devant de la cathédrale est occupé, de même que son toit. Les personnes assises dans les estrades sont des invités: à droite, ambassadeurs et dignitaires des colonies, avec leurs familles; les couleurs de leurs costumes nationaux font penser à mille arcs-en-ciel; à gauche, ambassadeurs européens, chargés d'affaires, légats et autres représentants étrangers, accompagnés de leur épouse. Les nombreux dignitaires ne reconnaissent pas la garde du gouverneur général, mais, lorsqu'ils aperçoivent Laurier et Zoé, ils les reconnaissent immédiatement et applaudissent à tout rompre. Laurier sourit et salue de la main; Zoé savoure le triomphe de son mari. Leur voiture fait le tour de la cathédrale avant de s'arrêter du côté nord. Des placeurs et ecclésiastiques de toutes sortes les escortent jusqu'aux places qui leur ont été réservées; ils y attendront la reine en bavardant avec les personnes qui les entourent. Zoé a laissé sa grande cape dans la voiture; elle n'en aura pas besoin, car il fait beaucoup plus chaud maintenant que le soleil a percé les nuages.

À midi, on perçoit un mouvement d'agitation: le carrosse de la reine apparaît, tiré par huit chevaux isabelle au harnachement or décoré de rubans brillants. Les gens sont pris à l'improviste; mais quand ils voient la reine dans sa sobre tenue noir et gris, coiffée d'un bonnet noir et blanc et

portant un parasol blanc, leur réaction enthousiaste fait vibrer les vitraux de la cathédrale. Elle est assise seule sur la banquette arrière du carrosse; les deux princesses ont pris place devant. Sous un tonnerre d'acclamations, elle descend du carrosse et, précédée par la princesse de Galles et par la princesse Christian de Schleswig-Holstein, elle gravit les marches de la cathédrale en direction du premier ministre de Grande-Bretagne, du secrétaire aux colonies et, tout en haut, de l'archevêque de Canterbury. La cérémonie en plein air s'ouvre par le *Te Deum,* suivi de prières et de la bénédiction. Le chœur chante les derniers hymnes, mais on dirait que le peuple n'en a pas encore eu assez. Spontanément, l'énorme foule entonne le *God Save the Queen.* Laurier trouve cette réaction émouvante. Il se joint aux autres quand l'archevêque, dans le feu du moment, enfreint le protocole et fait crier à ses fidèles trois hourras pour la reine. Ensuite, Laurier et les autres dignitaires regagnent leurs voitures, tandis que Victoria accueille l'archevêque de Canterbury et l'évêque de Londres dans la sienne. La cérémonie n'a duré que 20 minutes.

Le défilé se remet en branle: d'abord des troupes, puis les seize voitures des princes, princesses et envoyés; d'autres troupes, la reine, ses fils et divers assistants montés à cheval; d'autres troupes encore, la garde du gouverneur général, Laurier, puis le reste des représentants des colonies. Ils passent devant Carlton House Terrace, les jardins du palais St. James, Marlborough House, Clarence House et bien d'autres lieux célèbres; partout, les acclamations sont nourries, dont beaucoup pour Laurier, qui suit de si près la reine. À 14 h, celle-ci est de retour dans son château.

En rentrant à l'hôtel avec Zoé, Laurier comprend tout à coup que la foule, quand elle l'acclamait, acclamait le Canada. En tant que premier ministre du dominion le plus important, il a aujourd'hui fait entrer son pays dans le concert des nations. Un sentiment d'«indépendance» monte en lui, mêlé à une fierté réjouissante: lui, le Canadien français de Saint-Lin, Québec, est l'un des membres les plus importants de l'étonnant Empire britannique. Si ces sentiments sont contradictoires, il n'en est pas tout à fait conscient.

~

Laurier était le joueur clé dans le tournoi impérial de Londres. Si Joseph Chamberlain et les impérialistes parvenaient à lui faire accepter leurs plans, il leur serait facile de convaincre les représentants des autres colonies. À leurs yeux, il constituait un atout de taille. Laurier devint le centre d'attraction. Certains dirent que, après la reine, il était le personnage le plus populaire du jubilé. C'était un Canadien français, fils d'une race conquise; il était premier ministre du dominion le plus important; il avait de la grâce; il savait quelle fourchette utiliser; sa femme était bien habillée et parlait l'anglais; il s'exprimait d'une façon à laquelle les impériaux n'étaient pas habitués; quand il buvait du vin, il devenait encore plus éloquent; il était gonflé de fierté — et d'anxiété quand il pensait à son auditoire national. «Pour la première fois de l'histoire, dit quelqu'un, un politicien de notre Nouveau Monde a été reconnu comme l'égal des plus grands hommes du Vieux Pays.» Condescendant, certes, mais ainsi étaient les Britanniques.

La reine lui accorda une audience au palais de Buckingham et au château de Windsor. Lui, Zoé, les autres premiers ministres et leurs épouses, y déjeunèrent le 6 juillet, dans la salle Waterloo. Il y retourna le lendemain pour prêter serment en tant que membre du Conseil privé de Sa Majesté. Les Laurier assistèrent à la garden-party de la reine et à son bal, chaque fois au palais de Buckingham. Et Victoria conféra à Laurier la distinction de chevalier Grand-Croix de l'Ordre de Saint-Michel et Saint-Georges. Il ne l'avait pas voulu. Au début de l'année, il avait refusé un titre de chevalier et avait cru la page tournée. Mais il n'avait pas compté avec la bonté de ses amis. Lord Aberdeen et Donald Smith, le haut-commissaire canadien, avaient parlé en sa faveur. Peu après son arrivée en Angleterre, Laurier avait découvert que son nom figurait sur la liste d'honneur du jubilé. Il avait fait parvenir une lettre de refus au Colonial Office, mais Chamberlain avait été scandalisé: la reine avait accepté, une annonce publique avait été faite, il ne pouvait refuser. Que dirait la reine? Non seulement le geste était discourtois, mais il frisait la trahison. Une affaire comme celle-là ruinerait le plaisir de son jubilé. Zoé, qui avait dit en plaisantant qu'elle aimerait peut-être se faire appeler lady Laurier, sympathisa avec son mari et l'encouragea à rester sur ses positions. Après avoir résisté pendant presque une semaine, il capitula. Sir Wilfrid il devint. Lady Laurier elle serait.

Laurier fut reçu à dîner à Londres, au Pays de Galles, à Édimbourg et à Glasgow, dans des maisons de campagne, des salles de banquets et des hôtels. Il y eut des bals et des réceptions, des déjeuners et des soirées, des garden-parties et des thés, des défilés, des saluts au drapeau, une inspection navale à Spithead, des grades honorifiques des universités d'Oxford et de Cambridge, et la médaille d'or du Cobden Club en reconnaissance de ses services distingués pour la cause du libre-échange. Au cours de douzaines de conversations, dans les corridors et les salons, Laurier prononça des millions de mots. Le 10 juillet, il réalisa l'une des ambitions de sa vie: il alla voir Gladstone au château de Hawarden, au Pays de Galles. Il arriva pour le thé, vers 16 h, ils se firent prendre en photo et eurent une longue conversation.

L'adulation, le plaisir d'être le centre d'attraction et l'objet d'acclamations continues lui attirèrent quelques ennuis. Cela commença à l'occasion de son discours à Mansion House. Au maire qui venait de dire que tous les convives du dîner étaient des Anglais, Laurier s'empressa de préciser qu'il était d'origine française et fier de l'être. Puis il ajouta qu'il était «Britannique jusqu'à la moelle!» Le 2 juillet, le Colonial Institute organisa un banquet en l'honneur des premiers ministres des colonies, présidé par le duc de Connaught. Après d'interminables toasts, le tour de Laurier vint de répondre à celui que Son Altesse Royale venait de porter à l'«Empire uni». Ce n'était pas le champagne qui fit dire à Laurier que l'Empire britannique était fondé non pas sur la force ou la violence, mais sur la liberté et la justice. Il ajouta: «La nation anglaise pourra toujours dire avec honneur que, où qu'elle ait étendu son empire, elle a toujours respecté la religion de ses nouveaux sujets et, lorsqu'elle leur a accordé la liberté politique, elle l'a toujours fait librement et généreusement.» Laurier croyait fermement ce qu'il disait. Le lendemain, au déjeuner du Club libéral, il se montra encore plus carré dans son appréciation: «Ce serait le plus glorieux moment de ma vie si je pouvais voir un Canadien français affirmer au Parlement de la Grande-Bretagne les principes de la liberté.» Bien entendu, «il ne pouvait espérer vivre assez longtemps pour voir cela», mais certains Canadiens le verraient peut-être. Dans une salle de la Chambre des communes britannique, où la plupart des députés s'étaient rassemblés pour l'écouter, Laurier parla pendant trois quarts d'heure, répétant ce qu'il finirait pas regretter d'avoir dit. Le moment était venu où les colonies autonomes comme le Canada devaient être représentées soit au Parlement britannique, soit dans «quelque grand conseil national ou corps législatif fédéral vraiment représentatif de l'Empire en tant qu'entité organisée».

Était-il devenu fou? Était-ce le champagne de sir Donald Smith? Selon toute probabilité, Laurier s'adressait bien plus aux électeurs ontariens qu'aux députés britanniques. Il continua son discours en reconnaissant que le souhait national d'une représentation canadienne aux conseils de l'Empire s'intensifiait de jour en jour et ne pouvait plus être ignoré. Il fallait en tenir compte. Il ajouta une remarque encore plus surprenante de sa part: «Vienne l'heure du danger, que le clairon sonne, que l'on allume les feux sur le sommet des collines, et alors, de toutes parts, les colonies voleront au secours de la mère patrie dans la mesure de leurs forces.» Voulait-il dire qu'il consentait à participer aux guerres de l'Empire? Était-ce simplement l'euphorie du moment?

Ses remarques sur la place du Canada dans l'Empire s'accompagnaient toujours de phrases éloquentes où il se disait fier des réussites de son pays et de ses perspectives d'avenir. Devant la Fishmonger's Company, il protesta quand on utilisa le mot «colonie» («Je n'aime pas ce mot!») pour parler du Canada. Le Canada comptait cinq millions d'habitants, faisait-il remarquer, mais possédait un «territoire qui suffirait à en accueillir et à en nourrir cent millions». Il invita les hommes britanniques à y émigrer. Il avait déjà mille emplois à offrir puisqu'il planifiait la construction du chemin de fer dans le Yukon. Les femmes étaient les bienvenues aussi. Il passa beaucoup de temps à expliquer ce concept à ses hôtes: «Le Canada est une nation. Il est dans la destinée des colonies de devenir des nations. Le Canada est libre et la liberté constitue sa nationalité. Le Canada est pratiquement indépendant. La première place dans nos cœurs revient au Canada.» Quand, pour faire plaisir aux Britanniques, Laurier disait: «Dans quelques années, il y aura autour de la terre une série de nations indépendantes qui reconnaîtront toutefois la suzeraineté de l'Angleterre», ou qu'il devrait y avoir un Parlement de l'Empire, il espérait que ses interlocuteurs comprendraient que de telles dispositions constitutionnelles n'étaient pas pour le lendemain. Pour l'instant, lui et ses compatriotes étaient satisfaits des arrangements actuels.

Laurier fut mal compris des deux côtés de l'Atlantique, et de l'autre côté de la Manche aussi. Au début de juillet, il expliqua à Pacaud que tout ce qu'il avait voulu dire en se déclarant «Britannique jusqu'à la moelle», c'était son attachement aux institutions britanniques. Malheureusement, il était difficile de traduire fidèlement en français ce qu'il avait vraiment dit. Plus tard, quand il s'adressa à la Chambre de commerce britannique à Paris, il énonça plus clairement son opinion sur l'organisation constitutionnelle impériale. Le «grand principe de la représentation impériale», celui de la France et de ses colonies, pourrait être la solution, mais il en doutait: «Notre situation est très différente. Le Canada est pratiquement indépendant. Si, en échange de la représentation impériale, nous devions renoncer à notre autonomie, à notre indépendance législative, nous n'en voudrions à aucun prix. Mais si la représentation impériale doit être la solution, elle ne saurait l'être que comme le complément, et non pas comme la destruction, de ce qui existe aujourd'hui.» Cette clarification suffirait-elle? Cela restait à voir.

Beaucoup de ce que dit Laurier durant les célébrations du jubilé n'était qu'éloquence, en partie avalée et en partie rejetée par les Canadiens. Ce fut toutefois durant les cinq séances de la Conférence coloniale que le vrai Laurier — ou du moins, un Laurier plus conforme à son passé — apparut. Du 24 juin au 29 juillet, Chamberlain et les représentants des colonies se rencontrèrent régulièrement. Il y avait onze premiers ministres, tous membres du Conseil privé impérial. S'agissait-il de discussions entre gouvernements? Était-ce le prototype d'un futur Cabinet impérial? Loin de là. Lorsque Chamberlain avança la possibilité d'un tel Conseil impérial ou fédéral pour coordonner les affaires communes des membres de l'Empire, Laurier et la plupart de ses collègues refusèrent, même si Laurier croyait qu'il pourrait l'envisager un jour.

Concernant la coopération en matière de défense, soit par «des contributions à la puissance navale», soit par un échange de troupes entre les colonies et la Grande-Bretagne, Laurier ne prit même pas la peine de répondre. Pour ce qui était d'un libre-échange plus poussé au sein de l'Empire, le Canada avait déjà répondu par son «tarif préférentiel» et ne voyait aucune raison justifiant un *Zollverein* impérial. Sans toutefois le demander, il jugeait que l'Angleterre devait renoncer à ses traités commerciaux avec la Belgique et l'Allemagne, ce qu'elle fit le 30 juillet. Le seul résultat tangible de cette conférence fut une résolution: tous devraient se rencontrer de nouveau, à intervalles réguliers, de préférence tous les trois ans. Après la conférence, Wilfrid et Zoé s'embarquèrent pour le continent.

En France, où ils arrivèrent à la mi-juillet, se dressaient aussi quelques pièges à éviter. La France et l'Angleterre n'étaient pas en bons termes, et l'intelligentsia française n'avait pas apprécié la déclaration de Laurier, selon laquelle il était «britannique jusqu'à la moelle». Voilà qu'il était parmi les Français, lui, un Français de 1789 — du moins c'est ce que l'on disait: «Sa taille élancée, sa charpente solide et bien bâtie, son visage rasé de près, ses cheveux grisonnants plutôt longs, ses yeux clairs et pénétrants, ses lèvres bien découpées, ses épaules puissantes et son cou droit, son élégance et son maintien gracieux, tout cela évoque le souvenir des membres de l'Assemblée de 1789. C'est comme si l'un d'eux, après une vie consacrée à la réflexion, était soudainement sorti de sa retraite pour plaider haut et fort la cause des droits de l'homme et la liberté.» C'était une apparition bizarre.

Après avoir fait la paix avec ses critiques, Laurier fit avec Zoé un séjour des plus agréables en France. Tous les jours, ils visitèrent Paris, et il prononça plusieurs discours, certains excellents:

«Séparés de la France, nous n'avons jamais oublié l'honneur de notre origine; séparés de la France, nous avons toujours chéri sa culture; séparés de la France, nous avons peut-être perdu notre part de ses gloires, mais nous avons fait une conquête toujours chère aux cœurs français: nous avons aujourd'hui au Canada la liberté, l'égalité et la fraternité: c'est cela notre conquête.»

Ou:

«S'il est quelque chose que l'histoire de France m'a appris à considérer comme un attribut de la race française, c'est sa loyauté, c'est la mémoire de son cœur. Je me rappelle, Messieurs, ces beaux vers que Victor Hugo s'est appliqués à lui-même, comme l'inspiration de sa vie:

Fidèle au double sang qu'ont versé dans ma veine,
Mon père vieux soldat, ma mère vendéenne.

Cette double fidélité à des idées, à des aspirations distinctes, nous nous en faisons gloire au Canada. Nous sommes fidèles à la grande nation qui nous a donné la vie; nous sommes fidèles à la grande nation qui nous a donné la liberté.»

Ou encore:

«Le moment viendra, dans un avenir plus ou moins rapproché, où, du seul fait de notre croissance démographique, le lien colonial, si léger et ténu qu'il puisse être, nous pèsera car il ne répondra plus à nos aspirations nationales.»

Et il parla de Montcalm et de Lévis!

À Paris, Laurier fut fait grand officier de la Légion d'honneur par le président lui-même. Dans ses conversations avec lui et avec d'autres hommes illustres et importants, le chef canadien livra un message simple: la France et l'Angleterre devraient s'efforcer de se comprendre l'une l'autre, se tendre la main et travailler au bien de l'humanité. Ainsi, lui, Laurier, pourrait mieux assurer l'harmonie raciale et l'unité qu'il souhaitait pour son pays.

Alors épuisé et même las des mots, il s'échappa avec Zoé en Charente, pays du cognac et de ses ancêtres. Il y vit beaucoup du Canada de sa jeunesse: les maisons ressemblaient à celles du Québec; une fortification lui faisait penser à la porte Saint-Louis, avec ses canons montés dans les murs, comme à Québec; les meubles et les images lui rappelaient Saint-Lin; il reconnaissait l'accent et les tournures de phrases. Lui et Zoé partageaient avec ces gens une identité. Ils avaient des racines dans ce pays. Pas étonnant que l'émotion lui fit dire:

> «Quand je m'éloignerai de ses rives bénies, quand, monté sur le navire qui m'emportera, je verrai graduellement les côtes s'effacer et disparaître à l'horizon, c'est de toute mon âme, c'est du plus profond de mon cœur, que je dirai et que je répéterai: «Dieu protège la France!»

Après la France, les Laurier s'arrêtèrent en Suisse, avant de se rendre à Rome. Laurier consulta un médecin, qui le rassura: il n'avait pas à s'inquiéter de sa santé. À Rome, il rencontra Charles Russell et dîna avec Del Val. Zoé visita églises, musées et couvents. Le pape leur accorda une audience privée: elle s'habilla tout en noir comme le voulait le protocole; lui revêtit l'uniforme du Conseil privé impérial, orné des insignes de l'Ordre de Saint-Michel et Saint-Georges et de la Légion d'honneur. Pendant une heure, Sa Sainteté et lui parlèrent du Canada; de la nécessité d'atteindre à l'harmonie religieuse par la conciliation, la modération et le compromis; de l'avenir d'un pays qui pouvait accueillir et nourrir cent millions d'hommes. La rencontre fut cordiale; Laurier en sortit convaincu que son point de vue avait été bien reçu.

Les Laurier retournèrent ensuite en France, puis en Angleterre pour faire leurs adieux, puis en Irlande parce que Zoé le souhaitait. Impatients de revoir leurs «enfants», Arthabaska, leur nouvelle maison, ils rentrèrent au Canada à bord du *Labrador*.

~

Lorsque le *Labrador*, tout garni de drapeaux et de fanions, entra dans le Saint-Laurent à la fin du mois d'août 1897, Zoé remarqua que beaucoup d'habitants s'étaient alignés sur les deux rives, agitant les bras, criant et chantant. Au crépuscule, ils virent les premiers grands feux de joie saluant leur retour. À mesure que le navire avançait, de nouveaux feux de joie s'allumaient.

Aux abords de Québec, le brouillard était épais mais, comme par enchantement, il se dissipa dès que le *Labrador* accosta. Vingt mille de ses compatriotes attendaient Laurier pour l'accueillir, l'acclamer et l'entendre: «Aujourd'hui, le Canada a pris son rang parmi les nations du monde.» Plusieurs fois, Laurier se sépara de son entourage officiel pour se promener dans la foule, serrer des mains, sourire à un vieillard soutenu par sa fille, caresser la joue d'un enfant, donner un soufflet amical à un adolescent, et accepter des bouquets de fleurs. Zoé au bras, il visita la basilique et signa le livre d'or au palais de l'archevêque. Au cours de diverses réceptions, Zoé reçut des cadeaux: un piano et un ensemble de salle à manger, tous deux si énormes que, dit-elle en plaisantant, elle devrait faire ajouter une aile à sa maison.

Deux jours plus tard, les Laurier s'embarquèrent à bord du *Druid.* En route vers Montréal, le bateau fit escale à Trois-Rivières. «Je suis allé à Rome, déclara Laurier, pour mettre mon respect et ma soumission aux pieds de Sa Sainteté, pontife suprême de la religion dans laquelle mes ancêtres sont morts, et dans laquelle je suis né, je vis et je veux mourir.» Il ne rencontra ni ne vit monseigneur Laflèche.

À Montréal, la moitié de la population — hommes, femmes et enfants — se trouvait au Champ-de-Mars pour l'accueillir. La plupart des Montréalais présents ne pouvaient l'entendre lorsqu'il dit: «Je ne suis pas de ceux qui prétendent à un patriotisme basé sur la résurrection des vieux antagonismes. Je ne suis pas de ceux qui croient que Dieu nous a placés ici, hommes de toutes races, pour poursuivre les luttes de nos pères. Non. Je ne suis pas de ceux-là.» Il déjeuna avec le gouverneur général, tandis que Zoé et madame David — les Laurier logeaient chez les David — faisaient les boutiques. Ils reçurent d'autres cadeaux somptueux pour leur nouvelle maison. Deux fois, Wilfrid devant se reposer, Zoé alla le remplacer pour sourire, accepter les fleurs, remercier tout le monde et excuser l'absence de son mari. Elle le fit plutôt bien.

Une fois la visite à Montréal terminée, les Laurier prirent le train pour Arthabaska. La voiture du vice-roi et la leur étaient accouplées. Wilfrid et le gouverneur général eurent une longue conversation; ce dernier rapporta à son épouse: «Naturellement, les Laurier sont ravis et satisfaits des expériences qu'ils ont vécues en Europe, mais ils ne semblent pas le moins du monde gâtés; ils sont sincèrement heureux de rentrer chez eux.» Lorsque le train arriva à Arthabaska, une foule importante attendait à la gare «le plus grand des Canadiens». De sa voiture, le gouverneur général observa les démonstrations d'affection sincère et de fierté du peuple envers son premier ministre. Aberdeen sourit, mais ne descendit pas de sa voiture. Après tout, c'était le jour de Laurier. Les Lavergne n'étaient pas là.

Après un court repos, les Laurier partirent pour Toronto, puis Ottawa. Tout le long de leur route, les foules saluaient comme s'il s'était agi d'un train royal. À Toronto, c'était la joie, la fierté. Wilfrid prononça les mêmes discours; Zoé reçut d'autres cadeaux. Joseph Pope écrivit que Laurier était «le lion de l'heure».

Les Laurier se reposèrent à Arthabaska, puis Wilfrid retourna à Ottawa, le vendredi 24 septembre 1897. La question du Klondike et de la ruée vers l'or l'attendait. Sifton y fut envoyé pour faire enquête; il en revint en novembre, convaincu que le Canada devait construire un chemin de fer vers le Pacifique, faute de quoi les Américains hériteraient de tout. Des rumeurs de corruption circulaient, certaines ayant à voir avec Tarte et le chemin de fer Intercolonial que Laurier avait décidé de prolonger de Lévis à Montréal en achetant le Drummond County Railway, auquel Tarte avait été relié. Le travail avec Tarte serait difficile, Laurier n'en doutait pas. Mais, pour l'instant, il fallait le défendre et le soutenir.

Le retour aux tâches administratives épuisa Laurier. Lorsqu'il se rendit à l'Exposition provinciale de Halifax, au début d'octobre, il était très affaibli. C'était sa première visite en Nouvelle-Écosse en tant que premier ministre du pays. Il y eut, bien entendu, une réception et un discours. Puis, selon Ishbel et son fidèle journal, Laurier fut reçu à déjeuner à l'Exposition avant de prendre la parole à l'extérieur devant une foule nombreuse. «Nous avions pensé y aller nous aussi et nous asseoir dans les grandes estrades, mais nous avons changé d'idée. Le pauvre Laurier n'était pas dans son assiette, le voyage en train avait été éprouvant; durant la traversée, il avait eu le mal de mer. Il s'est presque évanoui pendant la réception. Toutefois, durant la soirée, il avait repris son courage à deux mains.»

De retour à Ottawa, Laurier décida que le moment était venu de s'occuper des Américains. Au fil des ans, les problèmes importants s'étaient multipliés autour des droits — ou étaient-ce des privilèges — des pêcheurs canadiens et américains dans les eaux territoriales de leur voisin; autour des Canadiens chassant le phoque dans la mer de Béring; autour du transport, du commerce, des travailleurs contractuels, de l'or, de la frontière avec l'Alaska, et ainsi de suite; la liste semblait interminable. Dans le passé, les Américains avaient discuté des affaires canadiennes avec les Britanniques d'abord. Mais Laurier ne voulait plus que cela se produise. Durant son séjour en Angleterre, en 1897, il avait convaincu Chamberlain que le Canada devait avoir toute liberté d'action dans ses rapports avec Washington. Théoriquement, les deux premiers ministres s'étaient mis d'accord. Tout ce qui manquait désormais à Laurier, c'était que cette entente soit mise en pratique.

En novembre, il se rendit à Washington. Le président se montra cordial et convint avec Laurier de soumettre tous les litiges en cours à une Commission mixte qui se réunirait le plus tôt possible. Laurier doutait que celle-ci accomplisse quoi que ce soit d'important. «Nous avons reçu un accueil chaleureux, dit-il, mais des propositions froides. J'avoue, toutefois, que je doute sérieusement que cette Commission produise des résultats pratiques.» Mais comme son pessimisme était pour lui un moyen de s'habituer au pire — leçon que lui avaient apprise ses fréquentes maladies et son voisinage de la mort —, il attendit patiemment que l'on prouve le contraire.

Entre-temps, lui et Zoé emménagèrent dans leur nouvelle maison, et l'année prit fin.

12

Renaissance du Canada 1898-1905

Pour réaliser son rêve de bâtir un pays, John A. Macdonald avait compté sur sa Politique nationale: centre du pays industriel protégé par un tarif douanier élevé; grande communauté agricole dans les plaines de l'Ouest; chemin de fer transcontinental reliant ces deux régions, pour apporter aux fermiers de l'Ouest les outils fabriqués dans l'Est, et le blé de l'Ouest aux ports et marchés de l'Est.

Pour concrétiser sa vision du Canada, Wilfrid Laurier se donna lui aussi une politique nationale que l'on pourrait appeler le «sceau de la nationalité canadienne». En plus de mettre de l'avant la préservation de l'unité nationale, qui constituait la principale préoccupation de Laurier, sa politique nationale se divisait en cinq rubriques principales: tarif et commerce; colonisation de l'Ouest; transports et communications; autonomie du Canada par rapport à l'Empire; et relations entre le Canada et les États-Unis. Les questions appartenant à chacune de ces rubriques avaient tendance à en chevaucher plusieurs et à se mêler à d'autres objectifs et circonstances politiques. Cependant, le programme était clair, et Laurier le lança dès qu'il prit le pouvoir. En ce qui concernait le tarif douanier, c'est le protectionniste modéré John Charlton qui trouva la meilleure formule pour définir la situation: «Autant dire à un Yankee d'aller aux Enfers, et que nous, nous irons en Angleterre.» Sifton aurait carte blanche pour peupler l'Ouest. Le chemin de fer transcontinental serait construit pour sortir l'or du Yukon, le minerai du nord de l'Ontario et le blé des Prairies; Tarte et Dobell aménageraient le Saint-Laurent pour qu'il soit navigable toute l'année. Laurier se donna la tâche de détacher le plus possible le Canada de l'Empire; il superviserait aussi les relations avec les États-Unis.

Laurier savait ce qu'il lui fallait faire pour réussir à imposer son sceau de la nationalité canadienne. Il devait être le maître de son gouvernement, se faire réélire le plus souvent possible, prévenir une guerre civile sur les querelles religieuses et raciales, favoriser l'harmonie nationale, et garder le Québec sous son contrôle, celui-ci étant la source principale de son pouvoir.

Il s'attaqua d'abord à l'économie, c'est-à-dire au tarif douanier. Il avait hérité d'un Canada mal en point: dépression économique, prix et salaires faibles, marchés petits et peu nombreux pour les produits nationaux, immigration limitée, exode vers les États-Unis dévastateur pour la croissance du pays, et mur tarifaire destructif érigé par un voisin agressif partout où il le pouvait. Heureusement, les indicateurs économiques laissaient présager un revirement. Rapidement, l'économie internationale s'améliora, les prix et les salaires augmentèrent; l'exploitation minière se développa dans le sud de la Colombie-Britannique et en Alberta, avec l'aide du Canadien Pacifique; on découvrit de l'or dans le Klondike, district du Yukon, et ce fut la ruée; les États-Unis entreprirent de coloniser leur Ouest; et la confiance de Laurier dans la réussite illimitée du Canada, «le pays du XXe siècle», apporta le stimulant psychologique requis pour améliorer encore la situation.

Que ferait Laurier au sujet du tarif douanier? La politique libérale arrêtée au congrès du parti en 1893 et poursuivie par la suite consistait à promouvoir le libre-échange partout dans le monde, mais plus particulièrement avec la Grande-Bretagne et les États-Unis, et à établir un tarif à des fins de revenus seulement. Lorsque Laurier arriva au pouvoir, les revenus totaux de l'État étaient de l'ordre de 39 millions de dollars, tandis que ses dépenses atteignaient les 45 millions. Les seules sources de revenus étaient les droits perçus sur des produits comme le tabac et l'alcool, ainsi que les droits de douane.

Afin d'établir le tarif adéquat, Laurier devait répondre à quelques questions. Il envoya Charlton aux États-Unis pour vérifier si les Américains étaient prêts à commercer avec les Canadiens. Dans le cas contraire, le Canada devrait se passer des États-Unis. Conformément à l'esprit de l'époque, Laurier était persuadé que le Canada pouvait très bien se passer des États-Unis. Charlton rapporta que commercer avec le Canada n'intéressait pas les Américains. Entre-temps, Laurier avait formé une commission sur le tarif, dirigée par Fielding, dans laquelle Paterson représentait les protectionnistes du parti, et Cartwright les libre-échangistes. Les commissaires firent le tour du pays et entendirent, au cours de séances ouvertes, l'opinion des fermiers, des industriels, des manufacturiers, des banquiers et des représentants de tous les groupes d'intérêt imaginables. Leurs conclusions servirent de base au premier budget de Fielding.

Le 23 avril 1897, Fielding était prêt. Il livra ce que les critiques décrivirent comme étant une «réalisation de maître». Ils auraient aussi pu dire «réalisation astucieuse». Le protectionnisme si nécessaire, mais pas nécessairement le protectionnisme; le libre-échange si nécessaire, mais pas nécessairement le libre-échange. Fielding était toutefois persuadé d'être sur la bonne voie. Il élargit la liste des articles admis en franchise, réduisit les taux et modifia les droits spécifiques, ce qui eut pour effet global, selon le critique conservateur des Finances, de pratiquement éliminer la différence d'opinion entre les deux partis sur l'opportunité de faire du protectionnisme le principe directeur de la fiscalité canadienne. Peut-être. Mais ce budget menait quand même le Canada sur la voie du libre-échange.

Puisque les Américains ne voulaient pas faire de commerce avec les Canadiens, le Canada se tournerait vers la Grande-Bretagne et le reste du monde. C'est ainsi que le pays se dota d'un tarif différentiel: de forts droits de douane protectionnistes pour les pays qui les appliquaient aux produits canadiens; des droits préférentiels (12,5 pour cent en 1897, 25 pour cent en 1898) aux pays qui se montraient plus amicaux sur le plan du commerce. Fielding veilla à ce que tous les Canadiens, plus particulièrement les Ontariens, sachent que ce qu'il accordait, c'était une «préférence impériale» dont la Grande-Bretagne serait la grande bénéficiaire. La Grande-Bretagne et le Colonial Office ne furent pas consultés.

La proposition de Fielding d'avril 1897 fut acceptée par le Parlement et par le pays. Elle forma la base de tous ses budgets jusqu'en 1911, lorsqu'il fut de nouveau question de réciprocité avec les États-Unis. En attendant, la question resterait la suivante: le tarif tiendrait-il en Angleterre?

~

Il y avait de bonnes chances qu'il tienne, car c'était l'ère de l'impérialisme. C'était aussi l'époque du jingoïsme, cette affreuse forme de patriotisme belliqueux, marque des vauriens, sinon des racistes.

Impérialisme et jingoïsme virent le jour parce que la plupart des grands pays d'Europe n'avaient pas assez à faire sur le plan intérieur ou refusaient d'accomplir ce qui aurait dû être fait. Leurs peuples étaient prospères et très productifs; mais ils s'ennuyaient. Le tissu social de la mère patrie requérait de nouveaux défis pour le peuple, et de nouveaux marchés pour ses produits, de nouveaux territoires pour l'excédent de population. Les puissances impériales envahissaient le territoire des pays plus faibles. Pour justifier leurs agissements, elles se donnaient de l'importance, invoquant le devoir de l'homme blanc, ou la mission civilisatrice de la France, ou le savoir technique prussien et, par-dessus tout, la supériorité de l'homme blanc sur les autres misérables créatures de la planète. Les Européens, et les Anglo-Saxons, étaient investis d'une mission divine: régner sur les barbares, les civiliser, les convertir, et les exploiter au nom de Dieu et de l'Empire.

Pour ce qui était du jingoïsme, enfant bâtard de l'impérialisme, il avait pris naissance dans les salles de billard, les usines et les music-halls; il s'était répandu dans les quartiers pauvres et les cathédrales gothiques; et il avait vite fait son chemin dans les assemblées législatives, les chambres des députés, les hauts commandements militaires, le saint des saints des gouvernements, et le palais de Buckingham. En outre, il faisait vendre des journaux.

La Grande-Bretagne était le chef de file du mouvement impérialiste. Le secrétaire aux Colonies, Joseph Chamberlain, se chargeait de justifier la cause impérialiste. C'était un curieux personnage, difficile à déchiffrer: homme d'affaires devenu réformateur social, politicien libéral et partisan de Gladstone, secrétaire aux Colonies dans des gouvernements conservateurs, impérialiste, et épine dans le pied de Laurier. Il souhaitait remettre à neuf l'Empire, en unir les divers éléments, et faire en sorte que le soleil ne se couche jamais sur l'Empire britannique. N'eût été de Laurier, il y serait peut-être parvenu.

Les Canadiens anglais considéraient leur engagement dans l'Empire comme le complément positif de leur patriotisme et de leur nationalisme canadiens. Rejeter l'Empire revenait à rejeter le Canada. Après tout, comme l'avait expliqué George Monro Grant, recteur de l'Université Queen's, ardent impérialiste et nationaliste canadien: «Nous sommes Canadiens et, pour être Canadiens, nous devons être Britanniques.»

Ce nationalisme schizophrène signifiait que, pour que le Canada se développe avec assurance et dans la bonne attitude, le cordon ombilical ne devait pas encore être coupé, pas même dans un avenir rapproché. Mais il ne nuisait en rien aux idéaux de nation et d'indépendance canadiennes. Le moment de réaliser ces idéaux n'était pas encore venu. D'ici là, le meilleur moyen de progresser consistait à favoriser la formation d'un partenariat impérial regroupant les diverses composantes de l'Empire britannique. Le Canada avait un rôle particulier à jouer dans ce partenariat. Il prendrait sa place au sein des nations du monde, bien qu'il demeurerait foncièrement «anglais».

Tout compte fait, mieux valait être un participant actif dans l'Empire que rester une colonie.

Ce scénario ne cadrait absolument pas avec les aspirations des Canadiens français, second membre de l'équation canadienne. Ceux-ci n'avaient qu'un seul pays, le Canada, et qu'une seule nationalité, canadienne-française. Ils acceptaient sans trop de difficulté le caractère «anglais» du pays, le considérant comme étant un signe d'allégeance à un monarque, un ensemble de libertés et de droits, l'adhésion à un club de nations, et une certaine forme d'indépendance canadienne non officielle mais reconnue. Ils ne le voyaient certainement pas comme une supériorité de la race anglo-saxonne à laquelle ils devraient s'assimiler, comme un impérialisme qui priverait le Canada de sa capacité de juger et de décider lui-même de son avenir, ni comme une obligation pour le Canada de participer aux guerres que la Grande-Bretagne pourrait livrer de par le monde. Ils avaient trop souvent été les victimes de la «race supérieure» que prétendaient être les Anglo-Saxons, non seulement dans un passé lointain, mais aussi dans un passé tout récent. Par conséquent, ils considéraient le partenariat impérial comme un non-sens grossier et incompréhensible.

Qu'en pensait sir Wilfrid?

Lorsqu'il avait quitté le Canada pour entreprendre son premier voyage en Europe en juin 1897, Laurier n'avait qu'une compréhension limitée de ce que signifiait concrètement l'impérialisme. Il avait été question de l'Empire, d'une Fédération impériale, de réponse à l'appel de la mère patrie, et il y avait eu beaucoup de discours, dont les siens. Il était en faveur d'une nation canadienne fondée sur la dualité culturelle et linguistique, et sur l'indépendance. L'atteinte de ces objectifs constituait le seul but de sa carrière politique. Par contre, lui aussi était parfois «schizophrène»: libéral à l'anglaise, il admirait les institutions britanniques; il était anglophile; et il croyait sincèrement que les libertés et droits individuels et collectifs dont son peuple jouissait, il les devait aux Britanniques. Comme il le dit au cours d'un dîner officiel à Londres, lui et ses compatriotes avaient appris à apprécier l'autorité britannique: «Il n'y a pas aujourd'hui un Canadien d'origine française qui ne comprenne pas qu'il a trouvé sous le drapeau d'Angleterre une liberté beaucoup plus grande que celle qu'il aurait eue sous le drapeau de France.» Le fait d'avoir adopté le mode de vie britannique qui, après l'arrivée au pouvoir de Laurier, s'était exprimé de plus en plus sous forme de mode de vie impérial, avait été bénéfique pour le Canada. Laurier se demandait toutefois combien de temps le lien avec la Grande-Bretagne pourrait ou devrait être maintenu.

Le moment de cette rupture viendrait. Sa politique n'était pas de provoquer la rupture, mais de développer le pays sans sacrifier ses idéaux de nation et d'indépendance canadiennes.

Dans la poursuite de ses idéaux, Laurier fit face à deux courants opposés — l'un en Ontario, l'autre au Québec —, l'un en faveur d'un partenariat virtuellement sans restrictions, l'autre en faveur de l'indépendance du Canada. Il partageait le point de vue du Québec, dans lequel il se débattait. Le lien colonial, s'il était maintenu trop longtemps, deviendrait une cause d'atrophie, un obstacle au développement du pays; il étoufferait l'esprit d'initiative et subordonnerait toutes les aspirations du Canada aux intérêts de la métropole. Néanmoins, l'heure du changement n'avait pas encore sonné. S'il n'y avait eu que des Canadiens français dans la Confédération, Laurier n'aurait pas hésité à faire l'indépendance; cependant, l'idée n'était «pas assez mûre encore pour la population anglaise». Il lui fallait attendre, de crainte de provoquer un conflit entre les deux races. Il ferait la preuve de son leadership en montrant comment il pouvait manœuvrer entre les deux races sans sacrifier l'harmonie nationale.

~

Durant son mandat de premier ministre du Canada, Laurier assista à quatre conférences impériales: 1897, 1902, 1907 et 1911. Au fil des ans, de nouveaux venus commencèrent à remettre en question la suprématie impériale de la Grande-Bretagne, et les impérialistes accentuèrent leurs pressions sur Laurier pour qu'il mène les colonies vers une plus grande centralisation de l'Empire. Aux conférences successives, les trois grands enjeux restèrent les mêmes qu'en 1897: réorganisation constitutionnelle et politique de l'Empire, soit par la représentation à la Chambre des communes de Londres, soit — ce qui convenait encore mieux à Chamberlain — par l'entremise d'un «vrai Conseil de l'Empire, auquel toutes les questions d'intérêt impérial pourraient être référées»; augmentation du commerce entre les colonies et tarif préférentiel exclusif pour favoriser la centralisation économique; partage du coût de la défense impériale par la contribution des colonies en argent et en troupes, et par l'intégration militaire. Sur les deux derniers enjeux, le point de vue de Laurier ne changea pas avec les années: non à la centralisation économique et, par-dessus tout, non à l'intégration militaire.

Les États-Unis constituaient pour le Canada un partenaire commercial naturel, mais pas la Grande-Bretagne, ni les pays de l'Empire. Par conséquent, la politique de Laurier tout au long de son mandat fut de s'opposer au libre-échange à l'intérieur de l'Empire, sous prétexte qu'il n'était pas possible de le pratiquer. Le Canada continuerait d'accorder un tarif préférentiel aux produits britanniques si la Grande-Bretagne faisait de même avec le Canada; quant aux colonies, on pourrait négocier des accords de réciprocité avec les pays qui le souhaitaient. L'attention de Laurier était cependant concentrée sur les États-Unis, et il lutta pour libérer le Canada des traités et arrangements britanniques qui nuisaient à l'amélioration des relations commerciales avec les Américains. En 1911, il y parviendrait.

Concernant les affaires militaires, le Canada ne devait pas se laisser gagner par le penchant européen pour la guerre. «Il existe une école à l'étranger, dit un jour Laurier à la Chambre, il existe une école en Angleterre et au Canada, une école, peut-être représentée ici à la Chambre, qui veut pousser le Canada dans le tourbillon du militarisme, fléau de l'Europe. Je ne suis pas disposé à appuyer une telle politique.» Par contre, le Canada faisait partie d'un empire; les Canadiens étaient sujets britanniques; la majorité des Canadiens convenaient avec lui que «la suprématie de l'Empire britannique était essentielle, non seulement à la préservation de l'Empire, mais aussi à la civilisation du monde». Par conséquent, il était du devoir du Canada de contribuer à sa défense. Le meilleur moyen de le faire n'était pas pour le Canada de fournir argent et troupes, mais de devenir entièrement responsable de la défense du pays. C'était cela, une politique vraiment canadienne, et Laurier essaya de l'appliquer dans ses décisions et dans son action. Il le paya cher.

De quelle manière le Canada devait-il appartenir à l'Empire? La question demeurait. L'Empire devait-il devenir une entité centralisée? Une fédération de pays quasi indépendants qui resteraient en fait des colonies? Une union de nations indépendantes coopérant les unes avec les autres dans les affaires touchant à leurs intérêts mutuels? Laurier reconnaissait que le Canada était en train de se construire un port, pas celui qu'il avait prévu vingt-cinq ans plus tôt, mais tout de même un bon port. Le premier port pour lui avait été une espèce de Parlement impérial. Mais dès qu'il en avait parlé, il en avait abandonné l'idée. Celle-ci allait à l'encontre du point de vue, sien depuis longtemps, selon lequel le Canada serait un jour indépendant; par conséquent, il fallait éviter tout ce qui était susceptible de limiter cette indépendance. De plus, l'harmonie et l'unité nationales restaient pour lui des buts à atteindre. Les manigances impériales risquaient de mettre en danger la structure du Canada.

Le port choisi par Laurier faisait du Canada une nation qui acceptait volontairement de faire partie de l'Empire britannique. On ne parlerait plus du Canada comme d'une colonie, mais comme d'un dominion autonome. On ne parlerait plus de conférences coloniales, mais de conférences impériales, qui serviraient à régler les affaires d'intérêt pour le gouvernement de Sa Majesté et pour ses gouvernements des dominions autonomes d'outre-mer.

Il ne fut pas facile pour Laurier d'accomplir tout cela. En 1902, Chamberlain considérait l'obstruction de Laurier à ses idées comme celle d'un homme qui n'était pas totalement anglais, qui avait trop de sang français. Au lieu de rentrer furieux au Canada, Laurier organisa un dîner pour Chamberlain et les quatre autres membres de la délégation canadienne: Fielding, Borden, Mulock et Paterson. Le secrétaire aux Colonies reçut la même réponse de la part de ces quatre purs Anglo-Saxons: nous sommes de loyaux sujets de Sa Majesté; nous souhaitons continuer d'appartenir à l'Empire britannique, mais nous sommes des Canadiens.

La plus grande difficulté pour Laurier, cependant, fut de résister à la pression qu'exerçait sur lui la haute société britannique. À l'occasion de toutes les conférences auxquelles il assista, il fut reçu par «la royauté, l'aristocratie et la ploutocratie, qui ne parlaient que d'empire, d'empire et d'empire». Il aurait été facile de succomber aux flagorneries des belles duchesses parées de joyaux. Même des hommes plus solides que lui avaient perdu la tête. Laurier garda la sienne. Lui, le Canada, la Grande-Bretagne et l'Empire modifièrent légèrement leurs positions pour en arriver à un compromis. Le Canada atteignit sa majorité, au sein de sa famille.

~

Laurier découvrit vite que gouverner n'était pas une tâche aisée. Les ministres se jalousaient; les rouges continuaient de considérer Tarte comme un arriviste qui n'avait pas sa place dans le parti; le Sénat, majoritairement conservateur, entravait l'adoption des lois; et les Tupper, père et fils, poursuivaient leur vendetta contre les Aberdeen, estimant que ceux-ci leur avaient enlevé le pouvoir. Pour toutes ces raisons, la session parlementaire, qui dura du 3 février au 13 juin 1898, fut fatigante et ennuyeuse pour Laurier. Au début de mai, les Aberdeen annoncèrent qu'ils rentraient au Royaume-Uni avant la fin de leur mandat, «pour des motifs privés et familiaux». Ce fut un coup dur pour Wilfrid et Zoé. Laurier fit l'éloge de leur «cœur chaleureux et leur énergie inépuisable», et il leur promit que le Canada ne les oublierait pas. Il semblait à Laurier que toutes les personnes de sa génération disparaissaient; il serait bientôt seul.

Le premier décès fut celui du cardinal Taschereau, survenu le 12 avril 1898. Malade depuis quelque temps, il n'avait pu exercer son influence modératrice dans la querelle politico-religieuse du milieu des années 1890. Son coadjuteur, Louis-Nazaire Bégin, lui succéda et fut nommé cardinal en 1914. Bégin était un homme médiocre, intrigant et prétentieux. Il ne comptait pas parmi les évêques préférés de Laurier.

Un mois plus tard, le 11 mai, D'Alton McCarthy tomba de cheval et mourut. Laurier avait prévu faire un jour de lui son ministre de la Justice. McCarthy s'était beaucoup amélioré depuis le début des années 1890. Sa mort était prématurée. Lady Aberdeen confia à son journal intime: «La mort de monsieur McCarthy a été durement ressentie. Respecté de tous, c'était un homme charmant et compétent. Il envisageait de se joindre au Parti libéral; il en avait parlé à Laurier très récemment.»

La dernière fois que lady Aberdeen se trouva à la Chambre des communes, dans son fauteuil habituel à la droite du président, ce fut le 26 mai, pour écouter Laurier faire le panégyrique de Gladstone, récemment disparu:

> «Il n'est pas exagéré de dire qu'il a élevé le niveau de la civilisation.
>
> Si grandes que fussent ses qualités, il y en avait une plus marquée, plus distinctive que les autres, c'était son admirable humanité, son sens supérieur du droit; sa haine de l'injustice, du mal, de l'oppression sous quelque forme qu'elle se présentât.
>
> L'injustice, le mal, l'oppression avaient sur lui un effet quasiment automatique, qui faisait se hérisser toutes les fibres de son être. Dès ce moment et tant que l'injustice n'était pas redressée, le mal réparé et l'oppression éliminée, il y consacrait en entier son esprit, son cœur, son âme, toute sa vie, avec une énergie, une intensité et une vigueur inégalée, si ce n'est chez Napoléon 1er.»

Lady Aberdeen trouva «très bien» le discours de Laurier.

Le 13 juin, Chapleau mourut dans son appartement de l'hôtel Windsor, à Montréal. Laurier envoya un télégramme à la veuve: «La mort de sir Adolphe est une perte nationale!» Il fut l'un des hommes qui porta le cercueil aux funérailles. Sa relation avec Chapleau remontait loin dans l'histoire du Québec. Du triumvirat qui avait dominé la vie politique québécoise — Mercier, Chapleau et Laurier —, Laurier était le dernier survivant. Le moment était propice à la réflexion.

Un mois plus tard, presque jour pour jour, ce fut le tour de monseigneur Laflèche d'aller rejoindre son Créateur. Lorsque l'épouse d'Henri demanda à Laurier où il s'en allait dans sa tenue de cérémonie et son haut-de-forme, il répondit: «Je vais aux funérailles de l'évêque Laflèche. C'était un fanatique, mais un saint prêtre.»

Puis, plus près de lui, son demi-frère Ubald mourut à la fin d'août. Médecin, ce dernier avait vécu aux États-Unis. Sa santé avait toujours été précaire; il souffrait de l'une des nombreuses maladies pulmonaires qui affligeaient presque tous les Laurier. Wilfrid et d'autres membres de sa famille subvenaient aux besoins d'Ubald depuis de nombreuses années. Ils l'avaient envoyé en Californie, où Zoé lui avait rendu visite à l'automne de 1896; il avait ensuite vécu en Colombie-Britannique. Trois semaines avant sa mort, Henri était allé le chercher, lui et sa famille, et les avait ramenés à Arthabaska. Il s'éteignit dans la maison de Laurier et fut enterré à Saint-Lin.

Quelques jours auparavant, les Aberdeen et leurs enfants s'étaient rendus chez Wilfrid et Zoé pour y passer l'après-midi. Les cinq heures passées avec les Laurier furent «agréables et reposantes», comme le dit lady Aberdeen dans son journal: «Ils nous ont offert un repas simple et bon, nous avons photographié et avons été photographiés —, nous avons marché jusqu'à l'église et, de là, au collège, sir Wilfrid admettant qu'il n'avait pas marché si loin depuis des mois, car c'est un homme qui n'aime pas l'exercice physique.» Ils parlèrent du Canada, du Règlement de la question des écoles du Manitoba, et des futures rencontres de la Haute Commission internationale. Laurier demanda aux Aberdeen d'être à Québec en septembre pour lui prêter main-forte. Avant leur départ, il leur promit, encore une fois, le «fameux repas de cochonnet chez des fermiers français». Ishbel trouva la ville d'Arthabaska «beaucoup plus belle qu'elle ne l'avait imaginée», avec ses collines boisées et sa proximité avec des montagnes d'où l'on pouvait voir la rivière Nicolet serpenter dans la vallée. À 18 h, les Aberdeen remontèrent dans leur train, en route pour Stanley House.

Après le départ des Aberdeen, il ne restait plus à Laurier que quelques jours pour se préparer en vue des séances de la Haute Commission internationale établie par le Canada et les États-Unis pour régler leurs différends. Les réunions avaient été prévues pour plus tôt, mais la guerre hispano-américaine qui dura d'avril à août 1898 avait tout retardé. La première séance de la Commission aurait lieu le 23 août à Québec. Elle devait durer jusqu'au 10 octobre. La seconde séance se déroulerait à Washington du 9 novembre 1898 au 20 février 1899. Chapleau ne pouvant désormais être nommé président de la Commission, Laurier s'en chargea, même s'il redoutait une si longue absence d'Ottawa et de la direction des affaires de l'État. Les autres membres de la délégation canadienne étaient Richard Cartwright, Louis Davies et John Charlton; Joseph Pope et Henri Bourassa étaient secrétaires. Le seul représentant britannique était le Lord chancelier, tandis que sir James Winter, premier ministre de Terre-Neuve, représentait cette colonie. Six Américains faisaient partie de la Commission.

Au début, les réunions se déroulèrent sans problème. «Il ne fait aucun doute que l'on peut observer ici une bonne volonté nouvelle et générale.» Les Aberdeen ne furent pas étrangers à cette amélioration. Arrivés à Québec le 13 septembre, ils ne cessèrent, pendant les trois semaines suivantes, de donner des réceptions et autres fêtes, auxquelles les commissaires participèrent: soirées d'adieu pour les Aberdeen, dîner organisé à l'hôtel par Zoé pour lady Aberdeen et les épouses ou filles des commissaires, déjeuners et dîners pour les délégués américains et canadiens. «Avec toutes les activités mondaines auxquelles ils devaient participer, on pouvait se demander quand ces pauvres commissaires trouveraient le temps de travailler.»

Ils travaillèrent beaucoup, mais aucune décision ferme ne pouvait être prise avant l'élection américaine du 8 novembre. Les républicains la remportèrent et, le lendemain, Laurier et sa délégation arrivèrent à Washington. Les choses n'allèrent pas si bien dans la capitale américaine. Le 8 février, Wilfrid écrivit à Zoé: «Nous n'avançons pas.» Un jour les commissaires étaient d'accord sur un point; le lendemain des complications survenaient; le surlendemain ils devaient recommencer de zéro. C'était décourageant. Mais Laurier allait persévérer, si monotone que fût l'entreprise.

À la fin de la seconde séance, le 20 février 1899, Laurier n'avait pas eu beaucoup de succès. La Haute Commission internationale devait traiter douze points litigieux entre le Canada et les États-Unis. Laurier en considérait quatre comme étant de la plus haute importance. En ce qui concernait le différend sur la chasse aux phoques de la mer de Béring, des progrès avaient été réalisés et le problème semblait en grande partie résolu; mais la solution devait faire partie d'un traité général, qui se faisait attendre, et l'entente sur la chasse aux phoques n'avait pas été finalisée. Quant aux pêches et à l'industrie du bois de l'Atlantique, la discussion n'avait fait aucun progrès. Sur le quatrième point litigieux d'importance, la délimitation des frontières de l'Alaska, aucun compromis satisfaisant les deux pays n'avait pu être atteint. Il n'y eut plus jamais de réunion de la Haute Commission. Le litige frontalier demeurait entier jusqu'à ce que l'on recoure à l'arbitrage en 1903.

Durant le mandat de Laurier, la Haute Commission internationale siégea sporadiquement. Il y eut des pauses et des périodes de repos; de plus, il fallait bien s'occuper des affaires du pays, notamment du référendum sur la prohibition, qui eut lieu le 29 septembre 1898. La consommation d'alcool faisait partie de la vie canadienne depuis l'arrivée de l'homme blanc au début du XVIe siècle. L'«eau de vie» avait été un outil indispensable durant la colonisation de la Nouvelle-France: elle avait réchauffé les coureurs de bois et les voyageurs durant leurs longues odyssées; elle avait été utilisée comme monnaie d'échange par les négociants de la Compagnie de la baie d'Hudson; elle avait détendu fermiers, mineurs et petits commerçants; pour chacun, elle avait été un réconfort et un moyen d'oublier les petites et les grandes tragédies de la vie.

Depuis l'époque de la Nouvelle-France, on avait essayé en vain de réduire la consommation d'alcool. Après la Confédération, en 1875, la Dominion Alliance for the Total Suppression of the Liquor Traffic avait été fondée. Trois ans plus tard, la loi Scott, timide mesure de prohibition, était en vigueur, et il y eut des plébiscites au Manitoba en 1892, à l'Île-du-Prince-Édouard en 1893, et en Ontario et en Nouvelle-Écosse en 1894, chaque fois en faveur de la prohibition. Tous les ans, le Parlement était inondé de pétitions et de motions réclamant une loi de prohibition; mais l'Acte de l'Amérique du Nord britannique ne définissait pas les compétences des gouvernements fédéral et provinciaux en la matière, et rien ne fut fait qui satisfît les prohibitionnistes. La plupart des activistes et partisans de la prohibition étaient des femmes. En fait, tout le mouvement des femmes au XXe siècle a ses racines dans le mouvement prohibitionniste.

À l'époque du congrès libéral de 1893, il semblait clair que le gouvernement fédéral avait compétence en matière de fabrication, d'importation et d'exportation d'alcool, et que les provinces étaient responsables du contrôle et de la vente au détail de ce produit. Lorsque la question de l'alcool fut soulevée au congrès, Laurier décida qu'un plébiscite y répondrait. Celui-ci aurait lieu en septembre.

La plupart des provinces, à part le Québec, s'étaient déclarées en faveur de la prohibition à un moment ou à un autre. Mais Laurier, qui buvait rarement, ne voyait pas la prohibition d'un bon œil. Le gouvernement perdrait des revenus annuels de quelque 8 millions de dollars; l'application de la loi en coûterait 22 millions de plus, ce qui entraînerait une hausse des taxes; la prohibition constituerait une ingérence massive dans la vie privée des citoyens; et le peuple du Québec s'opposerait à l'idée, qui lui était étrangère et qui allait à l'encontre de sa conception du «bien». Tarte se chargea de la campagne référendaire au Québec et au Nouveau-Brunswick.

Le 29 septembre, les hommes de tout le pays votèrent. Près d'un demi-million d'entre eux — soit à peu près 44 pour cent des citoyens admissibles, beaucoup moins qu'aux élections — se prononcèrent. Résultats: 23 pour cent seulement votèrent en faveur de la prohibition. Au Québec, où 74 259 citoyens prirent la peine de voter, 13 706 dirent oui, 60 553 dirent non. Compte tenu de ces résultats, Laurier n'était pas enclin à agir. En outre, pourquoi perturber le Québec inutilement?

Laurier prit aussi congé de la Haute Commission pour faire ses adieux aux Aberdeen. Le 29 octobre, un mois après le référendum sur la prohibition, ceux-ci, faisant «une exception spéciale aux règles», dînèrent chez les Laurier, dans leur résidence d'Ottawa. Pour tenir la promesse de repas campagnard que Wilfrid leur avait souvent faite, Zoé leur servit un cochonnet préparé à la canadienne-française. Ishbel se prononça: «C'était très bon!» Les Aberdeen et leurs hôtes passèrent une soirée agréable. Ils s'aimaient et se respectaient. Zoé était alors engagée à fond dans les bonnes œuvres de lady Aberdeen en tant que vice-présidente ou patronne honoraire de diverses sociétés. Selon le journal d'Ishbel, vers la fin de la soirée, lord Aberdeen sortit «une vieille coupe de l'amitié française, copie d'un modèle datant de l'époque d'Henri II, ornée d'une fleur de lys»; on pouvait y lire que les Aberdeen l'offraient «à Sir Wilfrid & Lady Laurier — Oublier, nous ne le pouvons». Une fois remplie d'une «splendide concoction», la coupe fut solennellement passée d'un convive à l'autre. «Sir Wilfrid eut quelques mots de remerciement des plus chaleureux.» Comme cadeau d'adieu, les Laurier offrirent aux Aberdeen «l'un de ces charmants petits berlots rouges québécois».

Lady Aberdeen, comme Laurier, s'intéressait beaucoup à l'embellissement d'Ottawa, qu'elle appelait «la grande amélioration». Elle proposa la préparation et l'adoption d'un plan.

> «Une belle allée majestueuse ou esplanade serait construite de Major's Park jusqu'à Sussex Street, le long de laquelle on ne permettrait que des constructions d'un type approuvé, et seulement sur un côté, pour que celui de la rivière soit libre et ouvert jusqu'aux terrains de la résidence du gouverneur général. Il y aurait une nouvelle résidence, plus digne, qui offrirait une vue magnifique sur la rivière. Un pont relierait Gatineau, où on pourrait construire un chemin longeant l'autre côté de la rivière

jusqu'à Hull. Bien entendu, ce chemin devrait être prolongé à l'ouest des édifices du Parlement jusqu'à la chute des Chaudières. Ces travaux feraient d'Ottawa une ville glorieuse. Rien n'empêche qu'on les entreprenne.»

Lady Aberdeen avait d'abord pensé que la résidence du gouverneur général devrait se trouver à l'endroit spectaculaire appelé «pointe Nepean». Cependant, l'imprimerie du gouvernement et le pont du Canadien Pacifique, tous deux très laids, rendaient la chose impossible. Mais elle avait des idées pour ce lieu: «une patinoire en plein air, une descente de toboggan franchissant la rivière, un centre sportif où se pratiqueraient tous les sports pour lesquels Ottawa est célèbre, en hiver comme en été», ainsi qu'un nouveau musée de géologie, qui serait le premier des beaux immeubles.

Laurier manifesta un vif intérêt pour les projets d'Ishbel. Elle réussit à le convaincre, ainsi que Tarte et Fielding, à jeter un coup d'œil sur son plan. «Regardez cinquante ans dans l'avenir», leur dit-elle. Les trois hommes répondirent que le plan pourrait peut-être se réaliser plus tôt. Fielding eut l'idée de mettre sur pied une commission d'amélioration «comme celle de Washington». Madame Fielding, Zoé et d'autres épouses de ministres s'engagèrent dans le projet, et un «projet de loi touchant la ville d'Ottawa» finit par être présenté à la Chambre des communes. Il proposait la création d'une Commission d'amélioration d'Ottawa, composée de quatre commissaires, avec un budget de 60 000 $ (plus tard augmenté à 100 000 $ par Laurier). L'adoption du projet de loi par la Chambre et par le Sénat, loin d'être aisée, fut marquée par la même attitude négative qu'ont toujours manifestée les Canadiens envers leur capitale depuis la Confédération. Laurier, Tarte et Fielding persévérèrent et, un an après le départ des Aberdeen du Canada, les quatre commissaires furent nommés, et la Commission d'amélioration d'Ottawa (qui allait devenir la Commission de la capitale nationale) entra en action.

Les Aberdeen quittèrent le Canada le 19 novembre; les Minto — Gilbert John Murray Kynynmond Elliot, quatrième comte de Minto, et Mary Grey, comtesse de Minto — arrivèrent le même jour.

Puis Dieu fit des miracles.

~

Le 6 avril 1899, l'archevêque de Montréal écrivit à Laurier: «Je viens de vous faire part d'une grande joie.» La grande joie, c'était que Christophe-

Alphonse Geoffrion, vieux rouge, confident de Laurier depuis des années et ministre sans portefeuille dans son Cabinet, avait fait ses Pâques, se réconciliant ainsi avec l'Église. L'archevêque s'était rendu chez Geoffrion pour dire une messe, c'était une «belle victoire de la grâce de Dieu». Geoffrion, alors malade, mourut le mois de juillet suivant.

Non content d'avoir converti Geoffrion, l'archevêque dirigeait désormais son attention sur Laurier: «Et vous, cher monsieur Laurier, permettez-moi de vous poser cette question au nom de l'affection que je vous porte: avez-vous fait vos Pâques? Vous avez besoin d'être avec nous. Vous le désirez, pourquoi attendre?» Si Laurier avait fait ses Pâques, tant mieux; sinon, il devait les faire le plus tôt possible. «Ne me le refusez pas, ajoutait l'archevêque. J'en serais plus heureux que si vous vous arrangiez pour que lord Strathcona nous donne 5000 $. Mais ces deux bonheurs vont de pair.»

Trois jours plus tard, l'affaire était dans le sac. Laurier réintégra l'Église de sa famille et de ses ancêtres, dans laquelle il était né. L'archevêque débordait de joie, même s'il lui fallut trois mois pour souligner l'événement. Pourquoi cette conversion? Seul Dieu et Laurier — et peut-être Zoé — le savaient.

Une fois l'ordre remis dans cette dimension de sa vie, Laurier était prêt à affronter les Boers d'Afrique du Sud, qui étaient sur le point d'envahir l'esprit des Canadiens.

~

En Afrique du Sud, deux peuples s'affrontaient: les Boers et les Britanniques. Les Boers en voulaient aux nouveaux venus, aux étrangers, qui envahissaient leur territoire et les traitaient comme du bétail. Vu leur arrogance, les Britanniques n'aimaient pas qu'on mette en question leur comportement. En outre, ils avaient un empire à bâtir. Inévitable, la guerre éclata entre les deux groupes le 12 octobre 1899, lorsque les Boers tirèrent le premier coup. Ce coup résonna dans tout le Canada, et provoqua un conflit racial qui divisa le pays encore plus profondément que ne l'avaient fait l'affaire Riel et la question des écoles du Manitoba.

Avant l'éclatement de la crise, ni Laurier ni le Canada ne s'étaient intéressés au conflit latent. Cela se passait si loin. Au début, Laurier eut tendance à pencher en faveur des Boers. L'idée ne lui avait jamais traversé l'esprit que l'on demanderait quelque chose au Canada. Il avait tort.

En juillet 1899, Chamberlain écrivit à lord Minto pour lui demander de vérifier si la loi sur la milice canadienne pouvait être interprétée dans un sens qui justifierait l'envoi de troupes canadiennes à l'extérieur du Canada dans le cas d'une guerre avec une puissance européenne. Laurier répondit que cette loi ne portait que sur la défense du Canada, et que le théâtre des opérations n'avait aucune importance. Minto, qui se disait «un vieil ami du Canada» sous prétexte qu'il avait été le chef d'état-major du commandant des troupes, le général Middleton, durant la rébellion de Riel de 1885, demanda plaintivement à Laurier d'envisager l'envoi immédiat de soldats. Mais Laurier se contenta de présenter à la Chambre une résolution d'appui et de entonner aux députés le *God Save the Queen.*

Une agitation en faveur de l'envoi de troupes, orchestrée par Hugh Graham, propriétaire quelque peu jingoïste du *Montreal Star*, secoua le pays en août et en septembre. En réponse à l'appel, des milliers de réponses positives furent reçues; les réponses négatives furent tout simplement détruites.

Le 21 septembre, à son retour d'Europe, Tarte rencontra Laurier et Bourassa. Tarte était inflexible: pas un sou pour l'Afrique du Sud sans le consentement du Parlement. Si les Canadiens souhaitaient équiper des régiments et apporter d'autres contributions à leurs propres frais, libre à eux. Mais les deniers publics ne seraient pas dépensés sans l'autorisation expresse du Parlement. Bourassa était en parfait accord avec Tarte. «Je suis prêt, dit-il de son ton pontifiant habituel, à mettre mon siège en jeu sur cette question.»

Le mois suivant, les forces militaires se firent entendre par l'intermédiaire du commandant britannique de la milice canadienne, le major-général Edward Hutton. À son instigation, un article parut dans la *Canadian Militia Gazette*, affirmant catégoriquement que, en cas de guerre, le Canada enverrait des troupes. On pouvait y lire le plan d'urgence qui avait été élaboré.

Laurier rejeta simplement cette histoire de plan comme étant «pure invention». Il ajouta un commentaire qu'il regretterait plus tard: «Bien que nous puissions désirer fournir des troupes, je ne vois pas comment nous pouvons le faire. Le Canada n'est pas menacé.» Pendant que Laurier niait l'existence d'un plan d'urgence, Chamberlain — jamais à court de moyens pour obtenir ce qu'il voulait — envoya un câble à Minto pour lui demander de remercier Hutton et le peuple canadien de leur patriotisme pour avoir offert de «servir en Afrique du Sud». Le câble de Chamberlain ne disait pas que seul le colonel Sam Hughes, député fédéral, avait offert de former un régiment à ses propres frais.

Une fois la guerre déclarée, le Cabinet se réunit pour arrêter la position officielle du Canada. David Mills, Frederick Borden et William Mulock étaient en faveur de l'envoi d'un contingent équipé et financé entièrement par le dominion. Richard Cartwright, Henri Joly de Lotbinière, Richard Scott, William Paterson, Clifford Sifton, William Fielding et Charles Fitzpatrick, plus modérés, voulaient que l'on tente de réconcilier les belligérants. Tarte n'en démordait pas: «Pas un homme, pas un sou pour l'Afrique du Sud!» Apporter une contribution reviendrait à trahir la confiance sacrée du peuple, en plus de constituer un dangereux précédent. Le Canada se verrait obligé de participer à toutes les guerres de l'Empire. Le Québec ne l'accepterait jamais, et il risquait d'être perdu pour le Parti libéral aux élections suivantes. «Soyez Canadiens!» lança Tarte à ses collègues. Plus doucement, se tournant vers Laurier, il lui murmura: «Il se pourrait bien que j'aie à démissionner.» Laurier l'écouta sans dire un mot.

Ce soir-là, Tarte organisa chez lui une réunion, à laquelle assistèrent Henri Bourassa, Jean-Lomer Gouin, député libéral provincial qui deviendrait premier ministre du Québec durant la Première Guerre mondiale, et Rodolphe Lemieux. Les trois hommes étaient opposés à toute participation du Canada à la guerre des Boers. Étaient aussi présents Napoléon Champagne, député de Wright, et Napoléon-Antoine Belcourt, député d'Ottawa, deux tenants d'une participation canadienne. Laurier ouvrit la réunion en déclarant qu'on avait demandé au gouvernement d'envoyer 10 000 soldats en Afrique du Sud. «Bon nombre de ministres du Cabinet sont en faveur, poursuit-il; quelques-uns, comme notre ami Tarte, s'y opposent. Le pays est divisé pour des raisons raciales. Si nous n'agissons pas de façon responsable, nous risquons de déchirer le tissu même de notre pays.»

Quelqu'un proposa la convocation des Chambres. Laurier rejeta l'idée: «Le gouvernement pourrait être défait. Messieurs, ne riez pas. C'est sérieux. Le whip a compté les voix; il ne peut nous garantir une victoire. La pression est intense. Willison m'a dit que je devais envoyer des troupes ou présenter ma démission.» Silence général. Lorsqu'il fut certain que tous avaient bien compris la portée de ses paroles, Laurier continua: «Compte tenu de cette situation, nous sommes obligés de forger un compromis, de trouver une voie moyenne.»

Sur ce, Bourassa se leva, furieux: «Je ne veux pas de ce compromis. Vous avez donné votre parole en privé et en public de ne pas envoyer un seul soldat canadien sans le consentement du Parlement. Vous avez dit que...»

Laurier l'interrompit: «Non, Henri. Ce que j'ai dit, c'est que je ne voyais pas comment on pourrait le faire. C'est différent.

— Sophisme! Vous en avez même informé le secrétaire aux Colonies. De toute façon, comment pourriez-vous forger un compromis? Quelle en serait la nature?

— Je l'ignore encore. Je dois avoir d'autres consultations ce soir et demain. Mais je dois vous dire qu'il y aura un compromis.

— Avez-vous tenu compte de l'opinion de la province de Québec?

— Mon cher Henri, la province de Québec n'a pas d'opinion, elle n'a que des sentiments.»

Belcourt intervint: «Comme toutes les autres provinces.»

Bourassa ajouta: «Il se peut que nous n'ayons que des sentiments, mais ce sont des sentiments nobles.

— Henri, les circonstances sont difficiles pour tout le monde, dit Laurier.

— C'est parce que les circonstances sont difficiles que je vous demande de rester fidèle à votre parole.»

Bourassa regarda Laurier un instant en se demandant s'il devrait dire ce qu'il pensait. Tarte, qui connaissait bien les deux hommes, pria silencieusement pour qu'un miracle se produise, pour que Bourassa se taise. Mais celui-ci fonça tête baissée:

«Gouverner, c'est avoir assez de cœur pour savoir, à un moment donné, risquer le pouvoir pour sauver un principe.»

Laurier inspira longuement, mais ne cessa pas de sourire. Il ne considérerait pas ce commentaire comme une insulte, non plus qu'il ne raillerait le jeune homme. Il se contenta de lui répondre: «Ah, mon ami, vous manquez d'esprit pratique.»

Lemieux éclata de rire. Il regarda Laurier et perçut une profonde inquiétude dans son regard. Le premier ministre était pâle, sa main tremblait. Il souffrait visiblement. Pour soulager sa tristesse, Laurier imagina un calembour: «Puisque le vin est tiré, il faut le Boer.»

Il sourit, se demandant comment il traduirait le lendemain ce calembour intraduisible pour ses collègues unilingues.

Les hommes rentrèrent chez eux, sauf Laurier qui resta chez Tarte pour essayer une fois encore de le convaincre: «Mon cher Tarte, il nous faut en arriver à un compromis. Nous n'avons pas le choix.» Tarte répliqua par une question: «Bourassa, qui a étudié la question de A à Z, est d'avis que cette guerre est injuste. Et vous?

— À mes yeux, il s'agit là manifestement d'une guerre pour la liberté religieuse, l'égalité politique et les droits civils. C'est une guerre juste, peut-être la plus juste que l'Angleterre ait jamais menée. Mais, si importante que soit la question, il ne faut pas perdre de vue notre objectif. L'intérêt du Canada exige que nous maintenions l'unité nationale. L'opinion publique dans les provinces anglaises est trop forte pour que nous nous y opposions. Nous n'avons pas les moyens de faire fi de l'opinion du pays.

— Mais le Québec, sir Wilfrid?

— Vous savez comme moi que beaucoup de Québécois sont en faveur d'une participation canadienne. Le maire de Montréal est dans notre camp; *Le Soleil* et *La Presse* aussi. Mais, pour ce qui est de l'ensemble du Québec, vous avez raison: l'idée d'envoyer des troupes n'est pas populaire dans la province. C'est pourquoi j'ai besoin de vous. Vous ne pouvez démissionner. Le Québec doit être avec nous, sinon nous ne formerons pas le prochain gouvernement. En démissionnant, vous pourriez bien mettre les Canadiens français en danger. On les accusera de manquer de loyauté. Ce serait là une situation des plus risquées pour tout ce que nous avons accompli. Voulez-vous prendre la nuit pour y réfléchir? Le Cabinet se réunit demain matin. Entre-temps, pensez à la proposition minimum qui vous serait acceptable. Je penserai au maximum auquel je suis prêt à renoncer. Bonsoir.»

Laurier rentra à pied chez lui. Dans sa bibliothèque, il réfléchit à une «voie moyenne» possible.

Le lendemain, un compromis fut forgé, qui prit la forme d'un arrêté-en-conseil. Aucun contingent ne serait envoyé, non plus que 10 000 soldats. Tout ce que le gouvernement était disposé à faire, c'était d'équiper une force de 1000 volontaires et de les faire transporter en Afrique du Sud. La «dépense modérée» pouvait être assumée par le gouvernement du Canada sans qu'il soit nécessaire de convoquer les Chambres, et — on sentait là l'intervention de Tarte — cette démarche, dans les circonstances, ne pouvait «en aucun cas être considérée comme une dérogation aux principes bien connus de gouvernement constitutionnel et de pratique coloniale, ni comme établissant un précédent».

Cinq jours plus tard, Bourassa démissionna à la Chambre des communes. À la fin d'octobre, les hommes promis à l'Empire quittèrent le Canada à destination de l'Afrique du Sud. Au moment où la cinquième session de la 8e Législature s'ouvrit, le 1er février 1900, Bourassa avait été réélu en tant qu'indépendant dans sa circonscription de Labelle. Laurier avait ordonné qu'aucun candidat libéral ne lui fasse opposition. Un mois plus tard, des émeutes éclataient dans les rues de Montréal.

Le 1er mars, la nouvelle de la délivrance de la garnison britannique de Ladysmith, en état de siège depuis trois mois, déclencha la première manifestation. Au cours d'une «démonstration pratique de sa loyauté», comme l'écrivit le *Montreal Star*, la population anglophone de Montréal célébra la victoire en portant des toasts et en entonnant des chants patriotiques, plus particulièrement le *God Save the Queen* et le *Rule Britannia*. Beaucoup de bureaux et d'usines furent fermés pendant une demi-journée; les étudiants de McGill eurent congé eux aussi.

À 10 h, une foule d'environ 2000 personnes se rendit devant les bureaux du *Montreal Star*, puis se dirigèrent vers ceux de *La Patrie*, journal de Tarte dont ils enfoncèrent la porte, du *Journal*, et de *La Presse*, où ils insistèrent pour hisser l'Union Jack, après avoir molesté plusieurs employés. Les manifestants se rendirent ensuite à l'hôtel de ville, où le maire, effrayé, les rencontra, hissa lui-même le drapeau du Royaume-Uni, prononça un discours patriotique sur la solidarité avec l'Empire et sur les gloires impériales, puis donna un congé d'une demi-journée à tous les employés municipaux. Du square Dominion, où le *Star* distribuait des drapeaux et servait gratuitement de la bière, la foule se dirigea vers l'Université Laval de Montréal, où, encore une fois, des portes et des meubles furent brisés, et l'Union Jack hissé. Toutefois, un étudiant canadien-français trancha la corde retenant le drapeau, qui tomba, provoquant une mêlée générale et d'autres dégâts matériels.

Quelques heures plus tard, les étudiants canadiens-français ripostèrent. Brandissant des drapeaux français, chantant *La Marseillaise*, ils se dirigèrent vers les trois journaux d'expression française attaqués le matin par les étudiants anglais et demandèrent que l'Union Jack soit abaissé, prétextant que c'était le crépuscule. Les étudiants de McGill revinrent soudainement, brandissant armes à feu, bâtons, barres de fer et pommes de terre gelées. C'était une soirée d'hiver glaciale. Les étudiants francophones, aidés de quelques policiers, repoussèrent les Anglais en les arrosant d'eau froide. Des coups furent tirés; il y eut quelques blessés; les émeutiers cassèrent toutes les vitres de l'Université. La foule fut finalement dispersée.

Le lendemain, les journaux prirent la relève des étudiants et se montrèrent plus irresponsables dans leurs commentaires que les étudiants ne l'avaient été dans leur comportement. Monseigneur Bruchési ordonna aux étudiants de l'Université Laval de ne pas se venger; le recteur de McGill présenta ses excuses et offrit de payer pour les dommages. Le soir, il y eut d'autres démonstrations, dans les deux camps, mais le bon sens avait repris le dessus. Après quatre jours d'émeutes, chacun rentra chez soi, certains trop saouls pour se souvenir de ce qui s'était passé. C'était au tour de la Chambre des communes de connaître le tumulte.

Les événements donnaient raison à Laurier. Sa «voie moyenne» avait sauvé la situation. Les têtes brûlées — comme les étudiants, comme Bourassa et comme les journaux, toujours aussi irrationnels — mettaient en péril ce qu'il avait entrepris de réaliser. «Dans quel état serait aujourd'hui ce pays si nous avions refusé d'obéir à la voix de l'opinion publique?» demanda-t-il pour l'effet. Il s'en serait suivi une agitation des plus dangereuse qui aurait mené à un clivage racial du pays. C'était la plus grande calamité qui aurait pu se produire au Canada. Laurier voulait éviter la division. Toute sa vie politique, consacrée qu'elle était «à l'unité, à l'harmonie et à l'amitié entre les divers éléments du pays», lui imposait le compromis et lui faisait déclarer:

> «Le travail d'union et d'harmonie entre les principales races au pays n'est pas encore achevé. Les malheureux événements de la semaine passée nous rappellent qu'il reste beaucoup à faire dans ce sens. Mais il n'y a pas de lien plus solide que celui que créent des dangers communs auxquels il faut faire face en commun. Aujourd'hui, en Afrique du Sud, des hommes appartenant aux deux branches de la famille canadienne se battent côte à côte pour l'honneur du Canada. Déjà, certains sont tombés, donnant à leur pays leur dernière pleine mesure de dévouement. Leurs dépouilles ont été placées dans la même fosse, où elles resteront pour l'éternité enlacées dans une dernière accolade fraternelle. Ne pouvons-nous espérer que les derniers vestiges de notre antagonisme d'autrefois seront enterrés dans cette tombe? Si ce doit être là le résultat, si nous pouvons nourrir cet espoir, si nous pouvons croire que dans cette tombe seront enterrées toutes les anciennes querelles, l'envoi de contingents aura été le plus grand service jamais rendu au Canada depuis la Confédération.»

Lorsque le traité de Vereeniging viendrait mettre fin à cette horrible guerre, le 31 mai 1902, 7300 Canadiens y auraient participé, et l'entreprise aurait coûté environ 2,8 millions de dollars. En Afrique du Sud, les troupes firent preuve de courage et de stabilité. Dommage que ces qualités ne pussent s'appliquer à bien des Canadiens au pays.

~

Tandis que les Canadiens anglais et français se laissaient embraser par les passions entourant la guerre en Afrique du Sud, Ottawa et Hull brûlaient. Le jeudi 26 avril 1900, un incendie éclata à Hull tôt le matin. En moins de trois heures, il avait détruit presque toute la rue Principale, de Brewery Creek à la rivière des Outaouais. La ville était presque entièrement consumée. Heureusement, il n'y eut pas plus de cinq victimes, mais des centaines de citoyens perdirent leur maison, leurs effets personnels et leur travail. La ville de Hull ne disposait d'aucun grand édifice pour abriter ses sinistrés. On utilisa les églises et les couvents, mais cela ne suffisait pas. Un grand nombre de personnes, peut-être des centaines, passèrent la nuit à grelotter dans les rues.

Vers midi, de forts vents firent bondir les flammes de l'autre côté de la rivière, où elles allumèrent les piles de bois rangées au bout de l'île Victoria. Un mur de flammes d'une largeur de 800 mètres avança jusqu'à l'avenue Carling, détruisant sur son passage plus de 70 rues. L'incendie provoqua à Ottawa la mort de sept personnes, fit 8370 sans-abri et réduisit en cendres 1900 immeubles. La partie ouest de la capitale fut entièrement détruite. Les dommages s'estimaient en millions de dollars. Les sans-abri furent dirigés vers les terrains d'exposition, où ils furent logés, tandis que les plaines LeBreton, Rochesterville et Sherwood, jusqu'au lac Dow, étaient en ruines.

Laurier nomma immédiatement Scott, le secrétaire d'État, au poste de coordonnateur de l'aide fédérale; Fielding émit un chèque de 10 000 $ pour aider les sinistrés et annonça que les députés seraient convoqués à la Chambre le mardi suivant pour que le gouvernement présente une motion d'aide de 100 000 $. Les fonds seraient dépensés des deux côtés de la rivière, Laurier ayant déclaré que celle-ci ne devait pas être «une ligne de démarcation». Le gouverneur général envoya 1000 $ au comité de secours, Laurier 100 $, Mulock 500 $; en quelques jours seulement, un million de dollars avait été rassemblés. Borden ordonna à la milice de prévenir le pillage; il fit distribuer des couvertures et du matériel provenant des magasins militaires nationaux.

Wilfrid et Zoé inspectèrent les dommages, rendirent visite aux victimes, exprimèrent leurs condoléances et prièrent. Le Conseil des femmes mit sur pied un comité de liaison, dont Zoé était le membre le plus influent. Elle possédait beaucoup d'expérience dans la collecte de fonds et l'organisation de secours. Elle se mit au travail, comptant sur l'appui de son mari. À la fin de 1900, la reconstruction des deux villes était presque achevée. Les primes d'assurance montèrent en flèche.

Il y eut d'autres élections générales, dont les résultats se révélèrent très intéressants.

~

Tarte passa l'été de 1900 au poste de commissaire du Canada à l'Exposition universelle de Paris. Il mit Laurier et le gouvernement dans l'embarras par des discours interprétés, au Canada et à l'étranger, comme déloyaux envers la Grande-Bretagne. En août, il rentra au pays pour se préparer aux élections du 7 novembre. Inévitablement, il devint la principale cause de litige en Ontario, mais, au Québec et dans les régions acadiennes du Nouveau-Brunswick, il valait son pesant d'or. Dans les régions francophones, Tarte adopta la même stratégie qu'en 1896: Laurier était le seul protecteur possible des intérêts canadiens-français; les forces abominables du torysme se déchaînaient contre Laurier pour mettre fin à la dualité canadienne; la crise entourant la guerre des Boers le prouvait bien. Très intuitif, Tarte savait que les Québécois et les Acadiens oublieraient le contingent envoyé en Afrique du Sud s'il arrivait à leur montrer que, si lui et Laurier subissaient les attaques des tories, c'était uniquement parce que tous deux étaient Canadiens français. Mais Tarte savait aussi que les arguments, pas plus que les prières, ne faisaient gagner les élections. Seule l'organisation le pouvait. Il mit donc en place une solide organisation dans toutes les circonscriptions. Il organisa de grands rassemblements, des assemblées contradictoires, des campagnes de porte-à-porte; partout où allait Tarte, Laurier était le héros du jour. Le premier ministre se fit aussi éducateur, «pour renseigner la population sur les questions impériales», comme il l'écrivit à Minto. Laurier était fier de ce qu'il avait accompli durant la guerre des Boers: «En 1899, nous avions une responsabilité, que nous avons, en public, assumée bravement; en privé, j'ai demandé à nos compatriotes de maintenir l'honneur de notre race.» Henri Bourassa, lui, permit que son nom reste sur la liste des candidats libéraux officiels mais refusa tout argent du Parti libéral.

En Ontario, la principale stratégie de l'opposition consistait à discréditer Laurier par le biais de Tarte. Willison mit Laurier en garde: la Protestant Protective Association, la St. George Society, l'ordre orangiste et d'autres organisations racistes avaient décidé d'attaquer un gouvernement dirigé par un Canadien français catholique largement soutenu par un peuple de la même race et de la même religion que lui. Cependant, pour masquer leurs préjugés, ils concentrèrent leurs attaques sur la prétendue déloyauté de Tarte envers l'Empire. Même si, à bien des égards, les tactiques de l'opposition réussissaient, Zoé et Wilfrid étaient triomphalement reçus partout où ils se rendaient.

L'Ouest avait été laissé à Sifton, et les Maritimes à Blair, Davies et Fielding, bien que Laurier fît une tournée rapide des provinces de l'Atlantique. Partout, son message restait le même: les libéraux étaient bons pour le Canada. On invoquait la prospérité générale, la trésorerie excédentaire, l'amélioration des transports et des communications, des tarif préférentiels pour la mère patrie, l'aide prudente à l'Empire, et la promesse d'une prospérité toujours croissante. Mais Laurier se méfiait des reporters, qu'il trouvait «dangereux», estimant qu'ils manquaient d'impartialité.

En fin de compte, les journaux n'eurent pas beaucoup de poids dans la campagne. Laurier remporta une victoire écrasante le 7 novembre 1900. Les résultats étaient proches de ceux prédits par Tarte. Dans les trois provinces maritimes, où l'impérialisme n'était pas une question d'importance, les libéraux remportèrent 27 sièges, et les conservateurs 12; dans ce balayage libéral, Tupper fut défait. Au Québec, où les politiques impériales de Tupper étaient fort impopulaires, la victoire libérale fut complète: 58 sièges sur 65. La majorité du premier ministre dans sa circonscription de Québec-Est, 2850 voix, était la plus forte au Canada. En Ontario, les libéraux perdirent 14 sièges (37 libéraux, 55 conservateurs et 3 indépendants furent élus). Libéraux et conservateurs se partagèrent l'Ouest et la Colombie-Britannique en faisant élire respectivement 11 et 6 députés. Globalement, 133 candidats libéraux furent élus, contre 80 conservateurs.

Quelle belle façon de commencer un nouveau siècle!

~

Le lundi 1er janvier 1900, Victoria est reine d'Angleterre; lord Minto, gouverneur général du Canada; sir Wilfrid Laurier, premier ministre; et la Confédération a déjà 34 ans.

Une population de 5 369 666 âmes habite l'immense territoire qui constitue notre pays. Il y a dix ans, nous étions 4 833 239; l'augmentation a donc été de 536 427 habitants. On est loin des 100 millions d'habitants que le Canada peut accueillir et nourrir! La plus forte augmentation s'est produite au Québec: environ 200 000 habitants de plus; au Manitoba, 100 000; dans les Territoires du Nord-Ouest, 112 682; en Colombie-Britannique, environ 80 000. Les villes de Montréal et de Toronto ont crû, comme toutes les villes

canadiennes sauf Kingston. Les catholiques sont plus nombreux que les membres de toutes les autres religions; mais l'ensemble des protestants les dépassent de près d'un million. De plus, le Canada compte 16 432 juifs et 122 sectes diverses, des confucéens jusqu'aux adorateurs du feu. Il y a 2 751 473 hommes au pays, dont 1 747 622 célibataires. Plus de 1 200 000 femmes parmi les 2 619 578 Canadiennes sont également célibataires. Les divorcés sont rares: 322 femmes et 339 hommes. Quant aux origines, elles sont nombreuses: 56 pour cent de la population est d'origine britannique (Anglais, Irlandais, Écossais et Gallois), et 31 pour cent d'origine française. Les 13 pour cent restants sont composés d'Allemands, d'Autrichiens, de Belges, de Chinois, de Néerlandais, de Finlandais, de Galiciens, d'Indiens (des Indes orientales), d'Italiens, de Japonais, de Nègres, de Polonais, de Juifs, de Russes, de Scandinaves, de Suisses, de Syriens — et de 10 892 Métis, 93 319 Amérindiens et 43 398 Américains. Exactement 1 181 778 Canadiens vivent aux États-Unis.

Les Canadiens n'aiment pas beaucoup les Chinois, les Japonais, les Indiens (orientaux), les Nègres et quiconque n'est pas exactement comme eux, ce qui représente beaucoup de monde. Les revenus que le Trésor public tire des droits d'entrée, imposés aux «Asiatiques» avant leur arrivée au Canada, atteignent 1 632 942 $!

Le flux d'immigration a commencé, mais Sifton devra faire mieux si le XXe siècle doit être celui du Canada.

~

Au début de la première année du nouveau siècle, le mardi 22 janvier 1901, la reine Victoria s'éteignit. Les édifices furent drapés de noir; les drapeaux furent mis en berne; les archevêques et les évêques publièrent des mandements; les politiciens prononcèrent des discours; les pasteurs réclamèrent la miséricorde de Dieu; les organisations adoptèrent des résolutions; les journaux aux bordures noires clamèrent leur chagrin; lady Aberdeen attendit l'épouse du nouveau roi, la reine Alexandra, pour lui présenter un message signé par 25 000 Canadiennes; la Chambre des communes fut décorée de noir et de pourpre; et, durant la période de deuil, il n'y eut pas de divertissements.

La nouvelle session parlementaire s'ouvrit le 3 février. Cinq jours plus tard, Laurier lut en Chambre une adresse au roi, Édouard VII, dans laquelle il dit de la mère du monarque: «Elle n'est plus! Elle n'est plus? Non, je dis qu'elle vit encore dans le cœur de ses sujets, dans les pages des livres d'histoire. Avec le passage des ans, à mesure que son profil pur se découpera encore mieux sur l'horizon du temps, le verdict de la postérité ratifiera le jugement de ceux qui furent ses sujets. Elle a ennobli l'humanité; elle a élevé la royauté — le monde est meilleur grâce à sa vie.»

L'un des premiers gestes du nouveau souverain du Canada fut d'annoncer que le duc d'York (qui deviendrait Georges V) et son épouse, Mary, visiteraient le Canada en septembre. Cette nouvelle réjouit les Canadiens.

La guerre en Afrique du Sud se poursuivit. Morts, blessés, disparus. Certains soldats rentrèrent au pays; d'autres partirent les remplacer. Bourassa, toujours moralisateur, montra à quel point il pouvait être ennuyeux. La session, ouverte au début de février, s'éternisa jusqu'en mai. Zoé accompagnait souvent Wilfrid à la Chambre, où elle s'asseyait dans la tribune, tricotant et observant son mari. Celui-ci apportait toujours des livres, qu'il lisait quand les débats traînaient en longueur. Joly de Lotbinière était parti à Victoria, où il était lieutenant-gouverneur; Mulock était devenu ministre du Travail avant les élections et restait ministre des Postes; sir Charles Tupper avait quitté la direction du Parti conservateur et avait été remplacé par Robert Laird Borden, député de Halifax; l'économie continuait de prospérer; Sifton peuplait l'Ouest avec énergie; et l'on envisageait sérieusement d'amener Terre-Neuve dans la Confédération. Quant à Laurier, il prononçait des discours, surtout sur les relations du Canada avec l'Empire. Au début de juin, il s'échappa d'Ottawa pour aller au collège de L'Assomption, comme il l'avait fait trois fois auparavant, en 1873, 1883 et 1893.

Le lundi 11 juin, à 9 h 30, Wilfrid, Zoé, Tarte, Dansereau, les Jetté, les sénateurs Casgrain et Dandurand, le maire de Montréal et quelques autres montèrent à l'hôtel Windsor dans des tramways magnifiquement remis à neuf, que la Compagnie des tramways de Montréal avait mis à leur disposition. Ils mirent environ sept heures à se rendre à L'Assomption, car ils firent plusieurs arrêts en chemin pour recevoir des messages, promettre de construire ici une route, là un pont, accepter des fleurs, signer des livres d'or et rencontrer les gens, tandis que Tarte s'entretenait avec les lieutenants politiques de la région. Une foule nombreuse les attendait à L'Assomption. Laurier commença un discours puis, au bout de quelques minutes, il éclata en sanglots en se rappelant tout ce que cet endroit avait signifié pour lui. Assis aux premiers rangs, les Archambault, aussi nombreux que les étoiles dans le ciel, lui sourirent, mais Oscar n'était pas là. Wilfrid aperçut Charlemagne et son épouse, debout près de sa famille maternelle, les Martineau. Mais Maman Adéline était absente, en raison de son âge. Non loin d'où se tenait Laurier se trouvait l'endroit où Joseph Papin lui avait appris à être un rouge — quand l'élève Laurier quittait en cachette le collège — et où Carolus le rencontrait parfois pour lui apporter des livres défendus. Il y avait aussi l'église qu'il avait fréquentée tous les dimanches. C'étaient trop de souvenirs!

On avait organisé une fête pour la soirée. La salle académique se remplit d'élèves, de parents, d'anciens — dont beaucoup de l'époque où Laurier fréquentait le collège — et d'habitants de la région. Laurier arriva à la fête dans une magnifique voiture. Le supérieur lut un court message d'accueil auquel Laurier répondit: c'était là qu'il était devenu un homme; qu'il avait appris à beaucoup lire, à penser et à débattre; qu'il avait rencontré les hommes devenus ses alliés et ses amis, et qui l'étaient restés malgré les aléas de la vie. Il évoqua le souvenir de ses anciens maîtres, plus particulièrement celui de Barret, et il exhorta les étudiants à travailler fort.

Le lendemain, tandis que Zoé recevait la parenté chez les Archambault, Wilfrid assista à un déjeuner dans la salle de récréation du collège en compagnie de 800 convives, la plupart des anciens. Il n'y eu pas de toasts ni de discours, rien qu'un échange de souvenirs. Wilfrid décida de rester un jour de plus à L'Assomption. L'après-midi, il organisa un rassemblement politique dans la cour du collège, auquel des milliers d'hommes et de femmes participèrent.

Laurier visita le collège de fond en comble, se rendit à pied à l'endroit où se trouvait autrefois la pension de madame Guilbault, et fut conduit en voiture au bois des écoliers pour se rappeler les bons moments qu'il y avait passés avec Marion, Riopel et, surtout, Oscar. Avant de quitter L'Assomption, il se promena parmi les élèves qui attendaient pour lui dire adieu. Il les invita à aimer «leurs parents, leurs professeurs, leur Église et leur patrie». La larme à l'œil, il leur dit qu'il ignorait s'il reviendrait jamais dans ce coin de pays puis, saisissant le drapeau du collège, il y posa ses lèvres avec respect et amour, en murmurant: «*Ad Majorem Dei Gloriam!*»

Wilfrid et Zoé se rendirent ensuite à Saint-Lin pour rendre visite à Maman Adéline et au reste de la famille. Wilfrid bavarda longuement avec son vieil ami, l'abbé Proulx, et il parvint à livrer quelques messages politiques durant ses visites chez les voisins. Le jour de la Saint-Jean-Baptiste, les Laurier étaient de retour à Montréal. Le 25 juin, Wilfrid s'adressa à une foule rassemblée en l'honneur du saint patron des Canadiens français: le Canada n'était plus une colonie, «mais une nation» — une nation où régnaient «la fraternité sans l'assimilation, l'union sans la fusion». Il déclara ensuite:

«J'aime mon pays parce qu'il ne ressemble à aucun autre. J'aime mon pays parce que, même à travers les difficultés, il suscite les résolutions les plus nobles, les qualités les plus fortes et les plus généreuses de l'homme. J'aime mon pays par-dessus tout parce qu'il est unique au monde, parce qu'il est fondé sur le respect des droits, sur la fierté de l'origine, sur l'harmonie et la bonne entente entre les races qui l'habitent.

Notre fierté refuse de suivre plus longtemps les sentiers battus. Dorénavant, nous devons emprunter d'autres chemins et marcher vers d'autres horizons. Ne visons que le développement, la prospérité et la grandeur de notre propre pays. Gardons dans nos cœurs cette pensée: «Le Canada d'abord, le Canada toujours, le Canada et rien d'autre.»

Puis vint le moment de recevoir le couple de visiteurs anglais.

~

Le duc d'York, futur roi d'Angleterre, et la duchesse arrivèrent à Québec à bord du *Orphir* le 15 septembre. Des milliers d'enthousiastes les accueillirent. Durant les six semaines qui suivirent, le couple, qui habitait un luxueux train royal mis à sa disposition par le Canadien Pacifique, n'eut plus une minute à lui. Le programme était chargé: dîners d'État, processions, déjeuners, adresses aux visiteurs — même si l'on disait que le duc les trouvait ennuyeuses —, investitures, concerts, dévoilements de statues de Victoria, garden-parties, messes, présentations de cadeaux, démonstrations de domptage de chevaux sauvages, spectacles de cow-boys, assemblées de Peaux Rouges, inspections des troupes et gardes d'honneur, parties de chasse, déjeuners avec des bûcherons, et descente des rapides de la Chaudière. Partout où le duc et la duchesse se rendaient — que ce soit à Québec, Montréal, Ottawa, Winnipeg, Regina, Calgary, Banff, Vancouver, Victoria, Toronto, Hamilton, Belleville, Kingston, Brockville, Cornwall, Sherbrooke, Saint-Jean, Halifax, ou lorsqu'ils s'arrêtaient entre ces villes —, des foules se rassemblaient pour les accueillir, pour crier leur amour de l'Empire et pour leur offrir leurs meilleurs vœux. Le 19 octobre, les deux visiteurs s'embarquèrent à Halifax pour rentrer en Angleterre, où ils allaient devenir prince et princesse de Galles. Après leur départ, le peuple canadien dut payer la facture. Le demi-million de dollars qu'avait coûté la visite en avait valu la peine.

Laurier accompagna le duc et la duchesse durant leur épopée canadienne. Il se déplaçait dans une voiture privée — construite aux États-Unis, ce qui en révolta plusieurs — attachée à un train spécial qui précédait toujours celui du couple anglais. De Victoria, Wilfrid écrivit à Zoé le 1er octobre que le voyage avait été bon, qu'il avait fait «un temps des dieux», que tout le monde s'était conduit dignement et avait reçu les invités avec politesse, bon goût et gentillesse. Il était fier de son peuple. «Au revoir, ma chère bonne amie. Je t'embrasse de tout cœur.»

~

Laurier eut 62 ans en 1902. Il était prêt à affronter Chamberlain une fois de plus.

L'occasion s'en présenta au couronnement d'Édouard VII et de la reine Alexandra à l'été de 1902. Au cours des cinq années précédentes, presque tous les jours, quelqu'un, quelque part à Londres, dressait des plans de réorganisation impériale qui feraient des colonies des appendices d'une Grande-Bretagne prestigieuse et puissante. L'an 1902 ne faisait pas exception. Un nouveau roi et une nouvelle reine allaient être couronnés: belle occasion d'inviter les représentants de toutes les colonies à forger une nouvelle union. Les trois principaux sujets de discussion au programme — réorganisation constitutionnelle, réorganisation économique et réorganisation militaire — suscitaient peu d'intérêt chez Laurier, dont les seules préoccupation étaient d'augmenter le commerce du Canada avec l'Australie et d'obtenir, si possible, un tarif préférentiel pour les produits canadiens entrant en Grande-Bretagne.

Le couronnement devait avoir lieu le 26 juin 1902. Le roi invita les Laurier, dont le séjour en Angleterre «d'une quinzaine à compter du jour de leur arrivée» serait pris en charge par le gouvernement britannique. Chamberlain était d'avis que, vu la présence à Londres des chefs politiques des dominions et colonies, l'occasion était belle d'organiser une conférence coloniale en juin et juillet. Laurier accepta et, le 14 juin, lui et Zoé s'embarquèrent à New York à destination de la Grande-Bretagne. Le même jour, Fielding, Borden, Mulock et Paterson, qui devaient faire partie de la délégation canadienne, s'embarquèrent à Montréal. Le 21 juin, les Laurier arrivèrent à destination; ils descendirent de nouveau à l'hôtel Cecil, dans une suite encore plus grande que celle qu'ils avaient occupée en 1897. L'une des voitures du roi ainsi que deux valets de pied en livrée royale étaient mis à leur disposition. Des soldats du contingent du couronnement gardaient la porte du couple.

Aussitôt les Laurier arrivés à Londres, le roi tomba malade, et le couronnement fut reporté. Après une intervention chirurgicale et une période de convalescence passée sur son yacht, le roi annonça que le couronnement aurait lieu le 8 août. En attendant, la conférence de Chamberlain débuta le 30 juin. Celui-ci n'atteignit aucun de ses objectifs. Laurier, «le souffle glacial venu des neiges canadiennes», y avait veillé.

Par conséquent, Laurier eut le temps de prononcer des discours, le premier au dîner célébrant la fête de la Confédération, en présence de 520 convives, dont Zoé et les Aberdeen. Il y déclara: «Le Canada est le plus beau joyau de la couronne de l'Empire britannique. Ce n'est pas une colonie, mais une nation, une nation avec l'histoire d'une nation.» Au dîner présidé par le duc de Marlborough, Laurier dit: «L'Empire peut très bien être défendu par les arts de la paix.» Au banquet du couronnement, se déroulant au Guildhall le 11 juillet, Laurier mit en garde Chamberlain, qui se rétablissait de la chute qu'il avait faite à l'arche du Canada: «Ce serait commettre une erreur fatale que d'essayer de forcer le cours des événements.» Au Canada Club, cinq jours plus tard, il brossa un tableau prometteur de l'avenir de son pays: «Nous avons une population de cinq millions, mais de la place pour cent millions. Envoyez-nous votre surplus de population.» Le 26, à Édimbourg, où il se trouvait avec d'autres premiers ministres pour recevoir un grade honorifique, Laurier déclara: «Pour bâtir un empire, il leur faut conquérir le cœur et l'intelligence du peuple.»

Puis ce fut le couronnement à l'abbaye de Westminster. Laurier avait mis son uniforme de membre du Conseil privé et une toge de velours bleu; Zoé, dans une élégante toilette de soie, portait une tiare faite de 175 diamants «choisis» (cadeau des sénateurs libéraux). Le sacre fut long et fatigant, mais enthousiasmant par sa pompe et son symbolisme. Les jours qui suivirent, il y eut des dîners d'État et, au cours d'une audience privée avec la reine Alexandra, Zoé reçut la médaille d'argent du couronnement. Laurier refusa de nouveau la pairie. Avant leur départ d'Angleterre, les Laurier organisèrent un grand banquet à l'hôtel Cecil pour leurs amis, leurs connaissances, et pour presque tous les Canadiens qui se trouvaient à Londres.

Lorsqu'il quitta Londres pour se rendre dans l'île anglo-normande de Jersey, Laurier était épuisé. Zoé voulait rentrer au pays pour que son mari puisse récupérer dans l'air pur d'Arthabaska. Lui, cependant, était d'avis qu'ils devaient rester en Europe et faire comme si de rien n'était. Par la seule force de sa volonté, il avait caché son épuisement, la faiblesse de ses jambes et de ses bras, et la terrible douleur qu'il ressentait dans la poitrine. Seuls Zoé et le valet de Wilfrid étaient au courant. Il fallait continuer. «C'est mieux comme ça.»

Ils arrivèrent en France le 19 août. Laurier fut reçu pendant deux heures par le président Émile-François Loubet. Le premier ministre canadien insista auprès du président sur l'importance d'un rapprochement avec la Grande-Bretagne et d'une entente cordiale entre les deux pays. Il y eut un fabuleux déjeuner à l'Élysée. Wilfrid et Zoé virent l'archevêque Bruchési. Wilfrid se rendit à une foire commerciale et industrielle à Lille, où il prononça quelques discours. Zoé visita les musées, rencontra des artistes, reçut des Canadiens au nom de son mari, fit du shopping, et prodigua ses soins à Wilfrid, sur le plan physique comme sur le plan psychologique. Ensemble, ils consultèrent des spécialistes parisiens, qui prescrivirent à Wilfrid des médicaments, traitements et régimes qui ne firent que l'affaiblir davantage.

Le 5 septembre, à Genève, Laurier consulta de nouveau le médecin qu'il avait vu en 1897. Laurier croyait qu'un cancer de l'estomac le minait, que sa tuberculose avait reparu et qu'il était sur le point de mourir. Diagnostic: asthme compliqué par la bronchite chronique et asthénie. Les Laurier séjournèrent deux semaines en Suisse. Ce repos fit un bien tel à Wilfrid qu'il écrivit à Dansereau: «J'étais dans un état de santé déplorable, mais le climat suisse fait des miracles. Je rentrerai au Canada en pleine forme, prêt pour la bataille.»

Laurier passa quelque temps en Italie. Après un bref arrêt à Paris, il se rendit à Liverpool pour attendre le *Lake Erie* qui le ramènerait au pays. Il inaugura le Produce Exchange de Liverpool et prononça sept discours ce jour-là. Puis il prit le lit et y resta durant toute la traversée. À son arrivée à Rimouski le 16, il était si faible qu'on dut le porter hors du navire; on l'envoya à Québec dans un train spécial. David et Dandurand lui trouvaient une mine affreuse, comme s'il allait mourir. Zoé était en larmes. Elle avait failli le perdre au cours du voyage. Mais il lui dit: «Je ne suis pas encore mort.»

David et Dandurand envisagèrent d'informer les journaux que Laurier n'était pas mourant et qu'il ne souffrait d'aucune maladie grave; le premier ministre était rentré épuisé, après avoir mené à l'étranger une dure bataille pour sauvegarder les intérêts du Canada; il avait beaucoup souffert et devait se reposer. La nouvelle fut envoyée à Dansereau pour qu'il la publie dans *La Presse,* et à Pacaud, pour *Le Soleil.* Les deux journaux la répandraient à travers le pays.

Des milliers de citoyens accueillirent Laurier à la gare de Québec et à l'hôtel de ville, où le maire fit l'éloge de Wilfrid et de Zoé pour leur dévotion envers le Canada et pour les services qu'ils lui avaient rendus. Laurier fut bref: il regrettait de ne pas pouvoir prendre le repos que le maire et d'autres souhaitaient lui voir prendre. Ce soir-là, une autre foule immense acclama les Laurier à leur arrivée à la gare Viger de Montréal. Le lendemain, encore des hommages, encore des discours, encore des cadeaux. Après une bonne nuit de sommeil, Laurier rentra directement à Ottawa pour voir Tarte.

Tarte, si utile qu'il fût pour l'aider à remporter des élections, n'en demeurait pas moins une épine dans le pied de Laurier. Il fourrait son nez dans les affaires des autres ministères; trop direct, il faisait enrager les jingoïstes et les impérialistes chaque fois qu'il le pouvait; et il continuait de s'en prendre aux rouges, incapable de leur pardonner leurs incessantes attaques contre lui. Tarte était également un protectionniste et, dès qu'il devint ministre des Travaux publics, il ne rata jamais une occasion de le rappeler à tout le monde. Le tarif douanier que Fielding avait établi en 1897 décevait de plus en plus Tarte, parce que les Américains maintenaient des droits de douane élevés sur les produits agricoles canadiens tout en exportant au Canada des tonnes de produits manufacturés pour lesquels le tarif était beaucoup plus bas. L'opinion publique semblait indiquer que, si la réciprocité avec les États-Unis n'était pas possible, le Canada devrait user de représailles. Tarte était de cet avis et il fit ouvertement campagne en 1902 en faveur d'«un tarif qui protège les industries et les voies navigables du Canada, et son commerce».

L'été, durant l'absence de Laurier, Tarte intensifia sa croisade en vue de renforcer la politique tarifaire canadienne dans le sens du protectionnisme. Il fit des discours partout, battant le tambour, essayant de soulever l'opinion publique. Les ministres commencèrent à se chamailler, ce qui inquiéta beaucoup le gouverneur général. Minto ne voulait pas que les ministres se querellent en public au sujet de politiques. Il fit venir Tarte à son bureau et le pria de lui expliquer pourquoi il brisait la solidarité du Cabinet. Tarte refusa d'admettre une quelconque culpabilité: «Votre Excellence, je continuerai de dire ce que je dois dire, même au prix de ma démission.»

Le 19, dès son arrivée à Ottawa, Laurier lut dans les journaux le récit des «mauvais coups» de Tarte, ce qui lui déplut au plus haut point. Tarte avait remis en question son leadership, son contrôle de l'administration. Surtout, il avait fait preuve de déloyauté envers le gouvernement, envers le parti, et envers Laurier lui-même. Il devait s'en aller. Néanmoins, ce ne serait pas facile, et les conséquences pourraient être néfastes pour Laurier et pour les libéraux.

Tarte leur avait été des plus utiles au cours des dix dernières années; c'était à lui qu'ils devaient leurs victoires de 1896 et de 1900 au Québec. Ils avaient fréquenté l'école ensemble, avaient mené côte à côte de nombreuses luttes, et étaient devenus des amis. Un départ forcé pousserait peut-être Tarte dans les bras des tories. Cependant, sûr de son réseau d'influence, Laurier était disposé à prendre le risque. Il convoqua Tarte. Lorsque ce dernier se présenta, Laurier était assis très droit dans son fauteuil, derrière son bureau. Après les plaisanteries d'usage, Laurier refusa de se laisser entraîner dans de longues explications. Il avait lu les discours de Tarte et comprenait qu'il fallait faire quelque chose au sujet des États-Unis, mais le moment n'était pas encore opportun: «Le Canada traverse une période de grande prospérité. Nous ne pouvons risquer de perturber le climat économique.» Mais là n'était pas la question. «Vous avez agi d'une façon déloyale envers vos collègues en annonçant votre propre politique sans d'abord les consulter. Par conséquent, dès que j'aurai vu le gouverneur général à son retour de Toronto le 21, je devrai demander votre démission.» Tarte n'attendit pas qu'on la lui demande officiellement. Il démissionna le 20; sa lettre fut livrée à Wilfrid et à Zoé qui assistaient à l'hôtel de ville à leur cérémonie d'accueil officiel. Le lendemain, Laurier répondit à Tarte qu'il l'avait en fait limogé. Dans une note personnelle, il lui exprime sa tristesse d'avoir dû le faire: «Je vous remercie de vos bons souhaits; sachez que je regrette très sincèrement que nos relations officielles prennent fin de cette manière, mais la séparation était inévitable.» Tarte et Laurier restèrent amis; ce dernier conseilla même à Pacaud — qui ne prisait pas Tarte — de voir à ce qu'il n'y ait pas d'attaques personnelles contre son vieil ami. Laurier remania légèrement son Cabinet, puis rédigea sa propre lettre de démission.

Durant la traversée de l'Atlantique, Laurier avait envisagé de démissionner. Malade, léthargique et déprimé, il ne voyait pas comment il pourrait poursuivre sa tâche. De retour à Ottawa, il y avait réfléchi pendant deux semaines, mais avait trouvé l'énergie de se mettre à jour dans son travail. Un matin, toutefois, il fut incapable de se lever. Il arrivait à peine à respirer. Le médecin qu'on appela lui prescrivit des tranquillisants, un régime et beaucoup de repos. Laurier obéit, mais son abattement persistait, surtout devant la tâche à accomplir dans l'Ouest, avec les Américains et dans le pays en général. Un jour de novembre, au cours d'une réunion du Cabinet, il fut pris d'un si fort malaise qu'il dut s'excuser et se précipiter vers son bureau pour se reposer. Ayant décidé qu'il ne pouvait plus continuer, il saisit plume et papier, et écrivit à ses collègues une lettre leur annonçant sa démission. Au moment où il allait sonner le messager, Fielding entra dans son bureau pour prendre de ses nouvelles. «Voici», dit Laurier, lui tendant la lettre. Le ministre des Finances pouvait devenir premier ministre avant la fin de la journée. Fielding, après avoir lu la lettre, la plia soigneusement et la rendit à Laurier: «Ne le faites pas aujourd'hui. Attendez à demain. Réfléchissez-y; pensez aux conséquences que votre départ aura sur notre pays et sur notre parti. Votre santé n'est pas si mauvaise. J'ai pris la liberté de parler à lady Laurier. Elle est persuadée que, avec une période de repos total, vous récupérerez et pourrez continuer de servir au poste de premier ministre avec grande distinction. S'il vous plaît, n'envoyez pas cette lettre.»

Fielding, le libéral le plus respecté et le plus admiré après Laurier, refusait de se laisser sacrer. Son conseil était précieux. Laurier fit venir sa voiture et rentra à la maison. Deux semaines plus tard, les Laurier étaient confortablement installés dans le meilleur hôtel de Hot Springs, en Virginie. Vers la mi-décembre, Wilfrid se sentit assez bien pour accepter l'invitation du président Theodore Roosevelt et du secrétaire d'État John Milton Hay. Il se rendit à Washington; les discussions sur les frontières de l'Alaska et autres points litigieux se déroulèrent assez bien, mais épuisèrent Laurier. À son retour en Virginie, lui et Zoé se rendirent en train à St. Augustine, en Floride, où ils descendirent à l'hôtel Alcazar. Périodiquement, Wilfrid envoya à ses amis des rapports sur les progrès réalisés. Le 30 décembre 1902, il écrivit à Dansereau:

> «Il continue de faire beau; ma santé s'améliore chaque jour qui passe. Lundi je rentre au pays des neiges. Toutefois, j'ai décidé de passer les trois derniers jours de cette semaine à Palm Beach. Vous nous manquez, plus particulièrement à ma femme qui n'a personne pour l'aider à sortir de sa morosité.»

À Pacaud, le 1er janvier 1903:

> «Nous vous remercions tous deux de vos bons vœux. Après David, vous êtes mon plus vieil ami. Je vois disparaître avec un vrai soulagement l'année qui vient de finir. Cette année ne me laisse que des souvenirs pénibles, lesquels ont une seule cause: l'état déplorable de ma santé. J'ai réellement été très malade, et, un moment, j'ai cru que c'en était fait de moi. Les sept semaines que j'ai passées ici (en Floride) dans un repos absolu m'ont remis. Reste à savoir si cette guérison sera durable. Je le crois.»

Et le 3 janvier, à Joseph Lavergne:

> «La nuit, les fenêtres restent ouvertes; le jour, on se baigne dans le soleil. Les jardins sont remplis de fleurs, d'oiseaux, de papillons. Moi qui aime le soleil, je me délecte dans cette atmosphère.»

Le 6 janvier, les Laurier rentrèrent à Ottawa. Wilfrid était «en excellente santé»; «aucune question brûlante sur le tapis, aucun problème irritant» à régler. Il ne lui restait qu'à «hâter le plus possible le développement du pays». Lui et Zoé rentrèrent dans leur maison de la rue Theodore.

~

Wilfrid et Zoé habitaient cette maison depuis cinq ans, et y avaient imprimé leur style et leur personnalité. Ils firent remplacer les marches de bois de l'entrée par des marches de béton, installèrent de grands bacs à fleurs, allongèrent la véranda, ajoutèrent une belle crête de fer au toit, remplacèrent la clôture de bois par une clôture de fer, érigèrent un mât à drapeau, plantèrent des buissons et plusieurs gros érables à sucre. La propriété était spacieuse et confortable, mais pas le moins du monde grandiose ou prétentieuse.

C'était plus un foyer qu'une résidence officielle. Au rez-de-chaussée se trouvait un «salon» — c'était ainsi que Zoé appelait le vaste espace qu'elle avait garni de meubles Louis XVI, de luxueux fauteuils à dorure, d'un piano demi-queue en bois de rose, de tables débordant de bibelots, de décorations, de petites sculptures, de photographies et de plantes vertes. Le sol y était recouvert d'un tapis rose. Un énorme lustre pendait du plafond. Les murs étaient couverts de peintures de ses artistes canadiens préférés, surtout de Marc-Aurèle de Foy Suzor-Côté. Les tons dominants étaient le vert, le rose et l'écru.

Ce salon était séparé de la salle à manger par d'élégantes portes à vitraux fabriquées à Londres et qui avaient coûté 357,08 $. Dans la salle à manger, également vaste, au papier peint cramoisi, les meubles étaient en acajou foncé. Dans l'un des coins, une haute vitrine renfermait les souvenirs que Wilfrid avait accumulés durant sa carrière. Un portrait de lord Strathcona était accroché à l'un des murs.

Un peu plus loin se trouvait l'une des pièces préférées des Laurier: le petit salon conçu pour recevoir le soleil le matin. Zoé y avait placé un piano mécanique, sa volière de canaris et de pinsons, le fauteuil qu'elle préférait pour tricoter, quelques sculptures de Louis-Philippe Hébert, et une table de jeu pour jouer au poker et tenir sa comptabilité personnelle. Kewpie et Peter, ses loulous de Poméranie, Gyp, le fox-terrier, Fritz, d'ascendance inconnue, un chat persan et divers autres miauleurs adoraient ce petit salon, même s'ils avaient accès à toute la maison.

Le sanctuaire de Wilfrid, c'était sa bibliothèque, à l'étage, vaste pièce aérée bien éclairée. Elle renfermait 5000 livres; il y passait beaucoup de temps à lire, à méditer, à recevoir visiteurs et collègues, et à travailler avec son secrétaire, Rodolphe Boudreau (plus tard, Lucien Giguère), qui occupait une petite pièce adjacente. Wilfrid y travaillait souvent tard dans la nuit, assis dans son confortable fauteuil, près de la fenêtre l'été, près de la cheminée l'hiver.

Les appartements des domestiques étaient assez grands pour loger le cuisinier, le valet, la femme de chambre irlandaise et deux autres servantes. Une blanchisseuse et du personnel d'entretien venaient au besoin. Jusqu'à ce qu'ils achètent une automobile en 1909, au prix de 1268,49 $, pour laquelle ils firent bâtir un garage qui logeait aussi le chauffeur et sa femme, les Laurier utilisaient une voiture à chevaux provenant d'une écurie de louage. En 1897, durant le séjour des Laurier en Angleterre, Mulock mena une campagne de financement qui rapporta 100 000 $ — le Fonds du jubilé — argent qui servirait au ménage, au salaire des gens de maison, au règlement des vieilles dettes et à la création d'une rente.

Le train-train de la vie quotidienne suivait le rythme de Wilfrid. Il se levait à 8 h; à 9 h, il prenait son petit déjeuner en lisant le *Citizen* d'Ottawa. Durant ce temps, son secrétaire triait le courrier reçu du bureau de poste parlementaire. À 10 h 15, Wilfrid prenait le tramway, qui passait devant sa porte, et se rendait tout seul à son bureau situé dans l'édifice de l'Est, où il recevait visiteurs et députés. Son déjeuner lui était généralement apporté de la maison, parce qu'il n'y avait pas de restaurant au Parlement à cette époque. Au début de l'après-midi, avant la réunion des députés à la Chambre, lui et les membres de son Cabinet se réunissaient. À 18 h 15, il rentrait chez lui en tramway. Suivaient le souper ou les fonctions officielles, chez lui ou à l'extérieur. Il ramenait souvent des députés à la maison pour un souper sans cérémonie; dans ce cas, il téléphonait à son secrétaire — l'un des trois téléphones de la maison était installé dans le bureau de Boudreau — pour lui dire combien de convives devaient être attendus. Laurier détestait le téléphone et ne s'en servait qu'en cas de nécessité. (En 1898, par exemple, il alla à Montréal et logea chez les David, absents. Mais, il n'avait pas téléphoné à David pour le prévenir. Celui-ci lui fit parvenir une lettre de reproches: «Vous venez à

Montréal; vous allez chez moi; vous ne m'en parlez pas, ni à moi ni à personne. Résultat, ma famille et moi avons manqué votre visite. De toute évidence, vous ne croyez pas au téléphone.»)

Lorsqu'il y avait des séances à la Chambre le soir, Laurier et Zoé s'y rendaient en tramway (tant qu'ils n'eurent pas d'automobile); Laurier s'asseyait, patient, et lisait la plupart du temps. Mais quand un jeune député, d'un parti ou de l'autre, se levait pour prendre la parole, il refermait son livre. Mettant la main en cornet autour de son oreille droite, il écoutait attentivement; souvent, il quittait son siège pour aller lui serrer la main. Zoé, assise dans la tribune, tricotait. À la fin de la séance, les Laurier rentraient chez eux dans la voiture que Boudreau leur avait envoyée ou, plus tard, dans l'automobile avec chauffeur. Avec l'âge, Laurier assista de moins en moins souvent aux séances du soir; quand il le faisait, il y restait rarement plus d'une heure.

Lorsque la Chambre n'était pas en session, Laurier passait la plupart des matinées à la maison, troublant les parties de cartes de Zoé, rédigeant des discours, lisant, et répondant à son abondant courrier. Parfois, des visiteurs qui restaient à Ottawa en attendant le train de l'après-midi venaient déjeuner chez les Laurier.

Les lundi, jeudi et samedi après-midi, Zoé recevait ses amies: déjeuner, poker, parfois bridge. Il y avait des dîners officiels les mercredi et samedi; des déjeuners simples de 12 ou 14 convives le dimanche; des thés tous les dimanches après-midi; des soirées intimes le dimanche, avec bridge, musique, danse, bonne chère et vins exquis.

La maison était constamment remplie de jeunes gens et d'enfants, d'amis et de parents, de nièces et de neveux. Wilfrid et Zoé prenaient soin de leurs familles respectives: ils payaient le dentiste d'un tel, les frais de scolarité de tel autre; Wilfrid leur trouvait des emplois; lui et Zoé leur offraient le gîte et le couvert. Il y avait toujours un parent quelconque en visite.

Zoé était un cordon-bleu. Elle menait son mari à la baguette, s'occupait de la comptabilité du ménage et payait les factures. De temps en temps, elle se plaignait que Wilfrid la laisse sans argent. «Je sais, lui répondait-il, mais tu es plus riche que moi en ce moment. Fais-moi crédit, je te rembourserai.» Elle prenait soin de la santé de Wilfrid et lui servait de conseiller politique. Elle avait l'oreille attentive, mais c'était aussi une commère. Généreuse — son mari l'appelait le ministre de la Charité publique —, elle notait pourtant méticuleusement chaque cent qu'elle donnait pour aider tout un chacun. Compatissante et bonne, elle faisait partie de nombreux comités qui collectaient des fonds pour toutes sortes de causes et, en tant qu'épouse du premier ministre, elle parrainait des organisations aussi différentes que les Fils d'Écosse et l'Armée du salut. Elle recevait avec grâce et raffinement, sachant intuitivement assortir ses invités. Beaucoup trouvèrent l'âme sœur dans la maison des Laurier. Elle-même artiste, depuis l'époque d'Arthabaska, elle s'était liée d'amitié avec des poètes, des sculpteurs, des musiciens et des peintres. Elle ne ménageait pas ses efforts pour les aider sur le plan financier, pour les présenter à des mécènes potentiels, pour les encourager à s'élever toujours plus haut. C'était une grande protectrice des arts. Elle apprit l'anglais toute seule pour pouvoir communiquer avec la majorité des gens qui l'entouraient. Bien peu firent de même avec elle.

Et Zoé prenait soin de Wilfrid. Elle le consolait, recevait ses amis et collègues, et restait auprès de lui jour et nuit. Elle prévoyait ses changements d'humeur, lui prodiguait ses encouragements et l'aimait. Résolument partiale, elle ne supportait pas que l'on formule la moindre critique à l'égard de son mari. Elle savait quand lui donner un conseil et quand se taire. Sa vie n'étant pas toujours facile, Zoé était souvent d'humeur morose. Le plus grand chagrin de sa vie, même si elle ne le reconnut jamais, était de ne pas avoir eu d'enfants. Zoé aurait fait une bonne mère.

~

La session du Parlement de 1903 fut la plus longue de l'histoire canadienne jusque-là. Elle commença le 12 mars et prit fin le 24 octobre. Durant celle-ci, la taxe d'entrée pour les immigrants chinois fut augmentée à 500 $; l'ajout de margarine au beurre fut interdit; on décida que l'arbitrage réglerait désormais les différends relatifs aux chemins de fer; Oliver Mowat mourut; Albani fit une tournée au Canada; Blair fut congédié; Chamberlain démissionna; Laurier accorda aux Territoires du Nord-Ouest deux nouveaux sièges au Sénat; plus de 650 000 habitants vivaient désormais dans l'Ouest, qui ne comprenait pas la Colombie-Britannique, soit 190 000 de plus que lors du recensement de 1901; les chambres de commerce de tout l'Empire se réunirent à Montréal; Laurier créa un nouveau chemin de fer transcontinental; et les Américains déjouèrent ses plans. Malgré tout, Laurier ne manifesta aucune faiblesse, aucune mauvaise humeur, mais Zoé savait que sa santé n'était pas aussi bonne qu'il le prétendait. Elle l'était toutefois suffisament pour qu'il poursuive la construction du pays.

Le Canada était alors en pleine croissance: entre 1897 et 1911, 1 833 527 immigrants arrivèrent au pays, dont beaucoup s'établirent dans les

Territoires du Nord-Ouest; la production annuelle de blé atteignait près de 100 millions de boisseaux; les richesses forestières et minérales du nord de l'Ontario et du Québec attendaient encore d'être exploitées; les produits manufacturés dans l'est du pays devaient être acheminés vers les Prairies; il fallait convaincre les colons de s'établir plus au nord au lieu de rester collés près de la frontière des États-Unis; et le resserrement des liens entre les divers composants du Canada demeurait l'objectif premier de Laurier. Il sentait le besoin d'un projet de pays, d'un projet gigantesque qui ferait appel à tous les Canadiens. Comme Macdonald, il le trouva dans le chemin de fer.

On disait à l'époque que les Américains construisaient des chemins de fer pour développer leur pays, que les Allemands les construisaient pour faire la guerre, mais que les Canadiens semblaient les construire rien que pour le plaisir. Laurier n'était pas de cet avis. C'était un visionnaire, qui s'intéressait plus au grand plan d'ensemble qu'à ses milliers de détails. Que voulait-il en 1903? Un autre chemin de fer transcontinental. Qui le construirait? Dès le début, le Canadien Pacifique fut éliminé de la course, les libéraux craignant trop les monopoles. Laurier avait cependant aidé le Canadien Pacifique à construire une ligne secondaire vers les territoires miniers de la Passe du Nid-de-Corbeau en échange d'une réduction dans le prix du transport du blé. Un autre candidat potentiel, l'Intercolonial, ne convenait pas non plus, puisqu'il appartenait à l'État. Restaient deux possibilités. Depuis 1896, deux entrepreneurs d'une sournoiserie et d'une audace étonnantes, William Mackenzie et Donald Mann, construisaient un peu partout au pays des chemins de fer, ce qui, en 1902, les avait placés à la tête d'un réseau ferroviaire, le Canadian Northern, qui disposait d'un port sur les Grands Lacs, à Port Arthur. Les deux hommes sentaient que le moment était venu pour eux d'étendre leurs activités au Saint-Laurent et à l'Atlantique, et, à l'autre extrémité du Canada, au Pacifique. À peu près à la même époque, le Grand Tronc sortit de sa léthargie. Les dirigeants de cette compagnie ferroviaire avaient refusé de faire partie du réseau transcontinental de Macdonald; ils avaient donc manqué le bateau, et le syndicat du Canadien Pacifique avait sauté sur l'occasion. Au début du XXe siècle, le Grand Tronc décida qu'il souhaitait lui aussi exploiter un réseau s'étendant d'un océan à l'autre. Par conséquent, à l'automne de 1902, ses dirigeants demandèrent des subsides au gouvernement afin de construire une ligne entre North Bay et la côte du Pacifique. Laurier les leur refusa.

La proposition du Grand Tronc n'était pas acceptable parce qu'elle ne cadrait pas avec le grand plan de Laurier. Celui-ci voulait un chemin de fer entièrement construit en territoire canadien, qui transporterait les produits canadiens vers les ports des deux côtes, qui satisferait les besoins de certains groupes, et qui donnerait accès aux dépôts miniers du Nord, en passant par Québec, sa circonscription, et par la région septentrionale de l'Ontario. La proposition du Grand Tronc ne satisfaisait à aucun de ces objectifs.

Laurier passa la majeure partie de l'année 1903 dans de longues et pénibles négociations avec les compagnies ferroviaires, son Cabinet, son groupe parlementaire et tous les groupes d'intérêt imaginables. Certains de ces groupes de pression voulaient que le chemin de fer passe par ici; d'autres, par là. Certains en redoutaient le coût; d'autres croyaient plus sage de construire des lignes d'apport et de les relier au transport maritime; plusieurs trouvaient irresponsable et illogique de construire un chemin de fer qui traverserait surtout des territoires dénués de toute importance économique; quelques-uns étaient d'avis que le projet devrait être confié aux Américains. En outre, il fallait traiter avec Mackenzie et avec Mann. Bon nombre des conseillers de Laurier croyaient que celui-ci devrait marier le Grand Tronc au Canadian Northern. Les jalousies entre les deux compagnies étaient si vives que Laurier n'était pas prêt à prendre le temps de procéder à cette union. De plus, il se montrait optimiste quant à l'avenir du pays: «Une grande vague de chance déferle sur nous.» Son gouvernement ferait construire un seul transcontinental; si d'autres, en raison de la grande prospérité du pays, étaient prêts à risquer leurs capitaux privés pour construire des chemins de fer, libre à eux de le faire!

Pour atteindre les objectifs qu'il s'était fixés, Laurier conclut que mieux valait construire un nouveau chemin de fer transcontinental en territoire canadien, lequel relierait Moncton, au Nouveau-Brunswick, à Prince Rupert, sur la côte du Pacifique, en passant par la ville de Québec, le nord du Québec et de l'Ontario, Winnipeg et Edmonton. Une filiale du Grand Tronc — une nouvelle société appelée Grand Tronc Pacifique — construirait la partie ouest du chemin de fer, de Winnipeg à la côte du Pacifique. Le gouvernement s'engagerait directement et construirait la partie est du chemin de fer, d'une longueur de près de 3000 kilomètres, qui relierait Moncton et Winnipeg. Cette partie s'appellerait National Transcontinental et serait louée au Grand Tronc Pacifique. Il n'y aurait aucune concession de vastes étendues de terres aux compagnies de chemin de fer, comme cela avait été le cas pour le Canadien Pacifique à l'époque de Macdonald. Une commission ferroviaire indépendante, la Commission des chemins de fer, superviserait le développement des transports au Canada et régirait le tarif ferroviaire. Laurier ne remit jamais en question sa politique en matière de chemins de fer: c'était ce qu'il fallait faire.

Blair, ministre des Chemins de fer et Canaux, proche allié de Mackenzie et de Mann, opposé à la politique du gouvernement, préconisait une alliance avec Canadian Northern. Il était vexé de ne pas avoir été informé ni consulté, même si, présent à la réunion du Cabinet qui adopta le plan, il avait voté contre. Blair démissionna deux semaines avant la présentation du projet de loi au Parlement. C'était un coup dur pour le gouvernement, mais Laurier prit le risque d'accepter la démission de son ministre.

Le 30 juillet 1903, Laurier était prêt à affronter la Chambre. Les tribunes étaient bondées; tous les députés étaient présents; les journalistes avaient aiguisé leur plume. De l'endroit où elle était assise, Zoé trouvait son mari pâle, mais Wilfrid l'était toujours en pareilles circonstances. Elle savait qu'il parlerait pendant trois heures. Laurier commença par la fin — une espèce de péroraison — en énumérant toutes les objections qu'il avait entendues au cours des sept mois précédents:

> «À ceux qui clament demain, demain, demain; à ceux qui crient attendez! attendez! attendez!, à ceux qui nous conseillent de nous arrêter, de réfléchir, de calculer et de consulter, notre réponse est non! Ce n'est pas le temps de réfléchir; c'est le temps d'agir.»

L'histoire était en train de s'écrire: «Nous ne saurions différer, déclara Laurier, parce que l'heure ne souffre point de retard et qu'à cette époque de merveilleux développement, le temps perdu l'est doublement.» L'Ouest canadien attendait un accès au Pacifique; les Canadiens qui travaillaient dans les forêts, les mines, les champs et les fabriques des «vieilles provinces» avaient eux aussi besoin d'un débouché à leurs produits. Il était essentiel d'aller de l'avant. «Ce n'est pas demain, c'est aujourd'hui, à cette heure, à l'instant même qu'il faut agir. Plaise à Dieu qu'il ne soit pas déjà trop tard!» À ceux qui le pressaient de faire passer le chemin de fer par les États-Unis, il répondait fermement non! Il fallait un chemin de fer «qui s'étende de l'Atlantique au Pacifique et dont chaque pouce repose sur le sol canadien». «J'ai compris, ajouta Laurier, que le meilleur moyen de rester amis avec nos voisins américains c'est de rester tout à fait indépendants d'eux.»

Il poursuivit par une analyse détaillée du projet de loi, sans rien laisser au hasard. Il avait réponse à chaque critique: il les avait toutes entendues. Il se tourna un peu à droite, appuya la main gauche sur le dossier de son fauteuil, et amorça la conclusion de son discours:

> «Je le sais, tous ne verront pas ce projet du même œil que moi; il va alarmer les timorés et effrayer les irrésolus; mais, monsieur l'orateur, je prétends que tous ceux qui sentent battre dans leur poitrine un cœur vraiment canadien l'accueilleront comme un projet digne de cette jeune nation qu'aucune lourde tâche n'épouvante, de cette jeune nation déjà assez forte pour répondre aux exigences des plus grands espoirs et pour assumer les plus sérieuses responsabilités.»

Il se rassit sous un tonnerre d'acclamations.

Le débat traîna jusqu'à la fin de septembre. Le projet de loi fut alors adopté par la Chambre et, en octobre, par le Sénat. Cependant, ce n'était pas la fin de l'histoire, qui rebondit durant la session de 1904, lorsque des modifications durent être apportées au contrat pour alléger le fardeau financier des constructeurs. Au fil des ans, le rêve perdit de son éclat: faillites, mauvaise gestion, occasions perdues, cupidité, extravagance politique. Au moment où Laurier quitta la tête du pays, bien peu d'éléments de sa politique en matière de chemins de fer étaient restés intacts. En outre, Mackenzie et Mann avaient réussi — avec l'aide du gouvernement — à relier les Grands Lacs à Montréal, ce qui donnait au Canada un troisième transcontinental. Quelque chose était allé de travers. Quoi?

Depuis cette époque, beaucoup d'explications ont été avancées. Certains usent d'une piètre excuse: Laurier ne pouvait pas tout prévoir. D'autres affirment que celui-ci n'a pas assez tenu compte des réalités pratiques, plus particulièrement des réalités économiques. Peut-être. Mais la source des difficultés que présentait sa politique ferroviaire n'était pas une question de chiffres. Laurier croyait que des idéaux élevés poussaient les Canadiens à rechercher le bien collectif. Il se faisait le champion d'un optimisme sans bornes pour le Canada et son peuple. Le Canada était en marche; rien ne pouvait l'arrêter. *Carpe diem!* L'occasion ne se représenterait peut-être plus jamais. C'était là la vision qui l'inspirait lorsqu'il déclara à Massey Hall, à Toronto, à l'automne de 1904: «Laissez-moi vous dire, chers compatriotes, que tout indique que le XXe siècle sera le siècle du Canada et de son développement.»

~

Tandis que Laurier était aux prises avec son rêve de transcontinental, il apprit au début de juillet que Pacaud était très malade, souffrant d'une forme de tuberculose. Couché chez lui, il rédigeait ses articles, et s'inquiétait de sa succession et de l'avenir de son journal. Laurier espérait qu'il se rétablisse: «Prends courage! J'ai eu la même maladie que toi. Je me suis rétabli. Depuis plusieurs années je vis en très bonne santé.» En septembre, Laurier voulut à tout prix aller à Québec pour rendre visite à son ami. «Suis mon exemple, lui écrivit-il. Je suis complètement rétabli. Il est vrai que nous ne sommes plus jeunes; nous ne pouvons plus espérer avoir la même force qu'autrefois. Courage et patience! Tu as toujours eu beaucoup de courage; je ne peux en dire autant de la patience, qui n'a jamais été l'une de tes vertus principales.»

Dès la fin de la session parlementaire, Wilfrid et Zoé allèrent voir Pacaud et sa famille. Laurier se chargea de la réorganisation du *Soleil* pour le compte des enfants de son ami. Pacaud mourut le 19 avril 1904.

~

> «(La question des frontières de l'Alaska) atteignit en 1903 le stade du règlement, après avoir soulevé plus de discussions au Canada que tout autre événement depuis l'éclatement de la guerre des Boers.»

Ce commentaire fut publié dans la *Canadian Annual Review* de 1903. Qui était propriétaire de quoi? Où se trouvait la ligne de démarcation entre le Canada et les États-Unis, qui avaient acheté l'Alaska en 1867? Qu'est-ce la première ligne de crêtes de la chaîne Côtière pouvait bien avoir à faire avec un accès à la mer pour le Canada? Faudrait-il que les richesses minérales du Yukon transitent par les États-Unis avant d'atteindre l'océan? Ces importantes questions ne trouvaient pas de réponses satisfaisantes; il fallait désespérément en trouver, surtout durant la ruée vers l'or du Klondike.

Ce que voulait le Canada, ce n'était pas des territoires supplémentaires, mais un accès direct à l'océan — par le bras de mer connu sous le nom de Lynn Canal, où se trouvent les ports de Dyea et de Skagway, jusqu'aux cols menant au fleuve Yukon. Si la tête de Lynn Canal se trouvait en territoire canadien, les marchandises envoyées de Vancouver au Yukon pouvaient passer librement; dans le cas contraire, elles devaient franchir les douanes américaines, ce qui rapporterait beaucoup à Seattle. Laurier avait besoin d'une réponse pour réaliser la construction de son pays.

En tentant d'en fournir une — du moins, une qui serait favorable au Canada —, Laurier essaya de surmonter les faiblesses de la position canadienne. Pendant 70 ans, l'apathie avait régné: le Canada avait accepté le *statu quo* et permis aux squatters américains de se faire colons. Par conséquent, ceux-ci avaient des droits. Durant les réunions de la Haute Commission internationale de 1898 et 1899, la question des frontières avait fait l'objet de discussions qui n'avaient pas abouti. Le Canada proposa que la question fût réglée par un tribunal d'arbitrage, mais Canadiens et Américains n'arrivaient pas à s'entendre sur sa composition.

Durant les quatre années suivantes, le problème couva. Le président Theodore Roosevelt lorgnait du côté de l'Amérique du Sud et, pour parvenir à ses fins, avait besoin du consentement de la Grande-Bretagne. Pour obtenir ce qu'il désirait, Roosevelt était prêt à faire des concessions en Alaska. La Grande-Bretagne lui permit de faire ce qu'il voulait là où il le voulait, mais ne parvint pas à conclure avec lui une entente sur l'Alaska. En décembre 1902, Roosevelt et Laurier convinrent à Washington de laisser à un tribunal le soin de trancher la question. Celui-ci serait composé de six éminents juristes, trois pour chaque camp. Laurier craignait une impasse, qui laisserait les Américains garder le territoire et bloquerait le Canada. Cependant, il ne pouvait espérer d'autre solution. Accordant foi au traité conclu, il consentit à la création d'un tribunal d'arbitrage. Roosevelt le dupa.

Les «juristes impartiaux» américains étaient sans nul doute des hommes honorables, mais c'étaient aussi des sénateurs qui rejetaient depuis le début les revendications du Canada. L'un d'eux représentait au Sénat l'État de Washington, celui qui profitait le plus du commerce avec le Yukon. Laurier fut sidéré, tout comme la population canadienne. Il envisagea sérieusement de retirer le Canada de cette duperie. Mais la Grande-Bretagne n'eut pas la courtoisie d'attendre que le Canada se prononce et ratifia le traité au nom de l'Empire. Pour la première fois, «le Canada était sacrifié sur l'autel de l'amitié anglo-américaine». La deuxième fois ne tarderait pas.

Qui seraient les trois juristes impartiaux du camp anglo-canadien? Laurier était tenté de suivre l'exemple de Roosevelt en nommant des politiciens actifs — au fond, il suffisait qu'ils soient avocats. Il s'en abstint. Il avait conclu un traité de bonne foi; il allait le respecter. Par conséquent, le Canada fut représenté par le président de la Haute Cour de justice d'Angleterre, lord Alverstone; par le juge Armour, de la Cour suprême du Canada, qui mourut durant les procédures et fut remplacé par Allen Bristol Aylesworth, du barreau ontarien; et par sir Louis-Amable Jetté, lieutenant-gouverneur du Québec, ancien juge puîné de la Cour suprême du Québec.

Durant l'été, le tribunal siégea en Grande-Bretagne, où il entendit les arguments et lut une montagne de mémoires. En septembre et octobre, il entendit les plaidoiries; Blake était l'un des procureurs canadiens. Les Canadiens commencèrent à se demander s'ils ne s'étaient pas fait avoir. Alverstone n'était pas vraiment de leur côté: il se considérait plutôt comme un arbitre. Sifton, qui servait de mandataire britannique, écrivit à Laurier en octobre: «Je pense qu'Alverstone a l'intention de se ranger du côté des Américains, de prendre une décision qui nous fera perdre sur toute la ligne.» Pourquoi? «Pour éviter les ennuis avec les États-Unis.» Jetté et Aylesworth «sont exaspérés et songent à se retirer». Laurier répondit à Sifton par un ordre: «Nos commissaires ne doivent pas se retirer. Si Alverstone nous laisse tomber, ce sera le coup de grâce pour la diplomatie britannique au Canada. Il faut que nos commissaires le lui disent clairement.» Le 17 octobre, Laurier attendit anxieusement l'annonce de la décision. Le Canada perdit à cause du vote de l'Anglais. Roosevelt jubilait: «C'est la plus grande victoire diplomatique de notre époque!»

C'est un Laurier triste, sans vivacité, qui commenta cette décision le dernier jour de la session parlementaire. Il se dit profondément déçu. Il s'arrêta de parler, accablé par l'émotion qui montait en lui, et qu'il refusa de contenir: «J'ai souvent regretté le fait que, tandis que les États-Unis forment une grande et puissante nation, nous ne soyons qu'une petite colonie, en croissance, mais quand même une colonie. J'ai souvent regretté aussi que nous ne disposions pas du pouvoir de conclure des traités, pouvoir qui nous permettrait de régler nos propres affaires.» Il conclut par une déclaration coup-de-poing: «Tant que le Canada restera une dépendance de la couronne britannique, nos pouvoirs actuels ne suffiront pas à défendre nos droits.» Le Canada devait obtenir de plus grands pouvoirs, afin que «si jamais le Canada doit régler des problèmes analogues, il le fasse à sa façon, au meilleur de son jugement».

Avant d'obtenir ce pouvoir de signer des traités, il devrait attendre. Il construirait la liberté du Canada pierre par pierre.

~

Après cette longue et fatigante session, Wilfrid et Zoé furent soudainement rappelés à Saint-Lin. Maman Adéline venait de mourir. Ils partirent immédiatement par train spécial, en compagnie d'Henri et de Carolus.

Depuis 1848, Maman Adéline avait remplacé auprès de Wilfrid la mère décédée. Ce dernier, avec les enfants d'Adéline encore vivants — Charlemagne, Henri, Carolus et Doctorée —, ses petits-enfants et arrière-petits-enfants, répondit au rosaire que récitait l'abbé Proulx. Beaucoup d'amis politiques du premier ministre vinrent d'Ottawa, de Montréal et de Québec; Émilie et Joseph se joignirent à eux, de même que des prêtres du collège de L'Assomption et un représentant du Club des jeunes libéraux de l'Université Laval. Wilfrid fut porteur. Tandis qu'il suivait le cortège funèbre, il fut ému par la multitude de villageois qui s'étaient alignés dans les rues et qui faisaient le signe de la croix au passage du magnifique corbillard, tiré par quatre chevaux noirs, décoré de centaines de bouquets de fleurs. Proulx accueillit la famille et les amis à l'église; le supérieur du collège récita la messe. Maman Adéline fut enterrée aux côtés de son mari époux, à proximité de la mère et de la sœur de Wilfrid. Zoé et les autres femmes de la famille étaient restées chez Charlemagne: à cette époque, les femmes n'assistaient pas aux funérailles.

Les Laurier passèrent la soirée à ressasser des souvenirs. Le lendemain, ils rentrèrent à Arthabaska, en passant par Montréal. C'était la fin d'une époque. Pour Laurier, Saint-Lin ne serait plus jamais le même sans Maman Adéline.

13

Une trêve difficile 1905-1911

Le 21 février 1905, toutes les conditions étaient réunies pour que Laurier imprime le sceau de la nationalité canadienne sur les Prairies. Les Minto, partis en 1904, avaient été remplacés par Albert Henry George Grey, quatrième comte Grey — un homme affable, moins pompeux que son prédécesseur —, qui, avec son épouse, Alice, occupa Rideau Hall jusqu'en 1911. À l'élection du 3 novembre 1904, que Laurier avait menée sur le thème «Le Canada d'abord; toujours le Canada», le peuple canadien avait accordé au chef libéral sa troisième victoire d'affilée: 139 sièges aux libéraux contre 75 aux conservateurs. Laurier avait également réussi à bosseler l'armure impériale en démettant de ses fonctions lord Dundonald, le commandant britannique de la milice canadienne, homme intraitable en matière de discipline. Celui-ci s'opposait à la conviction «déloyale» de Laurier, qui estimait que, dans un pays libre, l'armée est soumise au contrôle politique, et que c'était le Canada, pays indépendant dans ses affaires internes, et non pas le ministère impérial de la Guerre, qui exerçait ce contrôle. Après des débats acerbes et de nombreuses manifestations de piété impérialiste — au cours desquels il commit l'un de ses rares lapsus en langue anglaise en qualifiant Dundonald de *foreigner* au lieu de *stranger* (les deux mots signifient «étranger» en français) —, Laurier demanda que le commandant soit démis de ses fonctions. Le Cabinet acquiesça; mais le gouverneur général Minto hésita lorsque ses conseillers, de mèche avec les conservateurs, se dirent prêts à prendre le risque de provoquer la dissolution du gouvernement de Laurier et le déclenchement d'élections. Minto, toutefois, se rangea à l'avis de Laurier, même s'il fit consigner sa différence d'opinion. Dundonald, après une campagne courte et malicieuse, rentra en Grande-Bretagne, au grand soulagement de tous.

Laurier était prêt à lancer son second projet de pays: la réorganisation des Territoires du Nord-Ouest de Saskatchewan et d'Alberta en deux provinces. Depuis son arrivée au pouvoir, il avait vu la population des Territoires augmenter considérablement. Au recensement de 1891, la population totale de tous les Territoires du Nord-Ouest était de 99 000 habitants. En 1901, 91 000 personnes habitaient les Territoires saskatchewannais, et 73 000 les Territoires albertains. La majorité des immigrants y étaient arrivés entre 1896 et 1901. En 1911, la population de la Saskatchewan atteindrait les 492 000, et celle de l'Alberta les 374 000. L'augmentation de population qui se produisit entre 1896 et 1905 était en grande partie le résultat du dynamisme et de la prévoyance de Clifford Sifton, ministre de l'Intérieur dans le Cabinet de Laurier. Sifton déploya tous ses efforts pour promouvoir la région et coloniser l'Ouest: il multiplia les annonces publicitaires; conclut des ententes avec les compagnies maritimes; nomma des agents en Europe pour vanter l'agriculture des Prairies; flatta financiers et autres personnages influents pour qu'ils lui emboîtent le pas. Il savait parfaitement quel type d'immigrant il voulait: «Je pense qu'il nous faut un paysan vigoureux, vêtu d'un manteau en peau de mouton, né à la campagne, dont les ancêtres sont fermiers depuis dix générations, marié à une femme robuste et père d'une demi-douzaine d'enfants.» Peu importait à Sifton que ses fermiers arrivent de Grande-Bretagne ou des régions les plus reculées d'Europe; la langue, la religion et les coutumes de ses immigrants n'avaient aucune importance. Ses critiques l'accusaient d'aller trop vite, d'être indifférent aux problèmes d'intégration et d'assimilation que posait l'arrivée de milliers d'immigrants. Nourri par l'optimisme de Laurier, Sifton se montra infatigable dans la poursuite de son objectif. Ce faisant, il transforma le visage du Canada — et se fit beaucoup d'argent.

Les deux Territoires réclamaient le statut de province depuis quelque temps lorsque Laurier le leur promit au cours des élections de 1904. Il ne se faisait pas d'illusions: il savait que la question des écoles surgirait de nouveau. Cependant, il espérait qu'elle ne susciterait pas les passions féroces qui avaient marqué l'agitation de 1896. Mais si cela se produisait, il lui incomberait de trouver un compromis satisfaisant, de lutter contre les extrémistes et de situer la question où l'Acte de l'Amérique du Nord britannique l'avait située. Il était convaincu de l'opportunité de sa politique et n'en redoutait pas les conséquences. Par-dessus tout, il espérait que les Canadiens, anglais et français, se rappelleraient que la Confédération était un compromis exigeant de chacun qu'il mette de l'eau dans son vin. Malheureusement, il n'avait pas tenu compte de Sifton et de Bourassa.

Le nombre de provinces à créer ne posa pas de problème; il y en aurait deux: la Saskatchewan et l'Alberta. Le contrôle des terres publiques suscita peu de discussions: le gouvernement fédéral continuerait de les administrer afin que l'immigration ne provoque pas de conflit. Et l'on s'entendit sur les clauses financières: des subsides annuels d'un million de dollars par province furent considérés comme généreux. La question scolaire resterait la pierre d'achoppement.

Depuis 1875, et avec le consentement unanime de la Chambre des communes, la *Loi sur les Territoires du Nord-Ouest* permettait l'établissement d'arrondissements scolaires séparés dans toute région où la minorité religieuse le réclamait. Ainsi, un système scolaire double était né, assez semblable à celui du Québec. Cependant, en 1892 et en 1901, le Conseil des Territoires avait réorganisé son système scolaire au moyen d'ordonnances. Celles-ci renforçaient le pouvoir du Conseil sur toutes les écoles des Territoires et abolissaient le système d'écoles séparées qui était apparu. En réalité, l'ordonnance de 1901 préservait l'existence d'écoles séparées, qui devaient être administrées par le ministère de l'Éducation, assisté par un conseil consultatif composé de protestants et de catholiques. Les contribuables catholiques n'étaient pas obligés de financer le système scolaire public, et l'enseignement religieux facultatif était prévu dans toutes les écoles durant la dernière demi-heure de la journée scolaire. Les catholiques avaient leurs propres inspecteurs, manuels scolaires et enseignants. Tel était le système scolaire des Territoires en 1905.

Laurier souhaitait perpétuer ce système au moyen de l'article 15 des «Bills d'autonomie» (un pour chacune des deux nouvelles provinces) qu'il présenta à la Chambre le 21 février. Il y aurait des écoles publiques et des écoles séparées, et les contribuables paieraient leurs taxes scolaires aux écoles de leur choix; toutefois, il n'y aurait pas de système scolaire séparé comme tel. En même temps, Laurier voulait que les nouvelles provinces comprennent que leurs pouvoirs en matière d'éducation étaient limités, afin que soit évitée une répétition de la crise du Manitoba, qui avait semé la confusion et mené à une quasi-guerre religieuse et raciale. Par conséquent, il déclara que l'article 93 de l'Acte de l'Amérique du Nord britannique, celui qui porte sur l'enseignement, «s'appliquerait à la Province comme si, à la date d'entrée en vigueur de l'Acte, le Territoire était déjà une Province». C'est cette déclaration qui souleva l'ire de Sifton, de Fielding et de bien d'autres, qui avançaient qu'un système administratif double pourrait se développer avec le temps, puisque la formule de Laurier ne tenait pas compte de l'ordonnance de 1901.

Laurier n'avait pas consulté Sifton, sauf pour lui dire, en 1904, ce qu'il avait en tête: l'article 16 ne garantirait rien de plus que ce qui était déjà en place dans le Nord-Ouest, mais ne garantirait rien de moins non plus. Sifton était d'accord. Mais, au moment critique, il se trouvait en convalescence à l'étranger; Laurier ne put donc pas lui montrer le texte final de l'article 16. Fitzpatrick, alors ministre de la Justice, portefeuille que Sifton avait convoité, avait rédigé ce texte après avoir consulté le délégué apostolique permanent. Plus tard, Bourassa prétendrait avoir joué un rôle important dans l'élaboration de cet article, mais il mentait pour se donner de l'importance. Sifton fut tenu dans l'ignorance surtout parce que Laurier, sachant qu'il détestait Fitzpatrick, souhaitait éviter les disputes interminables susceptibles de faire avorter tout le projet.

La veille de la présentation des Bills d'autonomie, Laurier télégraphia à Sifton: «Le bill sera présenté demain.» Sifton lui répondit: «Je serai de retour vendredi matin. S'il existe de sérieuses difficultés, il vaudrait mieux attendre jusque-là avant de poser toute action finale.» Le lendemain matin, Laurier lui télégraphia de nouveau: «L'important bill doit être déposé immédiatement. On dresse contre nous l'opinion publique, mais sans dommages jusqu'ici. N'avancez pas votre départ. La première lecture aura lieu aujourd'hui, mais ce bill ne peut être discuté avant au moins une semaine.» Sifton réagit au télégramme en rentrant sur-le-champ.

La suite des événements confirma les pires craintes de Laurier. Il avait réveillé le géant endormi de la division raciale et religieuse. Où s'était-il trompé? Avait-il été naïf? Restait-il un espoir pour le Canada biculturel qu'il tentait sans grand succès de créer? Les ministres protestants, animés par une paranoïa raciste et anticatholique, montèrent de nouveau en chaire: «Les nouvelles provinces seront à jamais obligées de reconnaître, d'entretenir et de propager la religion catholique!» Goldwin Smith, intellectuel influent, et les loges orangistes se mirent de la partie. De l'autre côté des barricades, Henri Bourassa attendait; il était prêt. Certains évêques et curés se rallieraient sûrement à lui. Les évêques québécois étaient en faveur de l'article 16 original, mais la présence du délégué apostolique empêcha les abus cléricaux de 1896 et 1897 de se répéter.

Sifton rencontra Laurier le 24 et le 26. Durant leurs conversations, Sifton ressassa les vieux arguments: l'Ouest devrait être libre de construire une société qui réponde à ses besoins; une seule langue et une seule nationalité devraient former la base de cette société, et le système scolaire non confessionnel était le meilleur moyen de créer un fort sentiment d'appartenance canadienne chez les divers groupes ethniques qui inondaient l'Ouest; l'autonomie provinciale, sacrée, était malmenée par l'article 16 et par l'application de l'article 93 de l'AANB qui, d'une certaine façon, dictait aux provinces leur système scolaire et qui, en même temps, garantissait un système d'écoles séparées.

Laurier ne comprenait pas ce dont Sifton parlait. L'autonomie provinciale était un principe cher aux libéraux, mais le Parti libéral s'était aussi fait le protecteur des droits des minorités. Comme Mackenzie et Blake avant lui, Laurier essayait de concilier ces deux principes. Non sans ironie, il demanda à Sifton: «Pouvez-vous vraiment douter, mon cher Sifton, que, si les provinces d'Alberta et de Saskatchewan avaient été admises dans le Dominion en 1867 plutôt que maintenant, elles auraient reçu le même traitement que l'Ontario et le Québec?» Sifton, et c'est tout à son honneur, n'avait pas de réponse à cette question. Mais Laurier en avait une: «Oui, elles auraient été traitées comme l'Ontario et le Québec. Je ne crois pas qu'on puisse le nier. Ce que j'ai fait, et que vous considérez comme socialement, constitutionnellement et politiquement mauvais, c'est de donner à la minorité la garantie du maintien de son système scolaire, comme elle l'aurait reçue en 1867.»

Sifton avait un contre-argument: «Vous allez plus loin avec cette loi. Vous risquez de soustraire les écoles séparées à la réglementation publique. Cet article 16 répète presque mot pour mot la loi fédérale de 1875, transformant ainsi en garanties constitutionnelles les compromis administratifs qui ont été forgés au fil des ans. Pour beaucoup d'entre nous, cela ne peut signifier qu'une chose: les catholiques pourront prétendre que le système d'écoles séparées a été rétabli et exploiter cet argument.» Même si Laurier était d'avis que rien dans la loi ne donnait raison à Sifton, du fait qu'elle ne créait ni n'imposait de système scolaire double, il accepta de la modifier et d'éliminer l'ambiguïté que Sifton y avait perçue. Ce faisant, il espérait consolider ce qu'il souhaitait établir.

La discussion terminée, Sifton partit, et Laurier eut l'impression d'avoir franchi un obstacle de taille. Le même jour, il fut informé que Fielding, tout juste rentré d'Europe, avait de sérieux doutes sur l'article 16, comme beaucoup de députés des Maritimes. De toute évidence, une crise se préparait. Dès que Sifton quitta Laurier, Bourassa arriva et pressa le premier ministre de tenir bon, de préserver les intérêts nationaux de son peuple. Laurier le remercia poliment et attendit la suite des événements. Avant la fin de la journée, Sifton démissionna; sa lettre de démission était datée du 27 février.

Comment Laurier arriverait-il à préserver l'unité du gouvernement? Bourassa lui conseilla de garder le cap: presque tous les députés du Québec à la Chambre le suivraient. Laurier ne soupesa pas longtemps ce conseil ridicule. Le parti serait irrévocablement divisé, ce qui le forcerait encore une fois à faire adopter une loi majeure au moyen d'une coalition fondée sur la religion. D'autre part, finirait-il sa carrière comme Mackenzie Bowell, tiraillé dans des directions opposées, incapable d'agir? Non. Ce n'était pas sa manière à lui. Il fut tenté de démissionner, mais, pour protéger son peuple, il devait rester à la barre et continuer de travailler jusqu'au jour où se réaliserait son rêve d'un Canada biculturel. Quel que soit le prix à payer sur le plan personnel, quels que soient les dommages que risquaient de subir sa réputation et son leadership au Québec, il chercherait un compromis. Cela signifiait qu'il devrait accepter le minimum pour la minorité, mais que ce minimum servirait au moins de base pour l'avenir.

Il alla voir Sifton et lui proposa qu'un nouvel article sur l'enseignement — en fait, un nouvel article 16 — soit rédigé dans le sens du Règlement Laurier-Greenway. Sifton se dit d'accord, mais à la condition que cela se fasse sans la collaboration de Fitzpatrick, ultimatum que Laurier accepta. Le premier ministre reporta la deuxième lecture des bills et convoqua tous les députés du Québec à une réunion. Il y aurait un compromis, les avertit-il, ils devraient s'y préparer; cela ne serait pas facile, mais ils réussiraient. «Quel sorte de compromis?» demanda Bourassa, furieux. «Un compromis fondé sur le Règlement manitobain.» Comment Bourassa pourrait-il accepter cela? Une telle solution aurait peut-être été acceptable en 1897, mais pas maintenant: «Les Canadiens français ont droit à leur pays!» Laurier fit ce qu'il faisait généralement dans de telles circonstances: il resta assis et attendit que la tempête se calme. Il avait prévu l'attitude de Bourassa, qu'il comprenait. Mais il fut décontenancé par celle d'Armand Lavergne, le fils d'Émilie, qui, au grand plaisir de Wilfrid et avec son aide, était entré au Parlement au cours d'une élection complémentaire à l'hiver de 1904 et avait été réélu aux élections générales de l'automne. Armand se déchaîna lui aussi: c'était une trahison; c'était absolument inacceptable. «Alors vous devrez affronter les conservateurs, répondit Fitzpatrick, c'est aussi simple que cela!» La réunion dura encore une heure. Quelqu'un demanda ce que les évêques pensaient de tout cela. Encore une fois, ce fut Fitzpatrick qui répondit. Laurier l'avait chargé des relations entre le gouvernement et le délégué apostolique, Donatus Sbaretti. Au début de la crise, Sbaretti avait encouragé Bourassa à rester ferme et à inciter Laurier à faire de même. Mais il s'était rendu compte de la futilité de placer ses espoirs en Bourassa puisque celui-ci ne jouissait de l'appui de personne, mis à part Armand Lavergne. «Sbaretti est disposé à accepter un compromis», répondit Fitzpatrick. Bourassa n'arrivait pas à le croire. «Je lui ai dit, poursuivit Fitzpatrick, que la grande majorité d'entre nous ne permettra pas que sir Wilfrid tombe, et nous avec. S'il tombe, Borden et ses amis prendront le pouvoir, et ce sera pis. Les catholiques n'auront rien.» Laurier confirma que Sbaretti était ouvert à un compromis honnête. À la fin de la réunion, il dit: «Messieurs, nous pouvons penser autant que nous le voulons à démissionner. Notre conscience individuelle devra nous guider. Cependant, la conséquence d'une démission serait que la minorité, au lieu de jouir de ce qu'elle a maintenant, n'aurait rien du tout. Quant à moi, je crois qu'il vaut mieux que nous restions au pouvoir et fassions face à la situation.»

Le 22 mars, Laurier fit procéder à la deuxième lecture des Bills d'autonomie. Vu l'«explosion de passion» qui avait accompagné leur première lecture, dit-il, il était opportun de réexaminer la situation. L'article 16 original mènerait à la confusion et au litige. «Par conséquent, nous avons pensé qu'il serait préférable de rendre la loi absolument indiscutable et, pour ce faire, nous y avons intégré les ordonnances en vertu desquelles elle a été établie. Cela pourrait en décevoir certains, mais nous croyons que, dans l'ensemble, il est préférable d'avoir un arrangement clair.» Ainsi, les catholiques et les francophones de l'Ouest devraient se contenter de ce qu'avaient obtenu leurs coreligionnaires et compatriotes du Manitoba.

Une agitation considérable, menée par Bourassa et Lavergne, s'ensuivit au Québec. Pour d'autres raisons, l'amendement fut mal reçu en Ontario aussi. Le mécontentement au Québec jeta les bases d'un mouvement nationaliste qui allait causer à Laurier beaucoup d'ennuis et de chagrin. Il déclara à David, nommé sénateur en 1903: «Bourassa a en effet commencé une campagne qui peut être dangereuse. Il y a des questions sur lesquelles il est difficile de raisonner avec les gens.» En Ontario, toutefois, l'affrontement se révéla éphémère. Les libéraux y remportèrent deux élections complémentaires durant lesquelles les bills avaient été au cœur des débats. Les bills devinrent lois. Même si la question de la protection de la langue française dans les nouvelles provinces fut soulevée, les motions de Lavergne et d'un député conservateur furent rejetées.

À la fin d'août, Wilfrid et Zoé se rendirent dans l'Ouest, en compagnie du gouverneur général, de son épouse et de leur fille, pour inaugurer les nouvelles provinces. Laurier ne se demanda pas s'il avait choisi la bonne voie.

Son parti était uni. Bourassa et quelques têtes brûlées resteraient mécontents, mais il n'était pas à la tête d'un parti divisé. Il connaissait déjà les effets qu'aurait l'article 16 dans l'Ouest: pratiquement aucune agitation. Les Maritimes étaient calmes, mais il n'était pas sûr de ce qu'il en serait en Ontario. Sa santé était bonne, le stress supportable, et, comme il l'avait fait remarquer à son cher Armand, il avait trouvé la paix. Laurier n'avait toutefois pas oublié l'observation qu'avait faite Bourassa durant le débat: «Je regrette, chaque fois que je retourne dans ma province, de voir croître le sentiment que le Canada n'est pas le Canada pour tous les Canadiens. Nous sommes obligés d'en arriver à la conclusion que le Québec est notre seule patrie parce que nous n'avons aucune liberté ailleurs.»

~

Laurier fut souvent troublé durant la seconde moitié de la première décennie du XXe siècle. Il y eut des moments de joie et d'exultation, mais, dans l'ensemble, il trouva difficile de faire face à la clameur incessante qu'il suscitait. Des lois importantes furent adoptées, certes, mais la plupart lui semblaient être de simples mesures administratives — à l'exception du projet de loi sur la marine. Il y eut des scandales et des accusations; Laurier avait l'impression que, dès qu'il éteignait un feu, un autre s'allumait ailleurs. Les puritains fanatiques de la Lord's Day Alliance harcelaient le gouvernement pour qu'il adopte une loi garantissant une plus stricte observance du repos dominical. Laurier, opposé à ce que le gouvernement devienne le pouvoir exécutif de la moralité, n'y tenait pas tellement. Au Québec, le dimanche était sacré: les gens allaient à la messe, mais s'amusaient ensuite, faisaient des pique-niques et se livraient à des jeux; ceux qui vivaient à la campagne allaient faire leurs emplettes, car c'était le seul jour où ils se rendaient au village. L'Église catholique, toutefois, n'approuvait pas qu'on aille au cinéma le dimanche. Voilà que les Anglais essayaient encore une fois de dicter leur conduite aux Canadiens français. Néanmoins, un projet de loi fut présenté pour satisfaire les zélateurs. Laurier reconnaîtra plus tard qu'il n'avait pas saisi toutes les implications de la loi, mais que, lorsqu'il les comprit, il fit modifier la loi par le Sénat pour qu'elle ne s'applique pas aux provinces qui n'en voulaient pas.

Sur le plan financier, le salaire de premier ministre de Laurier fut augmenté à 12 000 $, et son indemnité parlementaire à 2 500 $. Il ne s'opposa pas à ce qu'un salaire de 7 000 $ soit versé au chef de l'opposition, pour la première fois de l'histoire.

En 1906, deux décès l'affectèrent profondément. Son frère Henri, marié et vivant à Arthabaska, fut foudroyé par une crise cardiaque le 3 septembre. C'était une mort soudaine, inattendue: il avait 43 ans. Laurier s'était à peine remis de ce deuil, lorsque, trois jours après Noël, son frère Charlemagne, marchand à Saint-Lin et député libéral de L'Assomption, mourut aussi, à l'âge de 54 ans. Toute sa vie ce dernier avait souffert de diverses affections attribuées au mauvais état de ses poumons. Des huit enfants de Carolus, cinq avaient été emportés par un mal semblable. Wilfrid n'avait plus qu'un frère, Carolus fils, 46 ans, et une sœur, Doctorée, 50 ans.

~

Le 5 avril 1907, Wilfrid et Zoé allèrent en Europe pour assister à une autre conférence coloniale. Même si Chamberlain n'était plus là, les points discutés à la conférence de 1897 étaient encore à l'ordre du jour. La position de Laurier n'avait pas changé: il s'opposa à la création d'un Conseil impérial; il se prononça peu sur la question du tarif; et il resta silencieux sur celle de la marine, car il nourrissait un projet de marine canadienne. Lorsqu'on le pressa pour qu'il en dise davantage, il répondit tout bonnement: «J'ai dit tout ce que j'avais à dire sur le sujet.» Il établit de bonnes relations avec le général Louis Botha d'Afrique du Sud, et il proposa la création d'une ligne entièrement britannique de paquebots rapides qui vogueraient sur l'Atlantique et le Pacifique, «sous le contrôle subventionné des gouvernements concernés»; le Canada, annonça-t-on plus tard, était prêt à verser la moitié des 2,5 millions de dollars qui, selon les promoteurs du projet, étaient nécessaires à la création de ce «All-Red Line Steamship Project». Laurier et Sifton, qui s'étaient réconciliés et restaient des alliés politiques, travaillèrent beaucoup à cette idée, mais l'affaire ne fut pas réglée de façon satisfaisante.

Durant son séjour d'un mois en Angleterre, Laurier prononça de nombreux discours, éloquents mais prudents. Lui et Zoé reçurent somptueusement et fréquemment. Le 21 mai, ils quittèrent l'Angleterre à destination de la France, de l'Italie et de la Suisse. À la mi-juillet, ils rentrèrent au pays. Comme d'habitude, ils furent acclamés à leur arrivée. Laurier était ravi à tous égards de son voyage outre-mer. De Londres, il écrivit à son ami, le sénateur Frédéric-Liguori Béique: «J'ai beaucoup redouté ce voyage en Angleterre et le travail qui m'y attendait. Je crois cependant que tout a bien été. Même en Angleterre, il semble que l'attitude que j'ai adoptée reçoit une approbation, non générale, mais assez large.» À un autre sénateur, son ami David, il écrivit:

«Ma politique l'a emporté. Il me paraît certain que ce voyage plein de périls a en somme bien tourné.»

Wilfrid et Zoé allèrent se reposer à Arthabaska sous les érables géants que Wilfrid avait plantés quelque trente ans auparavant. Frais et dispos, le premier ministre retourna à Ottawa pour affronter Bourassa.

~

Henri Bourassa était le petit-fils de Louis-Joseph Papineau. Laurier remarqua un jour avec finesse: «Ayant connu monsieur Papineau, je peux dans une certaine mesure comprendre monsieur Bourassa; ayant connu monsieur Bourassa, je peux dans une certaine mesure comprendre monsieur Papineau.» Bourassa était un homme austère, intelligent et honnête qui avait consacré toute sa vie à la défense des intérêts du Québec. Malheureusement, il n'avait aucun sens pratique et refusait de reconnaître que la politique était l'art du possible. Si Laurier n'avait pas été au pouvoir et chef du Parti libéral, Bourassa aurait mené sa province dans la désastreuse aventure de la séparation. Ultramontain, il respectait la hiérarchie, adorait les remarques et attitudes pompeuses, et avait tendance à se montrer dédaigneux avec ceux qui ne le suivaient pas. Il fixa son champ d'action dans les limites étroites de la Ligue nationaliste, fondée en 1903, et de l'Association catholique de la jeunesse canadienne-française, organisation largement contrôlée par l'Église.

Bourassa attirait beaucoup le clergé, qui avait été obligé d'accepter un rôle secondaire dans la vie politico-nationale du Québec depuis la visite du légat Del Val. De plus, les prêtres qui dirigeaient les collèges classiques — seul système scolaire postprimaire du Québec — ne passaient plus leur temps à dépister des libéraux catholiques. Ils espéraient plutôt inculquer à leurs élèves le respect de «la race, la langue et la foi». Leurs diplômés devaient livrer une guerre sainte aux Anglais, lutter contre les empiétements des étrangers et la dilution de la race, et garder allumé le feu de la foi. En fait, ils enseignaient à leurs élèves à être anti-Anglais, à ne pas fréquenter les anglophones et les protestants, et à ne pas parler anglais, sinon ils perdraient leur langue et, finalement, leur foi. Laurier le savait: Armand Lavergne refusait d'apprendre l'anglais et voulait jeter les Anglais dans le Saint-Laurent. En Bourassa, les prêtres trouvèrent un allié naturel, car «la race, la langue et la foi» étaient aussi à la base de son nationalisme étroit. Un éminent évêque formula un jour cette philosophie en ces termes:

> «Nous ne sommes pas seulement une race civilisée, nous sommes des pionniers de la civilisation; nous ne sommes pas seulement un peuple religieux, nous sommes des messagers de l'idée religieuse; nous ne sommes pas seulement des fils soumis de l'Église, nous sommes, nous devons être du nombre de ses zélateurs, de ses défenseurs et de ses apôtres. Notre mission est moins de manier des capitaux que de remuer des idées; elle consiste moins à allumer le feu des usines qu'à entretenir et à faire rayonner au loin le foyer lumineux de la religion et de la pensée.»

Bourassa aimait particulièrement ce type de déclarations. Pas étonnant, dès lors, que le nationalisme qu'il éveilla au Québec — et qui dura longtemps après sa mort — fût tribal, exclusif, messianique et chauvin. Mais Bourassa était très populaire, et il exploita cette popularité.

Laurier éprouvait à son égard des sentiments contradictoires; il l'aimait bien et souhaitait sa présence. Il croyait être capable de le contenir. En outre, Laurier, pragmatiste politique, évitait les déclarations et prises de position catégoriques. À ses yeux, presque tout était négociable; on pouvait généralement résoudre les problèmes par le compromis, en évitant l'application rigide de principes, et par ce qu'Armand Lavergne appelait — la plupart du temps, en brandissant le poing — l'honneur. Contrairement à Bourassa, Laurier était tenant d'un libéralisme à l'anglaise et acceptait l'importance qui y était accordée à la liberté et l'individualité. Tenant aussi de la philosophie des Lumières et de l'accent qu'on y mettait sur la perfectibilité de l'homme. Contrairement à Bourassa, qui était au fond un pessimiste croyant que la perfection n'était pas de ce monde, Laurier était d'avis que le temps arrangerait les choses. Ce qui comptait dans la lutte contre l'Empire, c'était le développement de l'autonomie canadienne; l'indépendance viendrait en temps et lieu. Ce qui avait compté au Manitoba en 1897 et qui comptait dans les nouvelles provinces de l'Ouest en 1905, c'était de jeter les fondations sur lesquelles les minorités pourraient bâtir plus tard. Ce qui comptait dans le plan de construction d'une nation que Laurier ébauchait, c'était d'accepter ce qu'il était possible de réaliser et d'attendre les jours meilleurs qui finiraient par venir. Bourassa ne comprenait pas cela.

En 1907, Laurier offrit à Bourassa de le prendre dans son Cabinet, mais les exigences du jeune homme rendirent la chose impossible. Ce dernier quitta son siège fédéral de Labelle en automne pour présenter sa candidature dans une élection complémentaire, où il fut défait. Quand Laurier lui offrit de le faire réélire sans opposition dans la circonscription de Labelle, Bourassa refusa. Il avait d'autres projets: il réussit à se faire élire au cours des élections générales provinciales de 1908.

~

Joseph-Israël Tarte mourut à Montréal le mercredi 18 décembre 1907. Gravement malade pendant neuf jours, il était resté plongé dans le coma pendant les trois derniers. Quelque 1500 personnes assistèrent à ses funérailles à l'église Saint-Louis-de-France, à Montréal; Laurier fut porteur honoraire. Il avait toujours estimé le défunt. «C'est mon ami», avait-il l'habitude de dire à Pacaud. Laurier et Tarte s'étaient rencontrés au collège de L'Assomption; leurs chemins s'étaient constamment croisés par la suite; le plus souvent adversaires politiques, mais aussi associés politiques pendant quelques années, ils avaient toujours été des amis personnels. Tarte avait montré à Laurier la manière de disputer une élection et, surtout, de la remporter. Il avait enseigné à Laurier l'importance de disposer d'une bonne organisation et d'une presse active qui appuie «la cause», et, de bien des façons, il lui avait appris à faire face à l'adversité. Tarte et Pacaud étaient généralement en désaccord, mais chacun, à sa façon, influença la carrière politique de Laurier. Ce dernier n'approuvait pas des méthodes de Tarte, mais c'était un allié indispensable. Lorsqu'ils rompirent en 1902, ils le firent amicalement.

Des anciens camarades de classe de Laurier, bien peu restaient.

~

Sur le plan politique, l'année 1908 ne fut pas bien différente des deux années précédentes. La session de huit mois dura sept jours de plus qu'en 1903. Laurier fut presque toujours présent en Chambre, pilotant deux mesures d'importance: l'élargissement des frontières de l'Ontario, du Québec et du Manitoba, qui provoquerait une autre interminable querelle sur les écoles, la langue et la religion; et la poursuite du projet de ligne de paquebots Red Line, auquel Laurier devenait de plus en plus attaché. Après de longues chamailleries, le Parlement fut dissous le 20 juillet; on fixa les élections au 26 octobre. Vint ensuite la plus grande célébration internationale jamais organisée au Canada jusque-là: celle du tricentenaire de Québec, qui dura du 19 au 31 juillet.

Ce fut magnifique. Les Plaines d'Abraham et les terrains adjacents, où Wolfe et Montcalm, Lévis et Murray s'étaient livré bataille en 1759-1760, furent désignés parc national, en présence du marquis de Lévis et du marquis de Montcalm. Le prince de Galles arriva à bord de l'*Indomitable*, vaisseau de guerre de 18 000 tonnes, le plus puissant du monde. Le vice-président des États-Unis était présent, de même que des hauts représentants de France et des dominions. Un délégué du gouvernement du général Botha apporta à Laurier un message de son ami; des bateaux des marines française, britannique et américaine voguèrent sur le Saint-Laurent, et des soldats de ces pays paradèrent dans les rues; il y eut des reconstitutions historiques d'événements glorieux du passé; une grand-messe pontificale fut célébrée, en présence de Laurier et du duc de Norfolk, tandis que le prince de Galles assistait à une messe à la cathédrale anglicane; des discours furent prononcés et des hommes éminents honorés. Plus de 300 000 visiteurs affluèrent dans la Vieille Capitale; des journalistes du monde entier écrivirent des articles sur cette terre si ancienne et si jeune à la fois; et Laurier se fit éloquent et prophétique: «Nous approchons du jour où notre Parlement canadien réclamera des droits égaux à ceux du Parlement britannique et où les seuls liens qui nous uniront seront la couronne et le drapeau communs.» Pendant ce temps, les nationalistes grognaient à tout propos.

Arthabaska appelait Laurier; en septembre, la campagne électorale débuta. Était-il prêt? Politiquement, oui. Mais des doutes rongeaient son âme. «Je pars ce soir», écrivit-il d'Ottawa à madame Pacaud, avec qui il entretenait une correspondance depuis la mort d'Ernest, «pour amorcer la campagne. Souhaitez-moi courage et succès. Je crois au succès; je ne manquerai pas de courage. Je ne me sens pas autant d'enthousiasme que par le passé. C'est peut-être que le poids des années s'alourdit sur mes épaules; c'est peut-être que les questions à débattre pour le moment manquent d'envergure.»

Avec un slogan inspiré par Sifton, «Laissez Laurier finir son travail!», Laurier lança sa campagne à Sorel, où 10 000 personnes allèrent l'entendre clamer: «Nul besoin de vous dire, messieurs, que le sang qui coule dans mes veines est le même que le vôtre. Je suis né ici dans la province de Québec, de parents français. Je n'ai jamais demandé à mes compatriotes de m'appuyer sous prétexte que je suis de leur race.» En Ontario, où il parla devant près de 50 000 personnes au cours de sept rassemblements, il concentra son attention sur le favoritisme et les conflits d'intérêts, et les accusations d'extravagance et d'inefficacité portées contre son administration. Il y en avait eu, il en convenait, mais il était en train de faire le grand nettoyage. En outre, ce n'étaient pas des scandales qu'il fallait surtout parler: «Nous sommes en train d'accomplir de grandes choses; de grandes choses attendent encore que nous les accomplissions.» Il était fier de ses douze années passées au pouvoir: «Ces douze années feront époque dans l'histoire du Canada. Durant ce laps de temps, le Canada est passé de l'humble état de colonie à l'état de nation. En 1896, le Canada était à peine connu aux États-Unis et en Europe. En 1908, le Canada est devenu un astre qui attire les regards du monde civilisé. Voilà ce que nous avons fait.» Dans sa circonscription de Québec-Est, il prédit qu'il obtiendrait une majorité de 30 à 40 sièges. À Montréal, le 20 octobre, il s'adressa à la plus grande foule à l'avoir jamais accueilli dans la métropole. Près d'un quart de million de Montréalais en liesse l'acclamèrent et le prièrent d'achever son travail: «Unité et harmonie entre les races du Canada!» Laurier, reconnaissant, leur promit ceci: «Il reste beaucoup à faire et je songe souvent à ce que je voudrais faire pour compléter ma tâche, mais, malheureusement, les années passent, et c'est probablement la dernière fois que je fais appel à mes compatriotes.» Il regarda autour de lui et, les larmes aux yeux, ajouta: «Je vieillis.»

Laurier se trouvait à Ottawa lorsque les résultats des élections furent annoncés le 26 octobre. Les libéraux recueillirent 568 476 voix, les conservateurs 548 494. Les libéraux obtinrent 134 sièges, les conservateurs 87. Au Québec, où les nationalistes avaient été fort actifs, les libéraux récoltèrent 54 sièges, en laissant 11 aux autres. Laurier fut élu dans deux circonscriptions: Ottawa et Québec-Est. Il s'en réjouit un moment, puis se mit à y réfléchir. À la fin d'octobre, il écrivit au gouverneur général qu'il souffrait de zona. Deux semaines plus tard, il était encore alité: une névralgie intercostale, qui provoquait des «souffrances aiguës et débilitantes». Il devrait se rétablir, et vite: le 15 novembre, un télégramme lui annonça que Joly de Lotbinière venait de mourir à Québec.

Si malade qu'il fut, Laurier devait penser à son Cabinet. Des ministres qui avaient prêté serment le 13 juillet 1896, il ne restait plus que Cartwright, au Commerce, Borden, à la Défense et à la Milice, Fisher, à l'Agriculture, Paterson, aux Douanes, et Fielding, aux Finances. Au fil des ans, les autres avaient démissionné, avaient été démis de leurs fonctions ou étaient décédés; ils avaient été remplacés par d'autres hommes, certains compétents, d'autres tristement incapables. Après les élections de 1908, le Cabinet accueillit plusieurs nouveaux ministres. Charles Murphy devint secrétaire d'État; en 1910, il assuma aussi la charge de secrétaire d'État aux Affaires extérieures, autre jalon dans le développement de l'indépendance canadienne. Allen Bristol

Aylesworth, l'un des trois représentants canadiens au tribunal qui avait délimité les frontières de l'Alaska en 1903, devint ministre de la Justice et procureur général. Louis Philippe-Brodeur fut nommé ministre de la Marine et des Pêcheries; en 1910, il deviendrait aussi ministre du Service naval. Rodolphe Lemieux fut nommé ministre des Postes, ce qui lui donna l'occasion de partir en mission à l'étranger pour le compte du gouvernement canadien; il fut aussi ministre du Travail jusqu'en juin 1909, date à laquelle William Lyon Mackenzie King le remplaça à ce poste. Aux Travaux publics, Laurier nomma William Pugsley. George Perry Graham, ancien chef du Parti libéral ontarien, fut nommé ministre des Chemins de fer et Canaux, portefeuille qui se prêtait bien au favoritisme politique. Frank Oliver, successeur de Sifton au ministère de l'Intérieur et surintendant général des Affaires indiennes, restait en poste, même s'il était moins efficace que Sifton. Enfin, William Templeman devenait ministre du Revenu de l'intérieur et des Mines, nouveau portefeuille créé en 1907. En tant que solliciteur général, Jacques Bureau faisait partie du gouvernement, mais pas du Cabinet.

Les mêmes principes qui avaient guidé la création du Cabinet de 1896 furent appliqués, bien que, cette fois, Laurier ne pût dénicher d'«étoiles» provinciales. Une représentation québécoise plus qu'adéquate continuait d'être essentielle, mais Laurier tint également compte des intérêts des autres régions et provinces. Il chercha des hommes dont la compétence était prouvée, avec qui il pourrait planifier et réaliser son programme. Et il récompensa ceux qui lui étaient restés fidèles au fil des ans.

La composition du Cabinet resterait à peu près la même jusqu'aux élections suivantes.

~

Le docteur Léandre-Coyteux Prévost était le médecin de famille des Laurier depuis 1906. Il connaissait parfaitement son métier et dirigeait Wilfrid ou Zoé chez des spécialistes au besoin. Cette dernière souffrait de rhumatismes depuis quatre ou cinq ans. Elle était déjà allée en Alabama pour soulager sa douleur. Lorsqu'elle se rendit en Europe, en 1907, elle souffrit terriblement. Cependant, le soleil de France, d'Italie et de Suisse lui réussit à merveille. Zoé prenait aussi du poids. Depuis quelques années, Wilfrid avait remarqué qu'elle parlait fort, parfois trop fort, et qu'il devait hausser la voix pour qu'elle l'entende. Lorsque les Laurier recevaient, Wilfrid s'asseyait près de Zoé et lui tenait la main, la tapotant si sa voix montait. Zoé commença aussi à laisser tomber les objets qu'elle tenait à la main, à se cogner aux portes et à manquer une marche en montant les escaliers. Le docteur Prévost l'examina soigneusement, des spécialistes furent consultés, le verdict tomba net: Zoé deviendrait totalement sourde et aveugle dans les cinq années à venir, sinon avant. C'est Wilfrid qui dut lui annoncer la mauvaise nouvelle.

Ce fut la tâche la plus difficile de toute sa vie. Zoé, toutefois, le prit relativement bien: «On vieillit. Que dire? La vie continue.» Yvonne Coutu, la fille d'Emma Gauthier, vint vivre avec les Laurier pour tenir compagnie à Zoé et l'aider à gérer le ménage, ce qui fut infiniment précieux pour le couple.

~

Il fait terriblement mauvais, mais Zoé a bien emmitouflé Wilfrid. Il prend le tramway devant chez lui. Celui-ci est bondé. Les passagers lui sourient; un jeune homme lui cède sa place. Wilfrid accepte avec gratitude: ses muscles sont endoloris, et ses démangeaisons l'incommodent. Il descend devant le Parlement et marche jusqu'à l'édifice de l'Est, où se trouve son bureau, au 221. Les gens le saluent; il lit l'affection dans leur regard. Il monte lentement, péniblement, dans sa «salle»; c'est ainsi qu'il appelle l'endroit où il dirige les affaires du pays. Il n'a pas besoin d'aide, sauf pour enlever son manteau. Il veut qu'on le laisse seul. Il s'assied lourdement dans son fauteuil et regarde par la fenêtre: c'est l'hiver, qu'il redoute. Il soupire et se met à la tâche; le moment est venu de faire le point.

Le 26 octobre 1908, le peuple canadien l'a élu pour un quatrième mandat. Les résultats ont toutefois indiqué qu'il y avait un danger pour le Parti libéral, particulièrement en Ontario. Le chef de l'opposition, Robert Borden, est en train de le rattraper. Ce dernier a 13 ans de moins que Laurier, qui en aura bientôt 68. Même si la santé de Laurier est généralement bonne, il met beaucoup de temps à se remettre de sa dernière maladie. Zoé, sa chère amie, a chaque jour de plus en plus besoin de lui. Elle repousse gentiment ses attentions, comme si celles-ci ne lui étaient pas nécessaires, mais elle sera bientôt quasiment invalide. Laurier se sent tout le temps fatigué. Son travail lui semble moins stimulant; chaque jour, il lui est de plus en plus difficile de réconcilier les points de vue opposés. Et il y a cette série interminable de scandales.

Il dirige le pays depuis maintenant 12 ans; il convient que beaucoup a été réalisé. Par-dessus tout, il a évité la pire des calamités: l'éclatement du pays pour des raisons de religion ou de race. Il a jeté les bases de son projet canadien:

l'Ouest se développe; l'emploi et l'économie sont relativement satisfaisants; la position du Canada dans l'Empire et dans le concert des nations est désormais irréversible; le transcontinental créera bientôt un nouveau lien entre les régions du pays; il existe un ministère du Travail et un mécanisme pour régler les conflits de travail; une commission de la fonction publique réparera les dommages causés par le népotisme et les scandales; Ottawa est en train de devenir la capitale qu'elle devrait être; une Commission de la conservation sera établie à la prochaine Législature et il fera de Sifton son président; même l'éternel problème du tabac et des cigarettes est sur le point d'être résolu. Les dossiers de la flotte Red Line, de la Marine canadienne et des relations avec les États-Unis demeurent, mais des hommes plus jeunes que Laurier pourront s'en occuper. Fielding fera bien l'affaire.

Laurier prend sa plume et commence à écrire, presque illisiblement comme toujours:

> Cher lord Grey,
>
> Après mûre réflexion, je souhaite vous présenter ma démission au poste de premier ministre; celle-ci entrera en vigueur dès que Votre Excellence aura pris les arrangements nécessaires pour ma succession.
>
> Je prends la liberté de vous recommander d'inviter l'honorable William Stevens Fielding à former le prochain gouvernement.
>
> Avec le consentement de mon successeur, et au moment opportun, je démissionnerai aussi de la direction du Parti libéral.
>
> Je vous remercie...

Laurier ne termine pas sa lettre. Il fait venir son secrétaire, et lui demande d'aller chercher Fielding et de solliciter un rendez-vous avec le gouverneur général. La lettre reste sur son bureau.

Elle y s'y trouve encore à l'arrivée de Fielding. Celui-ci était en réunion avec les délégués des manufacturiers qui souhaitent une révision du tarif dans le sens du protectionnisme. Fielding fait quelques plaisanteries à ce sujet, mais redevient sérieux lorsqu'il constate l'état dans lequel se trouve son chef. Laurier lui tend la lettre. Fielding la lit, puis retombe en arrière dans son fauteuil.

«Vous ne pouvez faire cela. S'il vous plaît, épargnez-moi les motifs; je les connais tous. J'y ai beaucoup réfléchi. Nous avons remporté les élections;

sans vous, nous aurions été battus. Vous les avez gagnées pour nous, c'est clair.

— Mais...

— Mon cher Wilfrid, il n'y a pas de «mais». Vous avez la bonté de vouloir faire de moi votre successeur. En tant que tel, je vous dis que je ne pourrais pas retenir la faveur du Québec. Et, sans le Québec, nous ne serons pas au pouvoir.

— Il y a de très bons éléments au Québec qui vous apporteraient leur concours.

— Sans doute. Cependant, vous savez aussi bien que moi que les conservateurs et les nationalistes diviseraient le Québec irrémédiablement pour nous. De plus, les dossiers à régler s'accumulent, et les Américains semblent se radoucir. Si nous devons conclure une entente avec eux, vous seul pouvez la faire accepter par le pays.»

Fielding se tait. Il se penche en avant et remet la lettre sur le bureau en disant à Laurier: «Sir Wilfrid, je vais vous donner le même conseil que je vous ai donné il y a six ans, à peu près à la même époque de l'année: réfléchissez bien; ne prenez pas de décision aujourd'hui; attendez à demain.»

Fielding se lève et se prépare à partir: «Je dois retourner à ma réunion. Est-ce que ça ira?»

Laurier fait signe que oui. Il est de nouveau seul. «Québec!» se murmure-t-il à lui-même. Toutes sortes de pensées l'assaillent, l'angoisse aussi. Peut-il laisser le Québec? Son travail y est-il terminé? Et Bourassa dans tout cela? Prépare-t-il des mauvais coups? C'est une espèce de McCarthy. Mais Laurier a dompté McCarthy. Il lui faudra plus longtemps pour apprivoiser Bourassa. Fielding n'y parviendra pas. Il le faut pourtant, sinon la province tombera dans les mains de Bourassa. Il faut empêcher cela à tout prix.

Laurier soupire, prend sa lettre et la déchire en petits morceaux. Le secrétaire revient dans son bureau; Laurier annule son rendez-vous avec le gouverneur général. Il restera en poste jusqu'à quelque temps avant les prochaines élections, qui auront lieu sans doute dans quatre ou cinq ans. Il téléphone à Zoé: «Aimerais-tu passer quelques jours à New York?» Zoé est heureuse: «Alors, tu ne démissionnes pas! Oui, j'aimerais beaucoup y aller. Yvonne et quelques amis peuvent venir avec nous.»

Zoé rit. Wilfrid sourit. Il raccroche et se remet au travail.

~

«La place de toutes les femmes n'est pas au foyer. Si Dieu l'avait voulu ainsi, il aurait donné un foyer à toutes les femmes.» Lady Aberdeen était de retour au Canada en juin 1909, prête à affronter les hommes au sujet du droit de vote. Les femmes n'avaient pas le droit de voter; on attendait d'elles qu'elles restent au foyer et qu'elles assument les devoirs biologiques que Dieu avait prévus pour elles.

Ce n'est qu'en 1909 que le droit de vote des femmes devint un sujet de débat au Canada. Auparavant, les veuves et les femmes célibataires qui étaient propriétaires pouvaient voter aux élections municipales partout, sauf en Colombie-Britannique; les femmes pouvaient recevoir un diplôme universitaire partout, sauf au Québec; et elles pouvaient pratiquer le droit. La Dominion Women's Enfranchisement Association, fondée en 1894, se faisait entendre, mais ce n'est qu'après avoir été réorganisée en 1907 en tant que Canadian Suffrage Association qu'elle se mit sérieusement à l'œuvre. En juin 1909, environ 2000 femmes du monde entier convergèrent sur Toronto pour participer aux réunions du Conseil international des femmes. Il était impossible d'ignorer le Conseil, surtout qu'Ishbel en était la présidente.

Les hommes s'étaient à peine remis de cet assaut lorsque, en novembre, Emmeline Goulden Pankhurst, la célèbre suffragette anglaise, arriva à Toronto. Même ses critiques furent grandement étonnés de découvrir une femme «brillante, intelligente, gracieuse et féminine», et «éloquente comme pas une».

Aux yeux de Laurier, la question du vote des femmes relevait des gouvernements provinciaux. Mais la graine avait été plantée: les femmes ne se tairaient plus.

~

Armand Lavergne, cousin de Bourassa, fils d'Émilie et de Joseph, que Laurier avait tant aimé, était devenu une véritable épine dans le pied de ce dernier. Laurier l'avait vu grandir, s'était inquiété de le voir manquer d'attention à l'école et être peu disposé à apprendre, et lui avait prodigué ses conseils comme s'il eût été son propre fils. Durant son adolescence et au début de sa vie adulte, Armand ressemblait étrangement à Wilfrid, surtout par la forme de la bouche et par la disposition des dents. Il ne faut donc pas s'étonner que beaucoup aient cru qu'Armand était le fils illégitime de Laurier. Cependant, après un examen plus minutieux, il devenait évident que la chevelure d'Armand, la forme de son visage et de ses yeux et, par-dessus tout, sa voix rappelaient davantage son père que Laurier. Toutefois, comme Laurier, il était élégant, romantique, indépendant, rebelle et indolent, et il vivait sur la scène qu'il avait érigée pour jouer la grande pièce qu'il créait jour après jour. Lui aussi était charmant et ouvert; il maniait les mots d'une manière impressionnante; il lisait tous les livres d'histoire qui lui tombaient sous la main. C'était un jeune homme séduisant et brillant, doté d'une mémoire prodigieuse et de beaucoup d'humour. Bon orateur, il était cependant davantage un suiveur qu'un meneur. De cœur, Armand était un mousquetaire; de tempérament, c'était un démagogue. Sa haine des Anglais faisait de lui un raciste. Il faut dire à son honneur, cependant, qu'il était un nationaliste canadien-français ardent, bien qu'il manquât un tant soit peu de sagesse. Au grand désespoir de ses parents, Armand épousa la cause de Bourassa, devint son lieutenant, et consacra une grande partie de son énergie à mettre Laurier dans l'embarras et à lutter contre lui, tout en lui proclamant son amour.

Les quatre années (1904-1908) que Armand Lavergne passa au Parlement ne furent pas une sinécure pour Laurier. Lorsque Armand s'était lancé en politique, Laurier lui avait écrit ceci: «Laisse-moi te donner un conseil d'ami: sois loyal envers ton parti, auquel tu appartiens par tradition, par principe et par conviction. Jusqu'à présent, tu as surtout fait preuve d'insubordination. Souviens-toi que ta carrière en souffrira si ceux qui s'intéressent à toi se font constamment dire que ta loyauté laisse à désirer.» Au début de 1907, Laurier expulsa pratiquement Armand du Parti libéral lorsqu'il lui retira le contrôle des faveurs politiques dans sa circonscription. Laurier eut peine à prendre cette décision; il aimait Armand, mais la situation ne pouvait plus durer. Au printemps de 1908, suivant l'exemple de Bourassa, Armand renonça à son siège fédéral pour briguer un siège provincial. Par la suite, il ne fit pas grand-chose d'important, trop égocentrique qu'il était pour avoir l'esprit d'équipe nécessaire à la pratique de la politique.

Armand resta toutefois en contact avec Wilfrid, surtout quand il avait besoin de son aide. Lorsque Laurier nomma sir Louis-Amable Jetté juge en chef du Québec, en 1909, Armand ne le lui pardonna jamais. Laurier avait humilié «son cher père»; aucune explication ne lui ferait changer d'idée. De plus, Armand se sentait quelque peu coupable de ce que ses «attitudes politiques» aient mis en péril l'avancement de son père. Puis, le 6 décembre, vint la lettre suivante:

> «Une seule chose me peine, c'est que vous en veniez à penser que, parce que je suis honnête et direct avec vous, je vous aime

> moins et que le passé ne compte pas. Non, croyez-moi, il compte toujours, surtout quand je vous livre bataille: le passé est très puissant. Chaque fois que le devoir m'interpelle avec force, le passé me murmure doucement: «*Tu quoque Brute.*» Je dois vous paraître bien ingrat. Dieu m'en soit témoin, je vous aime; mais, pardonnez-moi, j'aime encore plus mon pays!»

Après tout, Armand était le fils d'Émilie.

~

Le mercredi 12 janvier 1910, Laurier présenta un projet de loi créant une marine canadienne. Le service serait volontaire, et le gouvernement canadien pourrait, en cas d'urgence, mettre sa marine, en tout ou en partie, à la disposition de Sa Majesté, au sein de la Royal Navy — mais seulement avec le consentement du Parlement. Laurier projetait la construction de cinq croiseurs et de six destroyers, au coût d'environ 11 millions de dollars. Le budget annuel d'exploitation de la marine canadienne atteindrait les trois millions.

Ce sont les conditions qui prévalaient en Europe qui imposaient la nécessité d'une marine au Canada. L'Allemagne était en train de se doter d'une marine puissante. Des experts britanniques estimaient qu'en 1912 les Allemands disposeraient de 17 à 25 énormes navires qui menaceraient la Grande-Bretagne et y causeraient une panique générale. (Il s'avéra que la marine allemande ne comptait pas plus de neuf gros cuirassés et croiseurs.) De fortes pressions s'exerçaient sur le Canada pour qu'il contribue à dissiper cette menace. Il pouvait le faire de deux façons: en apportant une contribution financière à la marine impériale ou en se dotant d'une défense navale indépendante.

Ce choix fit l'objet de discussions durant la session de 1909; la résolution de Laurier en vue de constituer une force navale canadienne fut adoptée sans susciter de division. En juillet, une conférence impériale sur la défense fut tenue à Londres, où Borden et Brodeur représentèrent le Canada. Lorsque les Australiens appuyèrent la position des Canadiens, celle-ci prévalut.

Puis la tempête éclata. Les jingoïstes, encore très nombreux, rejetèrent le plan de Laurier. Rodmond Roblin, premier ministre du Manitoba, parla même de «marine de pacotille». Ce que les jingoïstes réclamaient, c'était une contribution en argent, sorte de tribut à la mère patrie. Au Québec, nationalistes et conservateurs s'entendirent: pas de marine sans référendum.

L'excitation subsista durant l'été et l'automne. Puis Laurier présenta son projet de loi.

Laurier rejetait la solution des jingoïstes, présentée par des hommes «qui, à l'étranger, portent au front des phylactères impériaux, foncent dans le temple et y remercient d'une voix forte le Seigneur de ne pas être comme les autres sujets britanniques, de payer des dîmes sur tout ce qu'ils ont, et d'être les seuls à posséder le vrai sens de la loyauté». Quant à ceux qui, comme Bourassa, voulaient que rien ne soit entrepris, Laurier usa d'un sarcasme pour les dégonfler: «J'ai réglé le cas de ceux qui soufflent le chaud; passons maintenant à ceux qui soufflent le froid.» On parlait de marine depuis 1902. N'avaient-ils pas lu les documents? Avaient-ils oublié que le Canada était «un pays donnant sur deux océans, avec des villes côtières exposées au danger»? Que le Canada était un «grand pays au commerce maritime imposant et aux richesses naturelles immenses»? «Autant dire au demi-million de citoyens de Montréal, ajouta Laurier, qu'ils n'ont besoin d'aucune force policière. Non! Le gouvernement restera debout ou il tombera avec cette politique. Je suis Canadien d'abord, Canadien ensuite, Canadien toujours!»

Le débat dura jusqu'au 20 avril, lorsque l'amendement proposé par Borden — la fourniture à la Royal Navy de deux cuirassés, mais pas de marine canadienne sans l'autorisation directe du peuple — fut rejeté. Partout au pays, la presse libérale appuya la position de Laurier; la conservatrice continua de s'y opposer. Au Québec, Bourassa lança une croisade.

Comme cela avait été le cas dans les débats qui avaient attisé le nationalisme québécois et le jingoïsme ontarien, Laurier interpréta mal les signaux. Il était conscient de ne pas être aussi populaire qu'il aurait souhaité l'être, mais il croyait sincèrement que «les éléments sains» resteraient avec les libéraux: «Et s'il en est ainsi, nous n'avons rien à craindre.» Il était beaucoup plus préoccupé par les curés que par Bourassa. Les journaux cléricaux saisirent l'occasion pour démolir le parti. Aux yeux de Laurier, c'était «un abus de la religion».

Laurier tentait encore une fois de réconcilier l'état de nation avec l'état de membre de l'Empire. L'existence du Canada en tant que nation était des plus anormales: les Canadiens étaient sujets britanniques et, en même temps, citoyens d'une «nation autonome». «Nous sommes divisés en provinces, nous sommes divisés en races et, dans toute cette confusion, le commandant du pays doit faire avancer le navire.» Le «pur idéalisme» ne suffirait pas. Il fallait une politique d'action susceptible «de rallier tous les éléments de la communauté». C'est ce principe qui avait guidé Laurier depuis qu'il avait pris la direction du Parti libéral; il était convaincu d'avoir eu raison, puisqu'il avait apporté au pays «la paix, l'harmonie et la prospérité».

Par contre, tout cela ne s'était pas fait sans déceptions ni sans astuces. Il en irait de même cette fois-ci, de cela il était sûr: «Je connaîtrai des heures troublées.» La seule consolation qu'il pouvait donner à ceux sur le soutien desquels il comptait, c'était que «ce serait sans doute la dernière fois». Il était donc essentiel de ne laisser à elle-même aucune partie de la société canadienne qui éprouverait du ressentiment.

Bourassa, Lavergne et leurs alliés étaient prêts eux aussi. Bourassa fonda *Le Devoir* en janvier 1910, surtout dans le but de défaire Laurier. Le puissant chef nationaliste du Québec était résolu à remplacer Laurier dans l'esprit et dans le cœur des citoyens québécois. Il serait leur chef politique et national, le prophète, l'exécuteur testamentaire.

Les conservateurs firent aussi des leurs au Québec et en Ontario. Aidés par quelques libéraux récalcitrants — Sifton était déchiré et tourmenté, comme d'habitude —, ils mirent Laurier au pilori et ridiculisèrent sa politique. Laurier lut tout cela dans les journaux, répondit à certaines attaques, mais, en général, il laissa passer la tempête tandis que le projet de loi était adopté par la Chambre et par le Sénat. En juillet, il se rendit dans l'Ouest.

~

Laurier n'avait pas effectué de tournée semblable depuis 1894. Il quitta Ottawa, sans Zoé, le 6 juillet, dans une voiture spéciale du Canadian Northern, qui avait été attachée à l'express de Winnipeg du Canadien Pacifique. Après un premier rassemblement à Port Arthur, Laurier ferait le reste du voyage dans le transcontinental qu'il avait créé. Il constaterait lui-même la prospérité qu'il avait contribué à apporter dans ce qui avait été une région sauvage et déserte. Il s'arrêterait dans de nombreuses villes: Winnipeg, Saskatoon, Regina, Moose Jaw, Edmonton, Calgary, Banff, Vancouver, Victoria, Prince Rupert, et dans des douzaines d'endroits entre ces villes.

Partout, il fut accueilli par des foules enthousiastes. Des milliers de personnes venaient le rencontrer à la gare; des milliers d'autres allaient écouter ses discours. Souvent, les gens se rassemblaient pour le saluer au passage de son train. Même au milieu de la nuit, on allumait des feux ou on agitait des lanternes pour saluer son passage. Sur le quai des petites gares, il s'adressa maintes fois aux nouveaux citoyens de son vaste pays. Il assista à d'innombrables dîners et écouta une multitude de messages de bienvenue. Il le fit avec sérénité; lui, son gouvernement et son parti jouissaient d'une grande popularité. Le temps fut généralement clément. Drapeaux et banderoles flottèrent au gré du vent des Prairies. La presse parla d'accueils royaux et fit l'éloge de Laurier, le plus grand des fils du Canada. Celui-ci inaugura des expositions, posa des premières pierres, participa à des parades, reçut des bouquets, rencontra des Canadiens francophones, visita des réserves, fut nommé chef honoraire et fit de nombreux discours: sur le chemin d'Edmonton, il en prononça sept le même jour. Partout où il se rendit, il fut ravi et étonné de constater une croissance vigoureuse. Quelqu'un lui dit que, en 1894, Saskatoon comptait 115 âmes; lorsque Laurier s'y rendit, la population était de 14 000 habitants.

Il y avait des enfants partout. À Edmonton, le rassemblement dut avoir lieu à l'extérieur tant était nombreuse la foule qui voulait entendre Laurier. Il s'adressa à elle juché sur un balcon. Soudain, il interrompit son discours. Il avait remarqué une petite fille assise toute seule sur le rebord d'une fenêtre à l'étage supérieur d'un immeuble, balançant les jambes. Il la montra du doigt et demanda à son entourage: «Cette enfant est-elle en sécurité?» Lorsqu'un policier se fut occupé d'elle, il reprit son discours. Au Manitoba, il remarqua une fillette qui était moins bien habillée que celles qui lui présentaient des fleurs. Elle le regardait embrasser celles-ci. Elle aussi voulait faire partie de la fête. Elle se précipita dans un champ voisin où elle cueillit des fleurs sauvages, puis revint vers lui. Un agent la repoussa. Laurier marcha dans la direction de l'enfant, s'arrêta devant elle et lui demanda: «Ces jolies fleurs me sont-elles destinées?» L'enfant rougit en lui tendant timidement le bouquet. Il se pencha pour le saisir, embrassa la fillette, puis mit l'une des fleurs à sa boutonnière. La fillette débordait de joie.

Laurier fit des discours sur l'Empire britannique et sur la place qu'y occupait le Canada: «Notre expérience est unique dans l'histoire du monde.» Au sujet du libre-échange, il déclara: «J'ai toujours été en faveur du libre-échange.» Sur la réciprocité avec les États-Unis: «Oui, mais pas au prix du tarif préférentiel britannique.» Sur la nationalité canadienne: «L'immigrant accepte les droits qu'offre ce pays et les devoirs qu'impose la citoyenneté canadienne, car il n'y a pas de droits sans obligations.» Sur la marine: «La marine canadienne n'a peut-être pas attiré votre attention, mais elle le devrait, car il est de votre devoir de contribuer à la défense de l'Empire.» À Regina, où il ouvrit l'exposition provinciale, un Canadien du nom de Schmitz, récemment immigré d'Allemagne, prédit à Laurier que, vingt ans plus tard, il disposerait d'une «génération de jeunes Allemands forts et sains» pour se joindre à sa marine. Laurier fut ravi de l'entendre. Il invita les habitants de la Colombie-Britannique à s'entendre avec les «Asiatiques». Il se faisait vieux, aimait-il à répéter, et c'était son dernier voyage: «Mais quand mes yeux se fermeront pour la dernière fois, si je peux me dire que j'ai vu un peuple uni formé de toutes les races que notre politique a rassemblées ici, que j'ai vu un peuple de vrais Canadiens, tous fiers de leur nationalité canadienne, alors je saurai que je n'ai pas vécu en vain et je mourrai heureux.»

Le voyage de Laurier n'alla toutefois pas sans difficultés. Beaucoup de délégations vinrent le haranguer — ou lui présenter leurs points de vue et opinions — à propos de son chemin de fer et de la nouvelle ligne qu'ils voulaient voir atteindre la baie d'Hudson, à propos du tarif ferroviaire, des élévateurs à grain et, par-dessus tout, à propos du tarif douanier. Les fermiers étaient furieux: ils avaient donné le pouvoir à Laurier quatre fois, et celui-ci n'avait pas encore conclu d'entente de libre-échange avec les États-Unis. Sans se gêner, ils lui rappelèrent ce qu'il avait dit au cours de sa première visite et lui demandèrent pourquoi il lui répugnait tant d'agir. À Saskatoon, Laurier fut accusé de «trahison»; un journal réclama même sa mise en accusation. Les gens en avaient assez des promesses; ils voulaient qu'on agisse. Le secrétaire de Laurier prit de nombreuses notes; sir Wilfrid ne promit rien. Il était venu pour rencontrer les gens, pour se familiariser avec les nouvelles conditions dans l'Ouest et pour faire rapport à ses collègues d'Ottawa.

Durant la première semaine d'août, en route vers Edmonton, le train de Laurier entra en collision avec un convoi de marchandises, à quelques kilomètres de Moose Jaw, en Saskatchewan. Laurier fut violemment projeté au sol, mais s'en tira sans blessures graves. Sa voiture et celle des journalistes furent remorquées à Moose Jaw, où elles furent réparées durant la nuit. Le lendemain matin, Laurier continua sa route vers Regina. Là, son train fut placé sur les rails du Canadian Northern pour se diriger vers Battleford, où Laurier prit une journée de repos. Le 8 août, il arriva à Edmonton.

De là, il se rendit à Banff pour passer la journée avec Zoé, arrivée également par train. Il gagna ensuite la Colombie-Britannique, où il fut reçu comme un roi à Vancouver et à Victoria. Il se rendit par bateau à Prince Rupert, la ville que son chemin de fer avait permis de construire. Il fit une dernière halte à Medecine Hat, le 2 septembre, où il déclara: «Quand j'ai quitté Ottawa, j'étais Canadien jusqu'à la moelle. J'y rentrerai dix fois plus Canadien. J'ai absorbé l'air, l'esprit et l'enthousiasme de l'Ouest. Désormais, je suis un vrai citoyen de l'Ouest: non, je devrais dire un vrai Canadien, car nous devons dorénavant chercher à connaître l'Ouest et l'Est dans ce que chaque région a de mieux à offrir.»

Le 7 septembre, Laurier rentra à Ottawa. Il avait parcouru 16 000 kilomètres dans les régions aux ressources abondantes formant l'Ouest de son pays bien-aimé. Deux jours plus tard, il entreprit un voyage tout à fait différent.

~

Le Congrès eucharistique international de septembre 1910 eut lieu à Montréal. Il rassembla des prélats, des prêtres, des religieux et religieuses, ainsi que des milliers de laïcs du Québec, du reste du Canada et du monde entier. Ceux-ci assistèrent à des messes dans la rue, participèrent à des cérémonies et à des processions, et écoutèrent sermons et discours. Ce n'était pas le genre de rassemblements que Laurier prisait, mais il avait promis de s'y rendre, et, en tant que premier ministre catholique, il ne pouvait se défiler. Dès qu'il prit connaissance du programme, il eut envie de rentrer à Ottawa: les catholiques francophones devaient se réunir à Notre-Dame; les catholiques anglophones, à l'église St. Patrick's. C'était comme si Dieu Lui-même était incapable d'unir Son troupeau. Il y eut toutefois bon nombre d'activités auxquelles participèrent ensemble les deux groupes. Laurier était fatigué; il aurait préféré aller rejoindre Zoé à Arthabaska.

Le Congrès fut une manifestation spirituelle et profane plutôt spectaculaire. Le cardinal archevêque de Westminster se rendit ridicule; l'évêque Fallon de London, en Ontario, choisit Montréal pour lancer sa croisade contre les écoles françaises ou bilingues d'Ontario, croisade qui faillit déchirer le pays quelques années plus tard; Laurier prononça un discours terne: «Notre foi constitue le premier devoir de notre gouvernement, la sécurité de nos foyers. Si ceux qui travaillent, qui se battent et qui réfléchissent perdent la foi en Dieu, que leur restera-t-il?» Le discours de Bourassa fut provocant: «Nous ne sommes qu'une poignée; mais nous comptons pour ce que nous sommes et nous avons le droit de vivre.» Les évêques le saluèrent, les prêtres le portèrent aux nues et les étudiants l'acclamèrent.

C'est à ce moment que Laurier comprit les intentions de Bourassa: la formation d'une force politique française et catholique. Laurier avait travaillé fort pour empêcher que cela se produise, mais le discours irresponsable de Bourassa avait détruit tous ses efforts. Un parti catholique briserait la paix et l'harmonie au Canada. «Le reste du Canada se ralliera contre cette entreprise», déclara-t-il, un mal «irréparable» serait fait à la cause des Canadiens français et des catholiques. Les évêques et les prêtres s'en fichaient: ils refusaient de voir que le «*furiosus*» les menait droit au «précipice».

Laurier rentra chez lui attristé. Il commença immédiatement à mettre en œuvre le plan qu'il avait préparé au mois d'août de faire appel à Rome, à son ami Del Val. Lemieux, le ministre des Postes, fut envoyé à Rome, chargé de la mission de désamorcer la «nouvelle croisade soi-disant religieuse». Laurier écrivit à Lemieux: «C'est toujours la même chose; ces gens-là ne veulent rien apprendre et ne savent pas oublier.» Laurier s'organisa pour prononcer un discours à l'occasion d'un rassemblement monstre à Montréal, en octobre, un mois après le Congrès eucharistique.

Il était en colère, mais aussi terrifié à la pensée de ce qui risquait d'arriver. Il fallait mettre fin au vent de folie qui tourbillonnait autour de lui. Une foule enthousiaste et nombreuse comptait sur lui pour qu'il refroidisse les têtes brûlées. Laurier y parvint. La marine, expliqua-t-il, était nécessaire à la défense du Canada; elle ne signifiait pas la conscription, le service étant totalement volontaire — ceux qui prétendaient le contraire étaient des menteurs. Cependant, il souhaitait parler d'autre chose que de la marine. Il voulait faire la guerre pour la centième fois à la secte abominable des Castors; il ne mâcha pas ses mots:

> «Ces rageurs, vous les connaissez, ce sont les pharisiens du catholicisme canadien; ceux qui se font les défenseurs d'une religion que personne n'attaque; ceux qui manient le goupillon comme une massue; ceux qui se sont arrogé le monopole de l'orthodoxie; ceux qui excommunient de droite à gauche tous ceux dont la tête dépasse un peu leur chétive stature; ceux que le langage pittoresque du peuple appelle les Castors.»

C'était la faute de Bourassa, et Laurier n'hésita pas à le nommer. Bourassa avait menti et calomnié, et il était résolu à imposer au peuple québécois sa vision limitée.

Trois jours plus tard, le 13 octobre 1910, Laurier nomma sénateur le frère de Joseph Lavergne, Louis, député de Drummond-Arthabaska. C'était un test. L'élection complémentaire ainsi provoquée serait la plus importante depuis qu'il était premier ministre. La campagne dura jusqu'au 3 novembre. Bourassa mena une croisade raciste; il fit peur aux gens en mentant et en déformant la vérité; il alla même jusqu'à envoyer des jeunes gens déguisés en soldats rendre visite aux fermiers de la région pour leur dire que leurs fils seraient bientôt appelés dans l'armée et qu'ils iraient faire la guerre dans de lointains continents. Les imposteurs demandaient aux femmes: «Avez-vous un mari? Combien de fils? Quel âge ont-ils?» Puis ils notaient les réponses dans un grand cahier. «Pourquoi voulez-vous savoir tout cela?» demandaient alors les femmes. «Nous préparons la liste des hommes disponibles pour servir dans la marine.»

Lorsque Laurier arriva à Arthabaska, la veille de l'élection, il fut stupéfié d'apprendre ce qui s'y passait. Encore une fois, les Castors et le clergé faisaient des leurs, et recouraient aux mêmes tactiques immorales qu'avaient utilisées leurs prédécesseurs pour battre Laurier en 1877. Le lendemain, le candidat de Bourassa remporta la victoire avec une majorité de 207 voix.

«L'histoire nous enseigne que certaines défaites sont plus honorables que la victoire», déclara Laurier à la Chambre durant la session parlementaire qui suivit. Il n'était pas découragé. Il souffrait; il doutait de l'avenir, mais il n'était pas découragé. C'était le destin du guerrier.

~

Il y eut un autre décès, celui d'Édouard VII; un autre couronnement, celui de Georges V; et une autre conférence impériale. Quelques heures avant son départ pour assister à celle-ci, Laurier écrivit à Zoé, trop aveugle, trop sourde et trop handicapée pour l'accompagner:

> Château Frontenac, Québec
> Le 12 mai 1911
>
> Ma chère bonne amie,
>
> Je suis arrivé à Québec. Dans quelques heures je partirai. Je ne suis pas encore embarqué que je voudrais être de retour. Comme il me serait infiniment plus agréable d'être resté chez nous.
>
> Heureusement, le voyage ne sera pas trop long. Quand je reviendrai, il me faudra me remettre au travail jusqu'aux prochaines élections, et les élections terminées à perte ou à gain, je renoncerai à la vie publique, et alors il n'y aura plus rien pour nous séparer.
>
> Adieu. Au revoir.
> Ton vieux mari qui t'aime toujours.
> W.L.

14

«C'est tout!»
6 octobre 1911

Une semaine après avoir quitté le Canada en compagnie de Borden et de Brodeur, Laurier arriva en Grande-Bretagne en tant qu'invité du roi et de la reine. Il descendit encore une fois à l'hôtel Cecil et fut traité avec les mêmes égards qu'au cours de ses visites précédentes. La conférence impériale, qui s'ouvrit le 23 mai 1911, comporta douze réunions et se termina le 20 juin, trois jours avant le couronnement du roi Georges V et de la reine Mary. Les principaux sujets à l'ordre du jour étaient les mêmes qu'aux conférences précédentes, sauf que la Nouvelle-Zélande présenta une proposition plutôt nébuleuse de fédération parlementaire impériale que Laurier déclara «tout à fait impossible à mettre en pratique». Il n'allait certainement pas permettre que le Canada ait à rendre des comptes à une institution située à l'extérieur du pays. Pendant qu'il était d'humeur «négative», Laurier opposa son veto à toute tentative visant à obliger le gouvernement britannique à «consulter» les dominions avant d'entreprendre une action susceptible d'engager les composants de l'Empire: «Vous pouvez donner des conseils si on vous les demande; mais si on vous demande votre avis, ou si vous le donnez, vous devez être préparés à appuyer cet avis de toutes vos forces et à participer à la guerre. Notre position au Canada est que nous ne sommes pas obligés de participer à toutes les guerres.» Sur la question du commerce, il affirma n'être pas plus intéressé en 1911 qu'il l'avait été en 1897 par un *Zollverein* impérial. Ce qu'il voulait, et il l'obtint, c'était que la Grande-Bretagne cesse de lier le Canada et les autres dominions par ses traités commerciaux impériaux. Ainsi, les négociations commerciales avec les États-Unis seraient facilitées. En ce qui concernait la défense, le Canada construirait sa propre marine et n'apporterait aucune contribution financière à la Royal Navy.

Après le couronnement, Laurier quitta presque immédiatement l'Angleterre pour rentrer au pays. Il arriva à Québec le 10 juillet, où il reçut un accueil délirant. Aux 10 000 personnes massées sur la terrasse Dufferin, il déclara fièrement: «Je suis heureux d'avoir vu triompher à la conférence impériale le principe qui doit être le fondement de la sécurité de l'Empire: chaque communauté, chaque société ou chaque nation doit se gouverner elle-même en fonction de l'opinion de ses citoyens.» À Montréal, il fut accueilli par 150 000 personnes. Il était revenu au Canada, leur dit-il, pour «mener la bataille de la réciprocité». Par conséquent, à la fin de juillet, le Parlement fut dissous, et des élections furent fixées au 21 septembre.

~

En 1911, le libre-échange remplaça le protectionnisme, du moins dans les relations commerciales canado-américaines. Entre novembre 1910 et janvier 1911, les Canadiens et les Américains en étaient arrivés à un consensus sur la nécessité de la réciprocité, mais ils ne s'entendaient pas encore sur la forme qu'elle devrait prendre. Puis, le 26 janvier, Fielding présenta son projet au Parlement: il n'y aurait aucun droit sur une vaste gamme de produits et d'articles manufacturés; d'autres se verraient imposer des droits réduits. Tous les avantages concédés aux États-Unis le seraient aussi au Royaume-Uni et à certains dominions. La réciprocité entre le Canada et les États-Unis serait adoptée au moyen de lois du Parlement et du Congrès américain, et non par voie de traité irrévocable. C'était un bon marché.

Laurier et Fielding avaient finalement accompli — presque un demi-siècle plus tard — ce que chaque gouvernement canadien avait tenté de faire depuis l'abrogation en 1864 du traité de réciprocité de 1854. C'était là un grand projet de pays qui donnait à l'Ouest du Canada ce qu'il voulait sans affaiblir la région manufacturière du centre du pays. «Tout ce que nous demandons, c'est d'obtenir pour l'homme qui travaille dans les champs la meilleure rémunération possible pour son labeur.» Laurier était persuadé que son plan ne soulèverait aucune opposition.

Il se trompait. Les lobbies de l'industrie, des chemins de fer et des banques se firent entendre les premiers, comme en 1891. Ils étaient déterminés, sur le conseil de Van Horne, à «faire éclater la satanée bulle». Puis les jingoïstes et les impérialistes s'agitèrent: le Canada était sur le chemin de l'annexion; c'était la fin de l'Empire. D'autres voulaient préserver le *statu quo*, qu'ils trouvaient satisfaisant. D'autres encore s'inquiétaient que sonnât le glas de la prospérité qu'avait créée le tarif. Certains Américains jetèrent de l'huile sur le feu lorsqu'ils déclarèrent: «J'espère voir le jour où le drapeau américain flottera sur chaque pouce carré de l'Amérique du Nord britannique.»

À la Chambre, aucun moyen ne fut écarté pour retarder l'adoption du projet de loi et pour provoquer de l'agitation à l'extérieur du Parlement, même après le retour de Laurier de la conférence impériale. L'obstructionnisme fut en grande partie organisé par Sifton, qui n'avait pas digéré qu'on ne le reprenne pas dans le Cabinet et qui avait soudainement ressenti le besoin de défaire son chef. Laurier, qui n'arriva jamais à comprendre le motif de l'attitude de Sifton, le convoqua dans son bureau:

«Pourquoi vous opposez-vous à la réciprocité?

— Parce que je n'y crois pas.

— Vous y croyiez auparavant.

— Oui, mais les circonstances ont changé.

— Non, c'est vous qui avez changé. Votre opposition est de nature personnelle. Qu'est-ce que c'est?»

Leur conversation prit fin sur cette note. Sifton voulait se venger de Laurier, quel que fût l'enjeu. De son côté, Laurier ne crut jamais ce qu'il avait entendu dire de Sifton: qu'il tenterait de porter un coup dur aux membres du gouvernement. Il aurait dû y croire. Sifton était un cachottier qui n'avait qu'une seule loyauté: envers sa propre personne.

Exaspéré par l'opposition et par la coalition qui se formait contre lui et contre sa politique dans presque toutes les régions du pays, Laurier décida de s'en remettre au peuple, trois ans seulement après le début du mandat que celui-ci lui avait confié en 1908. La campagne fut houleuse. Les conservateurs, flairant le sang, lancèrent des attaques tous azimuts sous la direction de Sifton. Ce dernier organisa l'offensive contre la réciprocité à l'intérieur comme à l'extérieur du Parlement. Il lutta dans les villes d'Ontario et hurla ses «À bas le pape!» dans les campagnes; partout il affirmait que les droits du Canada étaient vendus aux Américains. Il se disait d'accord avec Rudyard Kipling, qui lui avait envoyé un télégramme dramatique: «C'est son âme que le Canada risque de perdre aujourd'hui.» Les slogans étaient toutefois moins poétiques: «Votez contre le suicide national», «Un vote pour Borden, c'est un vote pour le roi et pour le drapeau», «Notre drapeau nous suffit», ou «Sujet britannique je suis né, sujet britannique je mourrai». La campagne dura sept semaines.

Au Québec, on n'accordait pas beaucoup d'attention à la réciprocité. Bourassa ne comprenait rien à l'économie, et les questions de tarif douanier l'intéressaient encore moins. Au début de la campagne, il se prononça en faveur de la réciprocité, mais, comme sa mission consistait à battre Laurier, il délaissa la question, la qualifiant de peu importante, pour concentrer son attention sur la marine. Il disposait de 28 candidats nationalistes qu'il rallia au Parti conservateur alors dirigé par un homme insignifiant et timoré du nom de Frederick-Debartzch Monk. Durant toute la campagne, Bourassa traita Laurier de traître à sa race: il avait vendu son âme aux Anglais, et s'était fait le principal apôtre de la conscription et de la participation des Canadiens français aux guerres de l'Empire; il était le «capitaine de la marine maudite». On estima que le capital du journal fondé par Bourassa, *Le Devoir*, augmenta de 200 000 $ durant la campagne, grâce aux largesses des conservateurs. Ceux qui accusaient Bourassa de s'être laissé acheter étaient loin de le calomnier.

Durant toute la campagne, Laurier resta confiant et, par-dessus tout, déterminé:

> «À la bataille d'Ivry, Henri de Navarre déclara: «Suivez mon panache blanc, vous le trouverez toujours sur le chemin de la gloire et de l'honneur.» Comme Henri IV, je vous dis, jeunes gens: «Suivez mon panache blanc — la chevelure blanche de mes 69 ans — et vous le trouverez toujours, j'ose le dire sans me vanter, sur le chemin de l'honneur.»

Certains, toutefois ne suivirent pas son panache. Le soir du 19 septembre, Laurier, en route vers Québec, s'arrêta à Montréal. Bourassa s'y trouvait en train d'enflammer une large foule de partisans. Le rassemblement terminé, cette foule se déversa dans les rues. L'automobile de Laurier se trouva par hasard au beau milieu du tumulte. Les gens bloquèrent plusieurs fois le chemin à la voiture, frappèrent à coups de poing dans les vitres et donnèrent des coups de pied dans les pneus, tandis que certains lançaient des pierres. Les huées étaient assourdissantes, terrifiantes. Le chauffeur réussit à faire demi-tour et à foncer vers la gare Viger. Mais la foule poursuivit le vieil homme jusqu'à son train, en scandant: «Bourassa! Bourassa!» Laurier venait d'être chassé de la métropole.

Il fit une brève tournée en Ontario et dans les Maritimes, mais passa au Québec la majeure partie de la campagne. Pour un homme de son âge, l'itinéraire était impressionnant. Il ne se ménagea point: sa politique étant capitale pour le pays, il la défendrait partout où il le pourrait, et il convaincrait les Canadiens, anglais et français, d'y adhérer. Des milliers de personnes se rassemblèrent pour l'entendre et l'acclamer. Mais la question demeurait: voteraient-elles pour lui? Laurier était optimiste:

> «On m'accuse au Québec d'avoir trahi les Français, et en Ontario d'avoir trahi les Anglais. Au Québec on m'accuse de jingoïsme, et en Ontario de séparatisme. Au Québec on m'attaque en tant qu'impérialiste, et en Ontario en tant qu'anti-impérialiste.
>
> Je ne suis rien de tout cela: je suis Canadien.
>
> Le Canada a été l'inspiration de ma vie. J'ai eu devant moi, comme une colonne de nuée le jour et comme une colonne de feu la nuit, une politique de véritable canadianisme, de modération et de conciliation. J'ai appliqué cette politique avec constance depuis 1896, et, aujourd'hui, je demande avec confiance au peuple canadien de me conforter dans cette politique de canadianisme sain, qui fait la grandeur de notre pays et de l'Empire.»

Le jeudi 21 septembre, jour d'élection, Laurier se trouvait à Québec. Zoé resta près du téléphone.

Ce jour-là, Laurier perdit le pari engagé avec le peuple canadien. Même si le vote populaire fut serré entre les partis — une différence de 47 000 voix, la répartition des sièges fut bien entendu déterminante et stupéfia tout le monde: 134 conservateurs contre 87 libéraux. En Ontario, Laurier ne put conserver que 14 sièges sur 89, et trois de ses ministres furent défaits. Au Québec, Bourassa lui arracha 27 circonscriptions, qui élurent des conservateurs, ce qui ne laissait que 38 sièges aux libéraux. Dans les Maritimes, le Parti libéral réussit à s'accrocher un peu, mais Fielding et Borden furent tous deux battus. Le Manitoba et la Colombie-Britannique votèrent contre Laurier, mais l'Alberta et la Saskatchewan acceptèrent massivement son projet de réciprocité. Quant à Laurier, il fut élu par défaut de concurrent dans sa circonscription de Québec-Est. Plus tard, un partisan de Bourassa prétendit avoir été drogué et forcé à renoncer à sa candidature, mais il fut incapable de le prouver.

C'était fini. Le lendemain, Laurier prit le train pour Montréal, où David et quelques amis — alertés par une Zoé toujours vigilante, qui avait téléphoné à David la veille — l'attendaient à la gare pour lui témoigner leur sympathie. Laurier les remercia poliment et poursuivit son voyage. À la gare d'Ottawa, seul son chauffeur l'attendait pour le ramener chez lui, auprès de Zoé.

~

Zoé attend seule, assise sur une chaise dans le hall. Il n'y a personne auprès d'elle. Presque toutes les lampes sont éteintes. Elle a fait porter un repas froid dans la bibliothèque de son mari. Lorsqu'elle entend faiblement le moteur de la grosse voiture et en aperçoit vaguement les phares, elle se lève, tapote ses cheveux, ajuste sa robe et scrute ce qui est devenu pour elle une obscurité quasi totale. La porte s'ouvre. Zoé voit à peine Wilfrid enlever son manteau et s'approcher d'elle. Elle lui prend la main et y pose un baiser, en tentant de retenir ses larmes. Wilfrid sourit; il embrasse longuement Zoé sur le front; c'est un moment grave pour lui comme pour elle. Ils montent ensemble l'escalier conduisant à leur chambre. Après l'avoir confiée à sa dame de compagnie irlandaise, Wilfrid invite doucement Zoé à aller se coucher. Elle acquiesce d'un signe de tête. Il se dirige vers la bibliothèque, mais se retourne pour lui sourire, même s'il sait fort bien qu'elle ne peut voir si loin.

Laurier touche à peine au repas qui l'attend. Son cœur souffre. Pour le soulager, il fait les cent pas, en se parlant à lui-même; tous les gouvernements finissent par être battus. C'est indiscutable. Ce n'est pas la perte du pouvoir qui fait saigner son cœur, même s'il reconnaît qu'il le prisait, avec tout ce qu'il comporte. Il ne doute pas non plus de ses politiques et de ce qu'il a accompli durant ses mandats. Il regrette toutefois que tant d'hommes de valeur aient subi la défaite: Fielding, Borden, Paterson et Fisher. Ces défaites le blessent, mais ce n'est pas la raison de sa tristesse.

Il s'assied dans son fauteuil préféré, comme toujours placé près du feu l'hiver. Il comprend alors pourquoi il souffre tant. «Québec! Mon Québec!» Ce n'est pas tant que Bourassa lui ait volé la victoire. Ni qu'un grand nombre de ses concitoyens lui aient préféré Bourassa. C'est qu'ils aient été dupés! Un politicien immoral a exploité leurs craintes et leurs anxiétés, comme les évêques et le clergé l'ont fait durant une bonne partie de sa vie politique. Il comprend tout cela. Il n'en veut pas au fermier, à l'ouvrier, au père, au frère ni même aux fils qui ont attaqué sa voiture quelques jours auparavant. Son cœur saigne parce qu'il ne sera plus en mesure de les protéger. Ils sont devenus prisonniers d'un mouvement qui va à l'encontre de leurs propres intérêts. Ils sont isolés. Il est terrifié. Les larmes lui montent aux yeux.

Zoé ne dort pas. Elle devine les larmes de Wilfrid malgré les murs qui les séparent. Elle sort de son lit; elle n'arrive pas à trouver ses pantoufles, mais peu importe. Elle traverse la chambre à tâtons, trouve enfin la porte, l'ouvre et longe le corridor jusqu'à la bibliothèque, en se guidant du mieux

qu'elle peut d'un meuble à l'autre. Encore une porte. Elle sait où Wilfrid est assis. Elle se penche sur lui et le prend dans ses bras. Elle lui caresse les cheveux, comme elle l'a fait à Arthabaska lors de sa défaite de 1877. Et elle lui murmure: «Le rêve! Il te reste ton rêve.» Wilfrid pleure sur son épaule.

~

En 1911, lorsque Laurier perdit la direction du pays, le Canada comptait 7 204 527 citoyens, soit presque deux millions de plus qu'au tournant du siècle. Les exportations canadiennes atteignaient les 400 millions de dollars, tandis que les importations, de près de 500 millions, rapportaient des droits douaniers de 84 millions. Les revenus du gouvernement fédéral approchaient les 102 millions, et les dépenses les 81 millions. C'est un pays en croissance rapide, un pays prospère que Laurier laissa à son successeur.

L'œuvre de Laurier, dans toutes les dimensions de la vie canadienne, était impressionnante et digne d'être poursuivie; il ne faudrait au nouveau gouvernement que la capacité de voir grand. Laurier avait colonisé l'Ouest. Il ne l'avait pas fait seul, mais grâce à lui, l'occasion de le faire avait été saisie, les circonstances favorables avaient été exploitées, et les hommes qu'il fallait avaient eu carte blanche pour attirer le plus d'immigrants possible. Laurier avait réussi à freiner l'émigration vers les États-Unis. Il avait employé à bien l'énergie et la créativité du peuple canadien pour alimenter l'industrie, pour labourer les vastes terres, pour bâtir les chemins de fer nécessaires au transport du blé, du bois et du minerai vers les marchés, pour améliorer la condition du travailleur.

Laurier avait dénoué les tentacules impériaux qui retenaient son pays. Il avait transformé la colonie en dominion. Il avait fait d'un fief une nation indépendante, qui traiterait avec les pays d'Europe et d'Asie en vue de son propre intérêt. Il avait hérité d'un processus qui avait paralysé le Canada dans ses rapports avec les États-Unis; il avait fait du Canada le maître incontesté de cette relation.

Au fil des ans, toutefois, Laurier avait perdu un peu de son pouvoir interne. Ses deux premiers mandats avaient été marqués par une explosion d'énergie créatrice; le troisième avait révélé des faiblesses dans son leadership et dans sa façon de diriger les hommes, faiblesses qu'il avait été incapable de surmonter; durant son quatrième mandat, il avait retrouvé son énergie, mais c'était trop tard. En tant que chef de parti, il était trop détaché, trop confiant; sa popularité personnelle le rendait trop sûr de lui. Son indolence naturelle l'avait emporté, et il avait laissé aller les choses; son désir d'éviter la controverse l'avait poussé à tolérer les parasites et les flagorneurs; et bon nombre de ses politiques, comme sa politique en matière de chemins de fer, s'étaient écroulées. Trop souvent, il avait mal interprété les étoiles. Il aurait dû voir dans le jeu de Bourassa, de Lavergne et de Sifton bien plus tôt qu'il ne l'avait fait, mais il s'était raccroché trop longtemps à un fol espoir. Trop souvent, il avait manqué de clarté dans ses objectifs, en essayant de jouer sur les deux tableaux à la fois. Tout cela lui avait causé beaucoup de tort.

Laissait-il à son successeur un Canada plus uni et plus bienveillant? Dans l'ensemble, il le croyait. Cependant, les profondes divisions subsistaient. La Colombie-Britannique manifestait sa phobie des Asiatiques; l'Ouest avait commencé à se sentir aliéné, se disant victime des intérêts du Canada central; l'Ontario était déchirée par sa préoccupation pour l'Empire et par ses préjugés protestants; le Québec s'enfonçait dans le marais d'un nationalisme étroit qui le limitait; et les Maritimes se sentaient de plus en plus souvent exclues — même après 44 ans de Confédération —, incertaines de leur avenir au sein du Canada.

Les Canadiens avaient traversé quinze années de rêve, d'un grand rêve de canadianisme fondé sur la compassion, le respect, la modération et la conciliation. Ils ne l'acceptaient ou ne le vivaient peut-être pas aussi pleinement que Laurier l'aurait souhaité, mais, au moins, il leur avait indiqué le chemin à prendre. Souvent, il s'était trouvé seul sur ce chemin, mais il était toujours resté visible au milieu de l'obscurité des préjugés et des feintes. Il demeurait un bel exemple à donner à un pays encore adolescent.

Laurier eut aussi la satisfaction de savoir qu'il avait été défait en défendant de toutes ses forces un principe libéral fondamental: le libre-échange. Blake, qui était rentré au pays et que la mort guettait, l'avait bien compris:

> «Monsieur Blake a dit approuver entièrement votre campagne de réciprocité. Ce matin, son infirmière lui ayant appris les résultats des élections, il a dit d'une voix fatiguée: «Je le regrette pour Laurier. C'est un brave homme; je l'ai toujours estimé.» Cette voix, que je crains de devoir considérer comme quasiment d'outre-tombe, c'est la voix de quelqu'un avec qui vous avez livré de durs combats. Madame Blake me prie de vous envoyer son amour (c'est le terme qu'elle a utilisé) et de vous dire qu'elle est sincèrement chagrinée, tout en étant heureuse à l'idée que vous disposerez désormais d'une période de repos relatif.»

~

Laurier resterait-il? Durant la campagne, il avait déclaré à Saint-Jérôme qu'il prendrait sa retraite s'il était défait. Il aurait 70 ans deux mois plus tard. Il avait servi à la Chambre pendant 38 ans, dont 24 en tant que chef du Parti libéral et 15 en tant que premier ministre. Cela ne suffisait-il pas? Il était le dernier survivant de sa promotion de 1874. N'avait-il pas rassasié sa boulimie politique? Le moment n'était-il pas venu de passer les rênes à un homme plus jeune? De rester auprès de Zoé? De lire jusqu'à plus soif? D'écrire l'histoire du Canada depuis la Confédération ou la biographie de l'un des hommes publics qu'il admirait le plus, Antoine-Aimé Dorion?

Le week-end suivant les élections, Wilfrid parla de tout cela avec Zoé, il téléphona aux grands manitous du parti, et David vint dîner chez lui. Le consensus concordait avec ses plans. Fielding n'étant plus là, qui restait-il pour diriger le Parti libéral, pour en assurer l'unité, pour conserver l'appui du Québec, et pour voir au delà du moment présent? Il chercha la réponse à cette question, aussi objectivement et calmement qu'il le put, mais en vain: il ne voyait personne. Beaucoup d'hommes pourraient relever le défi plus tard, mais pas à ce moment précis. En outre, devait-il tirer sa révérence le lendemain de sa défaite? Et les politiques — la réciprocité, la marine canadienne, l'Ouest, les chemins de fer transcontinentaux? Les laisserait-il être mises au rancart? Il lui fallait du temps pour faire l'éducation des gens, les convaincre. Et son rêve de canadianisme? Et la place du Québec dans ce rêve? S'il partait, il abandonnerait sa province et son peuple aux projets aventureux de Bourassa. Laurier ne pouvait s'y résoudre.

Il retourna à son bureau de l'édifice de l'Est; pendant deux semaines, il régla les détails en suspens. Il fut étonné de constater l'ampleur du travail à abattre. Puis le jour fatidique arriva.

~

Lorsque Wilfrid s'éveilla, à 8 h comme à l'accoutumée, Zoé était déjà descendue au rez-de-chaussée. Plus par habitude que par intérêt, il regarda le calendrier sur sa table de chevet. C'était le vendredi 6 octobre 1911, fête de saint Bruno. Il avait oublié qui était ce saint. Avec l'aide de son valet, Wilfrid s'habilla et descendit déjeuner dans le petit salon ensoleillé que lui et Zoé aimaient tant.

«Bonjour!» lui dit Zoé, tandis que la bonne attendait près de la porte de la cuisine. «Bonjour, ma bien-aimée. As-tu bien dormi? Moi, oui.» Il embrassa Zoé sur le front, prit place à table et déjeuna lentement. Une fois le repas terminé, il se versa une tasse de thé. Zoé lui demanda: «Aujourd'hui?» Wilfrid lui répondit sans hésiter: «Oui, aujourd'hui. J'ai rendez-vous avec Son Excellence à 15 h. Tout va bien, Zoé. Ne t'en fais pas.»

Il monta à l'étage voir son secrétaire, Lucien Giguère. Ils répondirent au courrier, puis Wilfrid demanda qu'on avance sa voiture. Le majordome l'aida à enfiler son pardessus; Wilfrid rassura de nouveau Zoé, puis se fit conduire au Parlement.

À 13 h 30, les membres du Cabinet se réunirent dans la salle du Conseil privé. Ils y étaient tous: assis à la droite de Laurier, Cartwright, sénateur, de cinq ans son aîné, son collègue depuis 1874 mais jamais son ami; Murphy, candidat défait, pour qui Zoé s'était si souvent démenée afin de lui trouver une compagne, comme elle l'avait fait pour les deux autres célibataires du Cabinet, Fisher et King; Aylesworth, plus sourd de jour en jour; le fidèle Lemieux, qui s'était lancé en politique si jeune; sir Frederick William Borden, lui aussi défait; Béland, le nouveau venu; Fisher, son ami des Cantons-de-l'Est, également défait; Pugsley, ancien premier ministre du Nouveau-Brunswick, son collègue depuis 1907, mais qu'il connaissait à peine; Fielding, assis à sa gauche, son confident et ami, son dauphin si le destin l'avait voulu; le persistant et fidèle Graham, temporairement privé d'un siège, mais qui avait du potentiel pour la direction du parti; l'ennuyeux Paterson, membre du Cabinet depuis le début; Templeman, ministre de Colombie-Britannique; et Mackenzie King, l'homme à surveiller. Jacques Bureau était absent, même s'il avait été invité. Tous, sauf six, étaient encore là pour l'aider à reconstruire le Parti libéral. Les autres, espérait-il, reviendraient vite à la Chambre des communes.

Laurier se leva, toujours droit comme un chêne. Il posa la main sur le dossier de son fauteuil de premier ministre. Il informa son Cabinet qu'il présenterait sa démission et celle de son Cabinet au gouverneur général, le duc de Connaught, fils de la reine Victoria, à 15 h. Il demanda à ses ministres de rester dans leurs bureaux pour le cas où l'on aurait besoin d'eux. Ce qu'il y avait à faire était fait.

Regardant au-dessus de leurs têtes, Laurier dit d'une voix moins audible sur les derniers mots que sur les premiers: «Eh bien, Messieurs, c'est tout!» La tête haute, la démarche assurée, il marcha rapidement en direction d'une petite porte donnant sur une antichambre.

Le rêve subsistait.

15

Chef de l'opposition 1911-1919

Voilà Laurier chef de l'opposition. À ce titre, il revigorerait son parti, éclairerait la population sur le sens et la valeur de ses idées, reprendrait le Québec, affronterait les tories, et attendrait que la graine germe et croisse. Avec l'aide du nouveau premier ministre, Robert Borden, complice malgré lui, il faillit y parvenir. Son échec fut causé par un événement qui allait changer le cours de l'histoire du monde et la nature du Canada: le déclenchement de la Première Guerre mondiale.

Comme première tâche, Laurier devait faire de son groupe parlementaire une force de combat efficace. Il convoqua régulièrement ses députés à des assemblées; il les réunit en petits groupes pour discuter des grands enjeux; il leur donna des outils, comme le Bureau d'information, que dirigeait Mackenzie King; et il visita le plus grand nombre possible de circonscriptions. Il travailla avec acharnement. À l'extérieur de la Chambre, Laurier suivait la même ligne de conduite avec le parti. Il répondait promptement à son volumineux courrier; il stockait les précieux renseignements que lui fournissaient ses informateurs éparpillés à travers le pays; il réactiva les clubs politiques que Tarte avait mis sur pied au Québec longtemps auparavant et se félicita de la création de l'Association de la jeunesse libérale, dont la mission était d'arracher les jeunes à l'influence de Bourassa; il jeta les bases d'un bureau central du Parti libéral; et il assista aux congrès régionaux et provinciaux du parti. Laurier se prépara soigneusement à l'inévitable «bataille contre les tories» qui aurait lieu en 1915 au plus tard — plus tôt s'il y pouvait quelque chose.

Comme seconde tâche, Laurier devait faire réélire Fielding, Graham, Fisher, Borden et King. Il n'y parvint que dans le cas de Graham. Fielding et

Borden ne présentèrent même pas leur candidature, Fisher fut défait dans la circonscription de Châteauguay en 1913, et King dut attendre que se libère une circonscription qui lui convienne. L'une des élections complémentaires réjouit énormément Laurier, même s'il ne permit pas à un libéral de briguer le siège: l'élection dans la circonscription montréalaise de Hochelaga. C'est là que les nationalistes de Bourassa se mesurèrent au candidat conservateur canadien-français qui, même s'il avait été élu avec leur appui en 1911, souhaitait se détacher d'eux. Le candidat de Bourassa fut battu à plates coutures. Selon les observateurs de l'époque, la défaite fut cuisante pour Bourassa.

Laurier se livrait aussi à ce qu'il faisait le mieux: il parlait. Ses discours se multiplièrent; il en prononça une soixantaine en 1912 et 1913. Il y exposait à l'électorat les politiques qui avaient été rejetées et y vantait les possibilités qu'elles offraient. La première sortie publique de Laurier eut lieu à Montréal, où l'Association des jeunes libéraux organisa pour lui une démonstration publique le 8 janvier. Il y remporta un succès qui lui fit chaud au cœur. Les citoyens vinrent l'écouter par milliers, non parce qu'il pouvait leur accorder des faveurs, mais parce qu'ils l'aimaient et voulaient qu'il le sache. Il les remercia: «Les champions de la pensée libérale ont peut-être été vaincus, mais l'idée subsiste qui inspirera les victoires futures.» Il avait le sentiment que l'étoile de Bourassa commençait à pâlir.

Deux mois plus tard, Laurier célébrait la victoire de Graham, déclarant à ses partisans: «J'apprécie profondément que vous continuiez de m'accorder votre confiance; je suis prêt à rester à la direction du Parti libéral tant que vous voudrez de moi, et tant que Dieu m'épargnera et continuera de m'accorder la bonne santé dont je jouis aujourd'hui.» Plus tard, il parla de la réciprocité: «Ô hommes de peu de foi qui avez refusé d'élargir les voies du commerce: je crois plus en vous que vous ne croyez en vous-mêmes.» Laurier pensait — il le répéta souvent — que le Canada avait dans ses veines «la force d'un jeune géant». Il envisagea un voyage dans l'Ouest à l'automne de 1912, mais dut se contenter d'une tournée au Québec et en Ontario. Entre le 7 septembre et le 29 octobre, il prononça 35 discours devant 150 000 à 200 000 personnes, dans 15 villes de ces deux provinces. Ce furent des rassemblements remarquables. Ce n'était pas un chef défait, mais l'être humain le plus populaire au Canada. Il constatait de nouveau toute l'affection de ses compatriotes, l'immensité de sa popularité et le pouvoir magique de son verbe.

L'année 1913 fut semblable à la précédente: Laurier prononça beaucoup de discours, dans une multitude de villes, devant des foules toujours plus nombreuses, et devant de plus en plus de jeunes. Il s'arrêta dans les universités et collèges, où des milliers d'étudiants se pressèrent pour l'écouter. «Si j'avais votre âge, leur conseillait-il, je ne quitterais pas l'école avant d'avoir appris à écrire et à parler le français.» Il faisait la cour à la communauté d'affaires, qui commençait à se demander si elle ne s'était pas fait du tort à elle-même en 1911. La graine germait; la plante porterait ses fruits. C'était inévitable. Six jours après le 73e anniversaire de Laurier, après avoir reçu des milliers de télégrammes et de lettres de souhaits, dont une du roi, il aborda la question de l'accroissement des forces militaires en Europe: «Ce qui se passe en Europe est une honte; l'Europe est devenue un camp armé.»

Ce fut toutefois au Parlement que le poids du Parti libéral se fit sentir. Laurier prit goût à son rôle de chef de l'opposition. C'était un poste législatif honorable, qui s'accompagnait d'un traitement supplémentaire de 7500 $. Mais Laurier s'aperçut vite que ce travail ne lui laisserait pas autant de temps libres qu'il l'avait cru. Il était présent à la Chambre presque tous les jours, où il orientait les débats, surtout durant l'affrontement tumultueux qui entoura la politique navale de Borden en 1913.

En 1909 et 1910, Borden était pratiquement d'accord avec Laurier sur cette question; aux élections de 1911, il n'en parla presque pas. Lorsqu'il prit le pouvoir, il n'abrogea pas la loi de Laurier sur le service naval, mais il n'établit pas de marine non plus. Il ne proposa aucune politique durant la majeure partie de 1912, même s'il répéta souvent qu'il était nécessaire d'«agir avec vigueur et sérieux». Du fait que Borden était un crypto-impérialiste, il ne put éclaircir son plan qu'après sa visite en Grande-Bretagne durant l'été de 1912. C'est là que, sous le mentorat de Winston Churchill, Borden embrassa l'idée de centraliser l'Empire, idée contre laquelle Laurier s'était vaillamment battu pendant 15 ans. À son retour au Canada, il présenta son propre projet de loi sur la marine, le 5 décembre. Le Canada apporterait à la Grande-Bretagne sa contribution à la défense navale de l'Empire: 35 millions de dollars. Il était entendu que le gouvernement canadien aurait voix au chapitre en matière de politique étrangère impériale.

Au cours d'une réunion du groupe parlementaire libéral, les députés furent unanimes à dire que la bataille en vue de sauver l'âme du Canada était désormais engagée, et que la politique navale de Laurier était l'instrument qui permettrait de la protéger. Laurier mena l'attaque à la Chambre, une vigoureuse campagne qui dura jusqu'à ce que la clôture soit finalement imposée le 23 avril 1913. Puis le projet de loi aboutit au Sénat — composé de

62 sénateurs libéraux et 19 conservateurs —, où il fut rejeté. Durant le débat, Churchill menaça de traverser l'océan pour venir superviser les procédures du Parlement canadien et pour faire comprendre le bon sens aux coloniaux récalcitrants. Il se fit dire de rester chez lui.

Entre-temps, Laurier était en train de reconquérir le Québec. L'alliance entre Bourassa et les conservateurs, dont le seul but avait été de détrôner Laurier dans le cœur des Canadiens français pour le remplacer par Bourassa, s'était désintégrée vers la fin de 1913. Les conservateurs étaient moins dévoués aux causes canadiennes-françaises que l'avait été Laurier: au moment de l'élargissement des frontières du Manitoba, le Règlement Laurier-Greenway ne s'appliqua même pas, puis vint le coup de grâce — la politique navale de Borden et la place que, selon lui, le Canada devait occuper dans l'Empire. Dans toute la province, les gens commencèrent à regretter l'humiliation qu'ils avaient fait subir à Laurier en 1911 en prêtant l'oreille aux diatribes de Bourassa. Ils en arrivèrent à voir celui-ci pour ce qu'il était: un homme superficiel, un homme faible, un homme dont les idées affaiblissaient la position des Canadiens français dans la Confédération. Il ne présentait même pas sa candidature aux élections. Laurier, par contre, était encore au cœur de la vie politique du pays; il était l'homme politique le plus aimé et le plus respecté des Canadiens; sa dignité dans la défaite, son charme lorsqu'il tentait de concilier les points de vue divergents et sa ténacité dans la défense de ses principes lui permirent de regagner le cœur de beaucoup de ses concitoyens. Ceux-ci espéraient qu'on leur donnerait bientôt l'occasion de réparer les dommages qu'ils avaient causés en 1911.

~

Séraphin Gauthier mourut à Montréal le 4 janvier 1912. Wilfrid et Zoé assistèrent à ses funérailles, se rappelant avec émotion leur jeunesse et leurs fréquentations. Edward Blake, lui, quitta ce monde à Toronto le 1er mars 1912, au beau milieu du débat sur la marine. Puis vint le tour de Richard Cartwright, en septembre. Le cercle d'amis de Laurier rétrécissait.

Entre-temps, la «ministre de la charité publique», Zoé, continuait de mettre de l'avant ses causes préférées, surtout reliées aux artistes. Borden, toujours courtois, demanda à ses ministres de collaborer avec elle dans toute la mesure du possible.

Wilfrid et Zoé firent quelques voyages, même si celle-ci hésitait à les entreprendre, craignant que ses infirmités ne plongent son mari dans l'embarras.

Wilfrid ne voulait rien entendre. Ils passèrent donc deux semaines en Virginie en janvier 1912; en août, ils se rendirent dans la région des White Mountains; plus tard ils allèrent dans le Sud des États-Unis. L'année suivante, ils séjournèrent quelque temps chez les Mulock, à Newmarket, en Ontario. Et ils passaient beaucoup de temps à Arthabaska.

Le 2 juin 1912, le Grand Tronc inaugurait son nouvel hôtel de deux millions de dollars: le Château Laurier, à Ottawa. Son ouverture, prévue pour avril, fut retardée à cause de la mort du président du Grand Tronc, Charles Melville Hays, qui périt le 15 avril dans le naufrage du *Titanic*. Laurier fut le premier à signer le registre de l'hôtel, avant d'être désenchanté. Le Grand Tronc avait commandé à l'un de ses amis, le sculpteur français Paul Chèvre, un buste de Laurier. Celui-ci vit l'œuvre avant l'inauguration. Il était furieux: le nez sculpté dans le marbre ne ressemblait en rien au sien. Un ouvrier ayant laissé tomber le buste, ce qui en avait écorché le nez, on avait demandé à un sculpteur d'Ottawa de réparer le dommage. Laurier, mécontent du résultat, quitta l'hôtel froissé.

~

Laurier se trouvait à Arthabaska lorsque lui parvint la nouvelle de l'assassinat de l'archiduc François-Ferdinand à Sarajevo, le 28 juin 1914. Il ne saisit pas pleinement les répercussions éventuelles de l'événement sur l'Europe et sur le Canada. Il demeura à Arthabaska, attendant que la situation évolue. L'attente fut courte. Dès le début d'août, il devint évident qu'une guerre était imminente, et que la Grande-Bretagne et l'Empire, dont le Canada, y seraient entraînés. Le 4 août au matin, Laurier prit le train pour Ottawa. Le soir, à 20 h, le gouverneur général fut averti que la Grande-Bretagne avait déclaré la guerre à l'Allemagne et à ses alliés. La Première Guerre mondiale — avec toutes ses tragédies et ses morts — venait d'être déclenchée; le cauchemar de Laurier durerait quatre ans. À la fin de la guerre, en 1918, tout ce pourquoi il s'était battu toute sa vie semblerait avoir été anéanti. Mais le Canada était-il vraiment déchiré en deux ce jour glorieux de l'Armistice? Ou Laurier avait-il réussi à éviter la déchirure?

Durant les deux premières années de guerre, le cauchemar fut repoussé. La position de Laurier était simple et claire: «J'ai maintes fois exprimé l'opinion que si jamais la mère patrie était en danger, ou si même il y avait menace de danger, le Canada lui apporterait toute son assistance et son appui.» Il déclara que «le sentiment d'esprit de parti» devait être suspendu et demanda à ses députés, à ses organisateurs dans tout le pays, à ses partisans, ainsi qu'à ses recherchistes et rédacteurs des organes libéraux de s'abstenir de mettre dans l'embarras le gouvernement Borden en cette «heure de danger national». Durant la première session parlementaire de guerre de l'histoire canadienne, qui s'ouvrit le 18 août, Laurier réitéra son point de vue:

> «Il est de notre devoir de faire savoir à la Grande-Bretagne, à ses alliés comme à ses ennemis que tous les Canadiens se groupent autour de la mère patrie, fiers de savoir qu'elle ne prend pas part à cette guerre pour un motif égoïste, ni dans un but de conquête, mais pour conserver son honneur intact, pour remplir ses engagements et pour défendre la civilisation contre un désir effréné de conquête et de domination.»

En même temps, il lança un appel aux jeunes gens de sa province:

> «Si mes paroles ont une répercussion hors de cette enceinte, dans ma province natale, parmi ceux de mon sang, je voudrais qu'ils se souviennent que c'est un double honneur pour eux de prendre place dans les rangs de l'armée canadienne afin de soutenir la cause des nations alliées. Pour eux, la cause qu'ils sont appelés à défendre est doublement sacrée.»

Telle était sa politique. Telle elle resterait durant toute la guerre. Si tous les jeunes Canadiens se portaient volontaires, si les hommes plus âgés s'abstenaient de créer des difficultés, si tout le monde s'exprimait avec modération, si les politiciens mettaient de côté leurs rivalités politiques pour se concentrer sur leur devoir, si la conciliation et la modération demeuraient les pierres angulaires de l'édifice canadien, le pays sortirait de la guerre intact et uni. Laurier ne ménagea pas son temps et déploya toute son énergie au cours des quatre années suivantes afin que ces conditions soient réunies.

Son travail de recrutement fut extraordinaire, particulièrement au Québec. Entre la déclaration de la guerre d'août 1914 et la fête du Canada de juillet 1916, il prononça 14 discours devant des auditoires moyens de 5000 personnes. Au parc Sohmer, 20 000 citoyens vinrent l'écouter. Il fit une bonne vingtaine de discours à l'extérieur de la Chambre, en plus de ceux qu'il y prononça. Chaque fois, son message fut clair:

> «Je dis aux jeunes hommes rassemblés ici ce soir que j'envie la jeunesse qui leur permet de consentir un tel sacrifice pour le Canada, pour la Grande-Bretagne, la France et la Belgique. Il s'agit d'un sacrifice, car certains de ceux qui quitteront nos rives concluront un pacte avec la mort. Beaucoup ne reverront jamais leur terre natale. Ils dormiront dans le sol de leurs ancêtres. Ce sacrifice est volontaire. Le Canada est un pays libre. Comme ce qui s'est fait jusqu'à présent, ce qui se fera à l'avenir sera absolument volontaire.»

Laurier ne pensa ni à sa personne ni à son prestige; il n'invoqua pas son âge avancé pour se dérober à son devoir. La politique de recrutement volontaire devait marcher; et elle marcha. Il y avait 1 270 000 hommes disponibles au Canada. Borden promit 500 000 d'entre eux à l'effort de guerre impérial. Au 1er juin 1916, 334 736 hommes s'étaient déjà enrôlés, dont 210 000 rien qu'en 1915. Laurier débordait d'optimisme.

Il continua d'éviter de faire de la politique de parti, bien que cela fût difficile. Le favoritisme, la corruption, les pratiques comptables douteuses et la nécessité d'exploiter politiquement la guerre en déclenchant des élections étaient des tentations auxquelles il était difficile de résister. Laurier s'opposait à des élections; le peuple appuyait sa prise de position. Les charlatans agressifs du Parti conservateur durent donc céder devant l'opinion publique.

Wilfrid et Zoé séjournèrent brièvement à Arthabaska; en juillet 1915, ils rendirent visite à Sydney Fisher, dans les Cantons-de-l'Est. À cette époque, Wilfrid n'allait pas bien du tout. Il souffrait cruellement d'un abcès dans la bouche, et il était affaibli par la maladie musculaire qui l'avait affligé quelques années auparavant. Il réussit toutefois à rassembler ses forces et, au début d'août, il se rendit à Saint-Lin, où 8000 personnes vinrent l'honorer. La famille des Laurier — neveux, nièces, leurs enfants et petits-enfants — y habitait encore. Wilfrid fut heureux de les revoir, tout en regrettant que l'état de Zoé l'ait empêchée de l'accompagner. «Quels que soient les vicissitudes et les hasards auxquels les hommes politiques sont exposés, rien n'est plus cher à leur cœur que le coin de terre où ils sont nés», dit-il avec émotion. Il incita les jeunes hommes qui l'écoutaient à s'enrôler et, ciblant les auditeurs plus âgés, il déclara: «La crainte de la conscription au Canada est aussi peu fondée aujourd'hui qu'elle l'était en 1911.» La guerre était une «cause sainte»!

Un mois plus tard, Laurier fut hospitalisé à Ottawa. À Napanee, au cours d'un discours de recrutement, il s'était évanoui à cause de la chaleur intense et de son piètre état de santé. Il passa deux jours à l'hôpital, où il subit une ablation de son abcès. Des milliers de télégrammes et de lettres furent envoyés chez lui, à son bureau et au bureau central du Parti libéral. Une fois rétabli, il reprit le travail: «Les vrais patriotes, déclara-t-il, sont ceux qui travaillent en vue de la réconciliation, ceux qui contribuent à dissiper les vieilles divisions, ceux qui s'efforcent de restaurer l'harmonie dans le peuple d'une façon qui soit acceptable pour tous.»

Toutefois, les nuages s'amoncelaient; le cauchemar devint insupportable.

~

Durant les deux premières années du conflit, le peuple canadien fit preuve d'un remarquable effort de guerre. Les fils du Canada se battaient sur plusieurs fronts en Europe, et leur courage, leur audace et leur force d'âme marquèrent profondément la psyché canadienne. Dans les tranchées de France, les soldats canadiens se découvrirent mutuellement et sympathisèrent. Il n'y avait plus d'Anglais ni de Français, seulement des Canadiens. Au pays, la même valeur, la même audace et la même capacité d'endurance se manifestaient. Les femmes avaient pris d'assaut les usines; les vieillards labouraient les champs; les grand-mères s'occupaient des enfants pour que les parents apportent leur contribution au grand effort collectif.

La guerre faisait toutefois des ravages. Les victimes se comptaient par milliers. La Première Guerre mondiale tuerait 60 661 Canadiens, en blesserait 172 950 autres, laisserait 20 115 veuves, orphelins et parents à charge, en plus de faire 77 967 handicapés. La dette nationale montait en flèche, comme le coût de la vie. Un mécontentement généralisé affleurait. L'achat et la fabrication des munitions faisaient l'objet d'une corruption sans précédent, que Borden semblait incapable — le souhaitait-il vraiment? — d'arrêter. Le pays était tendu. Il était presque inévitable que des ennuis surgissent.

La 12e Législature, qui durait depuis 1911, devait prendre fin à l'automne de 1916. Borden souhaitait toutefois que son mandat soit prolongé d'un an ou plus, après la fin de la guerre. Le groupe parlementaire de Laurier étant divisé sur la question, celui-ci dut trancher. Il était d'avis qu'une prolongation était raisonnable, mais qu'elle devrait se limiter à un an, ce qui signifiait que des élections devraient avoir lieu au plus tard le 7 octobre 1917. Laurier et les libéraux convenaient que la situation était «extrêmement grave». Le chef libéral fit donc cette promesse: «Je continuerai, dans la pleine mesure de mes capacités, à faciliter l'adoption de toutes les mesures de guerre nécessaires.» Durant toute l'année, il continua de prêcher le recrutement et l'effort de guerre: «Le Canada a un intérêt direct dans cette guerre; j'irai plus loin: je dis qu'il n'y a pas aujourd'hui dans le monde une nation civilisée qui n'ait pas un intérêt direct dans cette guerre.» Il continua de s'opposer à la conscription: «Il ne doit pas y avoir de conscription au Canada.» Laurier avait toujours été, était et resterait un pacifiste. Mais tous les pacifistes d'Europe continentale, de Grande-Bretagne et du monde civilisé s'entendaient pour dire que l'Allemagne devait être écrasée: «Ce qui arrivera après la paix dépendra de l'ampleur de notre victoire.» Néanmoins, mieux valait «l'amour que la haine, la foi que le doute». À la Chambre des communes, Laurier lutta contre la corruption, la fraude, le favoritisme, l'extravagance et l'injustice.

~

À 9 h, le jeudi 3 février 1916, le portier principal du Parlement se précipita dans la Chambre et cria: «Un incendie vient d'éclater dans la salle de lecture; que tout le monde sorte immédiatement!» Plus tard, il présenta ses excuses au président pour s'être montré si autoritaire. Les vingt députés qui siégeaient quittèrent à la hâte l'immeuble, sans emporter leurs effets personnels. Personne ne se préoccupa de la masse.

Le feu avait pris dans la salle de lecture de la Chambre des communes, située entre la Chambre et la bibliothèque parlementaire. Le plafond, les murs, le plancher et les bureaux de la salle étaient faits de pin blanc. Deux femmes s'y trouvaient au moment de l'incendie. L'une prit la fuite; l'autre resta et constata que les flammes sortaient de la tablette inférieure de l'un des bureaux. Un agent tenta d'éteindre les flammes avec un extincteur, mais les produits chimiques enflammèrent la collection de journaux. À 8 h 57, l'alarme retentit au poste de pompiers n° 8; en moins de trois minutes, les sapeurs arrivèrent sur les lieux. Une autre alarme fut sonnée à 9 h 05. À ce moment-là, le feu s'était propagé au toit de l'immeuble et la Chambre des communes était en flammes.

Dès qu'il vit les flammes, le bibliothécaire parlementaire referma les lourdes portes métalliques séparant la bibliothèque des édifices du Parlement. Un vent du sud-est favorable — du moins pour la bibliothèque — poussa les flammes en direction de l'édifice du Centre. Les flammes qui avaient commencé à lécher le toit de la bibliothèque furent rapidement éteintes.

Cependant, la destruction se poursuivait. L'édifice du Centre disparut sous les flammes; à 23 h, le feu «commença son ascension» de la tour Victoria, illuminant fenêtre après fenêtre, à mesure qu'il se propageait d'un étage à l'autre. À 21 h, à 22 h et à 23 h, l'horloge sonna, comme elle le faisait depuis des décennies. Mais minuit ne sonna pas. «À son dernier coup, la cloche plongea dans les profondeurs de la tour»; le mécanisme de l'horloge s'arrêta à minuit trente; les aiguilles s'immobilisèrent. Environ une heure plus tard, la couronne de la tour s'effondra; à 1 h 21, la tour «trembla sur ses fondations massives avant de s'effondrer en faisant vibrer le quartier». Vers 2 h, les pompiers avaient maîtrisé l'incendie.

Sir Robert Borden se trouvait dans son bureau du nouvel édifice de l'Ouest. Dès qu'il fut informé de l'incendie, il prit la fuite à quatre pattes, sans avoir eu le temps de mettre chapeau et manteau, en se couvrant le visage d'un mouchoir blanc. Un badaud lui prêta une pelisse et une toque, tandis que son assistant allait lui chercher de quoi se tenir au chaud. Le président de la Chambre alla chercher ses enfants, qui se trouvaient dans son appartement de l'édifice du Centre. Le gouverneur général, dont le frère, Édouard VII, avait posé la première pierre de l'édifice parlementaire en 1860 lorsqu'il était prince de Galles, arriva précipitamment de Rideau Hall. Peu après, Laurier arriva lui aussi, en voiture. Il venait d'assister à un concert à l'hôtel Russell; dès qu'il avait entendu la nouvelle, il était accouru. Les trois hommes les plus importants du pays, les députés et les sénateurs, de même qu'un grand nombre de citoyens, regardèrent l'incendie, impuissants. Une intervention rapide permit toutefois de sauver de la destruction totale la salle du Sénat. La rue Sparks était bondée de curieux et de voitures de toutes sortes. Les restaurants restèrent ouverts une bonne partie de la nuit; les infirmières de l'Ordre de Victoria mirent sur pied trois postes de secours; Sam Hugues, ministre de la Milice, fit venir l'armée; le maire de Montréal, qui était également député fédéral, fit venir pompiers et matériel, ainsi qu'un train pour le cas où on en aurait besoin. Le poète canadien Duncan Campbell Scott décrivit l'incendie comme étant «terrible et tragique», le spectacle «le plus terrifiant et le plus beau» qu'il ait jamais vu.

Le bureau de Laurier offrait un spectacle de dévastation, comme le reste de l'édifice. Le reporter du *Standard* de Montréal rapporta ceci:

> «Près du bureau de sir Wilfrid Laurier, la salle de son secrétaire est complètement ravagée. Le bureau à cylindre est démoli; on voit de la glace et des cendres partout. L'horloge accrochée au mur

> est brûlée et cassée; elle indique 8 h 39. Dans le bureau de sir Wilfrid, il n'y a plus de meubles. Le sol est aux trois quarts couvert d'une couche de glace jaunâtre et de stalagmites miniatures. Un crachoir encastré dans la glace a tenu le coup. Sur le sol, près de l'armoire, un livre enrobé de glace est appuyé contre la porte. Le titre est encore lisible: *The Many-Mansioned House and Other Poems*, par Edward William Thomson. C'est la seule poésie de la période glaciaire qui soit; pendant un instant, on comprend la passion qui transforme l'être humain en chasseur de souvenirs.
>
> Sur les murs où des torrents ont ruisselé, trois cadres restent accrochés: une photographie de M. Asquith, derrière le fauteuil de sir Wilfrid, une autre de Lloyd George, sur le mur ouest, et une aquarelle.»

Ce que le reporter ne mentionna pas dans son article, c'est que beaucoup des archives personnelles et politiques de Laurier furent détruites.

L'incendie fit sept victimes: le député de Yarmouth, Nouvelle-Écosse; le greffier adjoint de la Chambre; un agent de la Police du Canada; un tuyauteur; un employé des Postes; et deux femmes, invitées du président de la Chambre et de son épouse, qui se trouvaient dans l'appartement du président. Elles périrent lorsqu'elles retournèrent dans l'immeuble pour y chercher leurs fourrures. Les pompiers les retrouvèrent étendues sur le sol, au bout du corridor, «les mains autour de la tête, les cheveux roussis et les vêtements brûlés». Toutes deux avaient suffoqué après avoir inhalé de la fumée.

Au milieu de la nuit, Borden rassembla son Cabinet au Château Laurier; il fut décidé de convoquer les députés le lendemain à 15 h au musée commémoratif Victoria, rue Metcalfe. Le Sénat, alors en congé, se voyait attribuer une grande salle «qui avait contenu divers fossiles et monstres éteints». Quelques cyniques virent dans cette attribution «la main du destin politique».

Lorsque les députés de la Chambre se rassemblèrent, la masse et le trône du président furent empruntés au Sénat; il y avait une table et des chaises pour les fonctionnaires de la Chambre, des bureaux pour Borden et Laurier, des bancs pour les députés; un joli tapis avait été jeté sur le sol. La séance dura 40 minutes. Borden lut les messages reçus du roi et du gouverneur général, et parla avec tristesse de l'immeuble qui n'était plus. Lorsque son tour arriva, Laurier, les larmes aux yeux, rendit un vibrant hommage à l'édifice devenu «une masse de ruines» et à ceux qui y avaient péri. Lorsqu'il parla des deux disparues, on l'entendit à peine:

«Et que dire, monsieur, de la perte de ces deux jeunes femmes, jeunes mères heureuses, jeunes épouses heureuses, belles comme des alouettes se découpant sur le ciel bleu du matin, pleines de vie, satisfaites de leur rang, qui rendaient visite à de vieux amis et qui aujourd'hui ne sont plus?»

L'incendie avait été accidentel.

~

Trois mois après la tragédie, Laurier défendit enfin la cause des Canadiens français d'Ontario qui, à cause du Règlement 17, étaient privés du droit d'enseigner le français à leurs enfants. Ce nouvel assaut sur la langue avait débuté en 1912, au moment où le district de Keewatin, qui faisait partie des Territoires du Nord-Ouest, fut rattaché au Manitoba. Pour célébrer l'occasion, les francophones et catholiques qui y habitaient furent privés des droits dont ils avaient toujours joui. Il n'y avait eu aucune agitation, sauf quelques déclarations passionnées de Bourassa et de Lavergne. En Ontario, toutefois, il en fut autrement, non pas tant en 1912 que par la suite. Sous l'influence de monseigneur Fallon, de London, en Ontario — un prêtre originaire d'Ottawa, qui avait toujours détesté les Canadiens français et qui n'avait jamais compris pourquoi on leur avait donné le droit ou la permission de maintenir des écoles bilingues dans la capitale —, le gouvernement ontarien avait adopté en 1912 le Règlement 17, qui interdisait l'enseignement en français après la première année et le limitait à une heure par jour. Les francophones d'Ottawa avaient défié le Règlement. Laurier n'était pas intervenu, espérant que le bon sens prévaudrait.

Le problème avait continué de couver, alimenté par la rhétorique habituelle des deux camps linguistiques. Il s'était accentué depuis la désobéissance civile des mères de famille et des contribuables francophones de la capitale. En 1915, Laurier avait tenté sans succès d'en arriver à un compromis en recourant aux bons offices du chef des libéraux ontariens. En 1916, l'heure était venue d'agir.

C'est à ce moment que se manifesta John Wesley Dafoe, 50 ans, éditeur en chef du journal *Manitoba Free Press.* Il avait entendu dire que le «vieil homme», par le biais d'un «coup de génie tactique, allait renforcer sa position au Québec sans faire de tort à l'Ontario»; Dafoe souhaitait avoir son mot à dire. Arrivé à Ottawa, il apprit que Laurier voulait qu'une motion sur le

Règlement 17 soit présentée à la Chambre et qu'on procède à un vote; Laurier permettrait à ses députés de voter selon leur conscience, même s'il attendait d'eux qu'ils l'appuient. Dafoe rencontra Laurier dans son bureau situé au troisième étage du musée, et en vint vite aux faits: «Sir Wilfrid, vous ne pouvez faire cela. Je comprends votre point de vue personnel, mais ce serait une folie sur le plan politique. Les libéraux de l'Ontario et de l'Ouest sont en révolte ouverte. L'opinion publique ontarienne appuie pleinement l'application du Règlement 17. Les Ontariens, comme les citoyens de l'Ouest, s'opposent vigoureusement à l'octroi aux Français de privilèges élargis. Le Canada n'est pas un pays bilingue. Une langue; une nation. Ce n'est qu'ainsi que l'on pourra faire des Canadiens des immigrants de toutes races qui peuplent l'Ouest.» Dafoe s'interrompit un instant pour jauger l'effet de ses paroles. Sir Wilfrid regarda par la fenêtre, sans rien dire. Dafoe fut contraint d'ajouter: «Le parti serait alors irrémédiablement divisé.»

Laurier lui demanda tout doucement si la justice n'était pas un principe libéral qui valait la peine d'être défendu. Dafoe rétorqua que, puisque l'éducation était de compétence provinciale, il n'y avait aucune raison que le Parlement fédéral intervienne. Laurier, d'accord sur ce point, rappela à Dafoe que le Parlement, quel que soit le parti au pouvoir, même s'il avait refusé d'intervenir dans la législation provinciale, avait par le passé usé de son influence sur les Assemblées provinciales, ce qui avait eu, dans bien des cas, des effets salutaires et avait entraîné une modification des lois contestées. «C'est tout ce que je suis en train de faire», conclut Laurier.

Leur conversation tournait en rond. Finalement, Laurier mit le doigt sur ce qui, en réalité, dérangeait Dafoe et ses amis: «Mon cher Dafoe, nous nous connaissons depuis longtemps. C'est pourquoi je prends la liberté de vous demander si cette attitude de l'Ontario et de l'Ouest que vous venez de me décrire ne serait pas due...»

«Oui, sir Wilfrid, dit Dafoe en interrompant son interlocuteur. Les Français ne font pas leur part dans cette guerre, qui accapare toute notre énergie, mais pas la leur.»

Cela, Laurier le savait. Il savait également que l'une des principales raisons expliquant la difficulté de recruter des francophones, c'était que l'Ontario, avec son Règlement 17, avait donné à Bourassa une belle occasion de dénoncer la participation des francophones à la guerre, puisque les Ontariens ne se comportaient guère mieux que les Prussiens. «Aidez-moi à éliminer cet irritant, Dafoe, et je suis persuadé que la situation changera.»

Dafoe se renfrogna. «Le parti, dit-il avec une pointe de méchanceté, ne vous suivra pas. De plus, sir Wilfrid, nous ne permettrons pas aux Français d'imposer leur volonté au reste du Canada.»

«Vous, par contre, lui répondit Laurier, vous avez le droit de nous imposer la vôtre, n'est-ce pas?» Dafoe resta silencieux. Le vieil homme, un sourire triste sur les lèvres, ajouta, plus pour lui-même que pour son visiteur: «Est-ce à cela qu'en est arrivé le libéralisme? Au parti de l'extrémisme! J'ai vécu trop longtemps.» Se rendant compte qu'il mettait Dafoe dans l'embarras, Laurier le regarda et lui dit: «Je ne trouve pas dans le Parti libéral d'aujourd'hui le même sentiment que lorsque nous étions tous deux plus jeunes. Vous finissiez à peine vos études lorsque je vous ai rencontré. Vous aussi, vous avez changé. Quant à moi, je peux sincèrement dire que j'ai toujours agi — le parti que j'ai dirigé aussi — selon le principe voulant que, là où il y aurait une injustice à réparer, je, nous serions là. De toute évidence, ce n'est plus le cas.»

Comme aucun terrain d'entente n'était possible, Laurier se contenta de signifier son congé à son hôte: «Bon après-midi, Dafoe. Et merci pour toute l'aide que vous nous avez donnée dans le passé.»

Son petit bureau lui semblait encore plus exigu que d'habitude; il lui était difficile d'y faire les cent pas. C'était avril, et le temps, comme les libéraux, ne savait pas sur quel pied danser. Avec l'aide d'Ernest Lapointe, qui ne parlait pas un mot d'anglais à son arrivée à Ottawa en 1904, mais qui avait réussi à l'apprendre tout seul, Laurier avait rédigé une résolution qui serait présentée à la Chambre le 9 mai. Celle-ci invitait «respectueusement l'Assemblée législative de l'Ontario à faire en sorte qu'il ne soit pas porté atteinte au privilège» qu'avaient «les enfants d'origine française de recevoir l'enseignement dans leur langue maternelle», tout en reconnaissant pleinement «la nécessité» qu'il y avait «pour chaque enfant de recevoir une instruction anglaise complète».

Tandis que le groupe parlementaire libéral pesait sa résolution, Laurier reçut des lettres de Fielding et d'autres partisans politiques le pressant de renoncer à son plan. À l'un d'eux il répondit, irrité: «Ne me louez pas pour ce que j'ai fait ou n'ai pas fait dans cette affaire. Elle m'a donné beaucoup plus de souci qu'à n'importe qui d'autre dans le parti, j'en suis sûr.» Laurier écrivit à Fielding: «Je crois que mes compatriotes de ma propre race sont traités injustement. Naturellement, puisque c'est ce que je pense, j'ai le droit d'agir en conséquence. Si je demeure silencieux dans les circonstances, c'est ma propre estime personnelle et mon respect que je perdrais à coup sûr.» Dans une autre lettre, Laurier écrivit: «J'ai le cœur lourd! Le parti n'a pas avancé. Il a dangereusement régressé, abandonnant position sur position devant les assauts arrogants du torysme.»

Lapointe présenta la motion en anglais. Un député libéral de l'Ouest demanda au président de la refuser sous prétexte qu'elle portait sur une question de compétence purement provinciale. Le lendemain, le président décida que le rappel au Règlement de la Chambre n'était pas fondé. Un conservateur contesta sa décision, mais en vain car seuls huit députés votèrent contre le président: le conservateur et huit libéraux de l'Ouest.

C'est avec quelque appréhension que Laurier amorça son discours le 10 mai. Les députés, le public installé dans les tribunes et les reporters le virent se métamorphoser. Laurier se tenait de plus en plus droit, la tête haute; on aurait dit que le poids des années avait quitté ses épaules. Sa voix, d'abord tremblotante, devint forte. Ce n'était plus un vieillard. En un instant, il avait retrouvé la passion et l'émotion de sa jeunesse.

Avec sa grande force intellectuelle, il disséqua le Règlement 17 presque mot par mot, le comparant aux lois linguistiques du Royaume-Uni et de l'Empire, où la liberté linguistique était importante et respectée, comme au Pays de Galles, dans les Highlands d'Écosse, aux Indes, en Égypte, en Afrique et à Malte: «Aujourd'hui, dans les tranchées des Flandres, se trouvent des hommes qui ne parlent pas un mot d'anglais, mais qui ont répondu à l'appel, qui se battent et qui meurent pour l'Angleterre.»

Laurier ne s'était pas levé pour invoquer «la lettre froide du droit positif». Il n'était pas debout dans la Chambre des communes de son pays pour donner aux tenants du principe «une langue; une nation», de l'Ontario ou de l'Ouest, une leçon de liberté britannique. Il prenait la parole pour «plaider, devant le peuple de l'Ontario, au nom des sujets d'origine française de Sa Majesté habitant dans cette province», pour redresser le tort qui leur avait été fait. Bien sûr, cette affaire était de compétence provinciale. «Est-il interdit que je présente respectueusement la revendication d'un humble serviteur d'origine française?»

Il était là pour parler au peuple de son pays en faveur d'un vrai canadianisme, fondé sur la justice, la modération et la conciliation:

> «Si je demande pour la jeunesse de ma race l'enseignement de l'anglais, allez-vous lui refuser d'apprendre aussi la langue de nos pères et de nos mères? Notre requête est-elle inconvenante? Est-elle nuisible? Qui donc en souffrira si on nous l'accorde?

Je ne crois pas que quiconque nous refusera le droit à l'enseignement en français.»

Il n'y avait rien à ajouter. Les applaudissements fusèrent. Mais Laurier savait que le cœur et l'esprit de la majorité de ceux qui l'avaient écouté attentivement et respectueusement étaient enfermés dans du béton. Il se leva, quitta la Chambre, marcha péniblement jusqu'à son bureau, où il se retrouva seul avec ses pensées. C'était vrai, il avait vécu trop longtemps. Il n'était plus utile. Le parti n'appuyait plus le principe qui avait été au cœur de toute sa vie politique. Il devrait s'en aller. Quelqu'un frappa à sa porte. C'était le sénateur Dandurand, qui venait lui remettre le rapport du groupe parlementaire libéral. Les députés s'étaient séparés, province par province, pour déterminer comment ils voteraient sur la motion de Lapointe. Dandurand lui annonça que les députés du Québec et des Maritimes voteraient en faveur de la résolution; ceux de l'Ouest y étaient tous opposés. Laurier l'interrompit pour lui demander si les députés de l'Ouest étaient prêts à faire des concessions. «Non», lui répondit le sénateur. Les larmes montèrent aux yeux du vieux chef. Il les essuya et, d'un ton furieux — lui qui manifestait rarement de la colère —, s'exclama: «Et moi qui leur ai tant concédé!»

En ce qui concernait l'Ontario, Dandurand l'informa que tous les députés sympathisaient avec leur chef, mais qu'ils n'appuieraient la motion que si ce dernier le leur demandait. La réponse de Laurier fut prompte et catégorique: «Non, je ne le leur demanderai pas. Ils ne devraient pas s'attendre à cela de ma part, après toutes ces années.» Il se leva pour se diriger vers la fenêtre, où il resta quelques instants, absorbé dans ses pensées, luttant contre le chagrin qu'elles lui causaient. Revenu à sa table de travail, il dit à Dandurand: «J'ai survécu au libéralisme. Les forces des préjugés en Ontario ont été trop puissantes pour mes amis.» Il s'assit, prit sa plume et ajouta: «Ce fut une erreur pour un Français catholique d'accepter le leadership. Je l'ai dit à Blake il y a trente ans.» Il tripota sa plume un instant, puis, penchant la tête, gribouilla quelques lignes sur un bout de papier. Remettant la note à Dandurand, il lui dit: «Je démissionne. Je l'annoncerai à la Chambre cet après-midi. Veuillez remettre ce billet à George Graham.»

Dandurand, paniqué, se rendit sur-le-champ au bureau de Graham. Une réunion des libéraux ontariens fut organisée en vitesse. Tous s'entendirent pour soutenir Laurier et pour le prier de ne pas démissionner. Laurier accepta leur appui et exauça leur vœu. Cela avait-il été de sa part une manœuvre machiavélique? L'art de sir Galaad? Qui sait? Laurier fit toujours ce qu'il devait faire.

La motion de Lapointe fut toutefois rejetée par 107 voix contre 60. Seul un libéral ontarien et onze libéraux de l'Ouest n'appuyèrent pas Laurier. Dafoe écrivit dans son journal: «Les libéraux ontariens ont capitulé. Les libéraux de l'Ouest, eux, ont été plus solides; ils ont tenu bon.» Il ne dit pas dans son article que ceux-ci avaient répudié le peu de libéralisme qui habitait toujours leur âme. Dafoe fit beaucoup d'autres commentaires stupides sur la question. Laurier le décrivit un jour en ces termes: un libéral aux idées très avancées, voire radicales, mais sur certaines questions, «son horizon est celui du XVIe siècle», avec tout son évangélisme protestant et sa méfiance de tout ce qui est catholique et clérical.

Quelques mois plus tard, Laurier fut l'invité d'honneur à un concert donné à Ottawa dans le but de rassembler des fonds destinés à assurer le salaire des concierges des écoles françaises.

~

Le lundi 20 novembre 1916, Wilfrid Laurier célébra son 75e anniversaire. Il ne prit pas le temps de faire le point; peut-être qu'à son âge ce n'était plus nécessaire.

Puis, un an plus tard presque jour pour jour, tout recommença.

~

L'année 1917 semblait mal partie en ce qui concernait le Canada. Le gouvernement de Borden était très impopulaire. Les libéraux avaient remporté des élections provinciales, et une vingtaine d'élections complémentaires avaient été reportées, le gouvernement en craignant les résultats. Corruption, scandales, favoritisme, administration inefficace de l'effort de guerre, augmentation des prix — tout cela faisait une époque bouleversée. La tragédie bien réelle et toujours présente, cependant, c'était le sort des hommes qui se battaient dans les tranchées de France: 1917 fut l'année de la crête de Vimy, de Passendale, de Bellevue et de bien d'autres batailles meurtrières. Les pertes étaient stupéfiantes. Des renforts devaient être envoyés de toute urgence, si on voulait maintenir adéquatement les troupes canadiennes — c'est du moins ce que l'on prétendait. Pour atteindre cet objectif, le Canada dépendait encore du recrutement de volontaires. À la fin de 1916,

400 000 hommes s'étaient enrôlés, 280 000 étaient partis outre-mer, et 150 000 étaient tenus en réserve en Angleterre. Au cours des premiers mois de 1917, le taux de recrutement était d'environ 30 000 hommes par mois, puis il baissa à environ 6 000 hommes. La conscription était dans l'air, mais Laurier doutait qu'elle soit instaurée. Il se trompait.

Borden passa la plus grande partie de l'hiver en Angleterre et en France. Il rentra au Canada le 14 mai. Quatre jours plus tard, il informa la Chambre de son intention de remplacer le système de recrutement de volontaires par un système obligatoire. La conscription devenait une réalité. À la fin de mai, il invita Laurier à se joindre à lui dans un gouvernement de coalition: Borden serait premier ministre; libéraux et conservateurs occuperaient un nombre égal de ministères; cette coalition adopterait une politique de conscription; la Législature serait prolongée d'environ un an après la fin de la guerre. Les négociations entre Borden et Laurier durèrent jusqu'au 6 juin. Du fait que Laurier hésitait beaucoup à prolonger le mandat du gouvernement, Borden convint avec lui que, une fois adoptée la loi sur la conscription, le gouvernement de coalition solliciterait un mandat du peuple.

Au milieu des discussions entre Borden et Laurier — apparemment les deux groupes parlementaires ne furent pas consultés à ce moment-là —, Clifford Sifton arriva à Ottawa pour rencontrer Laurier. Sourd, dominateur et déterminé à toujours obtenir ce qu'il voulait, il harangua Laurier au sujet de son opposition à la conscription et à la coalition avec Borden: «Ce n'est pas bon! lui dit-il. Vous devriez accepter que le Parlement soit prolongé.» Il tenta de convaincre Laurier que le parti n'était pas prêt pour des élections, qu'il perdrait de toute façon. Laurier ne suivit pas le conseil de Sifton et annonça le 6 juin qu'il s'opposait à la prolongation de la Législature. Cinq jours plus tard, Borden présenta son projet de loi sur le service militaire, qui instaurerait la conscription. Laurier s'y opposa aussi.

Durant d'acrimonieux débats, au Parlement et parmi le peuple canadien, le cinquantième anniversaire de la Confédération, le 1er juillet 1917, passa presque inaperçu. Vingt-trois jours plus tard, la Chambre adopta la loi sur la conscription avec une majorité de 58 voix. Elle entra en vigueur quelques jours plus tard.

Pourquoi Laurier s'opposait-il à la conscription et à une coalition? Si Borden lui avait proposé de former avec lui un gouvernement de coalition en 1914, il l'aurait accepté. Cependant, cette coalition n'aurait pas été efficace. Il y avait entre les deux hommes une différence d'attitude qui influait de bien des façons sur leurs décisions et leurs actions. Borden considérait la guerre comme étant celle du Canada. Laurier estimait qu'elle relevait plutôt du devoir et des responsabilités qu'avait le Canada en tant que membre de l'Empire. Par conséquent, la guerre ne signifiait pas la même chose pour chacun d'eux. Borden, comme la plupart des Canadiens anglais, aurait fait la guerre de 1914 même si le Canada n'avait pas fait partie de l'Empire. Laurier, comme la plupart des Canadiens français, y aurait participé, mais de façon limitée; la participation du Canada n'aurait pas fini par exiger ce qu'elle exigeait de Borden et des autres: un effort total. Toutes les interventions de Laurier durant la guerre contenaient la même mise en garde: nous sommes en guerre parce que la Grande-Bretagne l'est.

Lorsque, trois ans après le début de la guerre, Borden dut, pour instaurer la conscription et sauver sa tête, offrir une coalition à Laurier, il était déjà trop tard. Et le fondement de cette coalition — la conscription — n'était pas acceptable pour Laurier. En outre, il existait beaucoup d'autres divergences de vue entre les deux partis et les deux chefs — sur la relation entre le Canada et l'Empire, sur la question économique, sur celle des chemins de fer, pour n'en nommer que quelques-unes — qui auraient rendu difficile, voire impossible, la formation d'un gouvernement avec Borden.

De plus, une coalition n'aurait pas duré longtemps. Laurier n'aurait jamais pu accepter la *Loi des élections en temps de guerre* de Borden, que le secrétaire d'État Arthur Meighen présenta en septembre 1917, dans l'un des discours les plus racistes jamais prononcés à la Chambre des communes du Canada. Cette loi enlevait à tous les immigrants originaires du pays ennemi, ou d'un autre pays européen mais de langue maternelle ennemie, qui avaient été naturalisés depuis le 31 mars 1902 le droit de voter aux élections, afin que ce soit le «vrai choix» du peuple canadien qui soit exprimé. Aux yeux de Laurier, c'était une «loi infâme» qui constituait une injustice grave pour des hommes qui étaient de par la loi citoyens canadiens. Il aurait été impossible pour Laurier d'approuver un tel affront à la dignité humaine et à la tolérance.

La pomme de discorde entre Laurier et Borden, toutefois, c'était la conscription. Laurier ne pouvait l'accepter. Pacifiste, il se méfiait naturellement des solutions militaires aux conflits humains; libéral, il rejetait la coercition comme motif du comportement humain; Canadien français, il jugeait la corvée et le service militaire obligatoire — que les autorités françaises avaient imposés durant toute l'époque de la Nouvelle-France — contraires aux intérêts du nouveau pays. Il avait consacré toute sa vie à la promotion d'un canadianisme fondé sur la modération et la conciliation. Il n'allait sûrement pas provoquer «un clivage de la population» dont il connaissait «trop bien les conséquences» et duquel il ne serait pas «responsable».

Laurier reconnaissait que la conscription contribuerait peut-être à l'effort de guerre, bien qu'il en doutât. Même si c'était le cas, elle finirait par faire du tort au pays. Ce n'était pas seulement le peuple du Québec qui s'opposait à la conscription: «Ailleurs au Canada, déclara-t-il, on sent dans la population un mouvement indiquant que, en ce moment, l'imposition d'une loi sur la conscription susciterait ressentiment et amertume.» Si la conscription s'avérait nécessaire, il fallait que le peuple y soit préparé et que l'on obtienne le consentement des Canadiens anglais et français. Selon Laurier, le gouvernement faisait preuve d'un «manque singulier de prévoyance».

Il savait qu'accepter la conscription reviendrait à mettre le Québec dans les mains des extrémistes. «Je perdrais le respect du peuple, dit-il, et je le mériterais. Je perdrais non seulement leur respect, mais le mien aussi.» Laurier ne se faisait pas d'illusions: il y avait des extrémistes au Québec qui, soulevés par la rhétorique de Bourassa, par la démagogie de Lavergne et par une collaboration cléricale à peine tacite, surtout celle des jésuites, allumeraient des passions des plus destructrices. Mais il n'entrevoyait aucune menace de guerre civile: «Parler d'une guerre civile au Québec est absurde.» Cependant, les incitations à l'agitation violente l'inquiétaient: «Susciter les passions et les préjugés, c'est l'affaire d'un moment; calmer un orage peut toutefois prendre des années.» Laurier, plus que quiconque à son époque, vit clairement que Bourassa (un homme «de grand talent, d'un talent négatif et destructif») souhaitait le clivage entre les «races» au Canada, afin d'isoler le peuple du Québec du reste du pays et d'en faire une entité séparée. Le devoir de Laurier, tel qu'il l'entendait, consistait à limiter les dégâts et à prévenir la calamité qu'il craignait tant: «Il en résultera peut-être ma propre chute, écrivit-il à son ami et collègue Aylesworth, mais je coulerai avec mon drapeau hissé au mât de hune.»

La conscription servait d'outil pour gagner la guerre, mais aussi pour gagner des élections; de cela, Laurier était convaincu. «Combien d'hommes la conscription rassemblera-t-elle? demandait-il. Rien que quelques fainéants, comme en Angleterre. Le nombre d'hommes que l'on peut arracher à l'agriculture et à l'industrie est infiniment petit. La conscription ajoutera à l'armée quelques fermiers et étudiants; ce sera là le triomphe suprême du torysme, mais le torysme aura une fois de plus fait la preuve de son éternel esprit de domination.» L'histoire donna raison à Laurier. Les exemptions furent très nombreuses. En Ontario, par exemple, sur les 125 750 hommes qui pouvaient êtres enrôlés, 118 128 demandèrent une exemption, seulement 4 pour cent de moins qu'au Québec. Ce taux élevé de demandes fut observé partout au Canada, sauf au Yukon.

L'idée qu'il était possible d'intensifier l'effort de guerre canadien au moyen de la conscription était populaire dans bien des couches de la société canadienne. Borden en tira parti pour consolider sa position. Il fit adopter la *Loi des électeurs militaires*, qui accordait le droit de vote à tous les hommes et à toutes les femmes appartenant à l'armée, sans égard à la date de leur arrivée au Canada, et la *Loi des élections en temps de guerre*, qui priva bon nombre de citoyens de leur droit de vote, mais qui l'accorda aux «épouses, veuves, mères, sœurs et filles» de tous ceux qui servaient ou avaient servi outre-mer. Ces deux lois faisaient pour Laurier la preuve que le gouvernement avait davantage l'intention de gagner des élections que de gagner une guerre. Il était conscient, comme Borden, que la plupart des «indésirables» de Meighen votaient généralement pour les libéraux.

Au fond, la conscription avait tout à voir avec la détermination d'hommes comme Dafoe et Sifton, comme les orangistes, comme les ministres de diverses Églises protestantes, comme Willison, et comme des libéraux et tories dont le cœur était à droite et qui voulaient remettre le Québec à sa place. Laurier n'en doutait pas: «N'est-il pas vrai que la principale raison invoquée en faveur de la conscription — non pas tant en public qu'en privé, et jamais à voix haute —, c'est que le Québec devrait fournir sa part d'efforts et que les Canadiens français devraient être forcés à s'enrôler puisqu'ils ne le font pas volontairement? N'est-ce pas là la vraie raison?»

Au Canada anglais, on était mécontent et irrité que l'enrôlement soit si faible au Québec. Laurier le reconnut dans des lettres et dans des discours à ses partisans: «Personne ne le regrette plus que moi.» Il attribuait ce peu d'enthousiasme à plusieurs facteurs — la tradition, le faible taux d'urbanisation, le nombre peu élevé de Québécois d'origine britannique, l'unilinguisme du général responsable du Québec, le fait qu'un pasteur méthodiste soit le chef du recrutement à Montréal, la promesse maintes fois réitérée par le gouvernement que la conscription ne serait pas imposée —, mais surtout à l'alliance peu orthodoxe de 1911 entre les nationalistes de Bourassa et les tories. Celle-ci avait faussé le processus démocratique normal et avait suscité une ferveur nationaliste négative. Durant toute la guerre, même si l'influence de Bourassa diminuait, il fut extrêmement difficile de réparer les graves dommages que celui-ci avait causés. Par conséquent, le taux de recrutement demeurait faible; les élections à venir se feraient sur le dos du Québec français. Cela, Laurier ne pouvait le permettre. Personne d'autre que lui ne jouissait du prestige et de la popularité susceptibles de réduire au minimum le danger que de telles tactiques ne manqueraient pas de créer. «Si des élections générales sont tenues d'ici peu, l'appel à la race sera inévitable; les Français auront pour adversaires les Anglais, et vice-versa; s'ensuivront des années de ressentiment.»

Que dire du parti que Laurier dirigeait? Dès le début de la guerre, il avait compris que son parti risquait de se diviser, mais il espérait que cette division ne serait pas irréversible. Il consulta le plus de membres possible, il se tint au courant de l'évolution de la situation, et il intervint souvent. Il annonça clairement sa position et sollicita l'appui de ses députés, mais si certains le lui refusaient, il le comprendrait. En Ontario et au Manitoba, le parti réitéra sa confiance en son chef au cours de congrès et de rassemblements. Mais cette confiance était fragile. Certains députés se disaient en faveur d'un gouvernement de coalition, qu'ils appelaient «gouvernement national», et bon nombre appuyaient la conscription. On assistait à des défections presque tous les jours. Puis arriva octobre.

~

Dimanche, 7 octobre. C'est le début de l'après-midi. Laurier lit dans son bureau. Giguère, son secrétaire toujours présent, l'informe que Fielding et trois autres hommes souhaitent le voir. Laurier n'a pas vu Fielding depuis quelques mois; les trois autres visiteurs sont également des amis. Ils entrent tous les quatre dans le bureau de Laurier, qui est aussitôt fixé sur le motif de leur visite: ils souhaitent qu'il démissionne. Selon eux, ils auraient de meilleures chances de remporter les prochaines élections avec un nouveau chef, un chef qui serait en faveur de la conscription, un chef qui serait Canadien anglais plutôt que Canadien français.

Pris au dépourvu, Laurier regarde attentivement chacun des hommes. Il demande au porte-parole du groupe de bien vouloir répéter ce qu'il vient de dire. Pendant que ce dernier s'exécute, Laurier observe les yeux de chacun. Seul Fielding a la décence de ne pas le regarder en face.

C'est donc cela: parce qu'il est Canadien français, il ne peut être le chef du Parti libéral. Cette pensée l'irrite, mais il ne va pas s'y attarder, pour ne pas laisser la colère monter en lui. Il a souvent voulu démissionner dans le passé; il a souvent cru qu'il était difficile pour les «Anglais» et les protestants d'accepter un Canadien français et un catholique comme chef. Mais

on ne lui a jamais dit auparavant que, à cause de sa «race» ou de son origine, il ne pouvait diriger un parti politique canadien. Laurier se maîtrise et répond: «Si tel est le souhait du parti, il ne fait aucun doute que je démissionnerai. Cependant, cette question ne peut être décidée ce dimanche. Je devrai consulter le parti. Y a-t-il autre chose? Eh bien, merci messieurs.»

Il fait venir son secrétaire pour qu'il raccompagne les visiteurs à la porte. Avant qu'ils partent, il leur serre la main et leur souhaite bonne chance.

~

Laurier considérait cette conversation comme confidentielle, mais «une annonce déformée» de sa démission fut publiée dans les journaux. Il déclara: «Il (résulte de cette annonce) un torrent d'interventions qui m'indiquent clairement que (la volonté de me voir partir) est loin d'être unanime au sein du parti, et j'estime que l'opinion prépondérante souhaite me voir rester à mon poste.»

À peu près à cette époque, Bourassa vint le voir à Ottawa. Laurier l'accueillit avec chaleur, et ils discutèrent de la conscription, du Québec, ainsi que des chemins de fer. Laurier se montra charmant et Bourassa, évasif. Ce dernier félicita cependant Laurier de son opposition à la conscription, même s'il croyait qu'il finirait par céder. Quant à Laurier, il nourrissait encore beaucoup de doutes au sujet de son interlocuteur: après tout, c'était lui qui avait semé le vent, et il lui serait difficile de calmer la tempête.

Laurier n'était peut-être pas en faveur d'une coalition, mais beaucoup de libéraux acceptèrent l'invitation de Borden à appuyer son effort de guerre, à former un gouvernement composé de conservateurs et de libéraux, qui seraient connus sous le nom d'«unionistes», et à disputer les élections générales imminentes sous sa direction. Le 12 octobre, Borden annonça la création de ce qu'il appelait son «Cabinet d'union». Seuls trois députés libéraux du groupe parlementaire de Laurier acceptèrent d'en faire partie. Il n'y avait aucun libéral du Québec. À la mi-novembre, Laurier acceptait de faire face à une «élection meurtrière en plein hiver, au risque d'en mourir. Ce n'est pas le temps de déserter le bateau.»

La lutte ne serait pas facile. Le parti était divisé; hors du Québec, deux journaux seulement se montraient amicaux avec les libéraux; la caisse électorale était presque vide; la vaste majorité des hommes puissants et riches étaient unionistes et en faveur de la conscription; les défections se multipliaient. En outre, Laurier n'était plus jeune. Durant tout le mois de novembre, sa santé fut si mauvaise qu'il ne tint que trois rassemblements: à Montréal, à Ottawa et à Arnprior. Cela ne signifiait pas qu'il se reposait. Au contraire. De son bureau, il dirigeait la campagne, recevait des visiteurs, écrivait des lettres et rédigeait des discours. Zoé craignait le pire. Un refroidissement pourrait lui être fatal, mais il était impossible de l'arrêter. Elle veilla donc à ce que son mari soit toujours bien emmitouflé: fourrures, moufles et écharpes tricotées, bottes chaudes. Elle avertissait les associés de Wilfrid qu'elle les tiendrait personnellement responsables si quelque chose arrivait à son mari. Il fallait qu'ils le protègent au prix de leur vie. Elle le laissa partir.

Au début de la campagne, Laurier évalua ses chances de réussite. Au Québec, il se trouvait en terrain sûr. Il nourrissait peu d'espoir pour l'Ontario, mais les Maritimes ne le désespéraient pas, même si Fielding y était candidat unioniste. Bon nombre des meilleurs organisateurs de Laurier et la majorité de ses associations en Saskatchewan, et jusqu'à un certain point au Manitoba, étaient passés dans le camp des conservateurs. En Alberta, les possibilités étaient bonnes: «Le nouveau gouvernement local sera avec nous; nous pouvons compter sur de bons résultats dans cette province.» En ce qui concernait la Colombie-Britannique, Laurier n'était pas sûr: l'opinion publique y penchait en faveur de la conscription.

Le 7 décembre, il se rendit dans l'Ouest à bord d'une voiture privée mise à sa disposition par le Canadien Pacifique. Le 10, il prononça un discours à Winnipeg devant 8000 personnes, par une température de 30°C sous zéro. Le lendemain, à Regina, une foule immense vint l'écouter. Le 12 décembre, quatre grands rassemblements firent vibrer Calgary, par un froid encore plus intense qu'à Winnipeg. Son train arriva en retard à cause d'un blizzard. Le surlendemain, il participa à cinq immenses rassemblements à Vancouver, sous une pluie battante. Partout, il livrait le même message. La vie était trop chère à cause de l'incompétence du gouvernement. L'*Acte du cens électoral* était «inique». La guerre serait menée jusqu'au bout, mais il ajoutait: « Si nous voulons gagner cette guerre, si nous voulons que des hommes aillent au front, il faut faire appel à l'âme et éviter la coercition de la conscience.» En ce qui concernait le Québec, il avait fait de son mieux pour toucher l'âme des jeunes hommes de cette province, mais en vain. Cependant, disait-il: «Si j'avais été au pouvoir, je n'aurais pas été assez stupide pour recourir aux méthodes qu'emploie actuellement le gouvernement.»

Durant tout ce temps, Laurier subit les attaques de ceux qui détestaient le Québec, qui s'arrogeaient la vertu du patriotisme, qui le citaient mal délibérément, qui étaient racistes et pleins de préjugés, qui le traitaient de «Kaiser», de «démagogue, charlatan et polichinelle». Il dut endurer les protestants, qui montèrent en chaire pour déclarer que voter contre Laurier relevait du devoir sacré, et ceux qui avaient préparé une nouvelle carte du pays où le Québec était peint en noir parce qu'il constituait «une vilaine tache sur le Canada». Laurier ne releva pas non plus les propos de monseigneur Fallon, qui le calomniait, lui et le Québec, au nom d'un nouveau dieu, le gouvernement unioniste, non plus que l'attitude de ceux qui avaient travaillé à ses côtés pendant des années et qui désormais le diffamaient. Laurier en était blessé, mais il ne se plaignit pas.

Partout, les gens l'avaient acclamé, mais ils ne votèrent pas pour lui. Le 17 décembre, jour des élections, il était dans le train qui le ramenait à Ottawa. Ce jour-là, les Canadiens élurent 153 candidats qui appuyaient le gouvernement et 82 libéraux. Des candidats libéraux élus, 62 le furent au Québec, 10 dans les Maritimes, 8 en Ontario, 1 au Manitoba et 1 en Alberta. Aucun libéral ne fut élu en Saskatchewan, ni en Colombie-Britannique, ni au Yukon. Laurier fut réélu dans la circonscription de Québec-Est, mais défait à Ottawa.

L'analyse qu'il fit des résultats fut succincte: «Cela a été mon destin de faire face à tous les préjugés au Canada. En 1896, j'ai été excommunié par les prêtres catholiques, et en 1917, par les pasteurs protestants. Nous devons accepter les choses de bonne grâce et être prêts à continuer de lutter pour la bonne cause.»

~

L'arrivée de la nouvelle année s'accompagna de rumeurs de plus en plus nombreuses sur la démission possible de Laurier. Il ne prit même pas la peine d'y répondre. Le parti, toutefois, le fit et réitéra sa confiance en son chef. En Chambre, Laurier eut tendance à rester silencieux, évitant toute controverse susceptible de pousser les libéraux unionistes dans les bras des conservateurs de Borden. Il ne jugea pas ceux qui l'avaient abandonné, et il refusa que le parti les étripe: «Ne pensez pas du mal d'eux, car moi, je ne le fais pas.» Il comprenait leur dilemme, les difficultés auxquelles ils faisaient face. Ils reviendraient un jour dans le giron libéral. Entre-temps, il les attendrait tout en reconstruisant son parti.

Durant la Semaine sainte, entre le 28 mars et le 1er avril 1918, la ville de Québec fut secoué par de violentes émeutes au sujet de la conscription, du coût élevé de la vie, et de l'arrestation par la police militaire de jeunes hommes qu'elle soupçonnait de se dérober à la conscription. Quatre civils furent tués par la police, dix soldats et plusieurs citoyens de Québec furent blessés, et il y eut 52 arrestations. À la Chambre, Laurier déclara: «Si la loi est appliquée d'une façon qui respecte les droits des citoyens, mon honorable ami peut être certain que personne n'y résistera.» En d'autres mots, s'il avait été au pouvoir, ce gâchis sanglant aurait été évité. Laurier recherchait la conciliation, mais beaucoup d'autres choisirent l'affrontement.

Le lundi 13 mai 1918, Wilfrid et Zoé célébrèrent leur 50e anniversaire de mariage. Cinquante ans! Il n'y eut aucune fête publique — inconvenantes en temps de guerre —, rien qu'un dîner familial regroupant les amis intimes, les nièces et neveux, et leurs enfants. La maison était remplie de fleurs, les lettres et messages de félicitations affluaient, dont l'un du roi et de la reine. Les députés du groupe parlementaire libéral envoyèrent des cadeaux somptueux aux Laurier: un plateau en or pour le couple et des aiguilles à tricoter en or pour Zoé. La veille, Wilfrid et Zoé avaient assisté ensemble à une messe à l'église Sacré-Cœur, comme ils le faisaient toujours le dimanche. L'église était remplie à craquer; ceux qui n'avaient pu entrer avaient attendu dans la rue. Les Laurier étaient arrivés dans leur grosse automobile. Zoé, l'air frêle, avait tenu le bras de Wilfrid, tandis qu'il lui tenait la main. Elle était aveugle, mais son esprit n'était en rien entamé. Elle connaissait la messe par cœur. Wilfrid était magnifique dans sa jaquette, avec sa belle chevelure blanche, ses yeux fiers et ses lèvres tremblantes d'émotion. Cinquante ans!

Un mois plus tard, il tomba malade. En juillet, il prit le train pour se rendre à la maison de Val-Morin des David. Il y passa un mois de convalescence, bavardant sans cesse avec David et les amis qui lui rendirent visite, dont Bourassa, qui passa deux heures avec lui. Le jour de son départ de Val-Morin, Laurier demanda à son chauffeur de le conduire à L'Assomption. Personne n'avait été prévenu de sa visite. Les élèves étaient en vacances, mais les prêtres étaient restés au collège. Ceux-ci firent grand cas de lui, qui de son côté s'inclina cérémonieusement devant le supérieur en sollicitant sa bénédiction. Les prêtres, la plupart en larmes, le bénirent à l'unisson. Laurier fit le tour des édifices qu'il connaissait, touchant les pierres, revoyant le passé. Au bout d'une heure il repartit, son souvenir intact.

Le mois suivant passa vite pour Laurier, occupé qu'il était par les affaires de son parti. Il assista à la conférence libérale du 17 septembre, à Ottawa, et prononça un discours à Montréal le 29: «Voici les dernières paroles que je vous adresse, chers compatriotes. Nous sommes une nation divisée; il faut unir nos efforts en vue d'en arriver à une paix juste et équitable, entre nous et avec toutes les nations de la terre.»

Le 11 novembre 1918, la Première Guerre mondiale prenait fin.

Dix jours plus tard, Laurier passa son 77e anniversaire à London, en Ontario. Aux jeunes libéraux de cette ville, à ses compatriotes, présents et futurs, et aux citoyens du monde, il déclara:

> «Chassez le doute et la haine de votre vie. Ouvrez toujours votre âme à l'incitation de la foi et à la douce pression de l'amour fraternel. Soyez inflexible avec l'arrogant; soyez doux et compatissant avec le faible. Malade ou en bonne santé, dans la victoire comme dans la défaite, que votre but soit de vivre et de vous épanouir de telle sorte que vous contribuiez à élever toujours plus haut le sens moral et le niveau de vie de votre peuple!»

Ce furent ses dernières paroles, le testament qu'il laissa.

Le samedi 15 février 1919, Laurier assista à un déjeuner du Club canadien au Château Laurier. Après le repas, on le conduisit à son bureau du musée commémoratif Victoria. Il y travailla pendant deux heures, puis se sentit soudainement étourdi. Il se leva et s'effondra, se heurtant le front. Péniblement, il réussit à se relever. Il enfila son pardessus et, au lieu d'appeler son chauffeur, il rentra chez lui en tramway. Il était environ 17 h 30.

16

«C'est la fin!» 17 février 1919

Dimanche matin. Wilfrid a mal dormi. Il n'a pas arrêté de se tourner et se retourner toute la nuit, tout en essayant de ne pas réveiller Zoé. Comme d'habitude, elle se lève avant lui qui, très fatigué, glisse enfin dans un profond sommeil. Son valet le réveille à 9 h afin qu'il se prépare pour la grand-messe de 10 h à l'église Sacré-Cœur. Il a de la peine à sortir du lit; la bosse qu'il a sur le front est maintenant bleue. Il se brosse les dents. Son valet le rase et l'aide à s'habiller. C'est fait. Wilfrid s'assied sur le bord de son lit pour enfiler ses chaussures. Il s'évanouit. Le docteur Rodolphe Chevrier est appelé.

Le médecin ordonne à Wilfrid de se remettre au lit et d'y rester toute la journée pour se reposer. Il n'y a pas lieu de s'inquiéter. Wilfrid dort jusqu'à ce que le gong du déjeuner le réveille. Il se lève, passe sa robe de chambre, se dirige vers la porte... Seul son secrétaire, qui travaille dans la bibliothèque, entend le bruit sourd de son corps qui tombe sur le tapis. Le docteur Chevrier est rappelé. Le valet, le majordome et le secrétaire remettent doucement Wilfrid dans son lit. Il n'a pas repris conscience.

À 18 h 30, il est plus ou moins revenu à lui. Il est heureux de voir Zoé à son chevet. Personne n'a encore dit à celle-ci que son mari a été victime d'un accident cérébrovasculaire. Wilfrid prend quelques gorgées de rye mouillé d'eau. Il oscille entre la conscience et l'inconscience. La nuit passe.

Le lundi matin, il ne va pas beaucoup mieux, même si ses mains sont plus chaudes et que son cœur bat plus régulièrement et plus fort. Soudain, son pouls s'affaiblit; des sueurs froides perlent sur son front. Sa respiration devient plus superficielle, plus laborieuse. Des spasmes secouent son corps à intervalles réguliers. Cela dure des heures. Un prêtre vient lui

administrer les derniers sacrements. Wilfrid s'en rend à peine compte. Mais Zoé est là; elle veut rester près de lui. Vers 11 h 40, elle ne l'entend pas quand il murmure doucement: «C'est la fin!»

À midi, Zoé doit laisser Wilfrid pendant un instant pour accueillir le gouverneur général, qui attend au salon du rez-de-chaussée. Il présente ses hommages à Madame Laurier, lui offre ses vœux et ses prières. Sir Thomas White, premier ministre par intérim durant l'absence de Robert Borden, qui est à Paris pour assister à la Conférence de paix, arrive peu de temps après. Zoé le reçoit avec sa dignité et sa simplicité habituelles. Heureusement, White ne reste pas longtemps; elle retourne auprès de Wilfrid.

À 14 h 50, le lundi 17 février 1919, Henry-Charles-Wilfrid Laurier s'éteint. Zoé porte la main de son cher mari à ses lèvres en murmurant: «Wilfrid! Mon Wilfrid!»

~

Du fait que le testament de Laurier, daté du 27 juillet 1912, ne précisait pas où il souhaitait être inhumé, il fut décidé de reporter au lendemain cette décision. De toute façon, il ne pouvait être enterré, le sol étant encore gelé. Après les funérailles d'État, sa dépouille serait transportée au cimetière catholique d'Ottawa, le cimetière Notre-Dame, où son cercueil serait placé dans un coffre de plomb et gardé dans la crypte jusqu'au printemps. En avril 1919, la famille acheta un terrain pour y inhumer le défunt. À la mort de Zoé, on trouverait un terrain plus grand et mieux situé, et Wilfrid serait placé à ses côtés.

Zoé consentit à des funérailles d'État à la condition que la dépouille de Wilfrid demeure dans la maison pendant les trois jours prescrits. À cette époque, les catholiques observaient une tradition voulant que le corps d'un défunt reste dans sa demeure pendant trois jours, période symbolisant le séjour du Christ dans son tombeau. Zoé souhaitait aussi que la messe funèbre soit chantée dans l'église paroissiale des Laurier, l'église Sacré-Cœur; mais on parvint à la convaincre d'accepter la basilique de la rue Sussex.

Du mardi 18 février à 14 h au jeudi 20 février à 17 h, Wilfrid reposa chez lui, dans la tenue qu'il avait portée durant les cérémonies officielles: veston rouge à galon d'or, haut-de-chausses de satin, bas de soie blanche et souliers noirs. Des arrangements floraux et des télégrammes arrivèrent de la part des riches et des puissants, des collègues de Wilfrid et des citoyens ordinaires. Les religieuses récitèrent des prières, comme le firent une succession de prélats et de prêtres. Zoé pria avec eux.

À 16 h, le jeudi, tout le monde était parti, sauf la famille immédiate et quelques amis intimes. Le curé récita les prières d'usage et bénit Wilfrid. Zoé s'approcha du cercueil et fit silencieusement ses adieux à celui qui avait été son mari, son Wilfrid, depuis 1868. Refusant de quitter la pièce, elle le regarda une dernière fois pendant qu'on refermait le cercueil, avant que les policiers ne le transportent jusqu'au corbillard garé devant la maison. Elle suivit la dépouille jusqu'au porche. Quand les chevaux eurent disparu à l'horizon, Yvonne raccompagna Zoé à l'étage. Wilfrid était maintenant entre les mains du Canada.

Le Canada traita dignement son ancien chef. Tous les sièges de la Chambre des communes temporaire du musée commémoratif Victoria furent enlevés, sauf le sien. Son cercueil ouvert, entouré de bougies, fut placé au centre de la pièce décorée de noir et de pourpre. Il y avait des fleurs à profusion; des policiers montaient la garde. Lorsque les officiels eurent défilé devant le défunt, les portes furent ouvertes au public. De 19 h le jeudi jusqu'aux petites heures du matin le samedi, plus de 50 000 compatriotes de Laurier vinrent faire leurs adieux à leur ancien premier ministre.

Entre-temps, Ottawa, Hull et les municipalités environnantes durent accueillir des milliers de visiteurs. Tous les hôtels, toutes les pensions, toutes les chambres libres furent occupés: 35 000 personnes étaient arrivées par tous les moyens de transport possibles pour participer à ce moment de recueillement national.

Le samedi 22 février 1919, l'air sentait le printemps. À 9 h, des milliers de Canadiens s'étaient déjà massés dans les rues qu'emprunterait le cortège funèbre. Un peu plus tard, ils étaient près de 100 000. Une batterie de caméras avait été installée au Château Laurier et à la place Connaught. Il y avait des gens aux fenêtres, sur les balcons et sur les toits; les plus agiles avaient grimpé aux arbres et aux poteaux de téléphone.

À 10 h, à partir du musée, le cortège de traîneaux, long d'un kilomètre et demi, s'ébranla en direction de la basilique, et emprunta les rues Metcalfe, Wellington, Saint-Patrick et Sussex, avec en tête une escouade d'agents de la Police du Canada marchant six de front. Ils étaient suivis par les prêtres qui diraient la messe solennelle; par l'entrepreneur de pompes funèbres et les policiers qui porteraient le cercueil; par les traîneaux contenant les fleurs; par le corbillard que tiraient quatre chevaux noirs; par les porteurs d'honneur, parmi lesquels se trouvait David; par la famille, dont Carolus et de nombreux neveux et nièces; par le gouverneur général et d'autres dignitaires; et par la section d'Ottawa de la Great War Veteran's Association.

À 10 h 30, tandis que la procession longeait la rue Metcalfe, tous les trains du pays, de l'Atlantique au Pacifique, s'arrêtèrent pendant une minute.

Au passage du corbillard, la foule gardait le silence. Plusieurs baissaient la tête, enlevaient leur chapeau ou faisaient le signe de la croix. À la basilique, drapée de noir et d'or, le curé de Wilfrid accueillit le défunt. Le cercueil fut placé sur un immense catafalque or et noir, au milieu de l'allée centrale, devant l'autel. Archevêques, évêques, chanoines, prêtres, séminaristes et représentants de toutes les communautés religieuses d'Ottawa remplissaient le sanctuaire, tandis que le délégué apostolique récitait la messe funèbre. L'archevêque de Regina fit l'éloge du défunt en français, et un père pauliste, John Burke, que Wilfrid avait personnellement connu, poursuivit en anglais. Un livret bilingue avait été publié pour permettre à tous les participants de suivre le service.

Après la dernière bénédiction du défunt, son cercueil fut transporté au cimetière Notre-Dame d'Ottawa. Wilfrid Laurier repose en paix tout près des grilles avant, dans un lopin de terre canadienne situé près d'une campagne tranquille.

~

Le tour de Zoé vint deux ans plus tard, à 11 h 46, le matin du mardi 1er novembre 1921. Elle n'allait pas plus mal que d'habitude lorsqu'elle tomba soudainement dans le coma, avant de mourir deux jours plus tard. Elle était âgée de 80 ans.

La famille se rassembla de nouveau pour la messe funèbre chantée à l'église Sacré-Cœur le vendredi 4 novembre. Des milliers de personnes se massèrent dans les rues, de la maison des Laurier jusqu'à l'église paroissiale. Après le service, elle fut inhumée au cimetière Notre-Dame, aux côtés de son mari.

C'est ainsi que se termine l'histoire de Wilfrid et de Zoé.

Les vestiges d'un beau roman d'amour

Wilfrid Laurier aimait le Canada. Il a commencé sa vie dans un tout petit coin de son pays, mais, à l'heure de sa mort, il le connaissait dans son entier, ainsi que les gens qui l'habitaient. Dès son jeune âge, il a acquis les préjugés de l'époque au sujet de la place qu'occupait son peuple dans l'ordre des choses canadien, mais il a fini par s'en débarrasser en faveur d'un large canadianisme qui est devenu la passion de sa vie.

Il ne lui a pas été facile de vivre cette passion. Les exigences qu'elle imposait à son cœur et à son esprit l'ont souvent plongé dans un état passager de désespoir. Il y avait tant de points de vue divergents à concilier, tant de sacrifices à consentir, tant de tâches désagréables à accomplir. Mais la passion était irrésistible.

Laurier y a beaucoup sacrifié. Il a amorcé sa carrière politique à Ottawa en 1874 dans le but avoué de faire naître la «concorde» entre les «races», comme il désignait les Canadiens anglais et les Canadiens français. Quand sa carrière politique a pris fin, ces races se battaient encore. Sa mission a-t-elle échoué? Non. Il a réussi à repousser l'échéance et à empêcher les éléments les plus «extrémistes» de prendre trop d'élan; il a été la conscience qui promettait des jours meilleurs. C'est grâce à lui que le Canada n'a pas éclaté en fragments irréconciliables.

Il n'a pas non plus échoué dans son leadership du Parti libéral. Il est vrai que certains libéraux l'ont abandonné et qu'il s'est retrouvé à la tête d'un groupe parlementaire principalement québécois — mais ce n'était pas à cause de quelque chose qu'il aurait fait. S'il avait été premier ministre en 1914, les affrontements, les divisions et l'animosité auraient été les mêmes, mais il aurait pu les contenir et les dissiper. De plus, c'est lui qui a donné au Parti libéral sa mission et sa raison d'être. Il lui a donné pour tâche d'élargir la liberté offerte au peuple canadien; de susciter l'amour du pays et de ses habitants; d'élever le sens moral et le niveau de vie des Canadiens; de soutenir une politique de vrai «canadianisme» — une politique de modération et de conciliation.

«Je suis Canadien. Le Canada a été l'inspiration de ma vie.» Ce n'étaient pas là les paroles vides d'un politicien qui dit n'importe quoi pour se faire élire. C'était plutôt la constante qui allégeait sa douleur et intensifiait sa joie. Il n'était pas facile de vivre avec Laurier, d'être son collègue ou d'essayer de le comprendre. C'était un homme complexe, parfois sans scrupules, parfois impondérable, qui semblait trop souvent manquer de constance. Mais il faut dire à son honneur qu'il gardait toujours le cap.

Aujourd'hui, les Canadiens anglais et français vivent leur propre drame — un malaise en partie constitutionnel, en partie politique, en partie social et en partie économique, mais surtout fondé sur les attitudes. Des extrémistes des deux côtés de la barricade rivalisent pour conquérir l'âme de leurs compatriotes. L'ancien pays de Laurier aussi souffrait d'un malaise, mais comme l'histoire ne se répète jamais de la même façon, les problèmes de son époque sont différents de ceux qui nous affligent aujourd'hui. Néanmoins, les attitudes négatives sont restées les mêmes: désaffection mutuelle, doute, ressentiment, imposition de ceux qui sont nombreux à ceux qui sont peu. Les difficultés causées par les illusions, l'ignorance, les préjugés et un programme politique contraire au bien général ne sont pas tellement différentes de celles qui marquèrent l'époque de Laurier.

Alors, que faire? De la vie de Laurier émergent les paroles qui ennoblissent, l'esprit qui inspire. Pour lui, le Canada n'était pas une petite colonie insignifiante. C'était un prototype pour les dominions de l'Empire britannique. «Bien de puissantes nations pourraient ici venir chercher une leçon de justice et d'humanité», a-t-il déclaré. À ses yeux, la valeur du Canada résidait dans sa diversité; il était convaincu que c'était en raison de cette diversité que le Canada était devenu un état fédéral et non pas une union législative. C'est le Québec qui a été le fer de lance de ce mouvement, parce que les Québécois avaient compris qu'il n'y aurait pas de Québec sans fédéralisme canadien. Laurier dirigeait un parti qui se faisait le champion de l'autonomie provinciale. Mais cette autonomie n'était pas illimitée; elle devait s'exercer dans le cadre d'un État fédéral. Selon Laurier, on oubliait trop souvent ce truisme.

À la fin du XXe siècle, le Canada continue d'être un prototype pour les ensembles politiques du prochain siècle. Le fédéralisme reste vital, c'est le tendon qui lie nos régions, nos provinces et nos peuples. Sans lui, nous dégénérerons en principautés insignifiantes. De plus, seul le fédéralisme rend possible le principe de l'unité dans la diversité que nous nous sommes donné. Sans la reconnaissance délibérée de la diversité qui existe au sein de leur peuple, les États sombrent dans la purification ethnique, l'unilinguisme et l'inégalité entre les citoyens. L'objectif «un pays, une langue, une nationalité» prôné par D'Alton McCarthy, John Dafoe, John Willison et tant d'autres constituait un affront à la nature du Canada et à la décence. À notre époque, ils sont trop nombreux encore ceux qui, à leur façon, prêchent l'uniformité. Cela est tout aussi indécent aujourd'hui que ce l'était du temps de Laurier.

Aux yeux de Laurier, le Québec était doté d'une personnalité distincte en raison de la nature de ses habitants, les Canadiens français. «Nous, Canadiens français, appartenons à un pays, le Canada. Pour nous, le Canada est le monde entier.» Cette distinction a imposé au Québec une responsabilité particulière, au Canada et sur le continent nord-américain. Laurier s'est efforcé de faire reconnaître ce fait aux Canadiens anglais, non par l'attribution d'un quelconque statut spécial au Québec, mais par la reconnaissance que constitue le consentement.

Laurier croyait-il que les Canadiens français avaient les mêmes droits dans le reste du Canada qu'au Québec? Oui, mais ces droits n'étaient pas garantis comme ils l'étaient au Québec. Par conséquent, a-t-il déclaré: «La langue française ne peut compter sur rien d'autre que sur le sentiment de justice que sa défense peut susciter et sur l'influence qui peut être exercée sur la majorité.» Par contre, Laurier était conscient de la situation: «Nous avons atteint une période critique dans le développement de la Confédération en ce qui concerne les droits de la langue française.» Au cours des trois crises scolaires qui secouèrent le pays à son époque, il a incité la majorité à respecter certains principes de justice. Il n'a pas remporté le succès qu'il avait escompté, mais il a été le premier à défendre le fait que le Canada appartenait à son peuple ainsi qu'à tous ceux qui y habitaient avec lui.

Et le Québec? Quelle était sa place dans le grand plan canadien? Aux yeux de Laurier, le Québec avait toujours été une partie du Canada; à une certaine époque, il était le Canada. Laurier voyait clairement les conséquences d'un nationalisme extrême qui devient souvent, par la force des paroles et des gestes, un nationalisme exclusif, quelle que soit la rhétorique qui tente de camoufler ce sentiment. Ce fut là l'essence de la bataille qu'il a menée contre Henri Bourassa. Laurier ne voulait pas que le Québec devienne une prison pour les Canadiens français. Et il a fait en sorte que le Canada ne devienne pas non plus une prison pour le Québec.

«Le Canada est un pays difficile à gouverner», a-t-il dit un jour. Oui, il l'était. Oui, il le reste. Mais Wilfrid Laurier nous a laissé ses paroles pour que les hommes et les femmes de bonne volonté gardent la foi:

«Vous qui êtes aujourd'hui au seuil de la vie, devant qui s'ouvrent un long horizon et une longue carrière au service de votre pays natal, permettez-moi, moi qui ai vécu si longtemps, de vous rappeler que beaucoup de problèmes surgissent déjà devant vous: problèmes de division raciale, problèmes de différences religieuses, problèmes de conflit économique, problèmes de devoir national et d'aspiration nationale. Laissez-moi vous dire que, pour résoudre ces problèmes, vous disposerez d'un guide à toute épreuve, d'un phare inextinguible, si vous vous rappelez que la foi vaut mieux que le doute, et que l'amour vaut mieux que la haine.»

Vive le Canada!

Lectures complémentaires

Durant mes recherches, j'ai consulté diverses collections des Archives nationales du Canada, de la maison Laurier d'Arthabaska, de la maison Laurier d'Ottawa, du musée McCord de Montréal et du collège de L'Assomption. Bien entendu, les papiers de Laurier conservés aux Archives nationales m'ont été extrêmement utiles, même si une grande partie de la correspondance de Laurier a été détruite au cours de l'incendie des édifices du Parlement, en 1916.

J'ai consulté également un grand nombre de journaux de l'époque de Laurier, et je me suis servi des biographies, mémoires, journaux, souvenirs et recueils de lettres des personnes qui ont le mieux connu Laurier.

De plus, j'ai recouru à bon nombre d'articles, de thèses et d'ouvrages écrits par les spécialistes qui se sont penchés sur la vie et l'œuvre de Laurier, plus particulièrement *Life and Letters of Sir Wilfrid Laurier* (Toronto, Oxford University Press, 1921, 2 vol.) d'Oscar Douglas Skelton, *Laurier: The First Canadian* (Toronto, Macmillan, 1965, paru en traduction sous le titre de *Laurier* aux Éditions HMH, 1968) de Joseph Schull, et *Wilfrid Laurier: Quand la politique devient passion* (Montréal, Entreprises Radio-Canada, 1986) de Réal Bélanger.

Le lecteur qui s'intéresse à la vie et à l'époque de Wilfrid Laurier aura plaisir à lire les ouvrages suivants: *Canada 1896-1921: A Nation Transformed* (Toronto, McClelland and Stewart, 1974) de Robert Craig Brown et Ramsay Cook; *Laurier, sa vie, ses œuvres* (Beauceville, L'Éclaireur, 1919) de Laurent-Olivier David; *Dearest Émilie Lavergne* (Toronto, NC Press, 1989, paru en traduction sous le titre *Chère Émilie*) de Charles Fisher; *The Private Capital: Ambition and Love in the Age of Macdonald and Laurier* (Toronto, McClelland and Stewart, 1984) de Sandra Gwyn; *Laurier and a Liberal Québec* (Toronto, McClelland and Stewart, 1973) de H. Blair Neatby; *Sir Wilfrid Laurier: Letters to My Father and Mother, 1867-1919* (Toronto, Ryerson Press, 1935; la version française fut publiée en 1934) de Lucien Pacaud; *More Than a Rose: Prime Ministers' Wives and Other Women*

(Toronto, Seal Books, 1991) de Heather Robertson, *Histoire de la Province de Québec* (Montréal, Éditions Montréal, 1940-1969, 40 vol.) de Robert Rumilly; *The Canadian Journal of Lady Aberdeen* (Toronto, Champlain Society, 1960) édité par John T. Saywell; *Riel: A Life of Revolution* (Toronto, Harper Collins, 1994) de Maggie Siggins; *The French-Canadians, 1760-1945* (Toronto, Macmillan, 1956) de Mason Wade; *Arduous Destiny* (Toronto, McClelland and Stewart, 1971) de Peter B. Waite; ainsi que *Sir Wilfrid Laurier and the Liberal Party* (London, John Murray, 1903) de John S. Willison.

S'il souhaite lire les discours de Laurier, le lecteur se reportera à *Wilfrid Laurier à la tribune, 1871-1890* (Québec, Turcotte et Ménard, 1890) édité par Ulric Barthe, aux *Discours de sir Wilfrid Laurier de 1889 à 1911* (Montréal, Librairie Beauchemin Limitée, 1920) d'Alfred D. Decelles, à l'ouvrage de Skelton susmentionné, aux journaux de l'époque et au *Compte rendu officiel des débats de la Chambre des communes* des années pertinentes.

C'est à partir de ces sources et de bien d'autres que j'ai reconstruit la vie et l'œuvre de Laurier.

Photographies

Portrait de Laurier par Marc-Aurèle de Foy Suzor-Côté, Crown Collection, Commission de la Capitale nationale, don de madame Marie Giguère, Montréal, par l'intermédiaire du Fonds Canadiana. Photographie: CCN.

Laurier, député de la circonscription fédérale de Drummond-Arthabaska, en 1874. Photographie: William Topley. Archives nationales du Canada (ANC), PA 26430.

Zoé Laurier en 1878. Photographie: William Topley. ANC, PA 26528.

Le collège de L'Assomption. ANC, C 3564.

La maison des Laurier à Arthabaska. ANC, C 51786.

La maison des Laurier à Ottawa. ANC, PA 28196.

Wilfrid Laurier, chef de l'opposition, 1891. ANC, C 1977.

Zoé en 1900. Photographie: William Topley. ANC, PA 27936.

Les Laurier dans leur voiture, avec des amis non identifiés. ANC, C 63517.

Wilfrid et Zoé célébrant leur 50e anniversaire de mariage, le 13 mai 1918. ANC, C 1964.

Si Wilfrid Laurier. Photographie: William Topley. ANC, PA 12279.

Lady Zoé Laurier en 1911. Photographie: William Topley. ANC, PA 28100.

Laurier arrivant au Parlement d'Ottawa. ANC, C 21313.

Bureau de Laurier au Parlement, vers 1902. Photographie: William Topley. ANC, PA 8980.

Laurier aux courses. ANC, C 5626.

Exposition solennelle de la dépouille de Laurier au musée commémoratif Victoria d'Ottawa, le 21 février 1919. ANC, C 22355.

Cortège funèbre de Laurier devant le Château Laurier. ANC, PA 24973.

Monument de Laurier au cimetière Notre-Dame d'Ottawa. ANC, PA 34430.

Index

Table des matières

Ouvrages parus aux Éditions de l'Homme

Affaires et vie pratique

* 1001 prénoms, leur origine, leur signification, Jeanne Grisé-Allard
100 stratégies pour doubler vos ventes, Robert L. Riker
* Acheter et vendre sa maison ou son condominium, Lucille Brisebois
* Acheter une franchise, Pierre Levasseur
* Les assemblées délibérantes, Francine Girard
* La bourse, Mark C. Brown
* Le chasse-insectes dans la maison, Odile Michaud
* Le chasse-insectes pour jardins, Odile Michaud
* Le chasse-taches, Jack Cassimatis
* Choix de carrières — Après le collégial professionnel, Guy Milot
* Choix de carrières — Après le secondaire V, Guy Milot
* Choix de carrières — Après l'université, Guy Milot
Clicking, Faith Popcorn
* Comment cultiver un jardin potager, Jean-Claude Trait
Comment rédiger son curriculum vitæ, Julie Brazeau
* Comprendre le marketing, Pierre Levasseur
La conduite automobile, Francine Levesque
La couture de A à Z, Rita Simard
Des pierres à faire rêver, Lucie Larose
* Des souhaits à la carte, Clément Fontaine
* Devenir exportateur, Pierre Levasseur
* Écrivez vos mémoires, S. Liechtele et R. Deschênes
* L'entretien de votre maison, Consumer Reports Books
* L'étiquette des affaires, Elena Jankovic
* Faire son testament, Me Gérald Poirier et Martine Nadeau
* La généalogie, Marthe F.-Beauregard et Ève B.-Malak
* Gérer ses ressources humaines, Pierre Levasseur
La graphologie, Claude Santoy
* Le guide de l'auto 97, J. Duval et D. Duquet
* Guide des arbres et des plantes à feuillage décoratif, Benoit Prieur
* Guide des fleurs pour les jardins du Québec, Benoit Prieur
* Le guide des plantes d'intérieur, Coen Gelein
* Guide des plantes pour la maison, Benoit Prieur
* Guide du jardinage et de l'aménagement paysager au Québec, Benoit Prieur
* Guide du potager, Benoit Prieur
* Le guide du vin 97, Michel Phaneuf
* Guide gourmand 97 — Les 100 meilleurs restaurants de Montréal, Josée Blanchette
* Guide gourmand — Les bons restaurants de Québec — Sélection 1996, D. Stanton
Guide pratique des vins d'Italie, Jacques Orhon
* J'aime les azalées, Josée Deschênes
* J'aime les bulbes d'été, Sylvie Regimbal
J'aime les cactées, Claude Lamarche
* J'aime les conifères, Jacques Lafrenière
* J'aime les petits fruits rouges, Victor Berti
J'aime les rosiers, René Pronovost
* J'aime les tomates, Victor Berti
* J'aime les violettes africaines, Robert Davidson
J'apprends l'anglais..., Gino Silicani et Jeanne Grisé-Allard
Le jardin d'herbes, John Prenis
* Lancer son entreprise, Pierre Levasseur
* La loi et vos droits, Me Paul-Émile Marchand
* Le meeting, Gary Holland
Le nouveau guide des vins de France, Jacques Orhon
* Nouveaux profils de carrière, Claire Landry

L'orthographe en un clin d'œil, Jacques Laurin
* **Ouvrir et gérer un commerce de détail,** C. D. Roberge et A. Charbonneau
* **Le patron,** Cheryl Reimold
* **Le petit Paradis,** France Paradis
* **La planification fiscale étape par étape,** Diane Blais et Michel Lanteigne
* **Prévoir les belles années de la retraite,** Michael Gordon
Le rapport Popcorn, Faith Popcorn
* **Les secrets d'une succession sans chicane,** Justin Dugal
La taxidermie moderne, Jean Labrie
* **Les techniques de jardinage,** Paul Pouliot
Techniques de vente par téléphone, James D. Porterfield
* **Tests d'aptitude pour mieux choisir sa carrière,** Linda et Barry Gale
* **Tout ce que vous devez savoir sur le condominium,** Robert Dubois
Une carrière sur mesure, Denise Lemyre-Desautels
L'univers de l'astronomie, Robert Tocquet
Un paon au pays des pingouins, B. Hateley et W. H. Schmidt
La vente, Tom Hopkins

Affaires publiques, vie culturelle, histoire

* **Antiquités du Québec — Objets anciens,** Michel Lessard
* **Apprécier l'œuvre d'art,** Francine Girard
* **Autopsie d'un meurtre,** Rick Boychuk
* **La baie d'Hudson,** Peter C. Newman
* **Banque Royale,** Duncan McDowall
* **Boum Boum Geoffrion,** Bernard Geoffrion et Stan Fischler
Le cercle de mort, Guy Fournier
* **Claude Léveillée,** Daniel Guérard
* **Les conquérants des grands espaces,** Peter C. Newman
* **Dans la fosse aux lions,** Jean Chrétien
* **Dans les coulisses du crime organisé,** A. Nicasso et L. Lamothe
* **Le déclin de l'empire Reichmann,** Peter Foster
* **De Dallas à Montréal,** Maurice Philipps
* **Deux verdicts, une vérité,** Gilles Perron et Daniel Daignault
* **Les écoles de rang au Québec,** Jacques Dorion
* **Étoiles et molécules,** Élizabeth Teissier et Henri Laborit
La généalogie, Marthe F. Beauregard et Ève B. Malak
Gilles Villeneuve, Gerald Donaldson
Gretzky — Mon histoire, Wayne Gretzky et Rick Reilly
* **Les insolences du frère Untel,** Jean-Paul Desbiens
* **Jacques Parizeau, un bâtisseur,** Laurence Richard
* **Moi, Mike Frost, espion canadien…,** Mike Frost et Michel Gratton
* **Montréal au XXe siècle — regards de photographes,** Collectif dirigé par Michel Lessard
Montréal, métropole du Québec, Michel Lessard
* **Les mots de la faim et de la soif,** Hélène Matteau
* **Notre Clémence,** Hélène Pedneault
* **Objets anciens du Québec — La vie domestique,** Michel Lessard
* **Option Québec,** René Lévesque
Parce que je crois aux enfants, Andrée Ruffo
* **Pierre Daignault, d'IXE-13 au père Ovide,** Luc Bertrand
* **Plamondon — Un cœur de rockeur,** Jacques Godbout
* **Pleins feux sur les… services secrets canadiens,** Richard Cléroux
* **Pleurires,** Jean Lapointe
Québec, ville du Patrimoine mondial, Michel Lessard
* **Les Quilico,** Ruby Mercer
René Lévesque, portrait d'un homme seul, Claude Fournier
Sauvez votre planète!, Marjorie Lamb
* **La sculpture ancienne au Québec,** John R. Porter et Jean Bélisle
La stratégie du dauphin, Dudley Lynch et Paul L. Kordis
* **Le temps des fêtes au Québec,** Raymond Montpetit
* **Trudeau le Québécois,** Michel Vastel
* **Un amour de ville,** Louis-Guy Lemieux
Villages pittoresques du Québec, Yves Laframboise

Animaux

* **Le chien dans votre vie,** Matthew Margolis et Catherine Swan
Chiens hors du commun, Dr Joël Dehasse
L'éducation du chien, Dr Joël Dehasse et Dr Colette de Buyser
* **Encyclopédie des oiseaux du Québec,** W. Earl Godfrey
* **Guide des oiseaux saison par saison,** André Dion
* **Nos animaux,** D. W. Stokes et L. Q. Stokes
* **Nos oiseaux, tome 1,** Donald W. Stokes
* **Nos oiseaux, tome 2,** Donald W. Stokes et Lillian Q. Stokes
* **Nos oiseaux, tome 3,** Donald W. Stokes et Lillian Q. Stokes
* **Nourrir nos oiseaux toute l'année,** André Dion et André Demers
Vous et vos oiseaux de compagnie, Jacqueline Huard-Viaux
Vous et vos poissons d'aquarium, Sonia Ganiel
Vous et votre bâtard, Ata Mamzer
Vous et votre Beagle, Martin Eylat
Vous et votre Beauceron, Pierre Boistel
Vous et votre Berger allemand, Martin Eylat
Vous et votre Bernois, Pierre Van Der Heyden
Vous et votre Bobtail, Pierre Boistel
Vous et votre Boxer, Sylvain Herriot
Vous et votre Braque allemand, Martin Eylat
Vous et votre Briard, Pierre Van Der Heyden
Vous et votre Bulldog, Pierre Van Der Heyden
Vous et votre Bullmastiff, Pierre Van Der Heyden
Vous et votre Caniche, Sav Shira
Vous et votre Chartreux, Odette Eylat
Vous et votre chat de gouttière, Annie Mamzer
Vous et votre chat tigré, Odette Eylat
Vous et votre Chihuahua, Martin Eylat
Vous et votre Chow-chow, Pierre Boistel
Vous et votre Cockatiel (Perruche callopsite), Michèle Pilotte
Vous et votre Collie, Léon Éthier
Vous et votre Dalmatien, Martin Eylat
Vous et votre Danois, Martin Eylat
Vous et votre Doberman, Paula Denis
Vous et votre Épagneul breton, Sylvain Herriot
Vous et votre furet, Manon Paradis
Vous et votre Husky, Martin Eylat
Vous et votre Labrador, Pierre Van Der Heyden
Vous et votre Lévrier afghan, Martin Eylat
Vous et votre lézard, Michèle Pilotte
Vous et votre Loulou de Poméranie, Martin Eylat
Vous et votre perroquet, Michèle Pilotte
Vous et votre perruche ondulée, Michèle Pilotte
Vous et votre petit rongeur, Martin Eylat
Vous et votre Rottweiler, Martin Eylat
Vous et votre Schnauzer, Martin Eylat
Vous et votre serpent, Guy Deland
Vous et votre Setter anglais, Martin Eylat
Vous et votre Siamois, Odette Eylat
Vous et votre Teckel, Pierre Boistel
Vous et votre Terre-Neuve, Marie-Edmée Pacreau
Vous et votre Tervueren, Pierre Van Der Heyden
Vous et votre tortue, André Gaudette
Vous et votre Westie, Léon Éthier
Vous et votre Yorkshire, Sandra Larochelle

Cuisine et nutrition

Les aliments et leurs vertus, Jean Carper
Les aliments qui guérissent, Jean Carper
Le barbecue, Patrice Dard
* **Bien manger sans se serrer la ceinture,** Marie Breton
* **Biscuits et muffins,** Marg Ruttan

Bon appétit!, Mia et Klaus
Bonne table et bon cœur, Anne Lindsay
* **Bons gras, mauvais gras**, Louise Lambert-Lagacé et Michelle Laflamme
Le boulanger électrique, Marie-Paul Marchand
* **Le cochon à son meilleur**, Philippe Mollé
* **Cocktails de fruits non alcoolisés**, Lorraine Whiteside
Combler ses besoins en calcium, Denyse Hunter
Comment nourrir son enfant, Louise Lambert-Lagacé
La congélation de A à Z, Joan Hood
Les conserves, Sœur Berthe
* **Crème glacée et sorbets**, Yves Lebuis et Gilbert Pauzé
Cuisine amérindienne, Françoise Kayler et André Michel
La cuisine au wok, Charmaine Solomon
* **La cuisine chinoise traditionnelle**, Jean Chen
La cuisine des champs, Anne Gardon
La cuisine, naturellement, Anne Gardon
* **Cuisiner avec le four à convection**, Jehane Benoit
Cuisine traditionnelle des régions du Québec, Institut de tourisme et d'hôtellerie du Québec
Le défi alimentaire de la femme, Louise Lambert-Lagacé
* **Délices en conserve**, Anne Gardon
Devenir végétarien, V. Melina, V. Harrison et B. C. Davis
* **Du moût ou du raisin? Faites vous-même votre vin**, Claudio Bartolozzi
* **Faire son pain soi-même**, Janice Murray Gill
* **Faire son vin soi-même**, André Beaucage
Harmonisez vins et mets, Jacques Orhon
* **Le livre du café**, Julien Letellier
Mangez mieux, vivez mieux!, Bruno Comby
* **Menus et recettes du défi alimentaire de la femme**, Louise Lambert-Lagacé
* **Les muffins**, Angela Clubb
* **La nouvelle boîte à lunch**, Louise Desaulniers et Louise Lambert-Lagacé
La nouvelle cuisine micro-ondes, Marie-Paul Marchand et Nicole Grenier
La nouvelle cuisine micro-ondes II, Marie-Paul Marchand et Nicole Grenier
Les passions gourmandes, Philippe Mollé
* **Les pâtes**, Julien Letellier
* **La pâtisserie**, Maurice-Marie Bellot
Plaisirs d'été, Collectif
Réfléchissez, mangez et maigrissez!, Dr Dean Ornish
La sage bouffe de 2 à 6 ans, Louise Lambert-Lagacé
* **Soupes et plats mijotés**, Marg Ruttan et Lew Miller
Les tisanes qui font merveille, Dr Leonhard Hochenegg et Anita Höhne
Une cuisine sage, Louise Lambert-Lagacé
* **Votre régime contre l'acné**, Alan Moyle
* **Votre régime contre la colite**, Joan Lay
* **Votre régime contre la cystite**, Ralph McCutcheon
* **Votre régime contre la sclérose en plaque**, Rita Greer
* **Votre régime contre l'asthme et le rhume des foins**, R. Newman Turner
* **Votre régime contre le diabète**, Martin Budd
* **Votre régime contre le psoriasis**, Harry Clements
* **Votre régime pour contrôler le cholestérol**, R. Newman Turner
* **Les yogourts glacés**, Mable et Gar Hoffman

Plein air, sports, loisirs

* **30 ans de photos de hockey**, Denis Brodeur
* **L'ABC du bridge**, Frank Stewart et Randall Baron
* **Almanach chasse et pêche 93**, Alain Demers
L'arc et la chasse, Greg Guardo
* **Les armes de chasse**, Charles Petit-Martinon
L'art du pliage du papier, Robert Harbin
La basse sans professeur, Laurence Canty
La batterie sans professeur, James Blades et Johnny Dean
Le bridge, Viviane Beaulieu
Carte et boussole, Björn Kjellström
Le chant sans professeur, Graham Hewitt
* **Charlevoix**, Mia et Klaus

La clarinette sans professeur, John Robert Brown
Le clavier électronique sans professeur, Roger Evans
Le golf après 50 ans, Jacques Barrette et Dr Pierre Lacoste
* **Les clés du scrabble,** Pierre-André Sigal et Michel Raineri
Corrigez vos défauts au golf, Yves Bergeron
* **Le curling,** Ed Lukowich
* **De la hanche aux doigts de pieds — Guide santé pour l'athlète,** M. J. Schneider et M. D. Sussman
* **Devenir gardien de but au hockey,** François Allaire
* **Les éphémères du pêcheur québécois,** Yvon Dulude
* **Exceller au softball,** Dick Walker
* **Exceller au tennis,** Charles Bracken
* **Les Expos,** Denis Brodeur et Daniel Caza
La flûte à bec sans professeur, Alain Bergeron
La flûte traversière sans professeur, Howard Harrison
* **Les gardiens de but au hockey,** Denis Brodeur
Le golf au féminin, Yves Bergeron et André Maltais
Le grand livre des sports, Le groupe Diagram
Les grands du hockey, Denis Brodeur
Le guide complet du judo, Louis Arpin
Le guide complet du self-defense, Louis Arpin
* **Le guide de la chasse,** Jean Pagé
* **Guide de la forêt québécoise,** André Croteau
* **Le guide de la pêche au Québec,** Jean Pagé
* **Le guide des auberges et relais de campagne du Québec,** François Trépanier
* **Guide des jeux scouts,** Association des Scouts du Canada
Le guide de survie de l'armée américaine, Collectif
* **Guide de survie en forêt canadienne,** Jean-Georges Desheneaux
Guide d'orientation avec carte et boussole, Paul Jacob
La guitare électrique sans professeur, Robert Rioux
La guitare sans professeur, Roger Evans
L'harmonica sans professeur, Alain Lamontagne et Michel Aubin
* **Les Îles-de-la-Madeleine,** Mia et Klaus
* **J'apprends à nager,** Régent la Coursière
* **Le Jardin botanique,** Mia et Klaus
* **Je me débrouille à la chasse,** Gilles Richard
* **Je me débrouille à la pêche,** Serge Vincent
* **Jeux pour rire et s'amuser en société,** Claudette Contant
Jouons au scrabble, Philippe Guérin
Le karaté Koshiki, Collectif
Le karaté Kyokushin, André Gilbert
Le livre des patiences, Maria Bezanovska et Paul Kitchevats
* **Manon Rhéaume,** Chantal Gilbert
Manuel de pilotage, Transport Canada
Le manuel du monteur de mouches, Mike Dawes
Le marathon pour tous, Pierre Anctil, Daniel Bégin et Patrick Montuoro
* **Mario Lemieux,** Lawrence Martin
La médecine sportive, Dr Gabe Mirkin et Marshall Hoffman
* **La musculation pour tous,** Serge Laferrière
* **La nature en hiver,** Donald W. Stokes
* **Nos oiseaux en péril,** André Dion
* **Les papillons du Québec,** Christian Veilleux et Bernard Prévost
* **La photographie sans professeur,** Jean Lauzon
Le piano jazz sans professeur, Bob Kail
Le piano sans professeur, Roger Evans
La planche à voile, Gérald Maillefer
La plongée sous-marine, Richard Charron
* **Les Québécois à Lillehammer,** Bernard Brault et Michel Marois
* **Racquetball,** Jean Corbeil
* **Racquetball plus,** Jean Corbeil
* **Rivières et lacs canotables du Québec,** Fédération québécoise du canot-camping
S'améliorer au tennis, Richard Chevalier
* **Le saumon,** Jean-Paul Dubé
Le saxophone sans professeur, John Robert Brown
* **Le scrabble,** Daniel Gallez
Les secrets du blackjack, Yvan Courchesne
Le solfège sans professeur, Roger Evans

* **Sylvie Fréchette,** Lilianne Lacroix
La technique du ski alpin, Stu Campbell et Max Lundberg
Techniques du billard, Robert Pouliot
* **Le tennis,** Denis Roch
* **Le tissage,** Germaine Galerneau et Jeanne Grisé-Allard
Tous les secrets du golf selon Arnold Palmer, Arnold Palmer
La trompette sans professeur, Digby Fairweather
* **Les vacances en famille: comment s'en sortir vivant,** Erma Bombeck
Villeneuve — Ma première saison en Formule 1, J. Villeneuve et G. Donaldson
Le violon sans professeur, Max Jaffa
Voir plus clair aux échecs, Henri Tranquille et Louis Morin
Le volley-ball, Fédération de volley-ball

Psychologie, vie affective, vie professionnelle, sexualité

20 minutes de répit, Ernest Lawrence Rossi et David Nimmons
1001 stratégies amoureuses, Marie Papillon
À dix kilos du bonheur, Danielle Bourque
L'adultère est un péché qu'on pardonne, Bonnie Eaker Weil et Ruth Winter
* **Aider mon patron à m'aider,** Eugène Houde
Aimer et se le dire, Jacques Salomé et Sylvie Galland
À la découverte de mon corps — Guide pour les adolescentes, Lynda Madaras
À la découverte de mon corps — Guide pour les adolescents, Lynda Madaras
L'amour comme solution, Susan Jeffers
* **L'amour, de l'exigence à la préférence,** Lucien Auger
* **L'amour en guerre,** Guy Corneau
Les anges, mystérieux messagers, Collectif
Apprendre à dire non, Marcelle Lamarche et Pol Danheux
L'approche émotivo-rationnelle, Albert Ellis et Robert A. Harper
L'art de parler en public, Ed Woblmuth
L'art d'être parents, Dr Benjamin Spock
Balance en amour, Linda Goodman
Bélier en amour, Linda Goodman
Bientôt maman, Janet Whalley, Penny Simkin et Ann Keppler
* **Le bonheur au travail,** Alan Carson et Robert Dunlop
Cancer en amour, Linda Goodman
Capricorne en amour, Linda Goodman
Ces chers parents!..., Christina Crawford
Ces gens qui vous empoisonnent l'existence, Lilian Glass
* **Ces hommes qui méprisent les femmes... et les femmes qui les aiment,** Dr Susan Forward et Joan Torres
Ces visages qui en disent long, Jeanne-Élise Alazard
Changer en douceur, Alain Rochon
Changer ensemble — Les étapes du couple, Susan M. Campbell
Changer, oui, c'est possible, Martin E. P. Seligman
Les clés du succès, Napoleon Hill
Comment aider mon enfant à ne pas décrocher, Lucien Auger
Comment communiquer avec votre adolescent, E. Weinhaus et K. Friedman
Comment faire l'amour sans danger, Diane Richardson
* **Comment parler en public,** S. Barrat et C. H. Godefroy
Comment s'amuser à séduire l'autre, Lili Gulliver
Le complexe de Casanova, Peter Trachtenberg
* **Comprendre et interpréter vos rêves,** Michel Devivier et Corinne Léonard
La côte d'Adam, M. Geet Éthier
Découvrez votre quotient intellectuel, Victor Serebriakoff
Découvrir un sens à sa vie avec la logothérapie, Viktor E. Frankl
Le défi de vieillir, Hubert de Ravinel
* **De ma tête à mon cœur,** Micheline Lacasse
La dépression contagieuse, Ronald M. Podell
La deuxième année de mon enfant, Frank et Theresa Caplan
Devenez riche, Napoleon Hill
* **Dieu ne joue pas aux dés,** Henri Laborit
Les douze premiers mois de mon enfant, Frank Caplan
Dynamique des groupes, Jean-Marie Aubry
En attendant notre enfant, Yvette Pratte Marchessault

* **Les enfants de l'autre,** Erna Paris
Les enfants de l'indifférence, Andrée Ruffo
* **L'enfant unique — Enfant équilibré, parents heureux,** Ellen Peck
L'Ennéagramme au travail et en amour, Helen Palmer
Entre le rire et les larmes, Élisabeth Carrier
* **L'esprit du grenier,** Henri Laborit
Êtes-vous faits l'un pour l'autre?, Ellen Lederman
* **L'étonnant nouveau-né,** Marshall H. Klaus et Phyllis H. Klaus
Être soi-même, Dorothy Corkille Briggs
* **Évoluer avec ses enfants,** Pierre-Paul Gagné
Exceller sous pression, Saul Miller
* **Exercices aquatiques pour les futures mamans,** Joanne Dussault et Claudia Demers
Fantaisies amoureuses, Marie Papillon
La femme indispensable, Ellen Sue Stern
La force intérieure, J. Ensign Addington
Le fruit défendu, Carol Botwin
Gémeaux en amour, Linda Goodman
Le goût du risque, Gert Semler
Le grand dauphin blanc, Bruno Saint-Cast
* **Le grand manuel des cristaux,** Ursula Markham
La graphologie au service de votre vie intime et professionnelle, Claude Santoy
Guérir des autres, Albert Glaude
Le guide du succès, Tom Hopkins
Histoire d'une femme traquée, Gaëtan Dufour
L'histoire merveilleuse de la naissance, Jocelyne Robert
Horoscope chinois 1997, Neil Somerville
Les initiales du bonheur, Ronald Royer
L'insoutenable absence, Regina Sara Ryan
J'ai commis l'inceste, Gilles David
* **J'aime,** Yves Saint-Arnaud
J'ai rendez-vous avec moi, Micheline Lacasse
Jamais seuls ensemble, Jacques Salomé
Je crois en moi et je vais mieux!, Christ Zois et Patricia Fogarty
Je réinvente ma vie, J. E. Young et J. S. Klosko
* **Le journal intime intensif,** Ira Progoff
Le langage du corps, Julius Fast
Lion en amour, Linda Goodman
Le mal des mots, Denise Thériault
Maman a raison, papa n'a pas tort..., Dr Ron Taffel
Ma sexualité de 0 à 6 ans, Jocelyne Robert
Ma sexualité de 6 à 9 ans, Jocelyne Robert
Ma sexualité de 9 à 12 ans, Jocelyne Robert
La méditation transcendantale, Jack Forem
Le mensonge amoureux, Robert Blondin
Mère à la maison et heureuse! Cindy Tolliver
* **Mon enfant naîtra-t-il en bonne santé?,** Jonathan Scher et Carol Dix
Parle, je t'écoute..., Kris Rosenberg
Parle-moi... j'ai des choses à te dire, Jacques Salomé
Parlez-leur d'amour, Jocelyne Robert
Parlez pour qu'on vous écoute, Michèle Brien
Pas de panique!, Dr R. Reid Wilson
Père manquant, fils manqué, Guy Corneau
Petit bonheur deviendra grand, Éliane Francœur
Les peurs infantiles, Dr John Pearce
Peut-on être un homme sans faire le mâle?, John Stoltenberg
* **Les plaisirs du stress,** Dr Peter G. Hanson
Poissons en amour, Linda Goodman
Pour entretenir la flamme, Marie Papillon
Pourquoi l'autre et pas moi? — Le droit à la jalousie, Dr Louise Auger
Le pouvoir d'Aladin, Jack Canfield et Mark Victor Hansen
Préparez votre enfant à l'école dès l'âge de 2 ans, Louise Doyon
* **Prévenir et surmonter la déprime,** Lucien Auger
Le principe de Peter, L. J. Peter et R. Hull
Psychologie de l'enfant de 0 à 10 ans, Françoise Cholette-Pérusse
* **La puberté,** Angela Hines
La puissance de la vie positive, Norman Vincent Peale

La puissance de l'intention, Richard J. Leider
Qui a peur d'Alexander Lowen?, Édith Fournier
Réfléchissez et devenez riche, Napoleon Hill
La réponse est en moi, Micheline Lacasse
Rompre pour de bon!, Joyce L. Vedral
Ronde et épanouie!, Cheri K. Erdman
S'affirmer et communiquer, Jean-Marie Boisvert et Madeleine Beaudry
S'aider soi-même davantage, Lucien Auger
Sagittaire en amour, Linda Goodman
Scorpion en amour, Linda Goodman
Se comprendre soi-même par des tests, Collaboration
Se connaître soi-même, Gérard Artaud
Secrets d'alcôve, Iris et Steven Finz
Les secrets de la flexibilité, Priscilla Donovan et Jacquelyn Wonder
Les secrets de l'astrologie chinoise ou le parfait bonheur, André H. Lemoine
* **Se guérir de la sottise,** Lucien Auger
S'entraider, Jacques Limoges
* **La sexualité du jeune adolescent,** Dr Lionel Gendron
Si je m'écoutais je m'entendrais, Jacques Salomé et Sylvie Galland
* **Superlady du sexe,** Susan C. Bakos
Taureau en amour, Linda Goodman
Le temps d'apprendre à vivre, Lucien Auger
Tics et problèmes de tension musculaire, Kieron O'Connor et Danielle Gareau
Tout se joue avant la maternelle, Masaru Ibuka
* **Travailler devant un écran,** Dr Helen Feeley
Un autre corps pour mon âme, Michael Newton
* **Un monde insolite,** Frank Edwards
* **Un second souffle,** Diane Hébert
Verseau en amour, Linda Goodman
* **La vie antérieure,** Henri Laborit
Vieillir au masculin, Hubert de Ravinel
Vierge en amour, Linda Goodman
Vivre avec un cardiaque, Rhoda F. Levin
Vos enfants consomment-ils des drogues?, Steve Carper et Timothy Dimoff
Votre enfant est-il victime d'intimidation?, Sarah Lawson
Vouloir c'est pouvoir, Raymond Hull

Santé, beauté

Alzheimer — Le long crépuscule, Donna Cohen et Carl Eisdorfer
L'arthrite, Dr Michael Reed Gach
Bon vin, bon cœur, bonne santé!, Frank Jones
Le cancer du sein, Dr Carol Fabian et Andrea Warren
* **Comment arrêter de fumer pour de bon,** Kieron O'Connor, Robert Langlois et Yves Lamontagne
De belles jambes à tout âge, Dr Guylaine Lanctôt
* **Dites-moi, docteur…,** Dr Raymond Thibodeau
Dormez comme un enfant, John Selby
Dos fort bon dos, David Imrie et Lu Barbuto
* **Être belle pour la vie,** Bronwen Meredith
Guide critique des médicaments de l'âme, D. Cohen et S. Cailloux-Cohen
L'hystérectomie, Suzanne Alix
L'impuissance, Dr Pierre Alarie et Dr Richard Villeneuve
Initiation au shiatsu, Yuki Rioux
* **Maigrir: la fin de l'obsession,** Susie Orbach
* **Le manuel Johnson & Johnson des premiers soins,** Dr Stephen Rosenberg
* **Les maux de tête chroniques,** Antonia Van Der Meer
Maux de tête et migraines, Dr Jacques P. Meloche et J. Dorion
La médecine des dauphins, Amanda Cochrane et Karena Callen
Mince alors… finis les régimes!, Debra Waterhouse
Perdez du poids… pas le sourire, Dr Senninger
Perdre son ventre en 30 jours, Nancy Burstein
* **Principe de la technique respiratoire,** Julie Lefrançois
* **Programme XBX de l'aviation royale du Canada,** Collectif
Renforcez votre immunité, Bruno Comby
Le rhume des foins, Roger Newman Turner

Ronfleurs, réveillez-vous!, Jocelyne Delage et Jacques Piché
La santé après 50 ans, Muriel R. Gillick
Savoir relaxer — Pour combattre le stress, Dr Edmund Jacobson
* **Soignez vos pieds,** Dr Glenn Copeland et Stan Solomon
Le supermassage minute, Gordon Inkeles
Vivre avec l'alcool, Louise Nadeau

Ouvrages parus au Jour

Affaires, loisirs, vie pratique

* **L'affrontement,** Henri Lamoureux
* **Les bains flottants,** Michael Hutchison
* **Conte pour buveurs attardés,** Michel Tremblay
* **La France à la québécoise,** André Bergeron et Émile Roberge
* **Le guide du répondeur bien branché,** Robert Blondin et Lucie Dumoulin
* **J'avais oublié que l'amour fût si beau,** Évette Doré-Joyal
* **Jean-Paul ou les hasards de la vie,** Marcel Bellier
* **Oslovik fait la bombe,** Oslovik
* **Questions réponses sur vos droits et recours,** François Huot

Animaux

Attirer les oiseaux, les loger, les nourrir, André Dion
Le berger allemand, Dr Joël Dehasse
Le berger belge, Dr Joël Dehasse
Le bichon maltais, Dr Joël Dehasse
Le bobtail, Dr Joël Dehasse
Le boxer, Dr Joël Dehasse
Le braque allemand, Dr Joël Dehasse
Le caniche, Dr Joël Dehasse
Le chat de gouttière, Nadège Devaux
Le chat himalayen, Nadège Devaux
Chiens hors du commun, Dr Joël Dehasse
Le cocker américain, Dr Joël Dehasse
Le colley, Dr Joël Dehasse
Le doberman, Dr Joël Dehasse
Le dogue allemand (le danois), Dr Joël Dehasse
L'épagneul breton, Dr Joël Dehasse
Le fox-terrier à poil dur, Dr Joël Dehasse
Le golden retriever, Dr Joël Dehasse
Le husky, Dr Joël Dehasse
Les inséparables, Michèle Pilotte
Le labrador, Dr Joël Dehasse
Le persan chinchilla, Nadège Devaux
Les persans, Nadège Devaux
Le rottweiler, Dr Joël Dehasse
Secrets d'oiseaux, Pierre Gingras
Le serin (canari), Michèle Pilotte
Le sheltie, Dr Joël Dehasse
Le shih-tzu, Dr Joël Dehasse
Le siamois, Nadège Devaux
Le teckel, Dr Joël Dehasse
Le westie, Dr Joël Dehasse
Le yorkshire, Dr Joël Dehasse

Ésotérisme, santé, spiritualité

L'astrologie pratique, Wofgang Reinicke
Combattre la maladie d'Alzheimer, Carmel Sheridan
Dans l'œil du cyclone, Collectif
* **Échos de deux générations,** Sophie Giroux et Benoît Lacroix
La féminité cachée de Dieu, Sherry R. Anderson et Patricia Hopkins
Le grand livre de la cartomancie, Gerhard von Lentner
Jeûner pour sa santé, Nicole Boudreau
La méditation — voie de la lumière intérieure, Laurence Freeman
Le nouveau livre des horoscopes chinois, Theodora Lau
Où habite le bon Dieu?, Marc Gellman et Thomas Hartman
La parole du silence, Laurence Freeman
* **Pour en finir avec l'hystérectomie,** Dr Vicki Hufnagel et Susan K. Golant
Le pouvoir de l'auto-hypnose, Stanley Fisher
Prodiges et mystères de la vie avant la naissance, Dr P. W. Nathanielz
Questions réponses sur la maladie d'Alzheimer, Dr Denis Gauvreau et Dr Marie Gendron
Questions réponses sur la ménopause, Ruth S. Jacobowitz
Questions réponses sur les matières grasses et le cholestérol, M. Brault-Dubuc et L. Caron-Lahaie
Renaître, Billy Graham
Sagesse amérindienne, Dhyani Ywahoo
Une nouvelle vision de la réalité, Bede Griffiths
Un mot dans le silence, un mot pour méditer, John Main
Le vol de l'oiseau migrateur, Joseph Campbell

Essais et documents

* **1759 La bataille du Canada,** Laurier L. LaPierre
* **L'administration et le développement coopératif,** Marcel Laflamme et André Roy
* **Les années Trudeau — La recherche d'une société juste,** T. S. Axworthy et P. E. Trudeau
* **Le Dragon d'eau,** R. F. Holland
* **Elle sera poète, elle aussi!** Liliane Blanc
* **Femmes et politique,** Yolande Cohen, Andrée Yanacopoulo et Nicole Brossard
* **Les femmes sont-elles allées trop loin?,** Francine Burnonville
* **Hans Selye ou la cathédrale du stress,** Andrée Yanacopoulo
* **Hiérarchie ethnique dans la grande entreprise,** Jean-Marie Rainville
* **L'histoire des femmes au Québec,** Le collectif Clio
* **Jacques Cartier - L'odyssée intime,** Georges Cartier
Jésus, p.d.g. de l'an 2000, Laurie Beth Jones
Les mythes à travers les âges, Joseph Campbell

Psychologie, vie affective, vie professionnelle, sexualité

L'accompagnement au soir de la vie, Andrée Gauvin et Roger Régnier
Adieu, Dr Howard M. Halpern
L'agressivité créatrice, Dr George R. Bach et Dr Herb Goldberg
Aimer, c'est choisir d'être heureux, Barry Neil Kaufman
Aimer son prochain comme soi-même, Joseph Murphy
Les âmes sœurs, Thomas Moore
L'amour lucide, Gay Hendricks et Kathlyn Hendricks
L'amour obession, Dr Susan Foward
Apprendre à vivre et à aimer, Léo Buscaglia
Arrête! tu m'exaspères — Protéger son territoire, Dr George Bach et Ronald Deutsch
L'art d'engager la conversation et de se faire des amis, Don Gabor
L'art de vivre heureux, Josef Kirschner
L'autosabotage, Michel Kuc
La beauté de Psyché, James Hillman
Le bonheur, c'est un choix, Barry Neil Kaufman
Le burnout, Collectif
Célibataire et heureux!, Vera Peiffer
Ces hommes qui ne communiquent pas, Steven Naifeh et Gregory White Smith
C'est pas la faute des mères!, Paula J. Caplan
Ces vérités vont changer votre vie, Joseph Murphy

Le chemin de la maturité, Dr Clifford Anderson
Chocs toniques, Eric Allenbaugh
Choisir qui on aime, Howard M. Halpern
Les clés pour lâcher prise, Guy Finley
Comment acquérir assurance et audace, Jean Brun
Comment apprendre l'autodiscipline aux enfants, Thomas Gordon
Comment faire l'amour à la même personne pour le reste de votre vie, Dagmar O'Connor
Comment faire l'amour à une femme, Michael Morgenstern
Comment faire l'amour à un homme, Alexandra Penney
Comment faire l'amour ensemble, Alexandra Penney
Comment peut-on pardonner?, Robin Casarjian
Communication efficace, Linda Adams
Le courage de créer, Rollo May
Créez votre vie, Jean-François Decker
La culpabilité, Lewis Engel et Tom Ferguson
Le défi de l'amour, John Bradshaw
Dire oui à l'amour, Léo Buscaglia
Dominez les émotions qui vous détruisent, Dr Robert Langs
Dominez vos peurs, Vera Peiffer
La dynamique mentale, Christian H. Godefroy
Éloïse, poste restante, Loïse Lavallée
Les enfants dictateurs, Fred G. Gosman
Les enfants hyperactifs et lunatiques, Dr Guy Falardeau
Êtes-vous parano?, Ronald K. Siegel
L'éveil de votre puissance intérieure, Anthony Robins
* **Exit final — Pour une mort dans la dignité,** Derek Humphry
Focusing au centre de soi, Dr Eugene T. Gendling
La famille, John Bradshaw
* **La famille moderne et son avenir,** Lyn Richards
La fille de son père, Linda Schierse Leonard
La Gestalt, Erving et Miriam Polster
Le grand voyage, Tom Harpur
L'héritage spirituel d'une enfance difficile, Josef Kirschner
L'influence de la couleur, Betty Wood
Je ne peux pas m'arrêter de pleurer, John D. Martin et Frank D. Ferris
Lâcher prise, Guy Finley
Leaders efficaces, Thomas Gordon
* **Les manipulateurs,** E. L. Shostrom et D. Montgomery
Messieurs, que seriez-vous sans nous?, C. Benard et E. Schlaffer
Mieux vivre avec nos adolescents, Richard Cloutier
Le miracle de votre esprit, Dr Joseph Murphy
Née pour se taire, Dana Crowley Jack
Ne t'endors jamais le cœur lourd, Carol Osborn
Ni ange ni démon, Stephen Wolinsky
Nouvelles relations entre hommes et femmes, Herb Goldberg
Option vérité, Will Schutz
L'oracle de votre subconscient, Dr Joseph Murphy
Parents au pouvoir, John Rosemond
Parlez pour qu'on vous écoute, Michèle Brien
Paroles de jeunes, Barry Neil Kaufman
La passion de grandir, Muriel et John James
Pensées pour lâcher prise, Guy Finley
* **La personnalité,** Léo Buscaglia
Peter Pan grandit, Dr Dan Kiley
Le pouvoir créateur de la colère, Harriet Goldhor Lerner
Le pouvoir de la motivation intérieure, Shad Helmstetter
La puissance de la pensée positive, Norman Vincent Peale
La puissance de votre subconscient, Dr Joseph Murphy
* **Quand l'amour ne va plus,** Ann Jones et Susan Schechter
Quand on peut on veut, Lynne Bernfield
Questions réponses sur le plaisir sexuel de la femme, D. Brouillette et M. C. Courchesne
* **La rage au cœur,** Martine Langelier
Rebelles, de mère en fille, Linda Schierse Leonard
Réfléchissez et devenez riche, Napoleon Hill
Retrouver l'enfant en soi, John Bradshaw
S'affirmer — Savoir prendre sa place, R. E. Alberti et M. L. Emmons

S'affranchir de la honte, John Bradshaw
S'aimer ou le défi des relations humaines, Léo Buscaglia
S'aimer sans se fuir, Roy F. Baumeister
Savoir quand quitter, Jack Barranger
Les secrets de la communication, Richard Bandler et John Grinder
Se faire obéir des enfants sans frapper et sans crier, B. Unell et J. Wyckoff
Seuls ensemble, Dan Kiley
La sexualité des jeunes, Dr Guy Falardeau
Le succès par la pensée constructive, Napoleon Hill
La survie du couple, John Wright
Tous les chemins mènent à soi, Laurie Beth Jones
Triomphez de vous-même et des autres, Dr Joseph Murphy
* **Un homme au dessert,** Sonya Friedman
* **Uniques au monde!,** Jeanette Biondi
Vaincre l'ennemi en soi, Guy Finley
Vivre à deux aujourd'hui, Collectif sous la direction de Roger Tessier
Vivre avec passion, David Gershon et Gail Straub
Les voies de l'émerveillement, Guy Finley
Votre corps vous parle, écoutez-le, Henry G. Tietze
Vouloir vivre, Andrée Gauvin et Roger Régnier
* **Vous êtes doué et vous ne le savez pas,** Barbara Sher
Vous êtes vraiment trop bonne..., Claudia Bepko et Jo-Ann Krestan

---

* Pour l'Amérique du Nord seulement.
(97/03)